◎復刻版◎

監修・解説　岡田英樹ほか

華文大阪毎日

解説・総目次・索引

不二出版

凡　例

＊本書は『復刻版「華文大阪毎日」』全18巻・別冊1（解説・総目次・索引）の別冊「『復刻版「華文大阪毎日」』解説・総目次・索引」である。
＊解説では原則として旧仮名遣いは新仮名遣いに、旧漢字は新漢字に改めた。
＊本書は総目次・索引として、原文である中国語と日本語訳それぞれのものを掲載した。

目次

凡例
収録内容一覧
Ⅰ　解　説
『華文大阪毎日』の挑戦 …… 岡田英樹 3
『華文大阪毎日』とその時代 …… 関　智英 24
『華文大阪毎日』文芸欄の変遷 …… 羽田朝子 53
Ⅱ　総目録 …… 牛　耕耘 73
Ⅲ　総目次（日訳） …… 牛　耕耘 179
Ⅳ　作者名索引 …… 牛　耕耘 (1)
Ⅴ　執筆者索引（日訳） …… 牛　耕耘 (47)
略歴

『華文大阪毎日』全18巻・別冊1

収録内容一覧

配本数	巻数	通号数	巻号（期）数	発行年	月日
1	1	1	創刊号、第1巻第1期	1938年	11月1日
		2	第1巻第2期		11月15日
		3	第1巻第3期		12月1日
		4	第1巻第4期		12月15日
		5	第2巻第5期	1939年	1月1日
		6	第2巻第2期第6号		1月15日
		7	第2巻第3期第7号		2月1日
		8	第2巻第4期第8号		2月15日
	2	9	第2巻第5期第9号	1939年	3月1日
		10	第2巻第6期第10号		3月15日
		11	第2巻第7期第11号		4月1日
		12	第2巻第8期第12号		4月15日
		13	第2巻第9期第13号		5月1日
		14	第2巻第10期第14号		5月15日
		15	第2巻第11期第15号		6月1日
		16	第2巻第12期第16号		6月15日
	3	17	第3巻第1期第17号	1939年	7月1日
		18	第3巻第2期第18号		7月15日
		19	第3巻第3期第19号		8月1日
		20	第3巻第4期第20号		8月15日
		21	第3巻第5期第21号		9月1日
		22	第3巻第6期第22号		9月15日
		23	第3巻第7期第23号		10月1日
		24	第3巻第8期第24号		10月15日
2	4	25	第3巻第9期第25号	1939年	11月1日
		26	第3巻第10期第26号		11月15日
		27	第3巻第11期第27号		12月1日
		28	第3巻第12期第28号		12月15日
		29	第4巻第1期第29号	1940年	1月1日
		30	第4巻第2期第30号		1月15日
	5	31	第4巻第3期第31号	1940年	2月1日
		32	第4巻第4期第32号		2月15日
		33	第4巻第5期第33号		3月1日
		34	第4巻第6期第34号		3月15日
		35	第4巻第7期第35号	1940年	4月1日
		36	第4巻第8期第36号		4月15日
		37	第4巻第9期第37号		5月1日
	6	38	第4巻第10期第38号	1940年	5月15日
		39	第4巻第11期第39号		6月1日
		40	第4巻第12期第40号		6月15日
		41	第5巻第1期第41号		7月1日
		42	第5巻第2期第42号		7月15日
		43	第5巻第3期第43号		8月1日
		44	第5巻第4期第44号		8月15日
3	7	45	第5巻第5期第45号	1940年	9月1日
		46	第5巻第6期第46号		9月15日
		47	第5巻第7期第47号		10月1日
		48	第5巻第8期第48号		10月15日
		49	第5巻第9期第49号		11月1日
		50	第5巻第10期第50号		11月15日
		51	第5巻第11期第51号		12月1日
		52	第5巻第12期第52号		12月15日
	8	53	第6巻第1期第53号	1941年	1月1日
		54	第6巻第2期第54号		1月15日
		55	第6巻第3期第55号		2月1日
		56	第6巻第4期第56号		2月15日
		57	第6巻第5期第57号		3月1日
		58	第6巻第6期第58号		3月15日
		59	第6巻第7期第59号		4月1日
		60	第6巻第8期第60号		4月15日
	9	61	第6巻第9期第61号	1941年	5月1日
		62	第6巻第10期第62号		5月15日
		63	第6巻第11期第63号		6月1日
		64	第6巻第12期第64号		6月15日
		65	第7巻第1期第65号		7月1日
		66	第7巻第2期第66号		7月15日
		67	第7巻第3期第67号		8月1日
		68	第7巻第4期第68号		8月15日
4	10	69	第7巻第5期第69号	1941年	9月1日
		70	第7巻第6期第70号		9月15日
		71	第7巻第7期第71号		10月1日
		72	第7巻第8期第72号		10月15日

		73	第7巻第9期第73号	1941年	11月1日
		74	第7巻第10期第74号		11月15日
		75	第7巻第11期第75号		12月1日
		76	第7巻第12期第76号		12月15日
	11	77	第8巻第1期第77号	1942年	1月1日
		78	第8巻第2期第78号		1月15日
		79	第8巻第3期第79号		2月1日
		80	第8巻第4期第80号		2月15日
		81	第8巻第5期第81号		3月1日
		82	第8巻第6期第82号		3月15日
		83	第8巻第7期第83号		4月1日
		84	第8巻第8期第84号		4月15日
	12	85	第8巻第9期第85号	1942年	5月1日
		86	第8巻第10期第86号		5月15日
		87	第8巻第11期第87号		6月1日
		88	第8巻第12期第88号		6月15日
		89	第9巻第1期第89号		7月1日
		90	第9巻第2期第90号		7月15日
		91	第9巻第3期第91号		8月1日
		92	第9巻第4期第92号		8月15日
5	13	93	第9巻第5期第93号	1942年	9月1日
		94	第9巻第6期第94号		9月15日
		95	第9巻第7期第95号		10月1日
		96	第9巻第8期第96号		10月15日
		97	第9巻第9期第97号		11月1日
		98	第9巻第10期第98号		11月15日
		99	第9巻第11期第99号		12月1日
		100	第9巻第12期第100号		12月15日
	14	101	第10巻第1期第101号 ※本号より『華文毎日』と改題	1943年	1月1日
		102	第10巻第2期第102号		1月15日
		103	第10巻第3期第103号		2月1日
		104	第10巻第4期第104号		2月15日
		105	第10巻第5期第105号		3月1日
		106	第10巻第6期第106号		3月15日
		107	第10巻第7期第107号		4月1日
		108	第10巻第8期第108号		4月15日
	15	109	第10巻第9期第109号	1943年	5月1日

		110	第10巻第10期第110号	1943年	5月15日
		111	第10巻第11期第111号		6月1日
		112	第10巻第12期第112号		6月15日
		113	第11巻第1期第113号		7月1日
		114	第11巻第2期第114号		7月15日
		115	第11巻第3期第115号		8月1日
		116	第11巻第4期第116号		8月15日
6	16	117	第11巻第5期第117号	1943年	9月1日
		118	第11巻第6期第118号		9月15日
		119	第11巻第7期第119号		10月1日
		120	第11巻第8期第120号		10月15日
		121	第11巻第9期第121号		11月1日
		122	第11巻第10期第122号		11月15日
		123	第11巻第11期第123号		12月1日
		124	第11巻第12期第124号		12月15日
		125	第12巻第1期第125号	1944年	1月1日
		126	第126号 2月号		2月1日
	17	127	第127号 3月号	1944年	3月1日
		128	第128号 4月号		4月1日
		129	第129号 5月号		5月1日
		130	第130号 6月号		6月1日
		131	第131号 7月号		7月1日
		132	第132号 8月号		8月1日
		133	第133号 9月号		9月1日
		134	第134号 10月号		10月1日
		135	第135号 11月号		11月1日
		136	第136号 12月号		12月1日
	18	137	第137号 1月号	1945年	1月1日
		138	第138号 2月号		2月1日
		139	第139号 3月号		3月1日
		140	第140号 4月号		4月1日
		141	第141号 5月号		5月1日
		97	上海版 第97号、第9巻第9期第97号	1942年	11月1日
		98	上海版 第98号、第9巻第10期第98号		11月15日
		99	上海版 第99号、第9巻第11期第99号		12月1日

I

解説

岡田英樹・関 智英・羽田朝子

『華文大阪毎日』の挑戦

岡田　英樹

はじめに

日本四大新聞社の一つ毎日新聞社は、一八七六年二月二〇日に将就社という社名で発足し、『大阪日報』を創刊している。その後いくつかの変遷を経て、一八八八年一一月二〇日に大阪毎日新聞社となり、紙名を『大阪毎日新聞』として継続発行された。一九一一年三月一日、『東京日日新聞』（東日）を合併経営し、『東日』の紙名は残したまま刊行されるが、発行元は大阪毎日新聞東京支社 東京日日新聞社発行所となった（以下、西暦の一九は省略）。編集・発行体制は残されたまま、本社は大阪に移されるかたちをとったものと考えられる。さてこの大阪毎日新聞社（四三年一月一日から毎日新聞社と改名）が、編集・発行した中国語雑誌が『華文大阪毎日』（第一〇一号より『華文毎日』と改題。以下、『華毎』と略記し、通号数、発行年月のみ表記。半月刊である発行日については内容一覧を参照）である。創刊は三八年一一月一日だが、前年七月の盧溝橋事変にはじまり、同年一一月一二日上海陥落、一二月一三日南京陥落、同月一四日中華民国臨時政府（北京）成立、三八年三月二八日中華民国維新政府（南京）成立、一〇月二七日武漢三鎮陥落と日中戦争初期の、怒涛のような大陸侵攻の戦果に日本国民が歓喜に酔っていた時期に、『華毎』は船出したのである。

一、『華文大阪毎日』の出発

「創刊詞」（無署名）では、盧溝橋事変以来、中国民衆は戦禍によって塗炭の苦しみをなめ、蔣介石には容共抗日の政策を実現する技量もなく、各地大都市を奪われ大陸の覇権をすでに喪失してしまったと分析し、次のような文章が続く。

一方、臨時維新両政府は、まさにこれに取って代わって、一斉に全国に号令を発し、新政権の旗の下、中華民衆は親日防共を目標とし、一致して東亜の建設に力を尽くすべし、とした。共産党の害毒については、いまさら言を費やすまでもない。

要するに、親日の必要性は、もとより各人が十分に知るところではあるが、ただその根本は、相互が信頼し、認識し合うところにある。本誌の主旨もまさにここにある。この卑見に基づき、日本全体の真相をば、中国民衆に伝えるとともに、中国文化の真価を宣揚し、両国万世の平和の礎を固め、東亜不朽の建設を完成させるをもって、唯一の使命と考えるのである。（『華毎』第一号、三八年一一月、二頁）

なお創刊号には、日本側からは内閣総理大臣・近衛文麿（公爵）と文部大臣・荒木貞夫（男爵）の祝辞、中国側からは臨時政府行政委員会委員長・王克敏、同議政委員会委員長・湯爾和、維新政府行政院院長・梁鴻志の祝詞色紙が掲載されている。

しかしこの後、重慶に拠点を移した蔣介石国民党政権と延安を根拠地とする共産党政権との戦闘は、膠着状態のまま長期化し、蔣介石と袂を分かった汪兆銘の国民政府還都（四〇年三月三〇日）も、戦況の変化には結びつかなかった。そして四一年一二月八日のアジア太平洋戦争へと、日本は戦争の泥沼に足を踏み入れることになるのである。この戦争期間中、日本国において中国語の雑誌を編集発行し、敵側である中国各地で販売するという企画は大変な困難を予測させるものであった。敵地での国策宣伝には、現地発行の新聞や雑誌を買収し、編集方針に介入することで宣撫工作をおこなうのが一般的であった。日本で発行することの不安や困難さを、編集主幹・平川清風は、創刊一周年にあたってこのように述べている。

中国大陸において抗戦の機運各地に広まり、和平の空気は極めて薄かった。それゆえわれわれは中日文化の提携と、中日和平の招来を目標に本誌を発行したのであるが、中国民衆から一顧だにされず、のみならず敵国日本が発行する本誌にたいし、憎悪の態度を取られるやもしれぬ、われわれの雑誌が、あるいは途中で廃刊の悲運に陥るかもしれぬとまで心配した。

このように正直に創刊当時の不安を述べた後、次のように続けている。

しかしわれわれが発行する雑誌は、日本政府の御用雑誌でもなければ、日本軍部の機関誌でもない。われわれは次のような信念を燃やしている。東亜民族の一員として、自由な立場に立ち、相互に理解し合い、相互に提携し合い、戦争状態を脱して、東亜の暗雲を一掃し、和気藹々たる東亜の平和を真に招来し、而して世界に誇るべき中日文化の発揚をはかるという大目的に向かって懸命に努力し、前進することを願っているのだ。
（「創刊一周年感言」第二五号、三九年一一月、二頁）

途中で廃刊を余儀なくされるかも知れぬという危機感を抱いての出発であったことが、よく伝わる文章である。

後段は、東亜の平和と中日文化の発揚のために努力するという、ジャーナリストとしての気概を示したものである。

ここであらためて、『華文大阪毎日』の書誌的なことをまとめておこう。

版型はB5版、毎月一日と一五日発行の半月刊である。ただし第一二五号（四四年一月）から月刊となる。大阪毎日新聞社が毎日新聞社となったことで第一〇一号（四三年一月）より『華文毎日』と改題する。本文は四八頁建てで出発するが、第一六号（三九年六月）から五二頁、第三九号（四〇年六月）から五六頁に増頁となる。しかし戦争末期には物資の欠乏、紙不足から、第一〇三号（四三年四月）四四頁、第一一〇号（同年五月）四〇頁へと減頁され、四四年に入ると三六頁、三二頁まで落ち込むことになる。終刊は、第一四一号（四五年五月）である。この間、大きな事件があると特集特大号が発行されることもあったが、定価は一〇銭が長く続き、四四年二月（第一二六号）より五銭値上げしたものの、比較的低く抑えられた。

それでは、こうした中国語総合雑誌がどのような編集陣によって担われてきたのか。先に名前の挙がった平川清風は編集主幹として初期の重責を果たした。しかし彼は、四〇年二月に没しており、あとを継いだのは下田将美であった。編集長を務めた原田稔（波良多）は、そののち上海支局設立とともに上海に移り、『華文毎日 上海版』及び『文友』の責任者となっている。その後は引田哲一郎に引き継がれた。そのほか、編集委員として楢崎観一、長岡克暁、石川順、吉岡文六などの名前がみえる。問題は中国側のスタッフである。記者、編集部員、翻訳者と多くの人材を必要としたはずである。

本紙記者、あるいは編集同人など、それと思われる人名を並べておく。陳秀華、柳龍光（紅筆、系己）、鄭吾山、張秀霖、梅霊、微塵、史索、張蕾、阿甦、魯風、陳漪箜（李景新）、雪蛍、坤灯、洪子博（光州、寅洪光）、蘇瑞麟、鐘凌茹、呂風、亥生、暁旅、洛夫、劉美君、袁天任、林鐘、陳与、暁森、保緑、旅人、明夷、翡翠、江瑩、張銘、鳳兮、苔蘇、董敬などの名前が拾い出せる。
その多くが筆名を使っており、正規の社員ではなかった人も混じっているかもしれない。そのため上記は正確な名簿とはいえないが、これらの人びとによって雑誌が実質的に支えられていたことは確かであろう。
「抗戦の機運が各地に広まり」「憎悪の態度を取られるやもしれぬ」戦争相手国に向けて、「東亜の平和」と「中日文化の発揚」という理想を浸透させるべく如何に努力を払っていったのか。雑誌の編集方針と具体的内容からその挑戦の跡をたどってみたい。

二、現地読者の声で時論を語る

政治家や軍人、あるいは学者やジャーナリストの論説や主張を並べただけでは、読者は振り向いてもくれないであろう。そこで編集者は、青年や一般読者に向けて「課題」を設けて懸賞金をつけた論文を募集し、雑誌に掲載するという戦術を採った。現地青年の声であれば、関心をもって読んでもらえると判断したのであろう。募集は年一回おこなわれ、連載されることになった。その課題と当選者を示しておく。

第一回青年課題（第三七号、四〇年五月）　一等：五〇元、二等：三五元、三等：一五元
「如何にして今日の中国を救済するか?」
一等：林鴻翥（天津）、二等：楊雨亭（北京）、三等：金毓仙（北京）
「今後中国女性は如何なる道を歩むべきか?」
一等：時秀文（北京）、二等：徐纆汶（上海）、三等：范超華（北京）
「わたしと文学」　一等：紀蘋（河北省）、二等：范紫（満洲）、三等：羅文芳（北京）

第二回青年課題（第五七号、四一年三月）　正選：五〇元、副選：三〇元

「東亜共栄圏の確立とわたしたちの理想」　一等：博伯明（青島）、二等：呂書軒（日本）

「中国の新文化とは何ぞや?」　一等：張王暉（北京）、二等：桑酔筠（上海）

「わたしと科学」　一等：馬雲龍（日本）、二等：張庚（満洲）

「わたしの愛読書」　一等：楊文昌（北京）、二等：趙月英（北京）

「新中国の婦人と次世代」　一等：徐纆汶（南京）、二等：王汝楣（満洲）

創刊三周年記念大募集（第八一号、四二年三月）

●論文　正選：八〇日元、副選：五〇日元

「重慶の友人たちに告ぐ」　一等：淋華（蒙疆）、二等：東舒（北京）

「如何にして中日文化の交流をはかるか?」　一等：問陶（北京）、二等：緝熙（蘇州）

●青年課題　正選：五〇日元、副選：三〇日元

「青年と新中国」　一等：田軍（青島）、二等：金周（北京）

「自学生活」　一等：如水（北京）、二等：陳励生（上海）

●女性課題　正選：五〇日元、副選：三〇日元

「職業婦人と家庭婦人」　一等：張瑾（南京）、二等：時秀文（南京）

「女性と文化」　一等：白鷺（北京）、二等：施義（北京）

創刊四周年記念論文大募集（第九七号、四二年一一月）　正選：二〇〇元、副選：一五〇元

「一〇年後の大東亜」　一等：石蛍（満洲）

「和平文化の指標」　一等：林華（蒙疆）

創刊五周年記念時事論文大募集（第一二二号、四三年一一月）　正選：二〇〇元、副選：一五〇日元

「中国革新の基本理論」　一等：矢真（北京）
「大東亜共栄圏建設の理論」　一等：林鼎（大連）
創刊六周年記念論文大募集（第一三五号、四四年一一月）　正選：一〇〇日元、副選：五〇日元
「大東亜戦争必勝の信念」　一等：秋蒿（満洲）、二等：玉璋（日本）
「中国民族意識発揚の澎湃たる姿」　一等：呉南緯（天津）、二等：李欣（青島）

重要な時事問題をちりばめながら、青年や一般読者を対象に、現場からの声を取り込むという巧みな編集方針である。

また課題を与えずに、青年の自由な主張を公募して掲載する方式も採用されている。「青年之声」という特集欄の開設である。それは第一〇二～一一一号（四三年一月～六月）までの全七回、同時に募集された「報告文学」は第一〇三～一一〇号（四三年二月～五月）の全五回連載された。さらに時事問題を外れて、大学生を対象として所属する大学を紹介する「我們的大学校」という記事も募集・連載している（第六五号～七四号、四一年七月～一一月の全九回）。このように高校生や大学生・青年を対象にして原稿を募集して、この雑誌を身近なものに感じてもらうための努力は続けられた。

三、新文学の開拓と充実

雑誌創刊当時は、旧世代の著名作家による長篇小説が文芸欄を飾っていた。創刊号の武侠小説「紫髯客伝」趙鳴岐（上海。～第五号、三九年一月）、社会小説「慈善家的面具」陳慎言（北京。～第一三号、三九年五月）、武侠小説「偸拳」白羽（華北。第六～一九号、三九年五月～四〇年一月）、社会小説「北京之花」李薫風（北京。第一四～三六号、

三九年五月～四〇年四月）などが、長期にわたって文芸欄を占拠していた。
こうした現状に、新しい文学を希求する読者からは当然不満が寄せられている。

本誌の「文芸」はまだ一面の荒れ地であり、みなさんの熱と力で開拓されることを期待している。この地で他人の飯で暮らしている、大陸全土の飢えたる民を大切にしたいと願っている。（「編後随筆」第九号、三九年三月、四八頁）

本誌の武侠及び社会小説にたいする批判と意見は、絶えず寄せられている。こうした国民の文化水準と文学を熱愛する純粋で切羽詰まった言動については、喜びと感激を覚えるところである。われわれは良識ある努力で大きな時代の流れのなかで、文化的滋養を渇望する幾人もの本誌愛読者に応えなければならぬと考えている。（「編後随筆」第一三号、三九年五月、四八頁）

「他人の飯」ではなく、自前の新小説作品を掲載しようにも、既成作家の多くは事変と共に「大後方」へと脱出し、残った作家たちも筆を折っていた。そこで編集部が採った方針が、懸賞金をつけて新人の作品を募集することであった。以下、それぞれの当選者を掲げておく。

映画・演劇脚本当選者　一等：一〇〇元、二等：五〇元、佳作：二〇元
方之夷（北京）、白樺（田鄉、日本）、林火・林凡（合作。北京）、趙孟原（小松、満洲）、柳浪（?）、楊棣（上海）、林風（?）、阿金（金音、満洲）

長篇小説当選者　正選：一〇〇〇元、副選：五〇〇元

田鄹（日本）、張金寿（北京）

中篇小説当選者　佳作：二〇〇元

但娣（日本）、金音（満洲）、亜嵐（北京）、馬還（大阪外国語専門学校教師）、孫品三（山西省）、高深（北京）、崔宋（満洲）、曹原（北京）、申弼（満洲）

創刊四周年記念小説当選者　二〇〇日元

藍苓（満洲）、呉山青（北京）、王静（満洲）

創刊五周年記念小説当選者　五〇日元

楊雲（北京）、王羊（満洲）、江槿（北京）、張羅（北京）

創刊六周年「民間文学」当選者　五〇日元

長白（北京）、盧華（南京）、莫誼（北京）、精競（満洲）

報告文学当選者　一〇〇〇字につき七日元

劉蒼（天津）、桑薪（天津）、呉如倫（?）、仰正（天津）、盧斯（?）

こうした当選作品が、誌上に掲載されることで、新人の発掘と新小説の賑わいを獲得することができたのである。その一方で、編集部はさまざまな文芸特集を組み、読者の期待に応えようとした。その編集部の努力は高く評価されてよいだろう。以下はその主なものである。

「海外文学」選輯（第四二～五二号、四〇年七月～一二月）全六回

日本現代詩選訳特輯（第四九～五二号、同一一月～一二月）全四回

短篇小説之巻（上・下、第六三、六四号、四一年六月）全二回

新詩之巻（第六五号、同七月）
散文之巻（第六六号、同七月）
翻訳文芸之巻（第六七号、同八月）
女子作品之巻（第六八号、同八月）
華北文芸特輯（第九六号、四二年一〇月）
満洲文芸特輯（第一〇一号、四三年一月）
華北文芸特輯（上・下、第一〇二、一〇三号、同一月、二月）
満洲文芸特輯（上・下、第一〇四、一〇五号、同二月、三月）
翻訳文芸特輯（第一〇六号、同三月）
散文特輯（第一〇七号、同四月）
童話・民間伝説特輯（第一〇八号、同四月）
詩歌・書簡特輯（第一〇九号、同五月）
雑文特輯（第一一〇号、同五月）
華北文芸特輯（上・下、第一一三、一一四号、同七月）
満洲文芸特輯（上・下、第一一六、一一七号、同八月、九月）
蒙疆文芸特輯（上・下、第一二五、一二六号、四四年一月、二月）

掲載作品のジャンルや地域が一部に偏らないように配慮した編集となっていることが分かるだろう。もちろんこうした特集が組まれない場合も、依頼原稿や、投稿原稿で文芸欄が華やかに彩られていたことはもちろんである。

四、ビジュアル化を追求する

第一七号（三九年七月）「編後随筆」には、今後の誌面改善の方針が語られているが、そのなかに次のような項目がある。

一、記事のなかに可能な限り挿絵を載せて、興味を惹くようにすることは、早くから本誌の特徴となってきた。本号よりさらに「画刊」四頁をつけ加え（中略）、これ以外に毎号連続「古装故事画」二幅を、特に呉一舸先生に執筆をお願いして増幅することとした。（五二頁）

ここにいう通り、『華文大阪毎日』には挿絵（スケッチ画、木版画）や写真、カットが多用され、文字だけが羅列される誌面の堅苦しさを避ける努力がなされてきた。「画刊」とは、グラビアページのことで、軍事・政治の写真も掲載されるが、日本を含む各地の風物を写した写真も掲載して読者の心を和ませている。これは最終号まで継続された。

「古装故事画」は、「楊太真」（楽史作）という宋代の伝奇小説を素材とした連還画（絵を中心として、簡単な情景や物語の説明を加えたもの）で、第三五号（四〇年三月）まで連載された。

絵画についていては、表紙絵についても触れておきたい。表紙は創刊号以来、写真を用いるのを通例としていた。しかし、三九年の新年号（第五号）では、はじめて仲田光緑の彩色画が使われる。それ以来、創刊一周年記念号（第二五号、三九年一一月）方洺、四〇年新年号（第二九号、四〇年一月）堂本印象、二周年記念号（第四九号、四〇年一一月）呂風、といった有名画家の絵が表紙を飾ることになるが、第九九号（四二年一二月）伊藤慶之助、第一〇一号（四三年一月）呂風、それ以降はすべてカラー絵画の表紙となる。それに先立つ第七七～八八号（四二年一月～六月）は「扉絵」と称して、最初のページを二段に区切り、上段にモノクロの絵画、下段に目次を掲げるという体裁をとっている。これも雑誌のビジュアル化を目指した工夫の一つであろう。

絵画の一種である木版画にもかなり力を入れている。王青芳「三国人物木刻選」は、三国志に登場する著名な人物画で、第二五～四九号（三九年一一月～四〇年一一月）まで五〇葉が登載された。もっともまとまった画集といえるだろう。それ以外にも、木版画は頻繁に誌面に挿入されている。「日本現代木刻」（第五〇、五一号、四〇年一一月、一二月）には、日本人の木版画が掲載されている。また「世界名人木刻像」というタイトルで、ナポレオン、ベートーベンといった世界的な著名人が木版画で紹介されたりもしている。

こうした木版画を掲載するだけでなく、木版画に関する記事も多くある。王青芳「木刻講座」（第五九～八一号、四一年四月～四二年三月）全二三回は、全面的に中国の木版画について論じた力作といえよう。

素描（スケッチ）も、誌面のビジュアル化に利用されている。「世界素描選」は、第六四～七二号（四一年六月～一〇月）まで連載され、朱少化「中国農村報導」は、第一〇七～一一二号（四三年四月～六月）まで、農村ののどかな風景をスケッチしている。変わったところでは「現代日本従軍画家素描選」（第一二七～一三一号、四四年三月～七月）という戦場スケッチ画が、戦争末期には登場している。

漫画欄の重視もこの雑誌の特徴であろう。創刊号の譚沫子らの漫画連載にはじまり、さまざまなかたちをとって、漫画は誌面から姿を消すことはなかった。

大きな企画としては、一般読者から作品を募り「個人漫画展」を連載したことであろう。「第一期個人漫画展」（第二五～四〇号、三九年一一月～六月）全一六回、「第二期個人漫画展」（第五三～六四号、四一年一月～六月）全一二回、「第三期個人漫画展」（第六七～七六号、四一年八月～一二月）全一〇回などである。この一年ほどは、ほとんど「個人漫画展」で埋め尽くされた。

また先に述べた年度ごとの論文課題募集とともに、漫画作品が募集対象となったこともある。

創刊四週年記念連載漫画当選作（第九七号、四二年二月）八〇日元

竇宗淦（北京）「吾国与吾民」（第九七～一〇五号、四二年一一月～四三年三月）全九回

藍読（北京）「時代的誕生」（第一〇一～一〇六号、四三年一月～三月）全六回

創刊五週年記念時事漫画当選作（第一二一号、四三年一一月）一〇日元

北野（満洲）、雨林（満洲）、陸少青（済南）、送玉男（満洲）、可木（天津）

以上は、賞金をつけて一般から公募した作品であった。もちろん原稿料を支払っての漫画家の連載も誌面を飾っている。

陳固「王二姐」（第一八～三六号、三九年七月～四〇年四月）全一三回

席興子「新毛三爺」（第一八～四〇号、三九年七月～四〇年六月）全一九回

牛作周「老骨董」（第四一～五二号、四〇年七月～一二月）全一二回

そのほかに少し毛色の変わったものとして、日本人漫画家の加藤悦郎が「国際漫画」と題した、政治的な風刺漫画を連載している（第一三～一八号、三九年五月～一二月、全一五回）。そして「世界時事漫画選」として、おもに欧米の漫画を翻訳して連載しているのも注目されてよい（第四一～五二号、四〇年七月～一二月、全一二回）。また第六五号（四一年七月）から、海外連続漫画紹介として「天使由里児画伝」がはじまっている。これはアメリカ漫画で、M.Peake作、Frank Bergman画になる長篇漫画で、第七五号（四一年一二月）まで一二回にわたって連載された。

ただし、減ページとなり紙幅に余裕がなくなると、第九九号（四二年一二月）から「漫画・木刻・素描」というページを設けて、漫画、木版、スケッチを一括して掲載することになる。このように多彩な漫画を掲載してきたことも、読者の興味を惹きつける一つの手段であったろう。

五、日本文化の紹介

さて『華毎』は、「創刊詞」では「日本全体の真相をば、中国民衆に伝える」ことも使命の一つだと謳っていた。この「真相」の重要な部分が、一五年戦争を遂行する日本政府の真意を宣伝することにあったことは間違いない。たとえば言論人として国策推進の先頭に立っていた徳富蘇峰（猪一郎）——彼は日本文学報国会、大日本言論報国会の会長を兼務していた——が出版した『昭和国民読本』（東京日日新聞社・大阪毎日新聞社、三九年）をいち早く長期にわたって翻訳連載したのもその一例であろう（第一一〜六二号、三九年四月〜四〇年五月、全二八回）。訳者は張文華（露微）である。しかし、そのような政治意図を露骨には含まない日本の文化・風俗を紹介して、日本の「真相」を理解してもらいたいというまじめな努力もなされてきた。

まず創刊号から「日本介紹」という欄が設けられている。第九号（三九年三月）まで連載されるのだが、軍事、政治、経済、演劇、スポーツ、風俗習慣などとテーマに統一性がなく、通り一遍の紹介に終わっている。

それにたいして、許顗「四〇年来日本文筆人」（第二〇〜三八号、三九年八月〜四〇年五月）は、夏目漱石にはじまる、全一八回に及ぶ日本近代文学作家の紹介であり、一定の意味はあろうかと思う。同じ許顗「日本古典文学鑑賞」（第五三〜六四号、四一年一月〜六月、全一二回）は、「古事記・日本書紀」を冒頭に据えた古典文学の紹介である。その連載終了を受けて、次は菊池寛「日本文学指南」（第六五〜八五号、四一年七月〜四二年五月、全一九回）がはじまる。訳者は以斉（張我軍）であり、『日本文学案内』（モダン日本社、三八年）を底本にしたという。安本「現代日本文学的潮流」（第四一～五二号、四〇年七月～一二月）は、当時流行していた農民小説、戦争小説、社会小説などの流派別に一二人の作家を採り上げ、紹介したものである。

「現代日本画人伝」（第七〇～八一号、四一年九月～四二年三月、全一二回）は、画家の紹介で、筆者は記者としか表示していない。馮貫一「日本美術介紹」（第七七～一〇〇号、四二年一月～一二月）は、一年間続いた大作で、絵画、工芸品、書道、建築、庭園など、広い分野の日本的な美とは何かを追及している。張文華「万葉集抄」（第一二一～一三六号、四三年一一月～四四年一二月）は、全二〇章に分けて翻訳・解説したものである。ページ数が減少するなかでの力作であった。

以上、いくつかの項目に分けて、雑誌の編集方針とその中身について解説してきた。その全体の特色は、以下のようにまとめられよう。

本誌は毎回原稿募集しておるが、読者や作者から熱い支援を受けてきた。本来、雑誌とはみんなのものであり、みんなが開拓し、みんなが種を植え、みんなが収穫し、みんなが享受するものである。これにたいし、編集者はまた一人の読者として、熱い心で最大の実務的努力を傾注するのである。（「編後随筆」第一七号、三九年七月、五二頁）

もし本誌の特質は何かと問われれば、門戸開放と地域の差別のないことを挙げたい。「われわれの雑誌」とすべく、本誌は文化の向上を志す読者には、つねに門戸開放、機会均等の姿勢をとってきた。決して特定文化人の独占物とはならなかった。われわれは過去三年の間、中国、満洲の無名作家、隠れた評論家を世に送り出し、文化界に紹介してきた。われわれは、本誌が近いうちに中国文化界の登龍門となることを念願している。

（「本刊三週年」（巻頭言）第七三号、四一年一一月、三頁）

これらはいずれも編集者の言葉であるが、日本発行の雑誌でありながら、可能な限り現地の人びとの手によって誌面を作っていこうとする姿勢を示している。そして、その努力は一定程度報われた。雑誌に採用されたもの以外にも、一般読者からの投稿は数多く寄せられていたようである。

近頃、一般の愛読者からの投稿が多く、本誌同人としては深く栄誉とするところであるが、誌面に限りがあり、すべてを掲載することができない。誠に申し訳なく思っている。なおかつ、投稿原稿を返却してほしいという方がおられるが、事務繁忙のため、応えられないことが多い。今後、本誌特約原稿を除いて、一般投稿は掲載の可否に拘わらず返送せず、煩雑さを避けたいと考えるのでご了解願いたい。（「編輯室」第七〇号、四一年九月、五一頁）

こういった嬉しい悲鳴からも、そのことが推察されよう。さらに原稿料については、「一千字六円に増額した。これも本誌が四年間、一貫して投稿を歓迎する方針を、再度明確なかたちで読者に公示」するものである（「編輯室」第一〇〇号、四二年一二月、五二頁）とあるように、かなり手厚い対応も、投稿を促す方策であったと考えられる。

『華毎』は、賞金をつけて時事評論や文芸作品、あるいは漫画などの原稿を大量に取り込むことで、日本から押しつけられた雑誌ではなく、中国人みずからが自分の手で作り上げた「われわれの雑誌」というイメージを強調してきた。また、誌面をビジュアル化することで、柔らかく、手に取りやすい雑誌作りを心掛けた。日本の文化・文芸を数多く紹介することで、日本に親しみをもってもらおうとの努力もみられた。こうした編集方針は一定の効果を上げたと考える。しかしそのことで、この雑誌の性格が変わったわけではない。中国の抗日勢力を駆逐し、親日・和平を掲げる汪兆銘の国民政府と日本・満洲が中心となって、「大東亜戦争」に勝利する、その国策を推進する――その使命を負った雑誌であることは、最後まで変わることはなかった。

六、販売ネットワークと販売部数

先に掲げた平川清風の「創刊一週年感言」の最後は、このような言葉で締めくくられている。

われわれの雑誌は、中国各地民衆の大きな歓迎を受けたにとどまらず、満洲国の北端から南洋の各地にも無数の同志を獲得している。〔中略〕現在の発行部数は、すでに数十万の多きに達しており、日々確実に増加の勢いを保っている。（第二五号、三九年一一月、三頁）

本誌奥付けに、取次発売所として「中日満各地支局」の名が記されている。日本人の大陸進出とともに、中国や満洲国に新聞社の支局が設けられ、地域のニュースを送るとともに、新聞の販売も担っていたのである。『華毎』も、この新聞販売ルートを利用したのみならず、独自の販売網を有していた。第一〇号（三九年三月）に「本刊経售所」として、次のような記述がみえる。

本紙『華文大阪毎日』は、中国、満洲の各地で取り扱っている。しかし取り扱い販売所の所在地が、読者諸氏にまだ十分に知られていないようだ。そこで、読者が購入しやすいように供覧に付すこととした。（四八頁）

そして四号分を使って取扱所の一覧表を掲げている。それによると、中華民国七〇件、満洲国一五八件の名前が挙がっている。そこには書店のみならず、一般の商店や会社など、多彩な販売ルートが示されている。

これは『華毎』の姉妹版『文友』にもいえることで、その特約販売所は上海を除く華中、華南の一三都市に三三店舗を確保していたとされる。こうした販売ルートは、現地雑誌にはまねのできない販売方法であった。それでは他誌に比較して、「数十万」部とはどのような意味をもつ数字であろうか。第九三号（四二年九月）に、野丁「上海之文化界」という記事が載っている。そこでは「もし現在の上海の雑誌販売数ということになれば、最初に指を折らざるを得ないのは『万象』と『小説月報』を挙げざるを得ないであろう」として、『万象』は三、四万冊、『小説月報』は一万冊に達するであろうとしている（五二頁）。

また参考までに、同じ号に載った朱明「事変前的中国新聞事業」を紹介すれば、全国の新聞発行部数で上位を占めるのは、『申報』（上海）一五万、『新聞報』（同）一五万、『時報』（同）六万、『大公報』（天津）五万五千、『時事新報』（上海）五万としている（一七頁）。

「和平文化」の中心地、上海の新聞・雑誌の販売部数と比べても「数十万」はけた違いの部数である。羅特のいう「大阪『華文毎日』は東亜中国語雑誌の雄であり、その発行部数の多さ、販売の広がりは、全国一である」との、称賛の言葉は決して大げさではない（「一年来的華北文芸界」第一〇一号、四三年一月、七頁）。

ただしこの事実には、いくつかの注釈が必要である。

満洲文壇は、長らく中国文壇と区別されてきたのだが、今次の事変によって、はじめて両者が融合する機会を与えられた。これに反して、中国南北の交流は、いまだに閉ざされたままのようである。われわれは東亜の文化を交流することを、みずからの天職とし、われらの全力を傾注して、互いの距離を日ごとに縮め、消滅させることを片時も願わざるを得ないのだ。（「編後随筆」第二〇号、三九年八月、五二頁）

華北駐留日本軍、中華民国臨時政府治安部の支配下にあった武徳報社、その影響下に作られた華北作家協会という系列は、満洲文化との一定の「融合」を可能にした。しかし、三〇年代前半に、抗日文学、民族革命文学の拠点としての歴史をもつ上海（華中）は、陥落後も反日感情は盛んであり、残された外国租界はその運動の温床であった。中国南北（上海と北京）の交流は、決して順調に進んでいたわけではないのである。しかも満洲国は、上海、北京を含む関内からの出版物流入を禁止していた。しかし、日本発行の『華毎』は、禁止の対象とはならなかった。したがって「数十万」という部数は、満洲国を含む中国全土に販売網を広げることができた結果なのである。

とはいえ、反日感情が色濃く残る華中への浸透は、容易ではなかった。本論で、懸賞金つき作品の当選者の出身地を可能な限り示しておいたが、それはこの雑誌がどの地域に浸透し、受け入れられていたかを検証するためであった。その結果、華北地域：五〇％、満洲国：二一％、華中地域：一〇％、日本国：八％という結果であった。日本国の読者のほとんどは満洲国からの留学生であったといえるので、ほぼ八〇％を、華北と満洲国が占めていたことになる。

この弱点を補うため、上海に大阪毎日出版局駐華総合事務所を設置し、創刊四周年にあたる四二年一一月一日に、『華文毎日 上海版』を創刊する。この雑誌はその「風聞言事」（巻頭言）に、汪兆銘の国民政府にたいする厳しい批判を連続して掲載したため、わずか三号を出して廃刊に追い込まれる。しかしその数カ月後、誌名を『文友』と改め、『華毎』の姉妹版として再出発する。読者対象を華中、華南、南洋とし、一層文化欄を拡充するかたちで、敗戦直前の四五年七月一五日まで刊行した。

以上が、姉妹版『文友』を含めた、『華文大阪毎日』という中国語雑誌の出版活動の全体像である。

むすびに

「東亜中国語雑誌の雄」ともち上げられるまでの発行部数を築き上げた編集陣の努力は大きい。そして大量の新人を発掘・育成することで、多くの既成作家が去った後の空白を埋めることができた。また日本発行の雑誌であることで、「国境」で断絶されていた満洲国と関内の文壇を一つにつなぐことができた。華北（北京）と華中（上海）の融合にも、一定の役割を果たすことができた。日本の植民地・占領地にあって、『華毎』・『文友』の文化活動は無視できぬ存在であったと思う。しかしその基本的性格は、日本の国策に沿ったものであり、日本を盟主とした大東亜共栄圏を建設することであった。文芸欄も含め、そうした「毒草」が多くを占めていることは確かである。また若い新人の作品は未熟であり、雑草の若芽とけなされても仕方ないものもあろう。しかし、丹念に誌面を読み込んでいけば、巧みな技巧を駆使した、反満、反日の意図を秘めた作品を探し出すことは可能である。わたしは、満洲国の中国人作家を対象とする研究を続けてきた。そして田琊（于明仁）、梅娘、袁犀らを研究するなかで『華毎』を利用することも少なくなかった。在満作家の作品を翻訳して『血の報復「在満」中国人作家短篇集』（ゆまに書房、二〇一六年）を出版しているが、そこには王秋蛍「血債」「書的故事」、古丁「山海外経」（『文友』）、但娣「風」「砍柴婦」「忽瑪河之夜」、磊磊生（季風）「在牧場上」、爵青「香妃」といった、『華毎』掲載作品を採用している。それらは、現在の評価にも耐え得る、優秀な作品と判断したからである。このように、毒草、雑草も生い茂る雑誌であるが、慎重に読み込めば貴重な芳草も発見できるはずである。また、わたしは全くの門外漢ではあるが、大量の絵画や木版画、漫画などに興味をもつ人にとっては、貴重な発見があるかもしれない。植民地期の中国語文化圏を対象とする研究者は少なくない。それにもかかわらず、日本発行の雑誌ということで、これまでこの雑誌を敬遠する研究者が多いと感じてきた。今回、不二出版が採算を度外視して、この雑誌の復刻に同意してくださった。国策遂行という編集者の思惑を超えて、植民地・占領地に生活する、中国人の本音を掬い取る研究はまだ緒についたばかりである。この復刻版によって、東アジアの植民地研究が深められることを期待している。

今回の復刻に際しては、西原和海氏所蔵の原本をベースとして利用させていただいた。数冊の欠本を補充するのに、いろいろな苦労があった。たとえば、中国の図書館で在庫は確認できているのに、いずれもマイクロフィルム化されていて、原本にあたることは許されず、復刻版としては使えないことが判明し、再び国内所蔵を探索するということもあった。しかし最後には、多くの人の手を借りて、確認し得た全号を揃えて復刻できたことは、監修者として何よりの喜びであり、ご助力いただいた方々に感謝したい。また、印刷不鮮明な箇所がありながら、『上海版』を付録として採り込めたことも、望外の喜びであった。

わたしの解題では、個々の作品内容にはほとんど触れていない。文芸関係は羽田朝子氏（秋田大学）、社会科学関係は関智英氏（津田塾大学）という、若手研究者にお願いしている。また、「総目次・索引」という煩瑣な作業は、東京都立大学非常勤講師の牛耕耘さんにお願いした。復刻版の編集にあたっていただいた不二出版・村上雄治氏も含め、ご協力いただいた諸氏に厚く御礼を申し上げたい。

（おかだ　ひでき）

『華文大阪毎日』とその時代

関　智英

はじめに

『華文大阪毎日』（以下、『華毎』と略記し、通号数、発行年月のみ表記。半月刊である発行日については内容一覧を参照）の創刊は、日中戦争勃発第二年目の一九三八年一一月のことで、日本による中国沿岸の主要都市の占領がほぼ終わる時期と重なった（華南の大都市・広州は一〇月二一日、長江中流域の要衝武漢三鎮は一〇月二七日にそれぞれ陥落）（以下、西暦の一九は省略）。その創刊日は明治節（一一月三日）に合わせることが意識されていた[1]。

この時期、蔣介石率いる国民政府は四川省重慶に拠点を移し抗日を唱えていたものの、内陸の四川は土着の勢力も強く、蔣の権力が深く浸透していたわけではなかった。また人口や経済の規模も沿岸部の大都市と比べるべくもなかった。さらに蔣が頼みの綱とした欧米からの援助も限定的であった。蔣介石はこうした苦しい状況のなかで抗戦の指揮を執っていたのである。

一方、占領地では大規模な戦闘はひと段落し、すでに前年の三七年一二月には日本の北支那方面軍の後ろ楯で北京に中華民国臨時政府、三八年三月には中支那派遣軍の後ろ楯で南京に中華民国維新政府が成立していた。少なくとも占領地では日本の影響が相応の長さで続くという前提のもと、新たな秩序がかたち作られつつあったのである。

『華毎』の記事もそうした事情を前提に理解していく必要がある。「創刊詞」が、「親日の必要は、もとより人々のことごとく知るところである」とし、また『大阪毎日新聞』(以下、『大毎』と略記)が同誌発行の意義を、「文化による両国心情の交流に重大な新使命を担ふものであり、両国相互諒解の捷径への力強い方向を与えるもの」[2]と宣言した所以である。

以下ではまず岡田解説(「『華文大阪毎日』の挑戦」)を補足するかたちで『華毎』の基本情報を整理した上で、政治・社会方面の記事を紹介し、最後に『華毎』の性格について考えてみたい。

一、『華毎』について

(一) 発行部数

『華毎』各号の発行部数は不明だが、編輯主幹・平川清風(きよかぜ)の[3]「創刊一週年感言」は、発行部数は数十万部を超えるとし[4]、これに基づいた報道も確認される。[5] また公称で「読者は六十余万」という表現も複数確認できる。[6] ただこれは、当事者発表の常としてやや誇大な数字と考えるべきだろう。内務省警保局図書課の『出版警察報』によれば、三九年一二月一日に刊行された第二七号の発行部数は七万六〇〇〇部であった。[7]

ただし、当時日本国内で発行されていた雑誌と比較しても、『華毎』は大量に発行されていた(図表1参照)。月刊・週刊・半月刊、また使用言語の違いのため単純な比較は難しいが、『華毎』の発行部数は『文藝春秋』には及ばないものの、『中央公論』や『改造』といった総合誌よりは多く、同じく中国語で発行されていた『遠東』、中国方面の専門誌である『大陸』『支那』と比べるとその多さは際立っている。数十万という数字は割り引いて考える必要はあるものの、一方で「(上海で)いかなる雑誌の販売数をも凌駕している」[8]という評価は至当といえる。創刊から四一年までは満洲国や日本占領地の各学校にも贈呈されており、積極的に読者の拡大も図られた。[9]

図表1　1940年前後の日本での雑誌類発行部数比較[10]

誌名（巻号）		部数	発行年月日	刊行頻度	発行元／備考
週刊朝日（第38巻第6号）		380,000	40年6月23日	週刊	朝日新聞社
サンデー毎日（20年第45号）		327,135	41年10月12日	〃	大阪毎日新聞社
婦人公論（第23巻第2号）		165,000	38年2月1日	月刊	中央公論社
文藝春秋（第17巻第3号）		120,000	39年6月23日	〃	文藝春秋社
華文大阪毎日（第27号）		**76,000**	**39年12月1日**	**半月刊**	**大阪毎日新聞社・東京日日新聞社／中国語**
中央公論（6月号）		70,000	38年6月1日	月刊	中央公論社
改造（4号）		65,000	40年3月1日	〃	改造社
時局情報（第5巻第4号）		62,000	41年4月10日	〃	大阪毎日新聞社・東京日日新聞社
話（第4巻第7号）		57,000	36年7月1日	〃	文藝春秋社／40年5月より『現地報告』に改題
現地報告（第8巻第9号）		50,000	40年8月1日		
アサヒグラフ（第36巻第11号）		52,000	41年3月19日	〃	朝日新聞社
モダン日本（第10巻第8号）		50,800	39年8月1日	〃	文藝春秋社
支那事変画報	（第51輯）	40,000	39年1月20日	〃	大阪毎日新聞社・東京日日新聞社
	（第95輯）	25,116	41年5月20日		
エコノミスト（19年第16号）		39,414	41年4月28日	週刊	大阪毎日新聞社・東京日日新聞社
日本評論（第14巻第11号）		36,017	39年11月1日	月刊	日本評論社
東洋経済新報（第1934号）		26,347	40年8月17日	週刊	東洋経済新報社
セルパン（第109号）		24,000	40年2月1日	月刊	第一書房
東亜聯盟（第3巻第10号）		18,000	41年10月1日	〃	東亜聯盟同志会
英文大阪毎日		15,000	35年4月	日刊	大阪毎日新聞社／英語（Mainichi Daily News）
	（第6585号）	4,000	41年4月5日		
揚子江（第4巻第4号）		10,000	40年4月1日	月刊	揚子江社
遠東（第4巻第12号）		10,000	41年12月1日	〃	遠東月報社／中国語
婦人之友（第35巻第7号）		8,500	41年7月1日	〃	家庭之友社
大陸（第3巻第9号）		8,500	40年9月1日	〃	改造社
外交時報（第4号）		6,000	40年2月15日	半月刊	外交時報社
創造（9巻9号）		4,900	39年9月1日	月刊	創造社
日本及日本人（第375号）		4,200	39年8月1日	〃	政教社
支那（第31巻第12号）		3,900	40年12月1日	〃	東亜同文会
大亜細亜（第7巻第11号）		3,500	39年11月1日	〃	大亜細亜建設協会
東亜（第13巻第11号）		2,550	40年11月1日	〃	満鉄東亜経済調査局
大亜細亜主義（第80号）		2,300	39年12月1日	〃	大亜細亜協会
留東学報（第3巻第6号）		1,000	37年6月10日	〃	留東学会／中国語

(二) 価格と頁数

当初、『華毎』は奥付に「国幣一角 郵費一分」、裏表紙に「定価十銭(送料一銭)」と表記していた。この奥付の価格は何を示しているのかは不明だが、日本円と等価であること、「国幣」とあること、さらに『華毎』の流通範囲も踏まえると、満洲中央銀行券(満銀券)ないしは華北の中国聯合準備銀行券(聯銀券)建の表記と考えられる。ただ第三六号(四〇年四月)からは奥付の表記も「日本金十銭 郵費一銭」となり、日本円表記に統一された。この理由も不明だが、当初等価が建前とされていた各地の円系通貨間の実勢レートの差が大きくなりつつあったためと推測される。

拡大号を除き『華毎』の頁量は、創刊号から第一六号(三九年六月)までは四八頁(表紙は除く。以下同じ)だったが、第一七号(三九年七月)からは中間部に四頁の「画刊」(グラフページ)が加わり、合計五二頁となり、これが第一〇二号(四三年一月)まで踏襲された。その後、戦争の激化に伴う印刷用紙割当の削減を受け、第一〇三―一〇九号(四三年二月―四三年五月)が四四頁、第一一〇―一一六号(四三年五月―四三年八月)が四〇頁、第一一七―一二九号(四三年九月―四四年五月)が三六頁、そして第一三〇号(四四年六月)からは三二頁と頁量が減少した。価格は第一二六号(四四年二月)から五銭上がり一五銭になったが、諸物価の上昇に比べるとその値上げ幅は小さかった。

『華毎』の価格は他の雑誌と比べても割安感のあるものであった。試みに『華毎』と同じB5判型の『東洋経済新報』と比べてみると、『華毎』は表紙がカラー印刷で「画刊」も掲載されていながら、五二頁で一〇銭(頁単価 約二厘)だったのに対し、『東洋経済新報』は八〇頁に表紙で三五銭(頁単価 約四厘)と、単純計算でほぼ倍であった。実際、上海で『華毎』を日本の文化侵略とみていた中国人が、「上海の知識子は〔『華毎』を〕賞賛せず、こんなにきれいに印刷され、こんなに安く売られている刊行物だが、読む人はいない」と指摘しているように[11]、その色鮮やかな表紙と値段の安さは、『華毎』を批判的にみる中国人にも特徴として意識されていたのである。

こうした低廉な価格設定は、『華毎』が『東洋経済新報』の三倍近い部数を誇っていたことを考えれば、あり得るのかもしれない。ただ、諸物価が高騰するなか、三八年一一月から四四年二月に至るまで、『華毎』の定価が変わらなかったことはどう考えればよいだろうか。何らかの筋――普通に考えれば軍――からの助成や、『華毎』の一定部数の買上げ（宣撫雑誌としての利用）といった可能性は十分推測される。

（三）販売網

『華毎』の販売は満洲国と華北を中心としていた。三九年五月頃の販売所（図表2参照）をみると、全販売所の七割以上が関東州を含む満洲国内で、これに華北・蒙疆を合わせると実に九割となる。これは上海で発行されていた抗日側の新聞による「〔『華毎』の市場は〕東四省と現在の遊撃区一帯」である[12]、との記述とも符合する。これ以降は華中・華南方面における日本軍の占領地が格段に広がらなかったこと、また『華毎』の販売網が鉄道路線に沿って展開していたと考えられることから、満洲に比べると鉄道網が粗い華中・華南地域での販売が、劇的な広がりを見せたのかは疑わしい。ただ、後述するように大阪毎日新聞社（以下、大毎と略記）が四二年一一月より『華毎』上海版を独立させ[13]、それを南洋方面にまで拡大しようとしていた。

（四）表紙の意匠

『華毎』の表紙は鮮やかなカラー印刷で、そのまま販売促進用のポスターとして使われていた（写真1

写真1　『華文大阪毎日』第8号（39年2月）ポスター

図表２　『華文大阪毎日』販売所一覧（1939年５月）[14]

満洲国

間島省
図們
石峴
大興溝
羅子溝
三岔口
汪清
百草溝
延吉
明月溝
龍井
頭道溝
三道溝
琿春

牡丹江省
鹿道
東京城
寧安
海浪
牡丹江
小綏芬
穆稜
下城子
綏芬河
東寧（万鹿溝）
東寧（三岔口）
横道河子
北河沿
梨樹鎮
適道
鶏西
半截河
平陽鎮
新密山
密山
虎林
虎頭

浜江省
亜布洛尼
鉄驪
一面坡
珠河
阿城
哈爾浜（毎日舎）
哈爾浜（毎日舎支店）
綏化
海倫
慶城
安達
双城堡
五常

三江省
林口
勃利（杏樹）
勃利
千振郷
弥栄村
佳木斯
富錦

安東省
安東
五龍背
湯山城
鳳凰城
鶏冠山
通遠堡
草河口
寛甸

通化省
柳河
通化
輯安

奉天省
連山関
南坆
橋頭
本渓湖
撫順
山城鎮
梅河口
朝陽鎮
清原
新民
西安
鄭家屯
郭家店
四平街
双廟子
泉頭
昌図
開原
鉄嶺
新台子
奉天
蘇家屯
煙台炭礦
遼陽
鞍山
立山
湯崗子
海城
大石橋
営口
蓋平
熊岳城
松樹
瓦房店

吉林省
公主嶺
范家屯
下九台
新京（大毎舎）
新京（大毎舎支店）
吉林
蛟河
新站
敦化
窰門
農安
前郭旗
盤石

錦州省
大虎山
錦州
連山
興城
綏中
朝陽
朝陽（北票）
阜新
阜新（海州）

熱河省
承徳
凌源
平泉
建平（葉柏寿）
赤峰

龍江省
洮南
白城子
泰来
斉斉哈爾
北安鎮
昂昂渓
嫩江

黒河省
黒河
神武屯
孫呉

興安北省
満洲里
扎来諾爾
海拉爾
温泉（ハロンアルシャン）

興安南省
王爺廟
通遼

興安東省
索倫
七道溝
博克図
扎蘭屯

興安西省
林西

関東州
大連（山県通）
大連（外甘井子）
大連（沙河口）
旅順
普蘭店
貔子窩
城子疃
金州
周水子（土地会社）
周水子（小野田洋灰）

中華民国

蒙疆
包頭
張家口
厚和

河北省
天津
塘沽
唐山
山海関
古北口
北京
廊坊
通州
豊台
宛平
保定
石家荘
順徳
邯鄲
滄県

山西省
楡次
太原
陽泉
朔県
大同（大関洋行）
大同（大毎舎）
平遥
汾陽
介休
霍県
臨汾
運城

山東省
青島
張店
済南
徳県
黌山
芝罘（岩城商会）
芝罘（芝罘日報社）
博山

河南省
商邱
新郷
彰徳
開封

江蘇省
徐州
上海（大毎販売所）
上海（内山書店）
上海（大毎北部出張所）
常州
鎮江（中山路）
鎮江（中華路）
無錫
蘇州（駅前）
蘇州（大馬路）
南京

安徽省
蕪湖
蚌埠
安慶

浙江省
杭州
嘉興

江西省
九江

湖北省
漢口
武昌

福建省
廈門

広東省
広州

図表３　『華文大阪毎日』表紙の意匠[15]

通号	意　匠
1	北京太和殿前銅獅
2	黎明的富士山
3	安慶迎江寺古塔（振風塔）
4	日光山陽明門
5	鶴舞長空（空に飛び立つ鶴）
6	廬山
7	京都金閣寺
8	杭州雲林寺（霊隠寺）的仏像
9	日本名古屋城
10	海南島海口的風光
11	桜花
12	大同石仏寺
13	日本端午節的甲冑
14	北京北海公園
15	日本日光山華厳滝
16	西湖公園
17	奈良薬師寺五重塔
18	奈良郡山名産「金魚」
19	本社世界一周機「ニッポン」号之雄姿
20	牽牛花（朝顔）
21	睡蓮
22	万里長城八達嶺
23	蒙古之牧野
24	建設与力（摂於河北石景山製鉄所）
25	和平（方洺作）
26	北京北海公園九龍壁
27	菊花
28	北京天壇祈年殿
29	新春与日本的少女（堂本印象作）
30	山西太行山脈之山象鳥瞰
31	南京中山陵（香炉）
32	北京頤和園長廊
33	日本帝国議会議事堂
34	海南島的冬日農場風景
35	桜林中之大阪城
36	更生中華民国国旗下的汪主席
37	乾隆時代美人画陶器
38	阿部大使在赴任船上
39	明朝万暦五彩陶器水甕
40	緑蔭小閑（南京国民革命軍陣亡将士紀念塔附近）
41	満洲帝国国務院
42	済南黒虎泉
43	大阪浜寺海水浴場
44	蕪湖片帆
45	朝鮮金剛山三仙巌
46	（山東）青島海浜公園
47	山西五台山（塔院寺白塔）
48	北京天壇秋色
49	豊収（呂風作）
50	日本大阪箕面公園紅葉
51	（哈爾浜）松花江冰橇
52	北京年景（街頭風景）
53	田家春雪（日本の農家）
54	日本九州宮崎八紘一宇之基柱
55	銀嶺鵬翼（穂高を飛ぶ飛行機）
56	大同雲崗石仏洞窟之額飾浮彫
57	春日（和平の凧を持つ子供を肩車する）
58	晨之上海（外灘）
59	黎明的東亜（翻る日満華の国旗）
60	杏花
61	保衛東亜大行進（新中国軍於武漢）
62	芍薬花
63	（山東）泰山中天門
64	日本保津川
65	（庭で新聞を広げる）汪国府主席
66	徐州散見（招鶴亭）
67	日本舞子浜
68	青島浜辺
69	安格爾廟（アンコールワット）
70	泰国的大仏

通号	意　匠
71	葡萄与少女（ブドウ狩りをする少女）
72	満洲呼倫高原
73	太平洋上之威容（軍艦）
74	古北口（長城で煙草をくゆらす）
75	海州之塩
76	東埔寨新王（象上のカンボジア新国王）
77	馬（馬術競技）
78	連峰之雲（連峰上空を飛ぶ飛行機）
79	佔領下之香港（香港島前の日本艦艇）
80	汪国府主席与重光新駐華大使（於国民政府大礼堂前）
81	緬甸之塔（ビルマのパゴダ）
82	日落下傘部隊奇襲美那多成功（メナドを奇襲する日本の落下傘部隊）
83	復興着的昭南島之華僑市街（復興する昭南島の華僑街）
84	上海郊外龍華塔之春
85	汪主席海軍装近影
86	馬来避難民帰回
87	爪哇農収風景
88	泰国猶地亜附近之浮家
89	爪哇之舞（ジャワの舞踊）
90	廈門之夏（南普陀寺天王宝殿）
91	塞外駱駝隊
92	夏之海（二人乗りカヌー）
93	菲島的種田風景（フィリピンの田植え風景）
94	吉林之鵜船
95	日本農収風景
96	柿（柿狩り）
97	新京秋景（満洲電信電話本社前の馭者）
98	日本女子練成之一景（弓を引く日本女性）
99	熱河所見（普寧寺仏塔）（伊藤慶之助作）
100	満洲之冬
101	女（呂風作）
102	講武（生田花朝女作）
103	早春（福岡青嵐作）
104	北面的海（青木大乗作）
105	北京的小姐（田村孝之作）

通号	意　匠
106	梅香（矢野橋村作）
107	璃鳥（山口華楊作）
108	桜（麻田辨次作）
109	牡丹（黒田重太郎作）
110	青衣（三宅鳳白作）
111	安芸厳島（池田遥邨作）
112	耕作（中野草雲作）
113	小姐（中村貞以作）
114	小姐（秋野不矩作）
115	富獄（西山翠障作）
116	桔梗（金島桂華作）
117	慈菇（方洛作）
118	孔子之像（矢野鉄山作）
119	湖畔好日（嵳本一洋作）
120	蘇州（福田恵一作）
121	北京玉泉山（矢野鉄山作）
122	晴日（小野竹喬作）
123	決戦下的女性（寺島紫明作）
124	紅蘿蔔（赤かぶ、板倉星光作）
125	小姐（中村貞以作）
126	童舞（生田花朝女作）
127	早春（赤松雲嶺作）
128	桜（池田遥村作）
129	雄心（福田翠光作）
130	匡盧飛瀑（矢野鉄山作）
131	朝風（福岡青嵐作）
132	葡萄（齊白石作）
133	女（田村孝之介作）
134	秋風（伊藤慶之助作）
135	長江万里（矢野鉄山作）
136	武蔵野の秋（福田恵一作）
137	春鳴（板倉星光作）
138	雪後（中野草雲作）
139	花開鶯語園春（福田翠光作）
140	雲雀（板倉星光作）
141	春宵（中野草雲作）

参照〕。意匠は日本を想起させる桜や菊、中国（ないしは東洋）を連想させる睡蓮や杏花、芍薬といった花が選ばれることもあったが、ほとんどは日本とその勢力の及んだ中国・満洲の名勝・古蹟・風景の写真であった。四一年九月からは仏領インドシナ、タイ、ビルマ、マラヤ、ジャワ、フィリピンといった南洋の風景も加わり、その割合は日本の対米英開戦後増加した。ただ第一〇一号（四三年一月）からは写真に替わって生田花朝女（かちょうじょ）・矢野鉄山・福岡青嵐といった日本画家による絵画作品となった〔図表3参照〕。

タイトル（白抜き）背景の帯の色にも意味があった。創刊号（三八年一一月）から第一〇〇号（四二年一二月）までは帯の色で発行時期が区別されており、基本的に創刊から一年間（第二四号、三九年一〇月まで）が赤、二年目（第二六～四八号、三九年一一月～四〇年一〇月まで）が青、その後三年目（第五〇～七二号、四〇年一一月～四一年一〇月まで）が緑、四年目以降（第七三～一〇〇号、四一年一一月～四二年一二月まで）が群青で塗られ、第一〇〇号以降は帯のないかたちとなった。一方巻数は、第二巻以降は半年毎に区切られた（一九三九年一月～七月が第二巻、七月～一二月が第三巻……の順）。このため帯の配色と巻数とは一致していない（第一二六号、四四年二月以降は巻数表記がない）。また増頁号（加大号。第二五号、三九年一一月。第二九号、四〇年一月。第三六号、四〇年四月。第四九号、四〇年一一月）は帯をつけないことで区別していた。

（五）編輯その他

『華毎』の編輯主幹[16]は大毎常務取締の平川清風だった。平川は一五年に東京帝国大学法学部政治学科を卒業後、編輯局見習員として大毎に入社し、一七年一月に支那視察員として上海に赴任して以降、上海特派員、外国通信部支那課勤務、同副部長、東亜通信部長、編輯主幹、取締役等を歴任した、当時の大毎では重役級の人物である。[17]『支那共和史』（春申社、二〇年）を著すなど中国事情に精通していた点、また徳富蘇峰が「平川氏ほどオールラウンド式にすべてが出来てゐる人はない」と評価していることから、[18]大毎の新規事業に対する意気込みのほどがうかがわれる人選である。
編輯委員には中国に造詣の深い北京支局長の石川順も名を連ねている。石川は父親の友人で「支那通」として知られた代議士・柏原文太郎の影響で「大陸に志し」[19]、二二年六月に東亜同文書院を卒業すると、二年間の北京留学を経て、新愛知新聞社に入った。その後、東京日日新聞（以下、東日と略記）に移り、大毎東亜部、同天津支局長等を経て[20]、『華毎』創刊時は大毎の北京支局長を務めていた。石川は『談龍室閒話』（華北評論社・図書研究社、四一年）や『点滴』（新民印書館、四二年）といった中国に関するエッセイも残している。
『華毎』の編輯は当初、大阪・北京の二カ所ないしはそれに上海を加えた三カ所での作業が想定されていたようで、創刊から第一六号（三九年六月）まで掲載された「投稿規則」には、大阪本社の住所のほか、北京西単の石川公館（北大街西斜街一六号）の住所、また第八号（三九年二月）から第一〇号（三九年三月）は、これに大毎の上海支局（海寧路一九〇）彭寿宛の連絡先が並記されていた。
第一七号（三九年七月）以降、投稿先は大阪に一本化されたが、これは柳龍光・鄭吾山（どちらも編輯員）など、大阪での中国人スタッフが充実したことと関係するかもしれない。また第一七号からは、それまで複数掲載されていた評論が代表的な一篇のみの掲載に改められたほか、内容の国際化や積極的な挿絵の導入、また紙を節約するため活字の大きさを小さくするなどの変更があった。現地スタッフはその後も存続し、例えば北京で開催された座談会や北京の政治家訪問は、石川順や駐北京記者の鍾凌茹・林秀華が担当した。四一年八月一日に駐華辦事処が南京の国府路に設置されると、編輯長の原田稔[21]が異動し処長に就いた[22]（編輯長はその後、三池亥佐夫［東亜調査会理事］、引田哲一郎［元奉天支局長］と引き継がれた）。
大阪本社の『華毎』編輯室は、学習室のようであると次のように紹介されている。
私たち［の編輯室］は日本の大阪市北部の五階建ての壮大なビルの五階にあり、窓は西向きで、冬夏（一年中）陽光が直接室内に降り注いでいる。南北の壁には二つの世界大地図が掛けられ、西側の壁には各種の書籍雑誌で埋め尽くされた書架がある。部屋の中央には一列のテーブルがあり、同人たちは対面して座っている。机上にも字典・辞書・年表が積み重なり、壁の角には各地から届いた新聞のラックがある。特筆すべきは北側の壁にある黒板で、ここに我々のスケジュールの変更などが書き込まれている。同僚十人それぞれが〔ここに〕集って調べ物をしており、編輯室というよりは、学習室といった感じである。（「編後」第一二一号、四三年一一月、一三五頁）

編輯主幹の平川は毎号の巻頭言を執筆したほか、新政府樹立に向けて準備中だった汪精衛と会見するなど精力的に『華毎』で活動した。[23] しかし四〇年一月に脳溢血で倒れ、翌月逝去した。[24] 平川の後は大毎社長の高石真五郎が巻頭言を執筆し、その後は下田将美が主幹を兼ねたが、[25] いずれも中国通の新聞人というわけではなかった。

四一年五月には編輯処実習員の若干名の募集が行われた。その際条件として日本語能力は問わず、とされた点は興味深い。[26] 後述するように、『華毎』はより中国人読者に対応する方向で拡大を目指していたと考えられるからである。それと関連する動きが四二年一一月一日の、『華文毎日 上海版』の発行である。当日は行政簡素化の一環として大東亜省が成立した日でもあったが、[27] 大毎ではこの日、上海公共租界威海衛路の新社屋に大毎出版局駐華総辧事処を設置し、大阪本社編輯の『華毎』とは別に、上海の現地で編輯した『華毎』の発行をはじめたのである。これにより第九七号（四二年一一月）からは、大阪版は満洲国・華北・蒙疆向け、上海版は華中・華南・南洋向けといった棲み分けが行われた。[28]

二、評論・ニュース記事

『華毎』は前半が評論やニュース、後半が文藝という紙面構成になっていた。その文藝欄の充実ぶりについては岡田解説（「『華文大阪毎日』の挑戦」及び羽田解説「『華文大阪毎日』文芸欄の変遷」）に譲るが、以下では評論やニュース記事、座談会といったそれ以外の内容について紹介していきたい。

（一）記事の変遷

『華毎』は中国・日本・満洲関係の話題を軸としながら、そこに世界の政治・社会・経済にわたる記事を掲載した。その点では、当時日本で刊行されていた総合雑誌と議論の方向が特段に違っていたわけではない。その議論の変遷を大まかに整理すれば、創刊当初は吉岡文六「新中国聯邦論」（創刊号、三八年一一月）や大谷光瑞「中国将来的設施」（第一〇号、三九年三月）のような中国分割論が確認されるものの、呉佩孚や汪精衛の中央政府構想の具体化と共に、「期望汪精衛先生」[29]（第二六～三〇号、三九年一一月～四〇年一月）や「新中央政府的展望」（第三三～三五号、四〇年三月～四月）といった、新中央政権に関する議論へと遷り、日本の対米英宣戦布告後は、それに谷萩那華雄「緬甸戦線的崩壊与重慶・英美・印度・澳洲」（第八七号、四二年六月）、呉家煦「怎様建設大東亜文化？」（第九三号、四二年九月）、徐公美「大東亜戦争下的電影政策及其創造」（第九九号、四二年一二月）といった内容が加わっていった、ということになる。太平洋戦争の開戦後からは鄭吾山「戦時国際法」（第七八～一〇七号、四二年一月～四三年四月）が二六回にわたって連載されたのも、「事変」から「戦争」への変化を象徴するものといえよう。

（二）日本人執筆者

評論や報道記事の執筆者の総数は優に四〇〇人を超える。そのうち日本人の執筆者は、当初は井上哲次郎（前東京帝国大学総長）・神川彦松（東京帝国大学法学部教授）・鵜沢聡明（明治大学総長）・小柳司気太（国学院大学ほか教授）・藤沢親雄（九州帝国大学教授）・佐多愛彦（大阪医科大学学長）といった学者、また近衛文麿（首相）・荒木貞夫（文相）・土肥原賢二（陸軍中将）・松井石根（陸軍大将）・芳沢謙吉（元外相）・河相達夫（外務省情報部長）・有田八郎（外相）・芦田均（代議士）・野村吉三郎（海軍大将）・池田成彬（内閣参議）・松岡洋右（満鉄総裁）・板垣征四郎（陸相）といった政治家・軍人など、いわゆる著名人の登場が多い。

ただ、第三巻以降こうした著名人の割合は減少し、署名記事も大毎・東日関係者、すなわち上原虎重（大毎外国通信部長のち東日編輯総務兼外信班班長）・吉岡文六（東日政治部長のち東亜部部長）・長岡克暁（大毎東亜部部長兼本刊編輯委員）・布施勝治（本社駐欧洲特派員のち本社理事、本社編輯総務）・下田将美（本刊編輯主幹）・松本鎗吉（本社東亜調査会主事、本社社論説委員）・楢崎観一（本社東亜調査会専務理事、本刊編輯委員）・楠山義太郎（東日外国通信部長のち東日副主筆）・永戸政治（東日論説委員のち東日副主筆）・大場弥平（本社社友、陸軍少将、軍事評論家）・馬場秀夫（東日ロシア課課長のち出版局次長）らが担当するようになった〔肩書きは原本に拠る。以下同〕。

このことから、著名な日本人が大上段から中国を論ずるというスタイル（これは当初は「皇室中心主義は日本学の基調である」とする徳富蘇峰『昭和国民読本』が連載されていたことにも象徴されよう）から、徐々に報道の実務家や中国人による現状分析や評論へと変遷していったといえる。こうした変化を遂げた明確な理由はわからない。経費や手間などの理由もあったろうが、本質的な理由として、編輯方針がより中国人読者を意識するようになったことは、先の編輯員補充の経緯や文藝欄の充実ぶりからも十分推測し得る。「「保衛東亜」之歌」の懸賞金付き公募が『中華日報』（汪政権機関紙）との共同主催であったこと（「編輯会議」第五四号、四一年一月）、また第九六号（四二年一〇月）以降、『申報』社長・陳彬龢の議論が六回にわたり確認できるように、『華毎』は中国の報道界・出版界とより密接な関係をもつようになっていたのである。

（二）中国人執筆者

この点で、中国人による議論は『華毎』の胆（きも）といっても過言ではない。そのうち何らかの所属や肩書が判明できる者に限っても、その数は一八〇人を超える。彼らのほとんどが戦後「漢奸」の対象となり、一部の例外を除いてその言論が残されることがなかったことからも、彼らの声を多く残す『華毎』は貴重である。

その一端を示せば、満洲国関係では丁士源（元駐日大使）・阮振鐸（駐日大使）・穆春雷（元外交部秘書）・白文会（駐日大使館政務科長）・呂栄寰（産業部大臣）・韓雲階（経済部大臣）、王洛（民生部技正）、華北では王蔭泰（臨時政府実業部総長）・管翼賢（華北政務委員会情報局局長）・林文龍（同上）・鈕先錚（臨時政府実業部労工局局長）・陸夢熊（臨時政府実業部次長）・繆斌（新民会中央指導部部長）・喩熙傑（新民会事務総長）・宋介（新民会教化部部長）・張鉄緒（新民会厚生部部長）・朱華（新民学院東亜政治学教授・新民会設計部部長）・唐家楨（北京市第一新民教育館館長）、汪政権では宣伝部に限っても林柏生（部長）・郭秀峰（次長）・郭敏（郭秀峰夫人）・楊鴻烈（宣伝事業司司長）・馮節（中央宣伝講習所教育長）・蔣果儒（専員）・顔潔（特種広播電台総務科科員）・鍾任寿（参事）・章克標（部員、筆名許竹園）といった名前が確認でき、司長や科員レベルの議論が少なくないという点もその特徴である。地方レベルの人員も豊富で、広州に限っても、陳耀祖（広東省主席）・彭東原（市長）・欧大慶（市公署復興処処長）・許少栄（市公署財政処処長）・石応蓮（広東婦女維持会会長）・劉玉函（広東婦女維持会宣伝主任）・林国恩（広東省婦女会副理事長）・陳貞（広東省婦女会秘書）・謝為何（広東大学文学院講師・華南仏教協会主事）・劉邦興（広東省音楽聯盟理事長、華南広播教育協会理事兼研究部部長）らの名が確認できる。

加えて『華毎』では経歴や肖像写真を多く掲載した点にも特徴がある。これは読者に著者に対する親しみをもたせることが目的だったと考えられるが、図らずも現在の研究において人物比定をする際の貴重な史料となってい

図表４　「中日名人家庭訪問記」一覧

通号数	氏　　名	役　　職
1	余晋龢	北京市長
	木戸幸一	厚生大臣
2	方宗鰲	議政委員会秘書長
	菊池寛	作家
3	荒木貞夫	文部大臣・陸軍大将
	熊唐守一	北京女子西洋画学校校長
4	江朝宗	前国務総理・前北京市長
	結城豊太郎	日本銀行総裁
5	近衛文麿	総理大臣
6	周龍光	行政委員会情報処処長
7	平沼騏一郎	総理大臣
8	周大文	北京中央広播電台台長
9	柳川平助	興亜院総務長官
11	大角岑生	海軍大将・男爵
12	繆斌	新民会中央指導部部長
14	町田忠治	民政党総裁
15	王克敏	行政委員会委員長
16	佐藤春夫	作家
17	呉念中	杭州市長
18	住友吉左衛門	男爵
19	田辺治通	通信大臣
20	冷家驥	臨時政府行政委員会参事
21	平生釟三郎	前北支那派遣軍最高経済顧問
23	呉賛周	河北省省長
24	岳開先	臨時政府行政委員会外務局長
25	許蘭洲	世界紅卍字会中華総会会長
26	阮振鐸	駐日満洲国大使
27	王揖唐	臨時政府内政部総長
28	賀屋興宣	北支那開発会社総裁
29	青木一男	大蔵大臣
30	鮑鑑清	北京大学医学院長
31	羽田亨	京都帝国大学総長

通号数	氏　　名	役　　職
32	殷同	臨時政府建設総署署長
33	張景恵	満洲国国務総理大臣
34	堂本印象	画家
35	傅筱庵	上海特別市市長
35	鄒泉蓀	北京市商会長
37	阿部信行	在中華民国特派全権大使
38	温宗堯	国民政府司法院院長
39	韓雲階	満洲国経済部大臣
40	陳羣	国民政府内政部部長・答礼使節
41	張煥相	満洲国司法部大臣
42	小磯国昭	拓務大臣
44	林柏生	国民政府宣伝部部長
47	蔡培	南京特別市市長
48	傅式説	国民政府鉄道部部長
50	有馬頼寧	大政翼賛会事務総長兼総務局長
51	張永福	国民政府委員
52	陳公博	国民政府立法院院長
56	李聖五	国民政府司法行政部部長
58	周作人	華北政務委員会教育総署督辦
60	葉蓬	武漢綏靖公署主任
63	丁黙邨	国民政府社会部部長
65	汪精衛	国民政府主席
68	陳済成	国民政府僑務委員会委員長
71	周隆庠	国民政府外交部次長
82	陳柱	文物保管委員会博物専門委員会主任
93	徐良	駐日中華民国大使
99	伊藤慶之助	画家
102	顧藍君	女優
116	陳雲裳	女優

る。筆者の経験を挙げれば、戦後中国社会科学院や北京大学ほかで研究に従事し、日中関係史の分野で多くの成果を上げた汪向栄が、実は汪政権の駐神戸領事と同一人物であると確定できたのは、『華毎』の肖像写真のおかげであった。[30]

(三)「中日名人家庭訪問記」「時人月旦」

人物への着目では、第一巻(第一号、三八年一二月)から第五巻(第五二号、四〇年一二月)まで連載され、その後も単発で記事となった家庭訪問記が興味深い(図表4参照)。日本では、少なくとも二〇世紀初頭から名家訪問談といった記事の連載が確認できるが、[31]管見の限り最初期の家庭訪問記事は一七年の『婦人週報』に連載された「婦人界開拓者の家庭訪問」で、その後三〇年代後半までには雑誌記事のジャンルとして一般化していた。『華毎』の訪問記の特徴は、中国側の人選が日本側の人選と比べるとそれほどの著名ではない者が混じっている点である(おそらく石川順ら北京支局員の人脈と思われる)。ただし、そのことが結果として凡百の人名録では知ることのできない記録となっている。また日本人に対する訪問記であっても、例えば若き日の木戸幸一が南通の張謇(一八五三―一九二六。清末・民国初の実業家)に世話になったことなど、中国関連の貴重な話題が引き出されている。

「家庭訪問記」ほどの量はないものの、「時人月旦」の内容も無視できない(図表5参照)。例えば汪政権で教育部長を務めた趙正平は、自身の清貧ぶりについて、朝食は饅頭(マントウ)二つだけであること、また収入も社会事業への賛助と親友への扶助で消えるため、いまだ持ち家もないと語っている。老子信奉者として知られた趙の人となりを具体的に伝えるものとして興味深い。このほか、連載が三回にとどまったものの「名人及其書斎」(第七〇~七二号、四一年九月~一〇月)では樊仲雲(中央大学学長)、周作人(華北政務委員会教育総署督辦)、江亢虎(考試院副院長)の書斎が写真入りで紹介されており貴重である。

図表5　「時人月旦」一覧

通号数	氏　名	役　職
9	王克敏	臨時政府行政委員長
10	鮎川義介	満洲重工業開発総裁
11	呉佩孚	直隷派軍閥総帥
12	杉山元	北支那方面軍最高司令官
13	梁鴻志	維新政府行政院院長
14	喜多誠一	興亜院華北連絡部長官
15	徳王	蒙疆聯合委員会総務委員長
16	陳羣	維新政府内政部部長
17	リッペントロップ	ドイツ外相
18	王蔭泰	臨時政府実業部総長
19	徳川好敏	航空界重鎮・陸軍中将
20	クレイギー	駐日イギリス大使
21	汪精衛	国民党元老
22	阿部信行	内閣総理大臣
23	ダラディエ	フランス首相
24	湯爾和	臨時政府議政委員長
25	野村吉三郎	外務大臣
26	周仏海	新国民党闘士
27	グルー	駐日アメリカ大使
28	斉燮元	臨時政府治安部総長
29	張景恵	満洲国国務総理大臣
30	津田信吾	鐘ヶ淵紡績社長
31	米内光政	総理大臣
32	呉賛周	河北省省長
33	小山松壽	衆議院議長
34	褚民誼	国民党長老
35	加藤外松	公使・日本政府特派大使首席随員
37	犬養健	阿部全権大使随員
38	林柏生	国民政府宣伝部部長
39	チャーチル	イギリス首相
40	陳公博	国民政府立法院院長・答礼専使
41	韋煥章	満洲国外務局長官・皇帝訪日扈従員
42	ペタン	フランス首相
43	原嘉道	枢密院議長
44	小林一三	商工大臣
45	趙正平	国民政府教育部部長
46	村田省蔵	通信大臣兼鉄道大臣
47	星野直樹	企画院総裁
48	フンク	ドイツ経済相
53	本多熊太郎	駐華日本大使
	李紹庚	駐日満洲国大使

図表6　座談会・懇談会一覧

通号数	タ　イ　ト　ル
7	留日学生座談会
8	留日学生座談会（承前）
9	東亜関係名流婦女座談会
11	中日満蒙学生懇談会
14	中日学生親善懇談会
15	観光日本懇談会
16	中日名流交歓座談会
	満洲文化人談日本電影
17	華中名流交歓座談会
18	日本文壇巨星談電影
29	中日教育懇談会
32	南京中日文藝座談会
33	満洲国留学生座談会
34	作家們的座談会 満洲代表作家
37	訪粤日本婦女使節印象談
	歓迎華北記者団懇談会
38	満洲文化漫談会
39	新生中国縦横談
40	林柏生氏与日本学生代表対談会
42	丁黙邨氏過阪与本刊洪編輯同人等一夕熱辯
43	北京藝術家座談会
45	世界新秩序討論会

通号数	タ　イ　ト　ル
49	座談会 日本的新体制是什麽？
54	関於「宣伝」的座談会
57	太平洋座談会
	南京文化人座談会 怎様溝通中日文化？
60	国民政府一年来的実績及今後和平運動的開展
63	海軍座談会（上）
64	海軍座談会（中）
65	海軍座談会（下）
77	新国民運動座談会
78	東方美術座談会
83	座談会 新世界観之劃立
89	南京婦女座談会 現代婦女在社会上的使命与責任
92	座談会 中日文化交流
94	南京座談会 新国民運動之意義及其性格
106	華北文藝座談会
111	留日華僑座談会
120	中日両国之女性会談
121	座談会 菲律賓独立秘史
126	座談会 華北文藝一夕談
132	関西留学生座談会 決戦下日本学生的印象
133	以「万世流芳」為話題 対於中国電影的印象（座談会）

（四）座談会・懇談会

日本では二〇年代後半から広まった座談会のスタイルも、[32]『華毎』は積極的に取り入れた。座談会ということもあり、必ずしも肩肘張ったものばかりではない点が興味深い。「日本人女性と結婚したい勇士はいませんか?」との問いかけに、自分はすでに結婚しているが、将来は日中の国際結婚が増えるだろうとの返答（「観光日本懇談会」第一五号、三九年六月）、広州では多くの中国人が日本女性を妻にしているという話（「訪粤日本婦女使節印象談」第三七号、四〇年五月）、社会と家庭のはざまにある婦女を両棲のカエルを例に説明する（「南京婦女座談会」第八九号、四二年七月）などは、座談会ならではの発言といえよう（図表6参照）。

（五）さまざまな連載企画

連載企画としてはほかに、代表的な日本企業を紹介する「介紹日本代表会社・工廠」（第二五～三四号、三九年一一月～四〇年三月）、満洲中央銀行や満洲電業を紹介する「満洲特殊会社」（第三五～四五号、四〇年四月～九月）、日本の先端科学技術を扱う「新日本的科学圏」（第四七～五六号、四〇年一〇月～四一年二月）、『華毎』特派員の柳龍光が四〇年一一月から一二月にかけて奉天、北京、張家口、大同、包頭、太原、石家荘、開封、徐州、南京、蘇州、杭州、上海などを訪れた際の記録「和平与祖国　回国旅行一箇月間的雑筆」（第五三～五八号、四一年一月～四一年三月）、中国・満洲の大学の様子を原稿募集のかたちで連載した「我們的大学校」（第六五～七四号、四一年七月～一一月）などがあり、豊富な情報を提供してくれる。また地味ながら長期にわたった連載として、漢詩欄の「苔岑詩壇」（創刊号～第八七号、三八年一一月～四二年六月）、洪子博[33]が担当した「日本語文講座」（第五～九五号、三九年一月～四二年一〇月）、白廷賛（彦根工商中華語教師）が担当した「中華語講座」（第七～九一号、三九年二月～四二年八月）も付記しておきたい。

（七）その他の読みどころ

個別の論稿は、テーマも多岐にわたり枚挙に暇がないが、筆者にとって興味深いと思われたものを列挙すれば、邢幼傑「剿共滅党不可並論」（第一六号、三九年六月）、黄審「毛沢東印象記」（第二〇号、三九年八月）、土肥原賢二「実行「一体主義」的理念」（第二一号、三九年九月）、江文也「東亜民族進行曲」（第五九号、四一年四月。同曲は「日本ニュース」が汪政権関係のニュースを取り上げる際、しばしば背景音楽としても使われた）、魯風「全日本華僑総会第二届大会参加記」（第六四号、四一年六月）、陳済成「僑務工作之進展現状及其計劃」（第七四号、四一年一一月）、許錫慶「新中国報人的性格」（第八六号、四二年五月）、公孫憚「中央陸軍軍官学校学生生活介紹」（第八七号、四二年六月）、劉邦興「広播（ラジオ）教育之理論与実施」（第九五号、四二年一〇月）、沈田夫(34)「延安面面観」（第一〇三号、四三年二月）、羅雅子「上海的副刊及雑誌」（第一一二号、四三年六月）、楢崎観一「存華挫狄論」（第一一三号、四三年七月）、「汪主席語録」（第一二六号、四四年二月）、子江「和平地区的蛀虫 忠義救国軍的正体」（第一二七号、四四年三月）、程公俊「大東亜共益社会論」（第一三四号、四四年一〇月）、鴻山俊雄「三十三年前的回憶」（第一三七号、四五年一月）、那波利貞「留呉記」／張源祥「清郷工作考察記」（第一三八号、四五年二月）などがあり、占領地における議論や事情を考える上での貴重な知見を提供してくれる。

このほか、『華毎』は戯劇関係の情報も豊富で、劇評家として著名な徐彬彬（凌霄漢閣）による「伶工特記」（創刊号～六号、三八年一一月～三九年一月）、凰芷「譚馬連良唱片」（第二一号、三八年九月）、魏建新「新中国両年来的戯劇運動」（第九〇号、四二年七月）、梅蘭芳「四十年戯劇生活」（第九八～一〇一号、四二年一一月～四三年一月）、李郡捷「華北的京劇電影」（第一二〇号、四三年一〇月）など、是非とも専門家による評価を待ちたい。

さて、以上のように豊富なテーマを扱った『華毎』だが、科学技術方面の記事は少なかった。このためか南宮吉「戦闘機的話」（第一〇六号、四三年三月）、同「轟炸機的種種」（第一〇七号、四三年四月）が掲載された際には、読者の反響が大きく「この方面をさらに強くしてほしい」との要望が多数寄せられた。これに対し編輯部は「本刊は科学を主体とする雑誌ではない」としたが、[35]その後「喫煙的科学」（第一一六号、四三年八月）、科学評論で著名な造船技師の和辻春樹による「船」（第一一七～一二一号、四三年九月～一一月）、「最近流行于日本的空気電池」（第一三六号、四四年一二月）などが掲載されている。読者の声が編輯方針に影響を与えた、と判断してよいだろう。

三.『華毎』の性格について

稿を終えるにあたり、ではそもそも『華毎』とはいかなる雑誌であったのか、という点について考えてみたい。『華毎』の性格を考える上で、現在に至るまで一定の影響を与えているのが、『華毎』を「日本帝国主義による文化侵略の道具」とみる立場である。これは三九年から四〇年にかけて、重慶側が上海で発行していた『中美日報』と『華毎』とのあいだで巻き起こった論争でも争点となった。『華毎』の性格を考える上でも重要な論争と思われるので、以下引用を交えながらその内容を整理しておこう。

論争のきっかけは『華毎』創刊一周年紀念号（第二五号、三八年一一月）で、菊池寛が「日本の知識階級は中国人に対し、ただ満腔の同情を有するのみで、一点の増悪の気持も無い。憎いのは中日両国の国民を戦争に陥れた抗日政権である」という議論を展開したことだった。[36]これに対し『中美日報』紙上で龍滔が「中国人の団結力の軽蔑と意図的な事実の歪曲である」と批判を加えると、[37]菊池寛は『華毎』正月号（第二九号、四〇年一月）で反論し、[38]それに対し徐輔元が批判を重ねる、[39]という応酬となった。さらにこれが飛び火し、次のようなかたちで『華毎』そのものが槍玉に挙がったのである。

これ〔『華毎』〕が対象とする読者のほとんどは、自然と一般の中華民国の「順民」となっている。この刊行物が一般の毒化刊行物と異なるのは、「それが日本帝国主義者の直接的な文化侵略の道具」である点だ。それは華文という外套をまとっているが、その内容は日本帝国主義者の恐ろし気な、人を喰らう目つきを十分にあらわしている！

例えばその「表紙絵」は、いつも日本の帝国議会議事堂の類で、鮮やかな日本の山水・社会・風物が掲載されているが、〔その〕狙いは明らかで、読者を一種の羨望の心理——ただ日本主義者の心理にすることなのだ。〔中略〕文化毒汁は恐るべきものだが、より恐ろしいことは、文化毒汁の恐ろしさを知らないことである。現在、東四省から華中・華南の遊撃区のなかに伝染してきた華文『毎日新聞』（ママ）は、なんとまた本市の文化街頭にも伝染してきた。これこそ我々が何故特に議論しなければならないのか、また私がその陰謀を暴露する理由なのである。(40)

『中美日報』はその後も、成立八周年を迎えた満洲国の治績に言及した『華毎』第三四号（四〇年三月）の巻頭言「満洲帝国的教訓」を批判する文章を掲載した。(41)

こうした度重なる批判を受け、『華毎』も動かざるを得なくなったのであろう。編輯長・原田稔が「『華毎』は政府の御用機関でも、軍部の御用雑誌でもない」として、次のように反論した。

……彼らはなぜ本刊が「帝国主義者の文化侵略の道具」であるというのだろうか？　彼らの論拠はまことに空虚で、つかみどころがない！「華文という外套をまとう」ことなく、どうやって友邦中国の友達と話をするのか？　我々は微力ではあるが、中日の相互理解を強化し、東方文化を宣揚する意志を抱き、東亜和平の一翼を固める熱烈な気持ちをもっている。何度も声明してきたように、本刊は日本政府の御用機関ではないし、軍部の御用雑誌でもない。もし本刊が日本帝国主義の野心の下に発行されているのであれば、賢明な六十余万の読者は、とっくに本刊から離れてしまっているだろうし、我々同人もきっと揃って辞職し、『中美日報』の編輯者に転職するだろう。もし日本で発刊された雑誌という発想で表面的に「日本帝国主義」であると罵倒すれば、一般の人が喜ぶと思っているならば、これは全く時代観念が欠けていて、事態の把握ができていないということだ。

こうした論争の影響もあってだろう。中国の研究では、『華毎』はまずは「帝国主義の道具」とされている。また日本での研究においても『華毎』の性格を、上記二つを内包したものとする見方がそれほど違和感なく受け入れられた。筆者も、『華毎』にはこうした二面性があることを否定するものではない。ただその上でなお、『華毎』の性格を検討するには今一つ重要な立場が、これまであまり意識されてこなかったと感じる。それは大毎の立場であり、『華毎』発行もまた民間企業の販路拡大――もう少しいってしまえば利潤追求――のための企画であった、という側面である。

『華毎』を、大毎が当時発行していたほかの定期刊行物のなかに位置づけると、その意味はより明確になろう。『華毎』が刊行された当時、すでに大毎は定期刊行物として英字新聞である『英文「大阪毎日」』と海外向けの『ホーム・ライフ』(海外版)を含む、次のような一七の媒体を擁していた。

大阪毎日新聞／東京日日新聞／英文「大阪毎日」／大毎・小学生新聞／東日・小学生新聞(以上、日刊)、サンデー毎日／点字「大阪毎日」(以上、週刊)、エコノミスト(旬刊)、大毎・東日写真特報(週三回)、大日本青年(半月刊)、ホーム・ライフ／映画教育／映画とレヴュー／新興婦人／大阪毎日新聞縮刷版(以上、月刊)、ホーム・ライフ海外版(季刊)、毎日年鑑(年刊)[42]

これらはいずれも二〇年代からはじまっていた都市部での生活様式の変化や出版ブーム、ライバルである大阪朝日新聞社との競争などを経て、徐々に拡大してきたものであった。特に満洲事変以降、新聞は戦争報道により急激に売り上げを伸ばしていた[43]。

こうした潮流のなか、新たにはじまった中国との戦争にいかに対処するのか。大阪朝日新聞社をはじめ他社の動きも睨みながら、大毎の経営陣が自社の大陸における展開を考えていたことは想像に難くない。新聞社といえども私企業であり、利潤追求が最大の目的であることを考えれば、販路拡大をはかること自体は不思議ではない。事実、日本国内での新聞売上部数が頭打ちとなるなか、軍部が上海を拠点に新しい国策新聞を創刊するという情報が流れると、朝日、毎日、読売、同盟の四社が主導権の争奪戦を展開しており、これは朝日新聞が主導するかたちで三九年一月の『大陸新報』創刊につながった。また逆に、『華毎』の創刊は朝日新聞の大陸進出に刺激を与え、同社は四〇年一〇月に中国語によるグラフ雑誌『大陸画刊』を刊行していた[44]。国策云々は経営拡大という企業の論理を覆い隠す上で格好の大義名分でもあったのである。

大毎はその後も、華文、英文、仏文併記で日本の文化、軍事、社会の姿を伝える月刊誌『HOME LIFE（家庭生活）』（ハノイ・サイゴン・バンコク、四二年一月[45]）、日刊紙『華文馬尼刺新聞』（マニラ、四三年三月一〇日）を創刊し、四三年五月には海南島で発行されていた『海南迅報』（日刊）及び『瓊海潮音』（半月刊）の発行を引き継いだ（「編後」第一二〇号、四三年一〇月）。その経営は『華毎』創刊以降も拡大し続けたのである。

残念ながら、『華毎』創刊に際し軍部と大毎の間にどのようなやり取りがあったのかはよくわからない。ただ『大陸新報』発刊の際、当事者たちが御用新聞になることを警戒していたことから推測すれば、軍の関与といっても、それは深く編輯方針や内容にまで介入するものではなかったと考えられる。具体的な人選や編輯方針は大毎が主体的に推し進めたと思われ、その点で先の「『華毎』は政府の御用機関でも、軍部の御用雑誌でもない」との反論、また『華毎』が「一般的な軍・政府の宣撫品と商業的な頽廃的娯楽品とは異なる」（「編後随筆」第三二号、四〇年二月）という主張は実態に近いと考えられる。

二〇年近く『週刊朝日』と部数を競ってきた『サンデー毎日』を擁する大毎が、その雑誌編輯の経験を『華毎』の編輯にも十二分に生かしたであろうことは想像に難くない。多くの雑誌が『華毎』の記事を転載し（「編輯室」第七一号、四一年一〇月）、『華毎』を応援する「読者意見」の葉書が毎日数百の規模で編輯室に届いていたことからも（「編後」第一〇二号、四三年一月）、これはうかがえる。また自身の投稿原稿が採用されなかった複数の読者が、編輯の不公平を訴える手紙を送っていたことは（「編後」第一〇四号、四三年二月）、読者が『華毎』に原稿を載せることに大きな価値を見い出していたことの証左である。

編輯部もこうした読者の声に敏感だった。盗作の指摘があった際には、その事実とともに盗作者の住所氏名を公開し[46]、二重投稿が指摘された際には、直ちに新たな禁止規定が追加された[47]。読者の要望に応えた誌面を安価に提供する。そしてその結果として読者が増える。こうした、いわば資本主義の論理に則った雑誌経営の「王道」が、『華毎』の強さであった。ただ皮肉なことにそのことは、結果的に有力な「宣撫雑誌」を生むことと表裏の関係であった。読者が心から読みたいと思い、そこに自らの文章が載ることに意義を感じる雑誌。これに勝る「宣撫雑誌」があろうか。

『中美日報』と『華毎』がそれぞれ主張した『華毎』の性格は、真っ向から対立しているようにみえる。しかし、そこに販路拡大を目論む企業経営の視角を入れることで、この二つの性格は有機的につながってくる。『華毎』の性格は、ここに象徴的に現れているのである。

（せき　ともひで）

注

（1）「本社発刊『華文大阪毎日』へ各方面より讃辞」『大阪毎日新聞』三八年一一月一日、第二面。「華文大阪毎日創刊号 けふ発売」『大阪毎日新聞』三八年一一月三日、第二面。

(2) 前掲「本社発刊『華文大阪毎日』へ各方面より讃辞」。

(3) 清風の読みは「せいふう」とするものが多いが、平川の訃報を伝える『大阪毎日新聞』は「きよかぜ」とルビを附している。自社の重役の名前にあえて誤ったルビを振ることは考えにくいので、読みは「きよかぜ」と判断した。「平川本社主幹 昨夜七時、自邸で逝く」『大阪毎日新聞』四〇年二月三日、第二面。

(4) 平川清風「創刊一週年感言」第二五号、三九年一一月、二頁。

(5) 重緑「雑誌介紹 華文大阪毎日」「新聞与出版」『南京新報』第二四期、三九年一一月九日、第二張第三版。

(6) 原田稔「関於『中美日報』的錯覚」第四一号(四〇年七月)、「本刊駐華辦事処在南京成立 展開邁進了的業務報告」第七一号(四一年一〇月)、「編輯室」第九九号(四二年一二月)。この他「二十万読戸」という記述もある(「編後随筆」第二一号、三九年九月)。

(7) 内務省警保局図書課『出版警察報』第一二四号、四〇年一月、七四頁。

(8) 重緑前掲「雑誌介紹 華文大阪毎日」。

(9) 四一年一月一日からは停止された。「編輯会議」『本刊啓事』第五二号。

(10) 小林昌樹編・解説『雑誌新聞発行部数事典 昭和戦前期 附 発禁本部数総覧(増補改訂普及版)』上・下巻(金沢文圃閣、二〇二〇年)をもとに筆者作成。複数のデータがある場合は、発行日が三九年一二月一日に近いものを選んだ。

(11) 夏目葵『魔鬼呑下了炸弾 上海』北新書店、四四年四月、四二頁。

(12) 盛思文「関於華文「大阪毎日」」『中美日報』四〇年三月一三日、第八版。

(13) 「本刊拡大機構啓事」第九五号、四二年一〇月。

(14) 『華毎』第一〇〜一四号(三九年三月〜三九年五月)掲載の「本刊経售所」をもとに筆者作成。

(15) 表紙の意匠の説明は各号の目次に準じたが、明らかな間違いは訂正し、また適宜説明を加えた。

(16) 正確には大毎取締役として『華毎』の主幹事務を兼担していた。「平川氏の本社社歴」『東京日日新聞』四〇年二月三日、第二面。
(17) 前掲「平川氏の本社社歴」。
(18) 「立派な新聞人 徳富蘇峰翁談」『大阪毎日新聞』四〇年二月三日、第二面。
(19) 中山優「北京の森 石川順をいたむ」（六〇年六月）中山優選集刊行委員会編・発行『中山優選集』七二年、三三七頁。
(20) 早川録鋭編『北支在留邦人芳名録』北支在留邦人芳名録発行所、三六年一二月、一頁。
(21) 「編後随筆」第三一号、四〇年二月。
(22) 前掲「本刊駐華辦事処在南京成立」。
(23) 「汪精衛氏与平川本社主幹之問答」第三一号、四〇年二月。
(24) 「本刊編輯主幹 平川清風先生千古」第三二号、四〇年二月。
(25) 下田将美「大東亜戦争与国民的覚悟」第七七号、四二年一月。
(26) 「本刊啓事『華文大阪毎日』編輯処聘請実習員」第六一～六四号、四一年五月～四一年六月。
(27) 「戦争政治体制・愈よ茲に確立「大東亜省」けふ誕生」『大阪毎日新聞』四二年一一月一日、第一面。
(28) 「本刊拡大機構啓事」第九五号、四二年一〇月。
(29) 執筆者は順に高木陸郎、中野正剛、松本忠雄、杉森孝次郎、吉岡文六。
(30) 汪向栄については、関智英「大使館の人々 汪政権駐日使領館官員履歴」（相原佳之・尾形洋一・平野健一郎編『東洋文庫蔵汪精衛政権駐日大使館文書目録』東洋文庫、二〇一六年）参照。
(31) 雑誌『少年世界』は少なくとも一九〇〇年から「名家訪問録」を連載しているほか、〇一年七月創刊の雑誌『富強之民』は「名流訪問」を連載している。
(32) 山川恭子「戦時における週刊誌メディアの「情報提供」方法の研究」（『図書館情報メディア研究』第八巻第一号、二〇一〇年九月）によれば、大毎発行の『サンデー毎日』は二四年には座談会を掲載し、その後二〇年代後半から三〇年代を通して座談会の数を増やしている。

(33) 本名は洪光洲。一九〇五年生まれ。東亜同文書院、京都帝国大学経済科を卒業後、満洲国官吏を経て、三八年に大阪毎日新聞に特別社員として入社し、編輯処に勤務。四二年七月一〇日、故郷の台湾で逝去。著書に『現代模範日語』（内山書店、三六年）がある（「編後随筆」第三六号、四〇年四月、「編輯室」第九一号、四二年八月）。

(34) 記事によれば著者の沈田夫（江蘇人）は上海で教育界にあったが、日本の上海占領後、陝北公学に進学し共産党に入党、三八年に晋察冀辺区政治部幹部教育科長となった。四〇年には延安の軍政研究院に入り、四二年五月の卒業後は、晋西北軍区に派遣され司令部秘書科長に就任した。その後、四二年六月、共産党を離脱し和平陣営に参加した。

(35) 「編後」第一〇九号、四三年五月。

(36) 菊池寛「致中国文化人書」第二五号、三九年一一月。

(37) 龍滔「菊池寛致中国文化人書」『中美日報』三九年一一月八日、第八版。

(38) 菊池寛「対於抗議的反駁」第二九号、四〇年一月。

(39) 徐輔元「菊池寛的詭辯」『中美日報』四〇年二月一六日、第八版。

(40) 盛思文前掲「関於華文「大阪毎日」」。

(41) 柳子南「「満洲国」的話」、『堡塁』第四四号、『中美日報』四〇年五月二四日、第八版。

(42) 「介紹日本代表会社・工廠（1）大阪毎日新聞社」第二五号、三九年一一月。

(43) 山本武利『朝日新聞の中国侵略』文藝春秋、二〇一一年、四五～四六頁。

(44) 山本前掲『朝日新聞の中国侵略』三九、四六、七六～八〇頁。

(45) 「月刊画報 HOME LIFE 家庭生活 発刊」第七七号、四二年一月。

(46) 第九三号（四二年九月）掲載の椿「慈善者」が、張天翼「善挙」の抄出であることがわかったため、第九六号（四二年一〇月）で椿こと蔣洪潮（上海三馬路河南路新中国報社）の住所氏名を公表した。

（47）第一一二号（四三年六月）に掲載された丹梠「沙漠間的故事」が、『新満洲』（第五巻第七号、四三年七月一日）に掲載された丹梠「一個沙漠間底故事（沙漠的故事）」と同内容であることが指摘された（「編後」第一一六号、四三年八月）。

『華文大阪毎日』文芸欄の変遷

羽田朝子

はじめに

『華文大阪毎日』（半月刊。第一〇一号より『華文毎日』と改題。以下、『華毎』と略記し、通巻号数、発行年月のみ表記。半月刊である発行日については内容一覧を参照）は日中戦争の勃発から一年あまりが経過した一九三八年一一月一日、大阪毎日新聞社・東京日日新聞社によって創刊された（以下、西暦の一九は省略）。この雑誌は終戦間近の四五年五月まで、全一三巻（通巻号数では第一四一号）にわたって出版された。日本支配下の中国大陸、おもに満洲国や華北地方を中心に発売され、同地域においては刊行期間が最も長く、影響力が最も大きな中国語定期刊行物であった。[1]『華毎』の趣旨は日本の国策を中国語で直接中国人に宣伝・啓蒙し、戦争遂行に文化面から寄与するというもので、誌面の前半部分では日本の国策の大義名分を宣伝し、占領地政権であった中華民国臨時政府（三七年一二月成立）や中華民国維新政府（三八年三月成立）、汪精衛政権（四〇年三月）の正当性を主張し、支持する論文が掲載された。『華毎』は各地の書店や毎日新聞の販売店で発売され、毎日新聞社の強力な資本をバックに、充実した誌面記事を一〇銭という安価な値段で提供した。そのため相当数の読者を獲得し、発行部数は数万から数十万にも達したという。[2]

とくに『華毎』は文芸欄に力を入れており、誌面の三分の一ほどを割いていた。当初は文芸欄の大半を長編の通俗小説が占めていたが、第三巻第一期（第一七号、三九年七月）ごろから文芸欄の充実が図られ、第四巻から第五巻まで（第二九～五二号、四〇年一月～一二月）は文芸欄の頁が増加し、全体の半分以上を占めるようになった。その後第六巻（第五三号、四一年一月）から文芸欄の頁は徐々に減っていき、もとの三分の一ほどに戻るものの、それより減ることはなかった。ただし、戦争末期（第一〇三号、四三年二月）以降は紙不足から全体の頁数が段階的に減少していったため、文芸欄も相対的に縮小している。

この文芸欄は基本的に読者投稿に支えられており、毎回誌面の最後には投稿規定が掲載され、採用された場合には原稿料が支払われた。そのほか、たびたび懸賞金付きの投稿作品が募集され、文芸に関する様々な特集や座談会が開催された。またレイアウトのデザインにも工夫が凝らされ、長編小説には専門の画家による挿絵が配された。

そのため既成作家の流出によって文壇が荒廃していた日本占領下の中国人作家――とくに満洲国や華北の若手作家――が数多く集まった。これには『華毎』の販売が満洲国と華北に集中し、また中国国内の原稿受付所が北京に設置されていたことも関係しているだろう。四〇年以降になると、数は少ないものの上海や南京など華中の作家の作品もみられるようになる。誌面では作者の居住地を明示することも多く、これによって『華毎』が日本占領地を広く包括していることをアピールする意図があったようである。例えば編集部は次のように述べている。

本刊の原稿は東亜共栄圏内の各所から寄せられたものである。満洲国、華北、華中、華南、ひいては台湾、朝鮮、南洋など多くの作家が喜び勇んで投稿した。これは国内のいかなる雑誌でもできなかったことである。ただこの一点については本刊が誇るところである。（「編輯室」第九五号、四二年一〇月）

ここでは華南や台湾、朝鮮、南洋にも言及されているが、実際のところ文芸欄に限ってはこれらの地域の作家は極めて少なく、満洲国、華北、華中の作家が中心となっている。

ただし注目すべきは、掲載された文学作品の内容は、基本的に日本政府や軍部の政策に迎合したものはみられないことである。なかには直接的な批判を含まないものの、日本の満洲進出や日中戦争による悲劇に言及する作品も多々あったことから、文芸欄では自由な活動がある程度可能だったことが分かる。また編集部の構成についても、主編や編集長は日本人であったものの、編集者の大半が中国人であった。とくに文芸欄の編集は高度な中国語能力が問われるため、中国人が中心となっていたと考えられる。

約八年間にも及ぶ『華毎』の発行期間においては、文芸欄の構成や誌面で活動した作家、包括する地域に、いくらか変動がある。そこで、本稿ではこれらに着目した上で文芸欄の変遷について解説したい。

なお、『華毎』には日本人作家も数多くの作品や文章を発表している。例えば漢詩を掲載する専門欄「苔岑詩壇」がほぼ通号にわたって設けられ、日中両国の作者による作品が掲載され、漢詩を通じた日中交流がなされた。また通俗小説や漢詩、劇や映画、漫画や木版画などの美術欄も設けられていた。そのほか、占領下におかれた各界の著名文化人の文章、例えば梅蘭芳「四十年戯劇生活」(第九八～一〇一号、四二年一一月～四三年一月)が掲載されている。本稿では中国人作家による小説や詩、文学評論、翻訳を中心に取り上げ、それ以外については諸賢による今後の検討を待つことにしたい。

一．文芸欄の発展　第一～六巻(第一～六四号、三八年一一月～四一年六月)

ここでは文芸欄が大きく発展を遂げた第六巻(第六四号、四一年六月)までについて述べる。なお、掲載作品の出典については通号で記載することにする。

当初、『華毎』では文芸欄として「文壇」(創刊号、三八年一一月～)、「文苑」(三号、三八年一二月～)が設置されており、北京の著名作家である江寄萍(一九〇七—一九四二)の散文や小品文がたびたび掲載されたほか、同じく北京の有名な文化人である銭稲孫（一八八七―一九六六）の名もみえる。ただし誌面の多くを占めていたのは、「武侠小説」や「社会小説」と銘打った長編の通俗小説であった。

その後まもなく、第三巻第一期（第一七号、三九年七月）から文芸欄の充実が図られ、さまざまなジャンルの常設欄「創作（短編小説）」（第一七号、三九年七月～）、「散文」（第一九号、三九年八月～）、「翻訳小説」（第二〇号、三九年八月～）、「簡」（第二四号、三九年一〇月～）、「詩」「翻訳文芸」（第三〇号、四〇年一月～）、「小品文」（第三一号、四〇年二月～）、「夜流」（第五〇号、四〇年一一月～。「簡」「小品文」が合併）が設置された。

編集部はとくに若手作家の活躍を支持していたようで、第二巻第三期（第七号、三九年二月）から懸賞金つきの新人作品募集を掲載しはじめ、その後、次々に影劇話劇脚本、長編小説、中編小説のジャンルに分けて開催し、第三巻から第六巻にかけて当選者の紹介や当選作品を掲載した。また第五巻から「華毎紙上文筆人像賛」（第四一～五五号、四〇年七月～四一年二月）の連載をはじめ、全一四回にわたって誌上で活躍する若手作家たちを近影つきで紹介している。

そのため第三巻以降、とくに満洲国と華北の若手作家たちが数多く集まり、大いに活況を呈することとなる。(3)

（1）満洲国作家の躍進と華北作家との交流

文芸欄の充実を受けて、まず目にみえて増えたのが満洲国の作家であった。例えば、すでに満洲文壇で活躍していた柳龍光（紅筆、糸已。一九一一―一九四九）、秋蛍（舒柯、蘇克。一九一三―一九九四）、山丁（一九一四―一九九七）、呉瑛（一九一五―一九六一）、呉郎（?―一九六一）、梅娘（一九一六―二〇一三）、爵青（一九一七―一九六二）、冷歌（一九〇八～?）、也麗（一九〇二―一九八六）、励行建（一九一七～?）らの作品が掲載されている。これには、柳龍光が三九年二月から『華毎』文芸欄の編集者となっていたことが大きく関係しているだろう。(4) 柳龍光は『華毎』に入社する直前まで満洲国の首都新京で出版されていた中国語新聞『大同報』で文芸欄の編集をしており、上記の作家たちは、柳龍光が『大同報』で行った特集「文学専頁」（三八年七月一日～一一月二〇日）でも作品を掲載している。柳龍光は『華毎』で自らも数々の文学評論や創作詩歌「傍晩之家」（第二五～二八号、三九年一一～一二月）を発表したが、満洲国の文壇と『華毎』をつなぐ役割も果たしていたと考えられる。

当時、満洲国を代表する作家として著名であった山丁が文学評論で多くの文章を発表したほか、新進女性作家の呉瑛が数々の小説を発表した。例えば「如意姑」（第一九号、三九年八月）では旧式の教養と独自の教育哲学をもった女性を描いている。また秋蛍は代表作の一つ「血債」（第六三号、四一年六月）を発表し、日本の開拓団入植による社会変動のなかで貧困に苦しむ農民の苦境を描いた。

そのほか誌面で活躍した満洲国作家として、小松（趙孟原。一九一二～?）や金音（一九一二～?）、磊磊生（季瘋。一九一七―一九四五）、韓護らがいる。小松は「海外的九月」（第二二号、三九年九月）で北満から東京視察に派遣された特派員記者の道中を、「低簷」（第四〇号、四〇年六月）で工場建設のため景気が良くなった商売人が賭博で身を滅ぼす姿を描いている。また磊磊生は「在牧場上」（第六四号、四一年六月）において、匈奴に捕らわれた前漢の政治家・蘇武を主人公に、漢王朝への忠誠心を保ちつつも異民族の妻子を抱える内心の矛盾を描いている。そのほか、新人作品募集で小松が「書生」（第二七号、三九年一二月）で影劇話劇脚本佳作を、金音が「教群」（第五五、五六号、四一年二月）で中編小説入選を得ている。

『華毎』で頭角を現し、成長していく満洲国作家もいた。例えば田瑯（白樺。一九一七～?）と但娣（一九一六―一九九二）は満洲国文壇ではほとんど無名であったが、『華毎』の新人作品募集で当選したことから大きく飛躍した。田瑯は「大地的波動」（第三四～四九号、四〇年三月～一一月）で長編小説正選を、但娣は「安荻和馬華」（第五三、五四号、四一年一月）で中編小説入選を受賞している。[5] これら二つの作品は、いずれも日本軍の侵攻により混乱した中国あるいは満洲を背景に、社会の変動により翻弄される家族や恋人同士の姿を描いている。

とくに田瑯の「大地的波動」は半年間に渡って連載され、論評も数多く掲載されて脚光を浴びた。また『華毎』

により田郷を中心とする座談会が開催され、満洲国の代表的な作家である古丁と外文、日本側からは久米正雄や横光利一、大宅壮一らが招かれた（「作家們的座談会 以『大地的波動』的作者与満洲代表作家為中心的」第三四号、四〇年三月）。

同時期に華北の作家も登場しはじめ、とくに蕭菱（一九一三～?）や高深（?―一九四三）の作品が数多く掲載された。蕭菱は多くの文学評論や小品文を発表したほか、小説では「一個老人」（第二九号、四〇年一月）で大道芸人のしたたかさを、「帰寧」（第六四号、四一年六月）で貧困女性が遭遇する悲哀と娘との愛情を描いている。高深は小説や詩を中心に発表し、日中戦争で兄を亡くした主人公と誠実で朴訥な兵士との交流を描いた小説「老彭」（第五一号、四〇年一二月）や、占領下の現状や悲憤を描いた詩「没有霊魂的人們」（第六一号、四一年五月）を発表している。

同じく華北の若手作家である張金寿（一九一六～?）、亜嵐（楊六朗。一九一三～?）、方之蕙は、常設欄で活躍したほか、新人作品募集で受賞しており、張金寿「路」（第三七～五〇号、四〇年五月～一一月。ただし第四〇号、四〇年六月は除く）は長編小説副選、亜嵐「事変半年」（第五七、五八号、四一年三月）は中編小説入選、方之蕙「同命鴛鴦」（第二一号、三九年九月）は影劇話劇脚本一等を得ている。とくに「路」は半年にもわたって連載され、評論も掲載されるなど注目された。その内容は、貧困のため進学の希望が絶たれた工場で働く青年を主人公に、過酷な勤務の合間に勉学を続け、恋愛や友情の失敗で絶望を経験するも、最後には新しい道を模索する姿が描かれている。

満洲国と華北は政治的に隔絶されていたが、『華毎』誌上では両地域の文壇間の交流が図られている。文芸欄の拡充後、文学評論の欄である「随感（社会小評）」（第一七号、三九年七月～）、「文壇随話」（第二一号、三九年九月～）、「読衆与作品」（第四九号、四〇年一一月～）が設けられ、掲載作品や日本占領下の各地域の文壇についての評論が掲載された。これらは基本的には作家自身が属する文壇についての論評であり、これにより各文壇の情報が共有されたが、さらに地域を越えた交流がなされることもあった。例えば柳龍光は華北文壇の停滞を指摘する評論として

「夏季北京文場」(第一四号、三九年五月)、「大作家縦横談」(第二三号、三九年一〇月)を発表している。また柳龍光と蕭菱は誌上で討論を展開し、柳龍光「致蕭菱先生」(第二二号、三九年九月)、蕭菱「答紅筆先生」(第二九号、四〇年一月)がそれぞれ掲載されている。また柳龍光の詩「傍晩之家」(前掲)に対し、華北の作家である方之蔿(第二九号、四〇年一月)や蕭菱(第三四号、四〇年三月)による評論が、田瑯「大地的波動」(前掲)に対しては高深による評論(第五二~五三号、四〇年一二月~四一年一月)がなされている。

(2) 在日作家グループの活躍

『華毎』同人には日本滞在中の作家も含まれており、その多くは日本と関わりの深い満洲国の作家であった。『華毎』文芸欄の編集者であった柳龍光とその妻・梅娘、同じく『華毎』の記者であった魯風(陳漪堃)と雪螢(李景新)、校正係の張蕾は、その在職中は編集部があった大阪周辺に居住していた。また『華毎』誌上で活躍していた新人作家の田瑯と但娣は満洲国官費留学生として、それぞれ京都帝国大学経済学部、奈良女子高等師範学校文科で学んでいた。同じ関西地方に居住していた彼らは日頃から交流をもち、「読書会」に類したサロンを形成していた。そしてその活動は『華毎』の誌面にも反映している。[6]

『華毎』では翻訳文学にも力を入れており、とくに第五巻では二系列の翻訳特集「『海外文学』選輯」(第四二~五二号、四〇年七月~一二月。偶数号連載)、「『日本現代詩選訳』特輯」(第四九~五二号、四〇年一一月~一二月)が組まれている。これらの特集で翻訳を担当したのが、上述の満洲国の在日作家グループであり、ジッド、ヘッセ、ジャック・ロンドン、レールモントフ、バイロンといった欧米の作家、日本現代詩人(中原中也、草野心平、三好達治、北川冬彦、宮澤賢治、中野重治、萩原朔太郎)の作品を翻訳紹介している。

彼らはこれと時期を同じくして、同様の翻訳特集を華北の文芸雑誌『中国文芸』の「海外文学別輯」(全四回、四〇年一一月~四一年四月)、『大同報』の「海外文学専頁」(四〇年九月~四一年七月)でも行なっており、メディアや地域を超えた活動をしている。以上の特集は翻訳者同士によって効率よく役割分担がなされた、非常に系統立ったものであり、外部の情報が遮断されていた満洲国や日本占領下の華北の文芸界において、大いに歓迎された。(7)

華北の作家である王安子（馬還）も、日本の大阪外国語学校で教員として勤務していた時期に『華毎』に寄稿しており、「夢」（第五九～六一号、四一年四月～五月）により中編小説入選を受賞している。

二．南への拡張　第五～七巻（第四一～七六号、四〇年七月～四一年一二月）

第三巻以降、しばらくの間は満洲国と華北の作家が中心となっていたが、その後、四〇年三月に南京で汪精衛政権が発足すると、誌面に華中在住の作家がたびたび登場するようになる。これにより、『華毎』文芸欄の包括する地域が南に広がった。ここではとくに「南下」が進んだ第五巻（第四一号、四〇年六月）から第七巻（第七六号、四一年一二月）について説明する。

まず注目したいのは、五四以来の「老作家」である張資平（一八九三―一九五九）が複数の作品を発表していることである。張資平は二〇年代に創造社の同人となり、恋愛小説の流行作家として活躍したが、汪政権が成立すると農礦部技正となったほか、南京で成立した中日文化協会の出版組主任に就いた（四二年二月まで）(8)。張資平の作品は第五巻から登場しはじめ、「新的創傷　哭燕児」（第四四～四七号、四〇年八月～一〇月）とその続編「再致燕児」（第五七号、四一年三月）では、亡くした娘を悼む父親の心情が描かれている。そのほか、国民党左派の軍人で蔣介石政権により処刑された鄧演達（一八九五―一九三一）を題材にした「蜻蜓酒家　憶鄧演達将軍」（第六〇、六一号、四一年四月～五月）が掲載されている。

同じ時期、南京の劉敏君という新進女性作家が短編小説「小花瓶」（第五七号、四一年三月）を発表した。これは彼女の処女作であったが、張資平の推薦を受けて特別に掲載された（「編輯会議」第五七号、四一年三月）。この作品は「花瓶」として扱われる職業女性の苦悩を描いたことから女性読者の共感を呼び、その反響が「『小花瓶』発表後的反響」第六一号、四一年五月）で紹介されている。同時期に『華毎』によって「南京文化人座談会」（第五七号、四一年三月）が開催され、南京を代表する作家として張資平と劉敏君が出席している。(9)五四以来の劇作家である陳大悲（一八八七—一九四四）も文章を発表し、例えば随筆「人類急需的新型鏡」（第五一号、四〇年一二月）では日中間の理解における心得について述べている。当時、陳大悲は汪政権の宣伝部に勤務しており、中日文化協会で話劇に関する役職についていた。また同じく宣伝部に勤務していた妻の顧静嫻も「新臘八粥」（第八一号、四二年三月）を発表している。

第六巻第一期（第五三号、四一年一月）から第七期（第五九号、四一年四月）にかけては論説「我們文学的実体与方向」（第五三～五九号、四一年一月～四月）が連載され、中国・満洲国・台湾・朝鮮の各文壇について分担執筆された。中国については華北の作家のほか、南京の中央大学院長や教授が、満洲については呉郎と韓護が執筆担当した。台湾と朝鮮については、それぞれ日本統治期の代表的な作家である呉漫沙（一九一二—二〇〇五）、張赫宙（一九〇五—一九九七）が執筆している。

これとほぼ同時期に連載された長編ルポルタージュ「和平与祖国」（第五三～五八号、四一年一月～三月）では、『華毎』特派員として占領地の視察旅行に派遣された柳龍光が各地の政治経済、文化や人々の生活について数々の写真とともに報じている。ルートは日本から満洲国、華北、蒙疆からさらに南下して南京や上海など華中を巡っており、当時の占領地を広く網羅している。

その後、第六巻第一一期（第六三号、四一年六月）から第七巻第四期（第六八号、四一年八月）までは特集が次々と組まれ、「短編小説之巻」（第六三～六四号、四一年六月）、「新詩之巻」（第六五号、四一年七月）、「散文之巻」（第六六号、四一年七月）、「翻訳文芸之巻」（第六七号、四一年八月）、「女子作品之巻」（第六八号、四一年八月）が掲載されている。とくに「短編小説之巻」「女子作品之巻」では、呉瑛、秋螢、磊磊生、韓護、田兵（一九一三～?）、蕭菱など満洲国や華北の作家のほか、牧人（上海）、蔣果儒（南京）、劉敏君（南京）など華中の作家が作品を掲載した。なお、台湾の作家である蔚然も参加していた。この二系列の特集は、予告で作家の居住地を記載しており、占領地の作家を広く包括していることを明示している。

これら一連の特輯のあと、第七巻第五期（第六九号、四一年九月）から第一二期（第七六号、四一年一二月）にかけて張資平と梅娘の長編小説「新紅A字」と「蟹」が同時に連載された（第六九～七六号、四一年九月～一二月）。当時、梅娘は柳龍光が『華毎』の編集を離れて北京の武徳報社に入社したため、日本から北京に移っていた。この南北を代表する作家の連載について、編集部は相当に力を入れており、連載開始前には両者の自序や紹介を掲載し、連載中は編集後記でたびたび二作品について言及した。とくに張資平の小説には、上海の有名な画家である曹涵美（一九〇二―一九七五）の挿絵を配している。

張資平の「新紅A字」は、自序によれば「約十年ぶりの恋愛小説」であり、題名はアメリカの作家ホーソーン『緋文字』（一八五〇年）に由来するという。汪精衛政権下の南京を舞台に、政府機関で働く作家と若く美しい女性との愛情と破局を描いている。

梅娘の「蟹」は、満洲国の成立によって変貌する東北部を背景に、新興資本家一族の没落を主人公の少女の目線で描いたものである。連載にあたって梅娘は北京の作家として紹介されているが、作品の舞台は満洲国に設定されており、『華毎』誌上の華北と満洲国の融合をよく体現した作品であったといえよう。

三．満洲国と華北への回帰　第八巻～一〇巻（第七七～一一二号、四二年一月～四三年六月）

第三巻以降、文芸欄の構成は基本的に変わらなかったが、編集部が第七巻第一期で「編集上の体裁を大きく変えた」（「編輯室」第六五号、四一年七月）、第七巻第一二期で「来年一月から面目を変える」（「編輯室」第七六号、四一年一二月）と述べている通り、文芸欄は第七巻から第八巻にかけて段階的に様相を変えた。ここでは本格的に文芸欄の構成が変化した第八巻（第七七号、四二年一月）から第一一巻（第一二四号、四三年一二月）までについて述べる。

第七巻第五期（第六九号、四一年九月）から文芸欄の細分化がなくなり、長編小説の連載がメインとなったが、第八巻（第七七～八八号、四二年一月～六月）でもその形式は引き継がれた。その後も変動が続き、第九巻（第八九～一〇〇号、四二年七月～一二月）ではふたたび細分化され、多様なジャンル（「短編創作」「中編小説」「翻訳文芸」「新詩（詩）」「散文」「簡」「随筆」「評与感」「童話」）が入れ替わりで設けられたが、第一〇巻と第一一巻（第一〇一～一二四号、四三年一月～一二月）では、また細分化がなくなっている。

その一方で様々な特集が組まれ、第九巻第八期から第一〇巻第五期（第九六～一〇五号、四二年一〇月～四三年三月）にかけて「華北文芸特輯」と「満洲文芸特輯」（各三回）が、第一〇巻第六期から第一〇期（第一〇六～一一〇号、四三年三月～五月）にかけて「翻訳文芸特輯」「散文特輯」「童話・民間伝説特輯」「詩歌・書簡特輯」「雑文特輯」が組まれている。また第六巻で中断していた新人向け作品募集が再開され、第九巻で「四週年記念大徴文」、第一〇巻で「五週年記念大徴文」、第一一巻で「六週年記念大徴文」の当選作品が掲載された。

四一年一二月に太平洋戦争が勃発し、上海租界が日本占領下に置かれると、上海の著名な文化人の作品が掲載されるようになった。陶亢徳（一九〇八―一九九三）「談欧美派」、傅彦長（一八九二―一九六一）「従尊敬与親愛説起」、龔持平「関於新文学運動」（以上、第九八号、四二年一一月）、陶晶孫（一八九七―一九五二）「介紹俳句」（以上、第一〇五号、四三年三月）がある。ただし、その数は多くなかった。これには上海版『華文毎日』が四二年一一月一日に創刊され（後に『文友』に改題、四五年七月一五日まで刊行）、地域的分担が南北でなされたことが影響しているかもしれない。いずれにせよ、文芸欄の重心は満洲国と華北の作家たちに再び移ることとなった。例えば「華北文芸特輯」と「満洲文芸特輯」は、それぞれ三回にもわたって行われた。これらの特集では従来の『華毎』同人たちが活躍したが、それ以外の常設欄では作品を掲載することが少なく、むしろ無名の作家による投稿が文芸欄を支えることになった。
このほか、この時期に長編小説として黄君匋「揖愛記」（第九七～一〇〇号、四二年一一月～一二月）、福徳勝「岐路」（第一一六～一二一号、四三年八月～一一月）が連載されているが、これらについて編集部は特別な説明をしておらず、どのような経緯で掲載されたのかは不明である。以下、この時期の文芸欄で中心的な存在であった満洲国と華北の文芸に分けて解説する。

（1）満洲文芸

「満洲文芸特輯」が全三回にわたって行われた。第一回は第一〇一号（四三年一月）、第二回は第一〇四、一〇五号（四三年二月～三月）、第三回は第一一六、一一七号（四三年八月～九月）である。これらの特集には従来の同人が多く参加し、山丁、呉瑛、呉郎、秋蛍、爵青、励行建、冷歌、小松、金音、藍苓（一九一八～？）、田兵、但娣の名がみえる。そのほか新たに外文（一九一三～）、疑遅（一九一三―二〇〇四）、成弦、戈禾といった満洲国の著名作家も参加している。ここでは呉郎が大きな役割を担っており、特集欄で執筆者紹介を担当したほか、編集部の委託により執筆依頼も行なっている（「編後」第一〇五号、四三年三月）。
優れた作品としては、呉瑛「永生之霊」（第一〇五号、四三年三月）があり、新しい知識を得た少女が、肺病を病みながらも淫蕩や拝金にまみれた家と決別する姿が描かれている。また爵青は「香妃」（第一〇四号、四三年二月）において、清代の乾隆帝に嫁いだウイグルの姫を主人公に、帝の愛を感じながらも帰郷を願わずにはいられない複雑な思いを描いた。
特集以外では、藍苓が数々の作品を発表しており、「四週年紀年大徴文」ではその短編小説「夜航」（第九七号、四二年一一月）が当選している。このほか石軍（一九一二―一九四九）「無住地帯」（第八五、八六号、四二年五月）も秀逸で、もともとは仇同士であった男たちが密林での生活のなかで育んだ奇妙な友情が描かれている。また但娣も

「售血者」（第九〇号、四二年七月）を発表し、アメリカを舞台に、貧しさのために血を売って暮らす中国人留学生とアメリカ人売春婦の愛情と悲劇的な末路を描いている。

呉郎は満洲文芸に関する論説「一年来的満洲文芸界」（第一〇四号、四三年二月）、「康徳十年的満洲文芸」（第一二四号、四三年一二月）を発表しており、満洲国を代表する文学者として活躍している。

この時期に誌面に新たに登場した作家に朱媞（一九二二〜?）がおり、「夢与青春」（第一〇七号、四三年四月）や「航海」（第一二四号、四三年一二月）、「愚蠢的孩子」（第一三八号、四五年二月）など、停刊まで多数の作品を発表した。彼女は戦争末期に活動をはじめた新進の女性作家で、その作品の大半を『華毎』に掲載している。

(2) 華北文芸

「華北文芸特輯」は全三回にわたって行われ、第一回は第九六号（四二年一〇月）、第二回は第一〇二、一〇三号（四三年一月〜二月）、第三回は第一一三、一一四号（四三年七月）である。注目すべきは、四二年九月に北京で成立した華北作家協会の会員がこの特集に多数参加していることである。かつて『華毎』の編集者であった柳龍光が華北作家協会の幹事長に就任しており、本特集では副幹事長の張鉄笙とともに会員の作品の推薦にあたった。

このとき『華毎』文芸欄に新たに登場した華北作家に、雷妍（一九一一—一九五二）、聞国新（一九〇六—一九九二）、鮮文（鮮魚羊）、関永吉（上官箏。一九一六〜?）、楊鮑（一九二五〜?）、徐白林、璇玲、欧陽斐亜らがいる（いずれも華北作家協会会員）。従来から文芸欄で活動していた蕭菱、張金寿、蕭艾（一九一三〜?）、王石子も作品を掲載しており、彼らもまた華北作家協会の会員となっていた。

優れた作品としては、例えば北京文壇を代表する女性作家であった雷妍の「銀渓渡」（第一〇二号、四三年一月）がある。この作品では結婚後に元恋人から逢瀬を迫られるが、婚姻の継続のために拒絶するヒロインが描かれている。また共鳴「未完成的傑作」（第九六号、四二年一〇月）は、主人公の画家が名利を捨て芸術を追究し各地を放浪する姿を描いている。文学評論家としても活躍していた関永吉は、この特集で「掲起郷土文学的旗」（第一一三号、四三年七月）を発表し、五四新文学の伝統を受け継ぎ、中華民族と郷土の現実に根ざした「郷土文学」を提唱している。

特集以外の活動では、蕭菱が長編小説「年輪」（第七七～八七号、四二年一月～六月）を連載したほか、穆穆（一九一二―一九九二）「嫩江河畔」（第九二号、四二年八月）が掲載されている。この作品では穆穆自身が少年期まで過ごした黒龍江を背景に、美しい嫩江のほとりで育まれた初恋と悲劇を描いている。

この時期から停刊にかけて『華毎』はたびたび華北文芸に関する座談会を開催しており、満洲国文芸と比べて華北に比重を置いていたことがうかがえる。例えば「華北文芸座談会」（第一〇六号、四三年三月）、「華北文芸一夕談」（第一二六号、四四年二月）が開催されており、参加者はみな華北作家協会の会員であった。

華北作家協会には満洲国での言論統制から逃れ、北京へと移動した作家が数多く存在したため、以上の特集や座談会で活躍した作家にも相当数含まれていた。例えば、柳龍光、梅娘、山丁、魯風、蕭艾、徐白林、共鳴、鮮文、袁犀（一九一九―一九七九）、王則、戈壁、王介人（王度、呂奇）である。このことから、『華毎』文芸欄は政治的理由で流動する作家に一貫した文学活動の場を与えたといえよう。

四．戦争末期の縮小　第一二巻から停刊まで（第一二五～一四一号、四四年一月～四五年五月）

『華毎』は戦争末期の四三年に全体の頁数が段階的に減少していき、第一〇三号（四三年二月）にそれまでの五六頁から四八頁、第一一〇号（四三年五月）では四四頁、第一一八号（四三年九月）では四〇頁となった。さらに四四年一月の第一二巻第一期（第一二五号、四四年一月）からは月刊になったことから、文芸欄は大幅に縮小することとなった。ここでは第一二巻から停刊までについて述べる。

主に散文や評論を掲載する「熱風」（第一二六〜一二七号、四四年二月〜四四年三月）、「蘋果園」（第一二八〜一三六号、四四年四月〜一二月）、翻訳を掲載する「訳叢」（第一三四〜一三七号、四四年九月〜四五年一月）が設置されたものの、作品数は大幅に減少した。誌面の節約のためか、第一二巻第一〇期からは「半頁小説」（第一三二〜一三七号、四四年八月〜四五年一月）の欄が設けられ、六〇〇〜七〇〇字程度の簡潔な小説が掲載された。

この時期、はじめて蒙疆をテーマにした特集「蒙疆文芸特輯」（第一二五〜一二六号、四四年一月〜二月）が組まれ、張家口に居住する中国人作家による作品が紹介されている。張家口は当時、対日協力政権であった蒙古連合自治政府（一九三九〜四五年）の首都であった。

注目すべきは、周作人（一八八五—一九六七）の随筆「雨的感想」（第一三五号、四四年一一月）が掲載されていることである。周作人は北京文壇の大家として、『華毎』誌上において訪問記などでたびたび紹介されていたものの、それまで自らの文学作品を発表することはなかった。この周の作品と並んで、梅娘の随筆「我底随想与日本」も掲載されている。この二作品は、毎日新聞北京支社から発行された日本人向け雑誌『月刊毎日』の創刊号（四四年一一月）にも日本語訳で収録されている。[10] 梅娘の作品は日本での経験が題材になっていることから、もともと『月刊毎日』に掲載されることを念頭に創作されたものだと考えられる。

また、蕭艾は随筆「懐友」（第一三八号、四四年二月）を発表し、長らく日本占領下で暮らすなかで交流した日本人の友人に関する思い出について、国家間の関係に対する複雑な感情とともに描いた。

『華毎』では基本的に前半部分で時論が語られ、文芸欄は後半部分に掲載されたが、この時期にはたびたび、文芸欄の同人が前半部分や巻頭で文学論を掲載している。これは『華毎』における作家の地位向上を表しているともいえるが、それと同時に作家が日本政府や軍部の政策に巻き込まれることも意味していた。

例えば、呉瑛は「給亜細亜的女作家」（第一二六号、四四年二月）を掲載し、戦時におけるアジアの女性知識人の連帯と「大東亜精神」の探求を強く求めている。これに先駆けて『華毎』では、日本の阿部静枝「寄中国姐妹們」

（第一一六号、四三年八月）、窪川稲子と上海の女性作家である関露の会談「中日両国之女性会談」（第一二〇号、四三年一〇月）が掲載されており、呉瑛の文章もこれらに呼応したものであったのだろう。このほか、吉屋信子が「此一年間日本文化的回顧和展望」（第一三八号、四四年二月）を発表し、戦争協力する日本の女性や文学者を賞賛し、中国人読者に向けてアジア民族の連帯を呼びかけている。

また柳龍光も「現段階中国文学的進路」（第一三二号、四四年七月）を発表し、当時自身が華北文壇で提唱していたスローガン「国民文学」について論じ、日本の「大東亜戦争」のもとでの文学復興を肯定している。なおこれと同時に、上海在住の中国文学研究者である島田政雄も同タイトルで文章を発表しており、中国人作家による民族文学の確立を求めている。

おわりに

日本占領下――とくに満洲国や華北の文壇は、既成作家の流出により荒廃していたことから、『華毎』文芸欄は大型の総合雑誌で作品を発表できる数少ない機会であった。そのため若手作家が数多く集まり、彼らによる一定レベルに達した作品が掲載され、後にその作品が作家の代表作となることもあった。例えば『華毎』掲載作品と同タイトルで単行本が数々出版されており、但娣『安荻和馬華』（新京：開明図書公司、四二年一二月）、梅娘『蟹』（北京：武徳報社、四四年一一月）、張金寿『路』（上海：文潮月刊社、四五年）などがある。[11] また張資平も『新紅A字』（上海知行出版社、四五年七月）を出版しており、これは彼の最後の恋愛小説となった。

もちろん中国人作家が日本の国策宣揚のためのメディアに関わることに対し、当時から批判の声があがっていた。例えば上海で「孤島期」に発表された盛思文「関於華文『大阪毎日』」（『中美日報』第八版、四〇年三月一三日）では、『華毎』を「文化の毒汁」と断罪している。そして「若干の東北青年がこの刊行物の毒汁に侵されている」

とし、当時誌上で活躍していた田瑯や張金寿の名をあげながら、若手作家へ悪影響を及ぼすことを危惧している。
確かに『華毎』で活躍した作家たちは、戦争末期に日本の国策宣伝に巻き込まれており、日本文学報国会によって開催された大東亜文学者大会（全三回、四二～四四年）には呉瑛、呉郎、柳龍光、魯風など多くの同人たちが参加した。また梅娘は『蟹』により第二回大東亜文学賞次賞を受賞している。そして戦後は『華毎』同人の多くが政治動乱のなかで「漢奸」のレッテルを貼られ、苦境に立たされることになった。
しかし『華毎』文芸欄は、政治的に遮断されていた満洲国、華北、華中を広く網羅し、占領下において一つの文化圏を形成しており、とくに満洲国と華北の文壇の融合を促進した。そしてその文化圏は日本滞在中や地域間を流動する作家も包括していた。この文化圏に参加することにより、日本占領下の作家たちは自らの才能を発揮する場を確保し、作家同士で地域を越えてつながることが可能だったのである。とすれば、『華毎』同人たちは日本の国策宣揚に加担する危険を侵しながらも、逆にこのメディアを利用して文学を通じた自己表現を行い、ただ組み敷かれるだけの状況から脱する努力をしたともいえるだろう。
最後に、『華毎』で断続的に掲載されていた文芸情報欄について紹介したい。『華毎』には東アジア（日本、満洲、台湾、中国）の文芸に関する文芸欄「東亜文芸消息」（第二〇～六四号、三九年八月～四一年六月）[12]、欧米の文芸に関する文芸欄「海文展望」（第四四～五四号、四〇年八月～四一年六月）、以上の二つを合併させた「世界文化消息」（第六五～七六号、四一年七月～一二月）、「文化短訊」（第九八～一二五号、四二年一一月～四四年一月）、「文化城」（第一二六～一四一号、四四年二月～四五年五月）が掲載されている。これにより『華毎』は、情報が遮断されていた日本占領下において中国各地や東アジア、欧米の情報を提供し続けた。
このうち「海文展望」と「世界文化消息」は、第五巻から第七巻にかけて掲載されており、これは文芸欄が最も隆盛し、誌上で海外文学について盛んに紹介していた時期と重なる。これらの情報欄では欧米の文化情報を数多く掲載していたが、とくにドイツ占領下におかれたヨーロッパの国々の状況や作家たちの動向を広く伝えている。[13]ここからも、『華毎』の文化圏では、同じ占領下におかれた他国や、祖国を失った作家たちの運命に対し、並々ならぬ強い関心を共有していたことがうかがえるのである。

（はねだ　あさこ）

注

（1）大阪毎日新聞社と東京日日新聞社は四三年一月一日に合併して毎日新聞社となったことから、『華文大阪毎日』も同日発行の第一〇巻第一期（第一〇一号）から毎日新聞社によって発行され、『華文毎日』と改題された。なお翌四四年一月一日（第一二巻第一期、第一二五号）からは月刊となっている。

（2）『華毎』文芸欄については、岡田英樹氏による解説「『華文大阪毎日』の挑戦」のほか、以下の論文を参照した。南雲智ほか「『華文「大阪毎日」』短編小説案内」（一）～（三）（『人文学報』第三五一～三五三号、二〇〇三～〇五年）、張泉『抗戦時期的華北文学』（貴州教育出版社、二〇〇五年、六二～六五頁）、岡田英樹「中国語による大東亜文化共栄圏 雑誌『華文大阪毎日』・『文友』の世界」（『中国東北文化研究の広場』第二号、二〇〇九年三月、のちに岡田英樹『続 文学にみる「満洲国」の位相』研文出版、二〇一三年に収録）。

（3）本稿で取り上げる満洲国と華北の作家の基本的な情報や文学活動については、銭理群主編『中国淪陥区文学大系 史料巻』（広西教育出版社、二〇〇〇年）、植民地文化研究会編『「満洲国」文化細目』（不二出版、二〇〇五年）、張泉『抗戦時期的華北文学』（前掲）、貴志俊彦ほか編『二〇世紀満洲歴史事典』（吉川弘文館、二〇一二年）を参照した。また、岡田英樹訳編『血の報復「在満」中国人作家短編集』（ゆまに書房、二〇一六年）には『華毎』掲載作品の翻訳が複数収録されている。

（4）柳龍光については、張泉「華北淪陥時期の柳龍光」（杉野要吉編著『交争する中国文学と日本文学 淪陥下北京一九三七

―四五』三元社、二〇〇〇年）を参照。

（5）但娣と田琅の『華毎』における創作活動については、岡田英樹「『満洲国』からの二人の留学生」（『季刊中国』第二〇号、一九九〇年三月）に詳しい。なお但娣については、拙稿「但娣の描く『日本』満洲国の女性作家と日本留学」（『野草』第一〇二号、二〇一九年三月）を参照されたい。

（6）拙稿「梅娘ら『華文大阪毎日』同人たちの「読書会」満洲国時期東北作家の日本における翻訳活動」（『現代中国』第八六号、二〇一二年）を参照。

（7）注6に挙げた文献のほか、拙稿「梅娘ら満洲国作家たちの日本における海外文学紹介『大同報』「海外文学専頁」を中心に」（『叙説』第四一号、二〇一四年三月）を参照。

（8）日本占領下における張資平の活動については、森美千代「日中戦争下の張資平『和平運動』への参加過程」（『野草』第五六号、一九九五年）、杉野元子「南京中日文化協会と張資平」（『芸文研究』第八七号、二〇〇四年一二月）を参照した。

（9）「小花瓶」掲載時に附された作者紹介では、劉敏君は張資平と同様に汪政権の農礦部で勤務していたという（ただし作品掲載時には辞職している）。張資平の伝記である鄂基瑞・王錦園『張資平 人生的失敗者』（復旦大学出版社、一九九一年）によれば、張資平は農礦部で知り合った劉という若い女性職員と恋愛関係にあったとあり、これが劉敏君であった可能性がある。

（10）『月刊毎日』については、石川巧「徹底検証『月刊毎月』とは何か」（『新潮』第一一三巻第二号、二〇一六年二月）、石川巧編著『幻の戦時下文学「月刊毎日」傑作選』（青土社、二〇一九年）を参照。

（11）そのほか、呉瑛「如意姑」は「文選賞」を獲得して注目された小説集『両極』（文芸叢刊刊行会、一九三九年）に収録されている。小松「海外的九月」（「男与女」に改題）、「低簷」は小説集『人和人們』（芸文書房、一九四二年）に、石軍「無住地帯」は「森林地帯」と改題されて『辺城集』（大地図書公司、一九四四年）に収録されている。

(12) 文芸情報欄「東亜文芸消息」に関する先行研究には、宮入いずみ「『華文「大阪毎日」』「東亜文芸消息」に見る「満洲国」作家の動向」(『中国東北文化研究の広場』第一号、二〇〇七年九月)がある。

(13) 海外文芸の情報欄「海文展望」と「世界文化消息」については、拙稿「『華文大阪毎日』の海外文芸情報欄にみるドイツ占領下のヨーロッパへのまなざし」(『叙説』第四〇号、二〇一三年三月)を参照。

II

総目録

牛耕耘（編）

総目録・凡例

一，本目録輯録了大阪毎日新聞社・東京日日新聞社編輯・発行的《華文大阪毎日》（従第一〇一号起改称《華文毎日》）的全目。始於第一巻第一期（一九三八年一一月一日），終於第一四一号（一九四五年五月一日），即通巻第一号到第一四一号。同時輯録了該刊〈上海版〉第一号至第三号（一九四二年一一月一日—一九四二年一二月一日）的作品目録。

一，原則上按照原文録入，明顯的錯別字和漏字的地方由編者做了糾正和補充。字体混用之処做了統一処理。如：〝與〟和〝与〟統一為〝與〟。因原本頁面模糊無法辨認的文字，用〝●〟代替。如：丁聴●。

一，原則上按照文章刊載先後排序，但一部分専欄和特輯的文章除外。

一，本目録原則上不収録広告頁面的信息。

一，本目録中〔　〕由編者所加，主要用於標示文章類型。

『華文大阪毎日』

第一巻第一期　第一號　一九三八年十一月一日発行

封面　北京太和殿前銅獅（題字集自漢碑）　封面
『華文大阪毎日』創刊號目録　1
創刊詞　2
祝詞
王克敏／近衛文麿／高凌霨／湯爾和／荒木貞夫／梁鴻志　3
中日相知乃相親之前提　徳富猪一郎　4〜7
煩悶時代的蘇聯　上原虎重　8〜9
對華輿論集
歡迎蒙疆代表來朝（大阪毎日新聞十月十九日社論）　9〜10
廣東陷落之意義（大阪毎日新聞十月二十二日社論）　10〜11
新中國聯邦論（十月號改造所載）　吉岡文六　11
論新民主義並勗中國當局（十月號日本評論所載）　井上哲次郎　12
一以貫之〔随筆〕　徐劍膽　13
秋之感懐〔随筆〕　泊言　13〜14
談葱薑魚〔詩〕　張醉丐　14〜15
中國俗諺選輯　零餘　15
中日名人家庭訪問記
北京市長余晉龢　秀華　16〜17
厚生大臣木戸侯爵　17〜18
仲秋月下　四國雅集〔散文〕　18
乾淨〔小説〕　王代昌　19
日本介紹——日軍何以强盛？　20〜21
專載——擺脱白人侵佔！　宋介　22〜23
哲人語録　23
漫畫　譚沫子／萍泊　24
小智慧　25
婦女界——大日本國防婦人會的展望　26〜27
聯繫中日兩國的女子之髪網——熊谷蝶子夫人談　27
世間新聞
愛你的敵人／日軍攻略廣東／「對支院」要綱／世界的人瑞南菲老人百二十四歳／八噸帆船横斷大洋／人類起源在百萬年前／四庫全書重刊／日本天皇對徳王等叙勲　28〜31
朔望東西　31
科學新聞　32
紫髯客傳〔小説〕　趙鳴岐（著）／呉一舸（畫）　33〜36
漫談幽默　文彦　36
藝苑
伶工特記——馬連良　凌霄漢閣　37〜38
談失街亭／關於評劇者　秋庚　38
楊小樓軼話　大由　38
銀河
很有前途的路明　阿燕　39
關於中國攝製的『茶花女』　寄生草　39
派拉蒙本年度名片『第八位夫人』　太原　39
李後主與李清照詞　李冰人　40
『媽媽大全』條文詮義　落落齋主人　41
苔岑詩壇
國分青厓／仁賀保香城／土屋竹雨／富塚默成庵　42
慈善家的面具〔小説〕　陳愼言（著）／席與承（繪）　43〜46
筆者介紹　47
讀者之聲　劉樸　47
編輯餘話　48
投稿規則　48
『華文大阪毎日』號外　(1)〜(4)

第一巻第二期　第二號

一九三八年十一月十五日発行

封面　黎明的富士山　封面
目録　1
巻頭語　記者　2
日政府重大聲明　3
近衛首相演説要旨　4〜5
希中國民衆覺悟（大阪毎日新聞十一月四日社論）　5
應共同負責再建東亞　芳澤謙吉　6〜7
新中國建設之方向　長岡克曉　7〜9
足遏英美法蘇的對華侵略　神川彦松　9〜10
『新民』解　朱華　10
對華輿論集
為創造新文化而戰爭　土肥原賢二　11〜13
對華文化工作的檢討（十一月號大陸所載）　山本實彦　13〜14
苔岑詩壇
杉溪六橋／鵜澤偆湫／安岡瓠堂／小室翠雲／渡邊湖畔／庄司杜峰／土屋竹雨　15
談打油詩　王雲孫　16〜17
秋日山遊記　田木國　17〜18
名人名好　呉樾　18
『香道』（随筆）　錢稻孫　19
藝苑
伶工特記——程硯秋
從貂蟬説到神怪片　凌霄漢閣　20〜21
紫髯客傳（小説）　林孖　21
趙鳴岐（著）／呉一舸（繪）　22〜25
婦女界——日本新娘學校　26〜27
中日名人家庭訪問記
方宗鰲先生的家庭　秀華　28〜29
日本文豪菊池寛先生家庭訪問記　30〜31
日本介紹——日本的教育制度　赤坂清七　32〜33
『媽媽大全』條文詮義（續）　落々齋主人　33
勿爲相煎之豆萁　同履共存之大道　王蔭泰　34
祝辭　孫湜　34
小智慧　35
漫畫　正一／陳固／木子　36
世間新聞
有田外相有何妙策？／喚起英法認識／男女學生大遊行／蔣介石逃到那裏去？／不會説話的動物也享死後的哀榮／旅日華僑之最近統計／中日滿經濟懇談會／華北籃球隊跨海遠征　37〜40
科學新聞　41
國際珍聞　41
朔望東西　42
慈善家的面具（小説）　陳愼言（著）／席與承（繪）　43〜46
筆者介紹　47
讀者之聲　江秋蓼　47
編輯隨筆　48
投稿規則　48

第一巻第三期　第三號

一九三八年十二月一日発行

封面　安慶迎江寺古塔　封面
目録　1
巻頭語　2
論評
完成亞細亞聯盟機構　松井石根　3〜4
建國大本在民族精神　小柳司氣太　4〜7
世界大勢已由分散進於統合　河相達夫　7〜9
建設東亞經濟集團　横山吾市　9〜10
對華輿論集
歡迎梁鴻志院長（大阪毎日新聞十一月十六日社論）　11
揚子江航行問題（大阪朝日新聞十一月十五日社論）　11
國際對現實東亞的認識　12
苔岑詩壇
國分青厓／服部空谷／長瀬巴山／土屋竹雨　13

清代圖書搜輯之盛　王逸樵　14
宋詞興起的幾個主要原因　許穎　15
摩殊室雜談――占卜術　水淇　16～17
閒話女人和美　黎明　18
桃色的心弦〔詩〕　雪　18
漫畫　李光／陳固／譚沫子　19
事變後之中國影業　冬春　20
大同劇團訪日公演記評　大山／太原　21
伶工特記――程硯秋（續）　凌霄漢閣　22
紫髯客傳〔小説〕　趙鳴岐（著）／呉一舸（繪）　23～26
婦女界――寳塚少女歌劇　27～28
中日名人家庭訪問記
荒木文相的生活　記者　29～30
熊唐守一女士的家庭　秀華　31～32
日本介紹――政治經濟機構的現狀與將來　阿部賢一　33～34
專載――爲中國教育進一言　武田熙　35～36
要聞簡報
有田外相對英美法覆牒／孤兒援護會已經成立／蒙疆主席團來訪本社　37
國際珍聞　38
諧詩　蜉蝣　38
民間情歌　方木（畫）　38
九國公約與中國　39
科學新聞　40
小智慧　41
朔望東西　42
慈善家的面具〔小説〕　陳愼言（著）／席與承（繪）　43～46
筆者介紹　47
讀者之聲　王强　47
編輯隨筆　48
投稿規則　48

第一巻第四期　第四號　一九三八年十二月十五日発行

封面　日光山陽明門　封面
目錄　1
卷頭語　2
論評
中日兩國應做一個生存　王子恵　3～5
防共樞軸之現狀與將來　藤澤親雄　5～7
中日滿經濟懇談會的收穫　安宅彌吉　7～8
日德文化協定的意義　佐多愛彦　8～9
對華輿論集
建設新東亞的基礎條件（日本評論十二月號）　宇治田直義　10～11
蔣政權抗戰力的觀測（改造十二月號）　小林幾次郎　12～13
由中國歸來　高石眞五郎　14～15
梁院長車中談話　記者　15～16
五色旗之下〔歌詞〕　武田熙　16
苔岑詩壇
岩溪裳川／土屋竹雨／木下周南／國分靑厓　17
宋詞興起的幾個主要原因（續）　許穎　18
西湖之夜〔散文〕　呉乃禮　19
藝術家的難關〔散文〕　秦淮碧　19～20
憶中國的朋友――郭沫若・郁達夫・歐陽予倩　村松梢風　20
圍棋在北京　聞旭東　21
蔡琰胡茄十八拍　冰人　22
語體文作法研究　馮曠　22
縱通作家　秦淮碧　23
北京的三寶　曉堤　23
中日名人家庭訪問記
江朝宗將軍　秀華　24～25
結城豐太郎總裁　井上松子　26～27
日本介紹――日本婚禮與訪問時的節儀　李殿閣　28
紫髯客傳〔小説〕　趙鳴岐（著）／呉一舸（繪）　29～32
她的自述〔散文〕　漫沙　32
婦女界――日本女性職業　八野井實　33～34
藝苑
伶工特記――韓世昌　凌霄漢閣　35～36
對於關聖戲的簡言　鄭菊瘦　36
日本影壇之動態　時英　37

漫畫　孫特哥／譚沫子　38
要聞簡報
日德文化協定正式簽字／日外務省發表聲明／日本明年度的豫算／湯爾和卅年回憶　39〜40
國際珍聞　40
解頤錄　石菴（譯）　40
科學新聞　41
朔望東西　42
慈善家的面具〔小説〕　陳愼言（著）／席與承（繪）　43〜46
讀者之聲　滸茂嘉　47
筆者介紹　47
編輯隨筆　48
投稿規則　48

第二卷第五期　第五號　一九三九年一月一日發行

封面　鶴舞長空　仲田光綠（畫）　封面
書首挿畫　群僊祝壽　齊白石／陳年
目錄　1
迎歲辭　主幹　2
新春感想　中日諸家　3
論評
告中國國民書　有田八郎　4〜5
經濟建設與我們的主張　殷同　5〜7
中日經濟集團的基礎　栗本勇之助　7〜8
完成大陸門羅主義　神川彥松　9〜10
國際前途危機未巳　芦田均　11〜12
對華輿論集
英美對蔣借款（十二月十八日大阪每日新聞社論）　13
華北經濟體制的整備（十二月十日大阪朝日新聞社論）　13〜14
新春感言　呂榮寰　14
新興中國尚待努力　奥村信太郎　15〜16
天際飛鍊（畫）　溥心畬　16
日本介紹——正月習俗的今昔觀　江馬務　17〜19
新春遊戲（畫）　木村斯光　19
苔岑詩壇
梁衆異／李釋戡／横山黄木／孫簡庵／土屋竹雨　20
昭君在中國詩裡的記叙　子建　21
味之美〔散文〕　孟剛　22
黄麪饞　不爲　23
日本的女性（畫）　木谷千種　23
破家〔小説〕　王代昌　24〜25
解頤錄　石菴（譯）　25
中日名人家庭訪問記
青年宰相的近衛公家　中山善三郎　26〜28
婦女界——巨鷹的母親會　松井彰　28〜29
紫髯客傳〔小説〕
趙鳴岐（著）／呉一舸（繪）　30〜33
藝苑
華南中國電影的動態　微塵　34
友邦的富連成迷　村上知行　35
伶工特記——梅蘭芳　凌霄漢閣　36〜37
捉放曹劇情討源　王仲明　37
朔望東西　38
要聞
日本青年征服自然／動物的壽命／美航空界的活躍／東亞唯一的關門大隧道積極開鑿／利用滑行機研究無聲爆炸機　39〜40
瀛海風光（素描）　池部鈞　41
漫畫　孔飛／陳固／黄達／何紹君　42
慈善家的面具〔小説〕
陳愼言（著）／席與承（繪）　43〜46
讀者之聲　戴泉　47
筆者介紹　47
日本語文講座　48
編輯隨筆　48
投稿規則　48

第二卷第二期　第六號　一九三九年一月十五日發行

封面　廬山　封面
目錄　1
卷頭語　平沼内閣成立的意義　主幹　2

論評
日本對東亞再建的使命　本位田祥男　3～6
東亞資源的開發及利用　田中芳雄　6～8
從經濟的觀點看來的新東亞大勢　田邊忠男　8～9
對華輿論集
對華國交調整的具体要求　近衛首相發表
重大聲明　10
近衛聲明的意義（十二月二十三日大阪每日新聞社論）　11
近衛聲明的反響（十二月二十四日大阪朝日新聞社論）　11～13
汪精衛聲明之意義（十二月三十一日大阪每日新聞社論）　13
德國彈壓猶太人問題　高田市太郎　14～15
朔望東西　16
苔岑詩壇
什公王揖／周南木下／苓泉／竹雨土屋　17
旅行的幻想（散文）　成瀨無極　18
談疑雨集（散文）　王雲孫　19
徵和秋燕詩　雙燕樓主　20
題壁笑譚　忍庵　20
中國發明印刷考　拜石　21～22
蘇東坡的硯　木村毅　22
漫畫　陳固／夢芳　23
中日名人家庭訪問記――周龍光先生　秀華　24～25
星岡茶寮雅集席上　柏梁體聯句　25
日本介紹
日本運動界的現狀　玉置德三　26～27
日本最近二十年來科學與發明的躍進情況　名和幸丸　28～29
婦女界――日本婦女的美德　井澤眞太郎　30～32
漫畫　譚沫子／陳固／馬午／何紹君　33
復興途上之華南華北的新姿態　本社特派員　34～35
偸拳（小說）　白羽（著）／吳一舸（繪）　36～39
學校生活的回憶（幽默）　文彥　39
『馬可孛羅遊記』　平凡　40
伶工特記――余叔岩　凌霄漢閣　41～42
慈善家的面具（小說）　陳愼言（著）／席與承（繪）　43～46
投稿者注意　編輯部　46
讀者之聲　孟仲輝　47
筆者介紹　47
日本語文講座　48
編輯隨筆　48
投稿規則　48

第二巻第三期　第七號　一九三九年二月一日発行

封面　京都金閣寺　封面
目錄　1
卷頭語　蘇聯如不覺醒、將給予實力的教訓　2
論評
期實現明治天皇的宏謨　野村吉三郎　3～4
長期建設將踏上軌道　池田成彬　5～6
德意修約運動的躍進　上原虎重　7～8
對華輿論集
英美援蔣等於助桀爲虐　否認借款爲當然舉措（一月十二日大阪每日新聞社論）　9
滿洲國加入防共協定（一月十七日大阪每日新聞社論）　9～10
新內閣的對華政策（一月九日大阪每日新聞社論）　10～11
汪精衛脫離蔣政權的影響（一月九日大阪朝日新聞社論）　11～12
汪致中央原電　12
蘇聯急謀改造　森正藏　13～15
朔望東西　16
留日學生座談會（第一回）
學生：李經邦／樓亨茂／張乃霖／沈家琦／冷廷暘／任重遠／郭宗賢／袁家珍／李

尚志／張家祺／白今愚／張師儉／黃書年／蒲和基／曹永裕／白光。來賓：譚覺眞／李書香／張季行／小林隆助。本刊：栢崎觀一／松井彰／田中香苗／中保與作 17～19
香煙與兵士〔小説〕
火野葦平（著）／吳業盛（譯）／李彥（繪） 20～21
日本秘宗教之溯源 蕙農 22
苔岑詩壇
田邊新／服部轍／松田甲／木南保／近重眞澄／高島圓／野村毅／三好機／川俣篤／千葉郁治／福島英雄／伊佐壽／尾中郁太／山崎虎／萩原彰／上村才六 23
中日名人家庭訪問記——平沼機外先生 加藤正雄 24～26
筆者介紹 26
人物素描
新任四閣員 H記者 27～29
新任二長官一總裁 I記者／O記者 29～31
日本介紹——談談日本的戲劇 三宅周太郎 32～34
藝林
梨園行語 日叟 34
皮黃漫談 奪山綠館 35～36
陳候周魏繼譚出演奉天共益舞臺 峰波 36
宋德珠穎光社公演 秋庚 36
溜冰與宋雅海妮 文彥 37
漫畫
馬午／黃達／譚沫子／阿鞏／莊嚴 38
小王媽〔小説〕 顧瞻 39～41
文人怪癖 微塵 41
深夜歸來〔散文〕 一泓 42
懸賞徵求小説 『華文大阪每日』編輯處 42
慈善家的面具〔小説〕
陳愼言（著）／席與承（繪） 43～46
中華語文講座 白廷贊 47
日本語文講座 47
讀者之聲 急覺 48
編後隨筆 48
投稿規則 48

第二卷第四期　第八號

一九三九年二月十五日発行

封面　杭州雲林寺的佛像 封面
目錄 1
卷頭語　東西兩洋的二大宣言　主幹 2
論評
蔣介石收拾時局的唯一途徑 竹越與三郎 3～4
由歐洲回來懷念東亞現狀 韓雲階 5～6
聽四相的議會演説後 阿部眞之助 6～8
徵求現代小説　稿酬一千元 『華文大阪每日』編輯處 8
對華輿論集
吳佩孚將軍的蹶起（一月二十七日大阪每日新聞社論） 9
新政權的發展（一月二十七日東京朝日新聞社論） 9～11
五中全會與國民黨的運命（一月二十五日讀賣新聞社論） 11
反對顧維鈞的提案（一月十八日日內瓦日報社論） 12
英美應速糾正其認識（一月十六日瑞士報社論） 12
響應汪之和平聲明 10
松岡洋右大陸經營漫譚 13～14
吳將軍出廬時談話與詩篇（一月卅一日發表）
北京本社專電 15
日本介紹——日本帝國議會 澤田勇 16
朔望東西
苔岑詩壇 17
學軒吉田／六橋杉溪／懌園／龍川森／空谷服部／竹雨土屋 18
關於臘八的話〔散文〕 陳蝶生 19
冬之夕〔小説〕 田青 20～21
雪〔散文〕 江寄萍 21

香煙與兵士〔小説〕
火野葦平(著)/呉業盛(譯)/李彦(繪) 22~24
留日學生座談會(承前)
學生:李經邦/樓亨茂/張乃霖/沈家琦/冷廷暘/任重遠/郭宗賢/袁家珍/李尚志/張家祺/白今愚/張師儉/黃書年/蒲和基/曹永裕/白光。來賓:譚覺眞/李書香/張季行/小林隆助。本刊:楢崎觀一/松井彰/田中香苗/中保與作 25~27
中日名人家庭訪問記――周大文先生 秀華 28~29
夜〔詩〕 古怪兒 29
人物素描
希特勒總統 駐柏林寺村本社特派記者 30~31
慕索里尼首相 駐羅馬小野本社特派記者 31~32
張伯倫首相 駐倫敦工藤本社特派記者 32~33
史太林 駐莫斯科森本社特派記者 33
羅斯福總統 駐紐育福本本社特派記者 33
偸拳〔小説〕 白羽(著)/呉一舸(繪) 34~37
西笑〔幽默〕 石菴(譯) 37
漫畫 何紹君/陳固/雨辰 38

藝林
汪笑儂 凌霄漢閣 39~41
現代鬚生――王少樓 微塵 41
北京電影院巡禮 冬春 42
慈善家的面具〔小説〕
陳愼言(著)/席與承(繪) 43~46
投稿規則 46
日本語文講座 47
中華語文講座 白廷蕒 47~48
讀者之聲 高文淵 48
編後隨筆 48

第二卷第五期　第九號

一九三九年三月一日發行

『建設東亞新秩序運動』專號

封面　日本名古屋城 封面
目錄 1
卷頭語「建設新秩序」背景的穩固 主幹 2
論評
深願東亞民族一致奮起 板垣征四郎 3
爲建設東亞新秩序運動告同胞書 孫湜 4~5
實行東亞新秩序建設運動 譚覺眞 5~6
圖謀東亞的永久和平 横溝光暉 6~7
新東亞建設的基礎理論 杉森孝次郎 7~9
不要懷疑日本的眞意 高木陸郎 9~12
平沼首相街頭第一聲 12
對華輿論集
紀元佳節與長期建設(二月十一日大阪每日新聞社論) 13
紀元節感言(二月十一日東京日日新聞社論) 13~14
佔領海南島之意義(二月十一日大阪每日新聞社論) 14~15
佔領海南島與英法(二月十五日大阪每日新聞社論) 15~16
黨國五中全會的始末(二月十二日大阪朝日新聞社論) 16~17
呉將軍出馬後的影響(二月二日大阪每日新聞社論) 17~18
九國公約的命數(二月七日東京朝日新聞社論) 18~19
朔望東西 13~17
讀者之聲 程大鈞 18~19
東亞關係名流婦女座談會(本刊主辦)
出席者:吉岡彌生/三輪田繁子/武岡鶴代/守屋東/村岡花子/柳原燁子/山室民子/松平俊子/井上秀子/竹内茂代。本社:楢崎觀一/中保與作/井澤眞太郎 20~23

西笑（幽默） 石菴（譯） 23
走進了天堂的中國的孤兒們 記者 24
中日名人家庭訪問記——興亞院總務長官柳川平助中將 原田仁 25〜27
時人月旦——王克敏 太史公 28
婦女界
封建圏外的中國女学生 英子 29〜31
各國婦女的統計 微（譯） 31
辨詞非『詩餘』 許穎 32〜33
漬痕（小説） 程巨川 34
徵文 稿酬一千元 『華文大阪毎日』編輯處 34
雲崗石佛的研究 貫奇 35〜36
漫畫 趙英／程巨川 37
偸拳（小説） 白羽（著）／呉一舸（繪） 38〜41
投稿規則 41
藝林
醉墨軒劇談 壽農 42〜43
平劇電影日趨退化 微塵 43
藝術家華脱狄司耐 平凡 44
日本介紹——日本電影界素描 岩崎昶 45〜46
日本語文講座 47
中華語文講座 白廷蕡 47
編後隨筆 編者 48

第二巻第六期　第十號　一九三九年三月十五日発行

封面 海南島海口的風光 封面
目録 1
巻頭語 西班牙赤色政府没落的教訓 主幹 2
中國將來的設施 大谷光瑞 3〜10
孚威上將軍東山再起俚句爲賀 張舜九 10
給與中國知識階級的公開信 加田哲二 11〜14
徵文 稿酬一千元 『華文大阪毎日』編輯處 12
朔望東西 13〜16
對華輿論集
糾正租界的觀念（二月二十二日東京日日新聞社論） 15〜16
粛清租界的根本問題（二月二十五日大阪毎日新聞社論） 16
日本之現代中國學界展望（上） 長瀬誠 17〜20
時人月旦——鮎川義介 外史氏 21
各地風光——詩意濃厚的古城北京 漪塋 22〜23
爲四庫全書作介紹 冥鴻 23
苔岑詩壇
服部轍／田邊新／横山又吉／山縣新熊／野間政／定井貞／吉田熊槌／伊倉恭藏／川俣篤／米山元／丸山弘／篠田勝也／大矢要／木南保／上村才六 24
洪流（小説） 王朱（文・繪） 25〜27
夜和夢（詩） 葉風 27
夜（随筆） 江寄萍 28〜29
冷雨之夕（随筆） 白芷 29
長崎新華僑民團 記者 30〜31
安東省々歌 31
偸拳（小説） 白羽（著）／呉一舸（繪） 32〜35
投稿規則 35
漫畫 馬午／何紹君／譚沫子／黄達 36
名伶家庭訪問記——馬連良 秀華 37〜38
南國佳人——陳雲裳 景輝 39〜40
名旦——黄桂秋 梅花居士 41〜42
讀者之聲 王白水 42
慈善家的面具（小説） 陳愼言（著）／席與承（繪） 43〜46
關於五年計畫的故事（一）（幽默） 苑淑芳 46
中華語文講座 白廷蕡 47
日本語文講座 47
編後隨筆 編者 48

第二巻第七期　第十一號　一九三九年四月一日発行

封面　櫻花　封面
目錄　1
卷頭語　捷克的滅亡與英法蘇的驚駭　主幹　2
論評
王道國際運動與指導自治政體　繆斌　3～4
蒙疆之現狀與希望　金永昌　5～6
訪日時的回顧　周思靖　6～7
大亞細亞主義與中日提携　秦鈞　7
對華輿論集
期待卽速實行協定（三月五日大阪每日新聞社論）　8
大陸政策和宗教法案（三月八日東京日日新聞社論）　9
英國援蔣益趨積極（三月十日大阪朝日新聞社論）　9～10
强化聯銀的基礎（三月二十一日本社經濟旬刊 Economist）　10～11
朔望東西　8～11
國際問題解剖——聖詹姆士宮的悲喜劇　賈騰　12
日本之現代中國學界展望（中）　長瀨誠　13～15
苔岑詩壇
梁衆異／落合東郭／龜島春江／單雲詩客／秋雲館主／渡邊湖畔／國分青厓　16
中日滿蒙學生懇談會
中華民國：賈培元／蔡權／高夢槐／李樹藩（外六名）。滿洲：張國新（外四名）。蒙古：卓理格圖。日本：澤開進／渡邊清／荒津啓一郎／橋詰益榮／高見之忠／松本一馬（外二十名）。本社：久米正雄／大宅壯一。通譯：王柏榮　17～19
拾故——清吏的自吹自捧　微塵　19
時人月旦——吳佩孚　太史公　20
昭和國民讀本（二）　德富猪一郎（著）／張文華（譯）　21～22
中日名人家庭訪問記——大角岑生　井上松子　23～25
婦女界——婦女職業與職業婦女在中國　英子　26～27
自由論壇——上海的難民與難民景氣　織情　27
文苑
瘋姐〔小説〕　蘭客　28～31
記船上〔詩〕　糸己　30
隱痛〔小説〕　陳灝　31～32
憶念中的三個影子〔小説〕　微塵　32
徵文　話劇脚本電影脚本　『華文大阪每日』編輯處　29
漫畫　黃達／何紹君／譚沫子　33
偸拳〔小説〕　白羽（著）／吳一舸（繪）　34～37
關於五年計畫的故事（二）〔幽默〕　苑淑芳　37
張君秋　任世祺　38
滿映新片『慈母淚』　記者　38～39
『兒童之四季』在東京放映　時英　40
各地風光——閑話蘇州婦女　張喆　41～42
慈善家的面具〔小説〕　陳愼言（著）／席與承（繪）　43～46
日本語文講座　47
中華語文講座　白廷蕡　47
編後隨筆　編者　48

第二巻第八期　第十二號　一九三九年四月十五日発行

封面　大同石佛寺　封面
目錄　1
卷頭語　英國的窘窮　主幹　2
論評
日本科學進出大陸問題　志方益三　3～6
廢九國公約論　丁策　6～7
對華輿論集
防共樞軸與日本外交的方式（三月二十四日大阪每日新聞社論）　8
最近戰果的發展（三月二十五日大阪朝日新

聞社論） 8～9
事變下的議會閉幕（三月二十六日大阪每日新聞社論） 9～10
南昌陷落（三月二十八日大阪每日新聞社論） 10～11
中國政府聯委會的聲明（四月一日大阪每日新聞社論） 11
文化與經濟的中日滿交驩（四月一日東京日日新聞社論） 11
朔望東西 8～11
國際問題解剖――捷克滅亡的過程與西班牙戰爭的終熄 賈騰 12～13
時人月旦――杉山元 外史氏 14
日本之現代中國學界展望（下） 長瀬誠 15～18
自由論壇――中日親善與電影文化 内ヶ崎作三郎（著）／徐公美（譯） 18
昭和國民讀本（二） 德富猪一郎（著）／張文華（譯） 19
中日名人家庭訪問記――繆斌 秀華 20～21
西笑〔幽默〕 21
苔岑詩壇
田邊新／服部轍／若槻禮／安廣伴／小川鄉／田昌／秋雲館主／木南保／野間政／石塚參／志水松／佐藤道／近藤慶／大森繁／萩原彰／上村才六 22
一頁脱隊日記〔小說〕 白佛 23～25
徵文 話劇脚本電影脚本 『華文大阪每日』編輯處 24
文藝碎話（一） 秦淮碧 25
兒時拾記〔随筆〕 落楓 26～27
病感〔随筆〕 雁氷 27
婦女界――婚後藝術生活三原則 莫須 28～29
拾故――清代慈安太后軼事 鄭菊瘦 29
倫拳〔小說〕 白羽（著）／呉一舸（繪） 30～33
關於五年計畫的故事（三）〔幽默〕 苑淑芳 33
漫畫 譚沫子／何紹君 34
談「武家坡」 凌霄漢閣 35～36
古銅錢〔詩〕 許可 36
白光小姐在東京 M生 37～38
『楚霸王』 月光 39
漫談象棋 那健庭 38
各地風光――叫我來作嚮導陪您到東京巡禮！ 山口久吉 40～42
慈善家的面具〔小說〕 陳愼言（著）／席與承（繪） 43～46
投稿規則 46
中華語文講座 白廷萱 47
日本語文講座 47
編後随筆 編者 48

第二巻第九期 第十三號

一九三九年五月一日発行

封面 日本端午節的甲冑 封面
目錄 1
卷頭語 歐洲的風雲與日本的立場 主幹 2
論評
論述新中國教育的新動向 周鴻緒 3～5
和戰岐途上的美國（一） 河上清 6～7
國際漫畫 加藤悦郎 7、11、13
朔望東西 7～11
對華輿論集
强化總力戰的形勢（四月六日日本軍師團長會議上板垣陸相的演說） 8～9
汪精衛的第四次聲明（四月二日大阪朝日新聞社論） 9
向一元的國策推行邁進（四月十日興亞院聯絡部長官會議上平沼總裁的訓示） 10
抗戰中國的苦惱（四月十一日東京日日新聞社論） 11
國際問題解剖――意大利進出巴爾幹 賈騰 12～13
對於留日外國人之注意 日本内務省 12
關門海底隧道 早川朝雄 14～16
前田鐵相視察海底試掘洞 須古特派員 16～17

昭和國民讀本(三)
　德富猪一郎(著)／張文華(譯) 17
時人月旦——梁鴻志院長　太史公 18
日本的女博士　MC生 19～21
敷胭脂　微塵 20～21
自由論壇——讀書與觀瞻　飛 23
文苑
　在雨的沖激中(小說)　梅娘 22～23
　唐代詩人之登龍與苦吟　曉岑 24～25
　清明節(散文)　舒柯 26～27
　憶(小說)　淩氷 27
　文藝碎話(二)　秦淮碧 27
偸拳(小說)　白羽(著)／呉一舸(繪) 28～31
印象——非建設的示唆　紀者 31
苔岑詩壇
　王揖唐／岩溪晋／若槻禮／細貝泉／土屋久泰 32
各地風光——我們訪問奈良　張蕾 33～36
拾故——乾隆時代的天津皇會盛況　小雲 36
名伶家庭訪問記——程硯秋　秀華 37～38
漫畫　席與承／何紹君／譚沫子 39
松竹影片公司京都製片廠　大山峯 40～41
孟虹一首公開的情詩　記者 41
慈善家的面具(最終回)(小說)
　陳愼言(著)／席與承(繪) 42～45
社會小說預告——北京之花
　『華文大阪毎日』編輯處 43
珍聞集　記者 46
日本語文講座 47
中華語文講座　白廷蕡 47
編後隨筆　編者 48

第二巻第十期　第十四號
一九三九年五月十五日発行

封面　北京北海公園　封面
目録 1
卷頭語　四巨頭的論戰應酬　主幹 2
中日事變與華北概況　張松老 3～6
和戰岐途上的美國(二)　河上清 7～9
國際漫畫　加藤悦郎 7、11、12、13
「大戰」前夜歐洲列强軍備 8
朔望東西 9～12
對華輿論集
　靖國神社臨時大祭(四月二十三日東京日日新聞社論) 10
　「五月攻勢」的空宣傳(四月二十五日大阪毎日新聞社論) 10～11
　天長節(四月二十九日東京日々新聞社論) 11～12
　創立華興商業銀行(四月三十日大阪毎日新聞社論) 12
　解決租界問題的關鍵(五月一日大阪朝日新聞社論) 13
昭和國民讀本(四)
　德富猪一郎(著)／張文華(譯) 14
中國建築藝術的研究　馮貫一 15～17
苔岑詩壇
　田邊新／服部轍／横山又吉／橋本好藏／石井彬／川村文鼎／定井貞／加來復翁／影山佳雄／石井忠利／相羽清次／高橋宗雄／野間政／熊谷論／間野庫太／坂野大龍／森部逞禪／上村才六 18
中日學生親善懇談會 19～21
中日名人家庭訪問記——民政黨總裁町田忠治　井上松子 22～24
拾故——邱報考(上)　拜石 24
時人月旦——喜多誠一　外史氏 25
文苑
　秋天的傍晚(小說)　王彷 26～27
　生(詩)　許可 26
　無題(詩)　駱子 26～27
　懷小林(詩)　愛子 27
　失業(小說)　葆廉 28～29
　文藝碎話(三)　秦淮碧 28
　數目字入詩　江寄萍 29
印象——夏季的北京文場　紅筆 28
偸拳(小說)　白羽(著)／呉一舸(繪) 30～33
雜抄　孟秋 33
關於製作反德意影片　昭芸 34

舊劇「花木蘭」雜攷　平公　34～35
上海影事雜記　月光　35
滿洲的電影　魏名　36～38
自由論壇――由看「女人」想到女人　小吉子　38
秦瓊賣馬　秋庚　39
各地風光
嶺南初夏的廣州　山本一郎　40～41
歸綏一瞥　崔幻虹　41
漫畫　楊苓／與承／春柳　42
北京之花（一）〔小説〕
李薫風（作）／劉凌滄（畫）　43～45
投稿規則　45
珍聞集　記者　46
中華語文講座　白廷賛　47
日本語文講座　47
編後隨筆　編者　48

第二巻第十一期　第十五號

一九三九年六月一日発行

封面　日本日光山華嚴瀧　封面
目錄　1
巻頭語　大海戰紀念日與國民的努力　主幹　2
論評
安定東亞的根本方針　平沼騏一郎　3
中日提携應有之認識　彭東原　4～5
和戰岐途上的美國（三）　河上清　5～7
國際問題解剖――意大利的地中海工作　董敬　8～9
國際漫畫　加藤悦郎　8、10、12
朔望東西　9～12
對華輿論集
轟炸重慶的効果（五月八日大阪朝日新聞社論）　10～11
蔣介石遁入成都（五月十四日大阪毎日新聞社論）　11
湖北作戰的成功（五月十六日大阪毎日新聞社論）　12
中蘇密約圖解　記者　13
東京帝室博物館及其所藏的大陸珍宝　松井彰　14～17
國際學童奥林比克　17
苔岑詩壇
梁衆異／岩溪裳川／淸浦奎堂／玉木椿園／呂仲素／孫燕南／森龍川／岩田鶯崖／永井千山／土屋竹雨　18
時人月旦――德王　太史公　19
中日名人家庭訪問記――王克敏　秀華　20～21
拾故――邸報考（下）　拜石　21
觀光日本懇談會　22～23
文苑
超凡先生〔小説〕　家祉　24～25
夜之巷〔詩〕　夜楓　26
販硝人〔小説〕　洗心　26～27
沈淪〔小説〕　陳漪堃　27～28
印象――在「總動員」的大纛下　琛　27
自由論壇――中國學術不振之檢討　盛宣明　28
昭和國民讀本（五）
德富猪一郎（著）／張文華（譯）　29
詩鐘譚　冥鴻　30～31
參觀滿洲國留日學生會館　馬兹義　30～31
偷拳〔小説〕　白羽（著）／呉一舸（繪）　32～35
藝林
狄安娜杜萍改變了嗎？　蘿茜　36～37
日本的「中國電影迷」評「木蘭從軍」與「歌聲淚痕」　矢原禮三郎　38
記程硯秋之梅妃　舜九　39
滬諺十三點　伯光　39
各地風光――海港都市　西村聰　40～41
漫畫――日本影人專頁　楊棣　42
北京之花（二）〔小説〕
李薫風（作）／劉凌滄（畫）　43～45
雜抄　孟秋　45
珍聞集　記者　46
日本語文講座　47
中華語文講座　白廷賛　47
編後隨筆　編者　48

第二巻第十二期　第十六號　一九三九年六月十五日発行

封面　西湖公園　封面
目錄　1
卷頭語　日本未曾有的戰果　主幹　2
論評
日本經濟力的發展及其將來　藤原銀次郎　3～4
剿共滅黨不可並論　邢幼傑　5
對華輿論集
黃河之增水對策（五月十八日大阪每日新聞社論）　6
租界對策必須積極化（五月二十六日大阪每日新聞社論）　6～7
彈壓和平派（六月二日大阪朝日新聞社論）　7～8
朔望東西　6～8
國際漫畫　加藤悦郎　7、8、10、11
國際問題解剖
從國外觀察下的蘇聯　布施勝治　9～12
全歐王室血統網　記者　12
日本帝國大學一瞥（一）――東京帝國大學　松井彰　13～14
中日名流交歡坐談會　秀霖　15～17
拾故――事變當時上海報壇（上）　微塵　17
中日名人家庭訪問記――佐藤春夫先生　井上松子　18～19
家理是什麼？　奪山綠館　20～22
自由論壇――我對於書畫的評價　華章　22
時人月旦――陳群　23
昭和國民讀本（六）
德富猪一郎（著）／張文華（譯）　24
文苑
菊兒姑娘〔小説〕　芳之黃　25～26
雨〔小説〕　舒柯　26～28
失去之歌〔詩〕　馬遅　27
兩個等門的人〔小説〕　許可　28
苔岑詩壇
服部轍／田邊新／若槻禮／小川鄉／安廣伴／杉溪言長／近重眞澄／川俣篤／尾形慶／香川錬彌／石井忠利／小川通義／上村才六／野間政　29
各地風光
閒話通州滄桑　漪堃　30～31
寶山剪影　楊花　31
偷拳〔小説〕　白羽（著）／吳一舸（繪）　32～35
漫畫
譚沫子／何紹君／程巨川／楊苓　36
婦女界――上海女學生的三部曲　梅華　37～38
印象――勿荀發言・勿荀落筆　紅筆　37
藝林
光榮的加拿大五兒　英皇后賜吻　39
滿洲文化人談日本電影　曼英　39～40
美國影星的一年收入　景　40
『風流寃魂』觀後感　葆廉　41
談過去的幾個名坤伶　梅花居士　42
北京之花（三）〔小説〕
李薰風（作）／劉凌滄（畫）　43～45
珍聞集　記者　46
日本語文講座　47
中華語文講座　白廷贊　47
編後隨筆　編者　48

第三巻第一期　第十七號　一九三九年七月一日発行

封面　奈良藥師寺五重塔　封面
卷頭語　中日事變二週年的感想　1
目錄　1
回顧東亞諸國的歷史關係　岩村成允　2～6
華中名流交歡坐談會
出席者：王修／于寶軒／余祥森／鄧祖禹／李伯勤／王熊／熊士林。本社：楢崎觀一／原田　7～9
自由論壇――治學方法的檢討　成皿　9
對華輿論集
法幣的危機（六月九日東京日日）　10～12

蘇聯的遠東政策（六月四日大阪毎日） 12～13
封鎖津英法租界（六月十三日大阪朝日） 13～14
噩夢的感情〔散文〕 金音 10～11
愚公愚子愚孫〔散文〕 平凡 11～12
印象——關於中國人底美點 梅靈 12
中日名人家庭訪問記——新杭州市長吳念中 盛宣明 13～14
國際漫畫 加藤悦郎 14、15、16
拾故——事變當時上海報壇（下） 微塵 14
國際問題解剖——英國的欺騙政策 賈騰 15～16
朔望東西 15～16
半月日曆 16～17
國際情勢圖解 董敬 17
日本帝國大學一瞥（二）——東京帝國大學（續前） 松井彰 18～20
特別徵稿 『華文大阪毎日』編輯處 20
時人月旦——里賓特洛甫 吳光 21
吳佩孚氏短文（原書墨蹟） 22～23
關於中國之雕刻藝術 花朝生 22～23
昭和國民讀本（七）
　德富猪一郎（著）／張文華（譯） 24
畫刊
　豪華的海上女王「阿根廷」丸 25
登山與划舟——日本初夏的山川 26～27
創作
　鳳子〔小説〕 謝園 29
　趙太太〔小説〕 幽靈 30
　風雨之夜〔小説〕 漫沙 31
　墓地的街景〔詩〕 小倩 31
各地風光——東亞的聖地曲阜 馮貫一 32～33
苔岑詩壇
　王克敏／吉田學軒／李拔可／呂仲素／雙燕樓主／杉溪六橋／小川射山 34
北京之花（四）〔小説〕
　李薫風（作）／劉凌滄（畫） 35～37
辯五言詩之不起於蘇李説 白放翁 38～39
楊太眞（一、二）〔古装故事畫〕
　吳一舸（畫） 40、41
影劇
　岳楓的新作「慾魔」 矢原禮三郎 40～41
　北京的科班 任世祺 42～43
　每期一星——原節子 袁天瀋 43
　舊劇雜考 揚馬 44
偸拳〔小説〕 白羽（著）／吳一舸（繪） 44～47
酒色財氣〔連續漫畫〕 孫秀文 48
珍聞集 記者 50
中華語文講座 白廷蕡 51
日本語文講座 51
編後隨筆 編者 52

第三卷第二期　第十八號

一九三九年七月十五日発行

封面　奈良郡山名產「金魚」 封面
卷頭語　本社的世界一周大飛行 1
目錄 1
建設東亞的現階段方策 吉岡文六 2～4
時人月旦——王蔭泰 太史公 5
對華輿論集
　佔領汕頭（六月二十一日東京日日） 6～7
　攻陷舟山群島（六月二十六日東京朝日） 7
各地風光
　新嘉坡一瞥 柳重德 6～7
　北戴河 茀郎 8
印象——嗚呼！優越感 紀者 8
朔望東西 9～11
半月日曆 9～11
國際漫畫 加藤悦郎 9、10、11
國際情勢圖解 董敬 11
昭和國民讀本（八）
　德富猪一郎（著）／張文華（譯） 12
隨感
　平凡人生漫談 葛今 13～14
　商人與風雅 牛何之 15
投稿簡約 14
楊太眞（三、四）〔古装故事畫〕

呉一舸(畫) 14、15
日本帝國大學一瞥(三)——京都帝國大學　藤田信勝 16~17
名人家庭訪問記——住友吉左衛門氏　大成榮子 18~20
袁寒雲軼事(一)　寒水 20
北京之花(五)〔小説〕　李薫風(作)/劉凌滄(畫) 21~23
拾故——麻雀牌考　阿甦 23
畫刊
日本——中國話學習熱 25
游泳的覇者!——日本 26~27
苔岑詩壇
田邊新/服部轍/松田甲/若槻禮/小川鄉/紫安新/櫻井兵/石塚參/薄恕一/大川誠/吉岡初/伊藤義彦/久保萬/萩原彰/上村才六 29
創作
老曹〔小説〕　白鋒 30~31
〝悼〟〔詩〕　陳灝 30~31
殺人者〔小説〕　進修 31~32
王二姐〔連續漫畫〕　陳固 32
流線戀愛哲學〔漫畫〕　林孖 33
自由論壇——印象中的日本國民性　陳愼言 34
日本詞學之概況　水原琴窗 34~37
鐵筋混凝土爲什麼成爲現代建築用材中的寵兒　張公 35~37
日本文壇巨星談電影〔座談會〕
菊池寛/大佛次郎/吉川英治/久米正雄。其他:本社記者 38~40
北京文壇近況　史策 40
婦女界——貢献給職業婦女　張蕾 41
捉放曹　凌霄漢閣主 42~43
瑪琳黛瑞西欠税　景 42
毎期一星——轟夕起子　袁天瀋 43
老伶工十三旦軼事簡記　壽農 44~45
『有花的雜草』——清水宏的傑作　景 44
新〝毛三爺〟(一)〔連續漫畫〕　席與承 45
偸拳〔小説〕　白羽(著)/呉一舸(畫) 46~48
雲裏飛〔散文〕　王鵬 49
珍聞集 50
日本語文講座 51
中華語文講座　白廷賛 51
編後隨筆　編者 52

第三巻第三期　第十九號

一九三九年八月一日發行

本社〝世界一周大飛行〟壯行專號

封面　本社世界一周機「ニツポン」號之雄姿　封面
巻頭語　日本底餘裕與實力 1
目錄 1
本社世界一周大飛行計劃全貌 2~3
本社世界一周大飛行讃詞 4~5
日本民間航空界的現勢與將來　郡龍彥 6~7
對華輿論集
汪精衛闡明前進目標(七月十一日大阪毎日新聞社論) 6~7
日英會談與日本的態度(七月十九日大阪毎日新聞社論) 7
各地風光——本社世界一周機降陸地 8~13
隨感
待望新航空文學底出現　北村小松(作)/紀(譯) 14~15
環繞地球之虹　吉屋信子(作)/紀(譯) 15
感激的〝萬歲〟　藤原義江(作)/紀(譯) 15
時人月旦——德川好敏　紫雲樹 16
自由論壇——文化史上最文明的一頁　王蘭 17
山茶花〔散文〕　田瑯 17~18
鵜船〔散文〕　馮貫一 18~20
楊太眞(五、六)〔古裝故事畫〕　呉一舸(畫) 18、19
印象——由應徵機名者説起　琛 20
北京之花(六)〔小説〕

李薫風(作)/劉凌滄(畫) 21～23
袁寒雲軼事(二) 寒水 23
苔岑詩壇
杉溪六橋/千葉所南/野村玩古/奥無聲/納明浦/福山天蔭/木内淇堂/守谷碧江/安部溟鵬/三浦英蘭/長潭赤埭/土屋久泰 24
専輯「ニッポン」號〔畫刊〕 25～27
朔望東西 29
國際漫畫 加藤悦郎 29
列強航空界的現勢 中正夫 30～31
半月日曆 30～31
名人家庭訪問記――田邊治通氏 井上松子 32～33
光榮的日本海軍少年航空兵 山口久吉 34～37
中國倉庫業述略 沈家駒 34～37
日本女飛行家 董敬 38～39
手部化粧法 梅華 39
珍聞集 40～41
風災〔小説〕 白佛 42～43
如意姑〔小説〕 呉瑛 43～45
老孤獨女〔詩〕 許穎 43
新〝毛三爺〟(二)〔漫畫〕 席與承 44
拾故――廣告溯源(上) 拜石 45
北京文壇近況(續) 史策 45
日本帝國大學一瞥(四)――東北帝國大學(上) 福島停 46～47
文逸民的作品「神秘夫人」 矢原禮三郎 49～50
每期一星――達古拉斯・克利昂 袁天籓 50
二黄戲與明人雜劇的比較(一) 江寄萍 51
王二姐〔連續漫畫〕 陳固 51
編後隨筆 編者 52

第三巻第四期　第二十號
一九三九年八月十五日発行

封面　牽牛花 封面
卷頭語　英國往那裡去? 1
目錄 1
英國對華侵略及其在華權益 董敬 2～4
時人月旦――克萊琪 外史氏 5
忠靈奉戴運動 北條清一 6
拾故――廣告溯源(下) 拜石 6～7
隣邦兒童愛護會訪問記 張蕾 7～10
春天的煩悩(上)〔小説〕
鹿島孝二(作)/阿大(譯)/小西謙三(畫) 8～10
昭和國民讀本(九)
德富猪一郎(著)/張文華(譯) 11
創作
銀色壷〔小説〕 謝人堡 12～13
雞〔小説〕 洗心 13～14
揪心的事兒〔小説〕 柳雲 15
憧憬中的樂園〔詩〕 謝園 15
美國文壇的新景象――「摘要雜誌」風行一時 冬春 13～14
各地風光――外蒙古的輪廓 馮貫一 16～17
楊太眞(七、八)〔古装故事畫〕 呉一舸(畫) 18、19
「雨」與「披着黒雨衣的人」 許可 18
憧憬〔散文〕 田林 19
苔岑詩壇
王逸塘/杉溪六橋/橋川醉軒/高阪夜雨/陳寥士/秋雲館主/山田友泉/澤田東皐/木下周南/川崎早月/土屋竹雨 20
北京之花(七)〔小説〕
李薫風(作)/劉凌滄(畫) 21～23
袁寒雲軼事(三) 寒水 23
畫刊
時局與人物 25
兩都之夏 26～27
自由論壇――中日親善提携的實蹟 中川俊思 29
毛澤東印象記 黄審 29～33
日本帝國大學一瞥(五)――東北帝國大學(下) 福島停 30～32
新〝毛三爺〟〔漫畫〕 席與承 33

名人家庭訪問記——冷家驥氏及其家庭　秀華　34～35
訪松林山人(上)　陳愼言　34～35
四十年來日本文筆人——夏目漱石的三部曲
『貓・哥兒・草枕』　許穎　36～37
東亞文藝消息　36～37
隨感
眞理與事實　平凡　38
覆×君書　金音　38～39
印象——窗子要自己打開　紅筆　39
美國對日本廢棄通商條約的魂膽
賈騰　40
國際漫畫　加藤悦郎　40、42
朔望東西　41
半月日曆　41
對華輿論集
法幣跌落與通貨政策(七月二十七日東日社
論)　42
津租界之經濟問題(七月三十一日大每社
論)　42
評『紅衫淚痕』　王雪橋　43～44
大學生星期日的悲哀〔漫畫〕　張允中　43
每期一星——白楊　景　44
二進宮〔評論〕　蓬隱　45
二黃戲與明人雜劇的比較(二)
江寄萍　45
劇壇掌故　梅華　46
王二姐〔連續漫畫〕　陳固　46
珍聞集　47
偸拳〔小説〕　白羽(著)／呉一舸(畫)　48～50
中華語文講座　白廷蕢　51
日本語文講座　51
編後隨筆　編者　52

第三卷第五期　第二十一號

一九三九年九月一日発行

封面　睡蓮　封面
卷頭語　德蘇不可侵犯條約的成立　1
目錄　1
實行「一體主義」的理念　土肥原賢二　2～3
時人月旦——汪精衛　太史公　4
日本帝國大學一瞥(六)——九州帝國大學
安東重紀　5～7
病〔散文〕　金音　7～8
北京人〔散文〕　王度　8～10
楊太眞(九、十)〔古裝故事畫〕
呉一舸(畫)　8、9
自由論壇——漢字文學在日本的地位
西本曙光　10
春天的煩惱(下)〔小説〕
鹿島孝二(作)／阿大(譯)／小西謙三(畫)
10～14
各地風光
朝鮮京城　阿甦　11～13
聚遊勝地「北海」　李彦　13
印象——期待將出現於東亞的新文字
琛　14
婦女界
訪日歸來個人之觀感　石應蓮　15
訪日歸來談　劉玉函　15～16
北京的「新婦女社」　阿華　16
國際問題解剖——達到了發火點的但澤問題
鹽見孝雄　17
國際漫畫　加藤悦郎　17、18、19
半月日曆　18～19
對華輿論集
汪精衛的廣東聲明(八月十一日大阪每日社
論)　18
法幣慘落後的對策(八月十六日大阪朝日社
論)　18～19
朔望東西　20
昭和國民讀本(十)
德富猪一郎(著)／張文華(譯)　21
北京之花(八)〔小説〕
李薰風(作)／劉凌滄(畫)　22～23
畫刊
白系俄人反英烽火　25
世界一周飛行歌演奏會　25
日本武道的精華　26～27
鄂省婚俗　範　29～31

本刊徵募電影・話劇脚本當選者掲曉 29
四十年來日本文筆人――谷崎潤一郎 許穎 30～31
名人家庭訪問記――平生釟三郎氏 大成榮子 32～34
訪松林山人（下） 陳愼言 32～33
文壇隨話
最大的熱誠 魯風 35
答批評家 史策 35
不禁欲言 達 35
文化人的本體 糸己 36
東亞文藝消息 36
新〃毛三爺〃（漫畫） 席與承 36
苔岑詩壇
田邊新／松田甲／木南保／萩原彰／櫻井兵／古澤幸吉／石井彬／野間政／清水龍山／鹽出孝潤／尾中郁太／大瀧金吉／千葉郁治／及川英／生方一哉／竹村爲／上村才六 37
每期一星――季燕芬 梅 38
關于太平洋横斷鐵道史 昭芸 38
譚馬連良唱片 凰芷 38～39
王二姐（連續漫畫） 陳固 39
踢毽子 孛力 40
同命鴛鴦（本刊徵募電影話劇脚本當選一等） 方之蕢（作）／陳固（畫） 41～49
作者當選感談 42～43
珍聞集 50
日本語文講座 51
中華語文講座 白廷贇 51
編後隨筆 編者 52

第三巻第六期　第二十二號　一九三九年九月十五日発行

封面　萬里長城八達嶺 封面
卷頭語　阿部内閣的對外政策 1
目錄 1
和平運動之展開 樊友實 2
國際問題解剖
歐洲大戰勃發的前哨戰 賈騰 3～5
德意與英法波的兵力 董敬 5
對華輿論集
歐洲的危機與日本（八月二十八日東京日日社論） 6
純正國民黨的發軔（九月一日大阪每日社論） 6
朔望東西 7
國際漫畫 加藤悦郎 7
半月日曆 8
日本帝國大學一瞥（七）――北海道帝國大學 石井定一 9～10
各地風光
今日之瓊崖 馮貫一 11～12
島上的都會――海口市 川崎榮藏 13
北京藝壇怪傑王青芳 白衣 11～13
創作
海外的九月（小説） 小松 14～17
失去的記憶（詩） 許穎 15
自畫像贊（詩） 金音 15
故鄉（詩） 巉巖 14～15
幽居（詩） 許可 14
雨中雜寫（漫畫） 孫秀文 16
本刊徵募長篇小説截止延期啓事 『華文大阪每日』編輯處 17
昭和國民讀本（十一） 德富猪一郎（著）／張文華（譯） 18
倫拳（小説） 白羽（著）／呉一舸（畫） 19～20
ニッポン機横斷太平洋成功！――搭乗者手記 大原武夫／中尾純利 21～24
四十年來日本文筆人――芥川龍之介的作品與價値 許穎 22～24
畫刊
「ニッポン」號飛就壯途 25
阿部内閣誕生 26～27
時人月旦――阿部信行大將 富岡生 29
阿部新内閣陣容素描 30～32
自由論壇――我們應該以團結的力量去努力 張蕾 32
隨感
回憶是痛苦的嚙着心魂 慕容玉 33

再生草　陳灝　33
天津水災雜寫　馮貫一　34
文壇隨話
致蕭菱先生　紅筆　35
藝術與功利心　呉郎　35～36
論歌唱　方昭芸　36～37
東亞文藝消息　36～37
拾故——蝴蝶裝考(上)　拜石　37
苔岑詩壇
王逸塘／松平天行／李釋戡／呂寒碧／庄司杜峯／土屋竹雨　38
說法門寺　凌霄漢閣主　39～40
王二姐(連續漫畫)　陳固　39
波拉・內布婀勝訴　景輝　40
北京的雜耍　汪介夫　41～42
每期一星——山田五十鈴　大山峯　41
齒科醫生的家族(本刊徵募電影話劇脚本當選二等)　白樺(作)／植村俊(畫)　44～49
作者當選感談　48
珍聞集　50
中華語文講座　白廷蕢　51
日本語文講座　51
編後隨筆　編者　52

第三巻第七期　第二十三號　一九三九年十月一日発行

封面　蒙古之牧野　封面
卷頭語　國際局勢與中日事變　1
目錄　1
開發中國的資本問題　本位田祥男　2～3
國際問題解剖
歐洲大戰的展望　賈騰　4～6
歐戰半月　記者　6～7
國際漫畫　加藤悦郎　5、6、10
對華輿論集
中國新中央政府成立期近(九月十五日東京日日新聞社論)　6～7
蔣政權的金融對策(九月十二日大阪每日社論)　7
時人月旦——達拉第　外史氏　8
歐洲戰爭與今後的中國　汪精衛　9～10
朔望東西　10
東亞文藝消息　11
中國新文學的回顧與前瞻　孟剛　11～17
散文
夜／窗下　金音　12～13
雨　白芷　13～14
沙灘及其他　田瑯　14～15
砂　慕容玉　15～16
故鄉　陳異　16
盲女之歌　江寄萍　16～17
中國農村問題研究之一助　盛宣明　17
名人家庭訪問記——河北省省長呉贊周氏　太史公　18～19
關於香妃塚　虹雯　18
拾故——蝴蝶裝考(下)　拜石　19
北京之花(九)(小說)　李薰風(作)／劉凌滄(畫)　20～21
偸拳(小說)　白羽(著)／呉一舸(畫)　22～23
蒙古聯合自治政府的成立和意義　關口保　24
印象——同情與聲援　梅靈　24
畫刊
蒙古聯合自治政府誕生　25
歐洲大戰第一炮　26～27
日本帝國大學一瞥(八)——大阪帝國大學
四十年來日本文筆人——菊池寬的短篇小說　藤田信勝　29～32
與戲曲　許穎　29～33
半月日曆　33
西山漫話　呉乃禮　34～36
各地風光——新京　惠清　34～35
中國的絲繡　馮貫一　36～38
中國輔幣研究　沈家駒　37～39
文壇隨話
大作家縱橫談　糸己　39～40
引到正道上去　魯風　40～41

天津水災漫寫三幅　楊苓　40〜41
目蓮戲在四川　凡之　42
無題〔漫畫〕　孔飛　42
皮黃鬍髯襍考　德鄰　42〜43
『黑暗的勝利』觀后　石藝　43
每期一星——梅羅娜　大山峯　43
新〝毛三爺〟〔連續漫畫〕　席與承　44
評『浮生若夢』　王雪橋　44〜45
半月影事小記　景／曼英　44
王二姐〔連續漫畫〕　陳固　45
楊貴妃(上)(本刊徵募電影話劇脚本當選二等)　林火／林凡　46〜49
我們怎樣寫楊貴妃　林火　47
楊太眞(十一、十二)〔古裝故事畫〕　吳一舸(畫)　48、49
日本語文講座　51
中華語文講座　白廷蕡　51
編後隨筆　編者　52

第三卷第八期　第二十四號
一九三九年十月十五日発行

封面　建設與力(攝於河北石景山製鐵所)　封面
卷頭言　東方道義國的締誓　1
目錄　1
關於東亞聯盟的我見　繆斌　2〜3
國際問題解剖
德蘇瓜分波蘭後歐戰將怎樣發展?　賈騰　4〜5
歐戰半月　記者　5
國際漫畫　加藤悅郎　5
對華輿論集
汪・王・梁會談(九月二十二日大阪每日社論)　6
西尾總司令官的聲明(十月二日大阪朝日社論)　6
半月日曆　6〜7
朔望東西　7
汪精衛先生會見記　田知花信量　8〜9
汪精衛氏致奥村本社長・平川本刊主幹書翰　8〜9
「ニッポン」機橫斷安達斯山脈成功　9
四十年來日本文筆人——武者小路實篤的思想與作品　許穎　10〜14
文評——「同命鴛鴦」讀後　陳曼　10〜11
日本帝國大學一瞥(完)
名古屋帝國大學　牧野肇　12
京城帝國大學　檀野數雄　13
台北帝國大學　山本禮　14
簡
「否定是力」　山丁　15〜16
嘗味　昭芸　16〜17
靈魂之書　金音　17
文壇隨話
畸形流行的文化情調　吳郎　16
「文化人」兩題　蔣山青　16〜17
低級之崇拜與游離　秉慈　17〜18
「主題」「目的」和〝Patron〟　傅雙姝　18
東亞文藝消息　18
時人月旦——湯爾和　太史公　19
美國民衆公意會最近調査　冬春　20〜21
名人家庭訪問記——岳開先氏　秀華　20〜21
偸拳〔小說〕　白羽(著)／吳一舸(畫)　22〜24
畫刊
興亞建設的柱石　25
新民會中央訓練所　26〜27
苔岑詩壇
若槻禮／櫻井兵／石塚參／田邊新／服部轍／木南保／野間政／薄恕一／池田超爾／橫山又吉／鹽出孝潤／川村文鼎／中西檀成／長束保／萩原彰／上村才六　29
創作
決口〔小說〕　許穎　30〜31
羔羊〔小說〕　林綏　32〜36
宵行〔小說〕　立日　36〜38
酒鬼〔小說〕　李駒子　38〜39
本刊個人漫畫展先聲「共同展」(二十二幅)
孔飛／牛作周／何紹君／小乖／譚沫子／范榕子／羅鳳／龍翼／陳乃豐／林孖／程巨川　30〜39

隨感
有一利卽有一弊　桑梓　40
小孩大人與謙　張金壽　40
各地風光──嘉陵江上的漁家　崇東　41
印象──「這種疑懼」　琛　41
昭和國民讀本(十二)
德富猪一郎(著)／張文華(譯)　42
陳雲裳再度來滬的行動　承骸　43〜44
每期一星──顧蘭君　琳　43
半月影事小記
景／曼英／曹來的／大山　44
斌慶社　彊山　44〜45
新〝毛三爺〟〔連續漫畫〕　席與承　45
楊貴妃(下)(本刊徵募電影話劇脚本當選二等)　林火／林凡　47〜49
脱稿後記　林火　48〜49
楊太眞(十三、十四)〔古裝故事畫〕　呉一舸(畫)　48、49
珍聞集　50
中華語文講座　白廷賚　51
日本語文講座　51
編後隨筆　編者　52

第三卷第九期　第二十五號
一九三九年十一月一日發行
創刊一週年紀念號

封面　和平　方洺　封面
廣告　1
卷頭語　創刊一週年感言　平川淸風　2〜3
目錄　2〜3
時論特輯
新中國與汪精衛先生　近衛文麿　4〜6
中日和平的基礎　褚民誼　7
建設新東亞的指導理念　谷口吉彥　8〜9
回憶孫中山先生──頭山滿翁談　本刊記者　10〜12
中日是親歌〔歌詞〕　朱華　12
今後的中日文化問題　室伏高信　13〜15
自由論壇──今日之勞工教育　鈕先錚　15
三民主義的批判　河野密　16〜17
長篇小説徵募要領　『華文大阪每日』編輯處　15
時人月旦──野村吉三郎海軍大將　宇治田直義　18
四十年來日本文筆人──有島武郎氏的創作生涯　許穎　19〜23
介紹日本代表會社・工廠(一)──大阪每日新聞社　本社記者　20〜23
國際問題解剖
環繞和平提案的歐洲新情勢　賈騰　24〜25
德蘇爲什麼要訂立不侵犯條約?　山　25〜26
國際漫畫　加藤悦郎　26
對華輿論集
蘇聯與中國共產黨(十月十五日大阪朝日社論)　27
佔領區内的鐵道全通(十月八日大阪每日社論)　27
半月日曆　27〜28
朔望東西　記者　28
名人家庭訪問記──許蘭洲氏　秀華　30〜31
本期封面作者──方洺先生介紹　記者　31
北京之花(十)〔小説〕　李薰風(作)／劉凌滄(畫)　32〜33
偸拳〔小説〕　白羽(著)／呉一舸(畫)　34〜35
本刊創刊一週年祝辭
王克敏／王蔭泰／近衛文磨／張景恵／德王／呉應墀／張仁蠡／余晉龢　36、45
畫刊
德終於壓制了波蘭　37
日本婦女的「學」　38
華北棉花的收穫　39
東洋唯一新聞社的内景　40〜41
本社ニッポン機讃美的歌劇　42

本社世界一周大飛行成功!!　46〜47
隨感
致中國文化人書　菊池寛　48
『天下思想』　葛今　48
寄給中國婦女　吉屋信子　49
獻　梅娘　49
楊太眞(十五、十六)〔古装故事畫〕　呉一舸(畫)　48、49
瓜田曲〔散文〕　馮貫一　50
頌祭〔散文〕　鳳芷　51
拾故――「報」與「新聞」　凌霄漢閣主　50〜51
短篇小説
一年　傅雙姝　52〜53
十二個浮屍　徐健　54〜55
南行　夢殊　55〜56
中暑　張金壽　56〜57
傍晩之家(上)〔詩〕　糸己　58〜59
三國人物木刻選(一、二)
萬板樓主(刻)／紫荊花館(文)　55、56
苔岑詩壇
江朝宗／大島蘇谷／井上巽軒／落合東郭／江鷗伴／陳寥士／伍澄宇／岡崎春石　60
文評――關于「老曹」　魯風　61
印象――更要認識日本的「心能」　琛　61
本刊創刊一週年紀念徵求百萬讀者
大阪毎日・東京日日新聞社　62
飛機與電影　平井忠夫　63〜65
半月影事小記　63
毎期一星――露易絲琳娜　施禮　65
日本的戲劇　貫奇　66〜67
新〝毛三爺〟〔連續漫畫〕　席與承　67
個人漫畫展(一)　張瑋　68
文壇隨話
遁辭　伯達　69
「青春文藝」的始末　明軒　69
各地風光
北京的魔力　張迷生　70〜71
山西臨汾古蹟多　王永言　70〜71
王二姐〔連續漫畫〕　陳固　70
亂世鴛鴦(上)(本刊徵募脚本一等當選、「同命鴛鴦」姊妹篇)
方之黄(作)／陳固(畫)　72〜77
東亞文藝消息　77
珍聞集　78
日本語文講座　79
中華語文講座　白廷蕡　79
編後隨筆　編者　80

第三巻第十期　第二十六號　一九三九年十一月十五日発行

封面　北京北海公園九龍壁　封面
巻頭語　興亞的明治節　1
目録　1
汪精衛與新中央政府　德富猪一郎　2〜3
期望於汪精衛先生(一)　高木陸郎　4
印象――科學在二十世紀　梅靈　4
新中國經濟建設之途徑　陸夢熊　5
歐洲動亂〔照片〕　6
歐戰長期化與德國的經濟力　賈騰　6〜7
國際漫畫　加藤悦郎　7
日本精神管窺　焦定遠　8〜9
朔望東西　8〜9
介紹日本代表會社・工廠(二)――鐘淵紡織
會社大阪淀川工廠　本刊記者　10〜11
時人月旦――周佛海　杉　12
各地風光――日本三景之一宮島之遊　東野　13〜15
拾故――骰子考源　江寄萍　15
自由論壇――理解日本爲中國眞實之友　蕭世毓　16
介紹幾本日人關於中國的著作　所倉藏　16〜19
名人家庭訪問記――阮振鐸氏及其家庭　本刊記者　17〜19
怪癖國學家黄侃(上)　白衣　19
北京之花(十一)〔小説〕
李薫風(作)／劉凌滄(畫)　20〜21
偸拳〔小説〕　白羽(著)／呉一舸(畫)　22〜23
半月日曆　23
苔岑詩壇

田邊松坡／萩原錦江／小川五江／岡田愚山／伊藤盤南／熊谷翠軒／尾中鶴洲／石井成器／定井香厓／福島松濤／眞鍋竹州／内ヶ崎愛天／服部擔風／上村賣劍　24
畫刊
從興亞美術展選來　25
「ニッポン」凱旋　26～27
四十年來日本文筆人——志賀直哉的著作　許穎　29～33
介紹北京高等警官學校　煥宇　30～32
三國人物木刻選（三、四）
萬板樓主（刻）／紫荊花館（文）　31、32
東亞文藝消息　33
文評——「齒科醫生的家族」　紅筆　33
散文
青河及其他　昭芸　34
兩地　但娣　34～35
狗與笛音　田瑯　35
傍晚之家（中）〔詩〕　糸己　36～37
文壇隨話
論現在的幽默家　張金壽　38～39
集熱風語　史之風　39
楊太眞（十七、十八）〔古装故事畫〕
呉一舸（畫）　38、39
新〝毛三爺〞〔連續漫畫〕　席與承　40
譚程硯秋唱片　凰芷　40～41
『三姝涙』評　允　41
王二姐〔連續漫畫〕　陳固　41
『巴拿馬的姑娘』　王雪橋　42
每期一星——桑野通子　袁天瀋　42
半月影事小記　大山　42
個人漫畫展（二）　呂風　43
亂世鴛鴦（下）（本刊徵募脚本一等當選、「同命鴛鴦」姊妹篇）
方之蕢（作）／陳固（畫）　45～49
珍聞集　50
中華語文講座　白廷蕡　51
日本語文講座　51
編後隨筆　編者　52

第三卷第十一期　第二十七號
一九三九年十二月一日発行

封面　菊花　封面
卷頭語　英國軍隊撤退華北　1
目錄　1
中國今後的思想界　井上哲次郎　2～4
皇恩浩蕩聖慮深遠　4
期望於汪精衛先生（二）　中野正剛　5～6
朔望東西　6
國際問題解剖
英德在北海佈設攻防網　7
小國群的苦悶和比荷的危機　賈騰　8～9
國際漫畫　加藤悅郎　8
對華輿論集
華南北海的新作戰（十一月十七日東京朝日社論）　9
三民主義的糾正（十一月八日東京日日社論）　9
半月日曆　10
昭和國民讀本（十三）
德富猪一郎（著）／張文華（譯）　11
介紹日本代表會社・工廠（三）——橫濱正金銀行　本刊記者　12～13
時人月旦——格魯　外史氏　14
四十年來日本文筆人——里見弴的作品　許穎　15～17
讀「傍晚之家」之（上）後　山青　17
各地風光
開封　陳笠／曹金港／大可　18～19
災後的天津　默夫　18～19
北京之花（十二）〔小説〕
李薰風（作）／劉凌滄（畫）　20～21
印象——關於曆書、時憲書　琛　21
偸拳〔小説〕　白羽（著）／呉一舸（畫）　22～23
畫刊
橿原神宮本殿遷座祭　25
第十屆明治神宮體育大會　26～27
隨感
禮與樂　林火　29
憶　金音　29

名人家庭訪問記——王揖唐氏家庭生活簡樸　秀華　30～31
怪癖國學家黃侃(下)　白衣　31
傍晚之家(下一)〔詩〕　糸己　32～33
中國繪畫的研究(上)　馮貫一　34～35
文壇隨話
　論「××家」　張金壽　36
　所謂長篇小説　魯風　36～37
　垃圾談　游衍生　37
東亞文藝消息　36
自由論壇——略論國策電影　井上瑛青　37
秋風裏〔小説〕　林緩　38～40
小五〔小説〕　白鋒　40～41
三國人物木刻選(五、六)
　萬板樓主(刻)／紫荆花館(文)　39、40
『孤兒樂園』檢討　龍翼　42～43
王二姐〔連續漫畫〕　陳固　42
每期一星——歐蘇麗紋　納咸　43
『莎莎』　王雪橋　43～44
由看喜彩蓮的「玉堂春」而妄談評戲　憶蘭　44
半月影事小記　大山　44
個人漫畫展(三)　王金鍊　45
書生(本刊徵募電影・話劇脚本當選佳作)　趙孟原　46～49
楊太眞(十九、二十)〔古裝故事畫〕　呉一舸(畫)　47、48
拾故——衙門的解釋(上)　燾　49
珍聞集　50
日本語文講座　51
中華語文講座　白廷蕢　51
編後隨筆　編者　52

第三卷第十二期　第二十八號
一九三九年十二月十五日発行

封面　北京天壇祈年殿　封面
卷頭語　送一九三九年　1
目錄　1
告中國國民書　野村吉三郎　2
期望於汪精衛先生(三)　松本忠雄　3
美國新中立法的檢討　山　3～4
英國封鎖德國輸出品問題　立作太郎　4～5
國際漫畫　加藤悦郎　5
對華輿論集
　四川雲南的中央化(十二月二日大阪朝日社論)　5
　南寧淪陷與重慶的苦境(十一月二十六日東京日日社論)　5～6
朔望東西　6
半月日曆　7
時人月旦——齊燮元　太史公　8
各地風光——京都　記者　9～11
紅葉零碎〔散文〕　白衣　11
介紹日本代表會社・工廠(四)——造幣局(大阪)　12～14
拾故——衙門的解釋(下)　燾　14
中日名人家庭訪問記——賀屋興宣氏　本刊記者　15～16
四十年來日本文筆人——永井荷風氏的耽美與懷舊　許穎　17～19
文評——「十二個浮屍」　魯風　17
楊太眞(二十一、二十二)〔古裝故事畫〕　呉一舸(畫)　18、19
偸拳〔小説〕　白羽(著)／呉一舸(畫)　20～21
北京之花(十三)〔小説〕　李薰風(作)／劉凌滄(畫)　22～23
苔岑詩壇
　王揖唐／市村瓚／小川平吉／納三治／土屋久泰　24
畫刊
　飛機在東亞　25
　新民学院概況　26～27
歡迎滿洲國記者團懇談會
　滿洲弘報協會記者團：譚鐵錚／劉士忱／李士榮／索冠軍／沈亨澤／弓文才／岩下輝夫。本刊：原田稔／洪光洲／鄭吾山／李景新／陳漪堃／柳龍光／張秀霖／松本鎗吉　29～31
文壇隨話

編輯朋友一題　蔣山青　30〜31
閑話三則　伯達　31
兵與兵〔小説〕
火野葦平(作)／阿大(譯)　32〜35
感傷的散步者〔散文〕　田瑯　32〜34
初冬二章〔散文〕　系子　34
冬天到春天〔散文〕　陳蕪　34〜35
中國繪畫的研究(下)　馮貫一　36〜37
東亞文藝消息　37
傍晚之家(下二)〔詩〕　糸己　38〜39
『王寶釧』已上銀幕　琳　40
每期一星——路明　40
『城砦』　王雪橋　40〜41
論話劇姿態表情　莎比　41〜42
半月影事小記　41
新〝毛三爺〞〔連續漫畫〕　席與承　42
雨暴風狂(本刊徵募電影・話劇脚本當選佳作)　柳浪　44〜48
三國人物木刻選(七、八)
王青芳(刻)／紫荊花館(文)　45、46
自由論壇——擁護人類愛
羽仁もと子　47
王二姐〔連續漫畫〕　陳固　48
個人漫畫展(四)　季風　49
珍聞集　50
中華語文講座　白廷賁　51
日本語文講座　51
編後隨筆　編者　52

第四巻第一期　第二十九號
一九四〇年一月一日発行
新年加大號

封面　新春與日本少女
堂本印象(畫)　封面
廣告　1
巻頭語　和平運動的黎明　平川清風　2〜3
目錄　2〜3
共同前進　汪兆銘　4〜5
本期封面作者——堂本印象先生介紹　5
時人月旦——張景惠　外史氏　6
呉佩孚將軍與汪精衛先生　溫宗堯　7〜8
敬告僑胞書　李憲　8〜9
期望於汪精衛先生(四)　杉森孝次郎　9
東亞經濟懇談會的成果　10〜11
一九三九年國際情勢的總檢討
上原虎重　11〜13
國際漫畫　近藤日出造　13
本刊主辦中日教育懇談會
維新政府教育部中小學教員訪日視察團：田中邦彦／菊沖德平／俞義範／王質庵／歐季撫／張竹軒／朱雲程／朱令彝／王錫賓／岳繼先／姚人龍／謝超／胡建球／朱尚忠／于經武／王宇澄／汪特璋／李鴻勳／張忠禹／柳舜年／季準平／蘇樹德／趙恆勤／李平／周宗貴／戴若愚／杜和聲／王浩然／陳增安／袁峻德／孫悦信／徐國韶／呉梯芳／周定影。日本大阪市方面：菅野和太郎／内田娛老／津田六郎／中村好／能澤信二／石川爲藏／宮崎武夫／大曾根源助／岡村育次郎／村上五郎／田付德三／新谷幸次郎／小豆澤義光／砂原熊市／小森俊一／小寺好一／植田善藏／田中寅一／金田政一。本刊方面：原田稔／以次全體／陳漪堃(記錄)　14〜16
自由論壇——中國經濟的將來　朱錫璋　16
日本大陸漫畫代表作
西塔子郎／中村篤九／志村常平　17
華北建設事業之概述　殷同　18〜19
朔望東西　19
介紹日本代表會社・工廠(五)——百貨商店
現狀一瞥　本刊記者　20〜22
半月日曆　21〜22
隨感
對於抗議的反駁　菊池寛　23
中國之旅　林芙美子　23〜24
交際的勸勉之類　張金壽　24〜25
中國的社會和「光棍兒」　村上知行　25
各地風光——南京　蘋末　26〜27
名人家庭訪問記——青木一男氏

拾故——談曲赦(上)　本刊記者　28～29
倫拳〔小説〕(完)　班書閣　29
白羽(著)／呉一舸(畫)　30～31
昭和國民讀本(十四)
德富猪一郎(著)／張文華(譯)　32
畫刊
大地嚴冬　34～35
東亞銀星集　36～37
兒童楽園　38～39
酬答愛讀者奬贈發表　41
皇紀二千六百年盛典　赤坂清七　42～43
東亞文藝消息　42～43
華文大阪毎日半月刊新年特輯號題辭　孫其昌　43
詩之專頁
沙漠的旅伴／死／在隅田川上　田瑯　44～45
黄昏／寄　巉巖　45
亞波羅之謌　陳蕪　45
魚肆／一日小紀　山丁　45～46
橋畔　藍苓　46
鐵窗／逝雷　呉郎　46
渡沙汀
Tennyson(作)／冷歌(譯)　46
採菓　Nicholas(作)／冷歌(譯)　46
冥土頌　謝人堡　46～47
我底燈
Lamartine(作)／謝人堡(譯)　47
回憶魯迅先生　内山完造　48～49
文評——「傍晩之家」讀後　方之蕡　48～49
四十年來日本文筆人——佐藤春夫的憂鬱氣質　許穎　50～52
三國人物木刻選(九、十)
王青芳(刻)／紫荆花館(文)　51、52
「中國文藝協會」誕生　重緑　52～54
中國文學與我的因縁　佐藤春夫　53～54
青年課題大徵文
『華文大阪毎日』編輯處　54
文壇隨話
答紅筆先生　蕭菱　54～55
「口語」云云　文芳　55
個人漫畫展(五)　竇宗淦　56
一九三九年華北漫畫壇總檢討　宋以仁　57
短篇小説
舷上　方之蕡　58
氷天雪地　白佛　58～59
一個老人　蕭菱　60
寒流與暖流　馳父　60～62
中國影片過去的檢討與今後的展望
凌琳　63～64
毎期一星——蓓蒂黛維絲　琪英　63
半月影事小記　大山　64
米高梅設計中的新片　李榮　64～65
一九三九年北京的話劇　林孖　65
新〝毛三爺〟〔連續漫畫〕　席與承　65
上海夜街頭(本刊徵募電影・話劇脚本當選佳作)　楊棣　66～69
楊太眞(二十三、二十四)〔古装故事畫〕
呉一舸(畫)　68、69
序『中國之姿』　樊友實　69
珍聞集　70
日本語文講座　71
中華語文講座　白廷賁　71
編後隨筆　編者　72

第四巻第二期　第三十號
一九四〇年一月十五日発行

封面　山西太行山脈之山象鳥瞰　封面
卷頭語　排斥興亞時代的害蟲　1
目録　1
文化人與國民精神再建運動　宋介　2～3
期望於汪精衞先生(五)　吉岡文六　3
「呉佩孚將軍與汪精衞先生」書後　溫宗堯　4
汪精衞先生的文學及其性格
小柳司氣太　4～6
時人月旦——津田信吾　外史氏　7
今後蘇聯的目標　布施勝治　8～9

漫畫 近藤日出造／江汀 8、9
讀「中國今後的思想界」 果菴 10～11
自由論壇――皇道文化與王道文化 田崎仁義 11
介紹日本代表會社・工廠(六)――王子製紙會社 12～14
中國音樂的復興 柯政和 14～15
中國米業之現況(上) 沈家駒 15
文人之癡獃 孟剛 16～17
名人家庭訪問記――鮑鑑清氏 秀華 16～17
各地風光――瘦西湖之秋 呉乃禮 18
東亞文藝消息 19
興亞之春大地黎明〔漫畫〕 王金錬 19
拾故――談曲赦(中) 班書閣 20
上海的文化界 琳 20～21
亡國的「風」「馬」「牛」主義 鍾禮山 20～21
北京之花(十四)〔小説〕 李薰風(作)／劉凌滄(畫) 22～23
畫刊
歳末小景 25
日本的「新年新禧」 26～27
苔岑詩壇
田邊新／松田甲／小川通義／高島米峯／佐藤祖道／加來復翁／守谷富／定井貞／野間政／大矢要／森川定／萩原彰 29
翻譯文藝
廣東的盲妹 火野葦平(作)／阿大(譯) 30～31
朝鮮童話 中村亮平(作)／黃沙(譯) 30
中國的陶瓷 馮貫一 32～33
四十年來日本文筆人――小川未明的童話 許穎 34～36
文壇隨話
願與新文壇建設者協力 式風 35
執「中」與騎墻 伯達 35～36
「文藝賞」與「團體」 陳從善 36
短篇小説
轎夫 張金壽 37～39
五月的農村 于揚 39～42
詩
未完結的故事 但娣 38～39
月下人事 陌人 39～41
沙漠上的草 金音 41
文評――「羔羊」小評 李嬌 42
個人漫畫展(六) 姚紅 43
唐宋以來舊戲曲的梗概(上) 若愚 44～45
半月影事小記 大山 44
王二姐〔連續漫畫〕 陳固 45
『畫中愛寵』 王雪橋 45
看過「士與兵隊」之後 井上瑛青 45～46
每期一星――李紅 華 46
新〝毛三爺〟〔連續漫畫〕 席與承 46
鐵血情花(本刊徵募電影・話劇脚本當選佳作) 林風 47～49
三國人物木刻選(十一、十二) 王青芳(刻)／紫荊花館(文) 47、48
珍聞集 50
日本語文講座 51
編後隨筆 編者 51

第四卷第三期 第三十一號 一九四〇年二月一日発行

封面 南京中山陵 封面
卷頭語 米內新內閣成立 1
目錄 1
日本米內新內閣的陣容 2～3
關於中國今後文化上思想上的己見 五知 4～5
國際問題解剖――日德美意蘇的打破現狀 上原虎重 6～7
一月日曆 7～8
朔望東西 8
時人月旦――米內光政 外史氏 9
汪精衛氏與平川本社主幹之問答 10～11
三民主義之由來 丁士源 11
拾故――談曲赦(下) 班書閣 11
介紹日本代表會社・工廠(七)――日本發送電株式會社 記者 12～14
三國人物木刻選(十三、十四)

王青芳(刻)／紫荊花館(文)　13、14
中國米業之現況(下)　沈家駒　14
昭和國民讀本(十五)
德富猪一郎(著)／張文華(譯)　15
各地風光
別府溫泉　園部綠　16〜18
我憶溫泉　陳愼言　17〜18
名人家庭訪問記——京都帝大總長羽田亨博士　本刊記者　19〜21
聚書小記　陸續　19〜20
自由論壇——黃種人應當團結　程希賢　21
北京之花(十五)〔小說〕
李薰風(作)／劉凌滄(畫)　22〜23
畫刊
雪在日本　26〜27
米内新内閣成立　28〜29
過年的玩藝兒(北京所見)　30
苔岑詩壇
梁鴻志／楊壽枏／李宣倜／陳道量／小室貞／服部莊夫／細貝泉／土屋久泰／岩溪晋　33
幽靈與兵(上)〔小說〕
Rovert Graves(作)／魯風(譯)　34〜35
中國的銅器(上)　馮貫一　36
四十年來日本文筆人——加藤武雄
許穎　37〜41
為一個人／世紀的小景〔詩〕　陳蕪　38〜39
哲詩四章／年〔詩〕　微夫　39〜43
戀着的友人〔小品文〕　吳瑛　38〜39
異國〔小品文〕　但娣　39〜41
宴與童年之春〔小品文〕　藍苓　41〜42
年〔小品文〕　也麗　42〜43
東亞文藝消息　42〜43
文壇隨話
答與問　游衍生　44
「戲劇文字」與文藝作者　伯文　44
「氣派」與「環境」　伯達　45
文評——「一年」　阿虎　45
個人漫畫展(七)　楊棣　46
唐宋以來舊戲曲的梗概(下)　若愚　47〜48
每期一星——保羅穆尼　琪英　48
『偉大華爾滋』　王雪橋　49
新〃毛三爺〃〔連續漫畫〕　席與承　49
半月影事小記　49
光與影(上)(本刊徵募電影・話劇脚本當選佳作)　阿金　50〜53
青年課題大徵文
『華文大阪每日』編輯處　51
楊太眞(二十五、二十六)〔古裝故事畫〕
吳一舸(畫)　52、53
珍聞集　54
中華語文講座　白廷賛　55
日本語文講座　55
編後隨筆　編者　56

第四卷第四期　第三十二號

一九四〇年二月十五日発行

封面　北京頤和園長廊　封面
卷頭語　無條約的日美關係　1
目錄　1
中日和平之途徑　孫鞏圻　2〜3
中日文化教育諸問題　徐公美　3〜4
朔望東西　4〜5
汪氏的和平建國方式　5
時人月旦——吳贊周　太史公　6
本刊編輯主幹平川清風先生千古　7
優秀的新聞記者——德富蘇峰談　7
國際問題解剖——歐洲經濟戰的解剖
愛因支希／包姆加敦　8〜10
本刊主辦南京中日文藝座談會
陳寥士／尤半狂／朱重錄／鍾禮山／郭崇階／吳經伯／王西神／馮乃駿／曹熙宇／張次溪／馬午／孫夢花／鄭錦瑗／羅錦圭／吳梯芳／原田稔／富岡羊一／金子靜雄／庄子勇之助　10〜11
半月日曆　12〜13
介紹日本代表會社・工廠(八)——大宮鐵道工廠　市川五郎　12〜13
四十年來日本文筆人——山本有三

悼〔詩〕　許穎　14〜18
囚／牧童〔詩〕　烏甘　15
噩疋　15
滬寧隨感隨錄（上）　原田稔　16〜17
青年課題大徵文
『華文大阪毎日』編輯處　17
名人家庭訪問記——殷同氏　秀華　18〜19
寄與隣邦的朋友　市川房枝　19
文評——寒流與暖流　李無雙　19
各地風光——濟南城　鄒光明　20〜21
北京之花（十六）〔小説〕
李薫風（作）／劉凌滄（畫）　22〜23
畫刊
青島會談　25
日本撮影美術展　26〜27
簡
火花　小尹　29
暗窗談詩錄　金音　29
中國的小説（上）
賽珍珠（作）／一坤（譯）　30〜31
幽靈與兵（下）〔小説〕
Rovert Graves（作）／魯風（譯）　30
中國的銅器（下）　馮貫一　32〜33
文壇隨話
共有的感觸　蕭菱　34
雷聲大與雨點小　徐新　34〜35
一表非凡　散髮　35
從朋友到宵小　口良　35
東亞文藝消息　34〜35
個人漫畫展（八）　張振仕　36
漫畫小集〔散文〕　謝人堡　37
夜工〔小説〕　亞嵐　37〜38
農家女〔小説〕　林風　38〜41
三國人物木刻選（十七、十八）
王青芳（刻）／紫荊花館（文）　39、40
印象——上海的「慈善家」　弟弟　41
新〝毛三爺〟〔連續漫畫〕　席與承　42
『銀翼春秋』評　王雪橋　42
譚富英唱片評記　凰芷　42〜43
半月影事小記　大山　43
王二姐〔連續漫畫〕　陳固　43
每期一星——貂斑華　華　44
光與影（下）（本刊徵募電影・話劇脚本當選佳
作）　阿金　45〜49
楊太眞（二十七、二十八）〔古装故事畫〕
呉一舸（畫）　47、48
拾故——談奇裝異服（上）　王章也　49
珍聞集　50
日本語文講座　51
中華語文講座　白廷賛　51
編後隨筆　編者　52

第四巻第五期　第三十三號
一九四〇年三月一日発行

封面　日本帝國議會議事堂　封面
巻頭語　奉祝紀元節　1
目錄　1
中日關係的基調　長岡克曉　2〜3
新中央政府的展望（一）——汪精衛談　4
歡迎東亞操觚者懇談會出席者
下田將美　5
文評——「決口」　黙夫　5
國際問題解剖——英國在土耳其的勢力
楠山義太郎　6〜7
半月日曆　7
「日本重臣」談　記者　8〜9
四十年來日本文筆人——倉田百三的信心與
哲理　許穎　10〜13
滬寧隨感隨錄（下）　原田稔　12〜13
時人月旦——小山松壽　外史氏　14
青島會談中花絮錄　申之　15
各地風光——神祕的西藏　冉邕　15〜17
龍〔散文〕　凌霄漢閣主　17〜18
名人家庭訪問記——張景惠　坤燈　18〜19
北京之花（十七）〔小説〕
李薫風（作）／劉凌滄（畫）　20〜21
興亞建國運動大徵文〔広告〕
興建月刊社　22〜23

畫刊
世界唯一的（一） 25
兒童與滑雪 26〜27
個人漫畫展（九） 侯少君 29
本刊第一次徵募長篇小説當選発表 30
審選室談話 編者 30〜31
我的労作我的感情 田瑯 31〜32
当選感言 張金壽 31
中國的小説（中）
賽珍珠（作）／一坤（譯） 33
北京的文學雜誌
野中修（作）／紅筆（譯） 32〜33
東亞文藝消息 34
文壇隨話
名、利、成名法 張金壽 34〜35
「畸形流行的文化情調」補 方式風 35
閒話滿洲文場 山丁 35
三國人物木刻選（十九、二十）
王青芳（刻）／紫荊花館（文） 35、36
中國的文字和書法（上） 馮貫一 36〜37
小品文
死 方之蕙 38〜39
窗外雜見 林火 40
搬家後 白佛 40〜41
冬夜的回憶 江寄萍 41
詩
獵人 但娣 38
故事以後 李北川 38〜41
介紹日本代表會社・工廠（九）——松竹電影
株式會社大船撮影所 山口久吉 42〜43
朔望東西 42〜43
新〝毛三爺〟〔連續漫畫〕 席與承 44
簡評『處女底苦悶』 王雪橋 44
每期一星——陳雲裳 琳 45
皮簧的藝術 德鄰 45
半月影事小記 大山 45
滿洲國留學生座談會
大宅壯一／中保與作／徐振渭／張宗源／
關樞／郭鳳鳴／劉鳳雲／白寶媛／于韶華
／趙秀芳／趙靜言 46〜49
楊太眞（二十九、三十）〔古裝故事畫〕
呉一舸（畫） 47、48
拾故——談奇裝異服（中） 王章也 49
珍聞集 50
中華語文講座 白廷賛 51
日本語文講座 51
編後隨筆 編者 52

第四巻第六期　第三十四號
一九四〇年三月十五日発行

封面　海南島的冬日農場風景 封面
卷頭語　滿洲帝國的教訓 1
目錄 1
中日文化交流的回顧與前瞻（一） 楊鴻烈 2〜5
楊太眞（三十一、三十二）〔古裝故事畫〕
呉一舸（畫） 4、5
國際問題解剖——歐戰將怎樣展開？ 6〜8
半月日曆 8
新中央政府的展望（二）——周佛海氏・褚民
誼氏談 9
介紹日本代表會社・工廠（十）——日本的生
命保險會社的組織與機構 戸田 10〜11
名人家庭訪問記——堂本印象先生
記者 12〜13
朔望東西 13
各地風光
唐山市一瞥 安地 14〜15
白雲觀的趣味
呉樾（文）／雷鳴（撮影） 15
時人月旦——褚民誼 申 16
四十年來日本文筆人——廣津和郎的悲觀世
界 許穎 17〜19
三國人物木刻選（二十一、二十二）
王青芳（刻）／紫荊花館（文） 17、18
文評——咀華記 蕭菱 19
中國的文字和書法（中） 馮貫一 20〜21
北京之花（十八）〔小説〕
李薫風（作）／劉凌滄（畫） 22〜23
畫刊

世界唯一的(二) 25
無鏡頭(Lens)的望遠攝影機 26～27
回國一個月隨筆 雪螢 29
中國的小説(下一)
賽珍珠(作)/一坤(譯) 31
兒子的婚禮〔小説〕
菊池寛(作)/張蕾(譯) 30～31
作家們的座談會
于明仁(田瑯)/徐長吉/單庚生/仲賢禮/山田清三郎/久米正雄/横光利一/木村毅/大宅壮一/吉岡文六/楢崎觀一/中保與作/井上松子(記録) 32～35
文壇隨話
名之又名 散髪 34
乾打雷不下雨 伯文 34
文名與稿費 江水平 34～35
兩談 李漢 35
問與答 張金壽 35
風〔小説〕 但娣 36
芝姊〔小説〕 李無雙 36～40
詩
砂漠裏的笛音 烏甘 36
老趙家的鷄架 楊野 36～37
化石人 陌人 37
濤觸巖石 李駱子 37
沒有年月的歴史/憂鬱的構圖 陳蕪 37～39
旅心 戴天 39
螢 微夫 39
東亞文藝消息 40
王二姐〔連續漫畫〕 陳固 40
拾故——談奇裝異服(下) 王章也 40
個人漫畫展(十) 陳固 41
『一世之雄』 允中 42
評『絶代佳人』 琳 42～43
毎期一星——王人美 弟弟 43
大地的波動(一)(本刊第一次徴募長篇小説當選正選) 田瑯(作)/王金鍊(畫) 45～49
新〝毛三爺〟〔連續漫畫〕 席與承 49
珍聞集 50
日本語文講座 51
中華語文講座 白廷賚 51
編後隨筆 編者 52

第四巻第七期　第三十五號

一九四〇年四月一日発行

封面　櫻林中之大阪城 封面
巻頭語　汪氏宣言與米内聲明 1
目録 1
和平建國宣言 汪兆銘 2
支援中國聲明 米内光政 2
中日文化交流的回顧與前瞻(二) 楊鴻烈 3～7
楊太眞(三十三、三十四)〔古装故事畫〕
呉一舸(畫) 5、6
新中央政府的展望(三)——林柏生氏/傅式説氏/梅思平氏/葉蓬氏談 8～10
朔望東西 10
半月日暦 10～11
國際問題解剖——意美的中立與歐戰的進展 11～12
時人月旦——加藤外松 外史氏 13
滿洲特殊會社(一)——滿洲中央銀行 池松勝 14～15
各地風光——普陀山探遊記 渭水學人 16～18
木刻無雙譜序 子荊 18～19
東亞文藝消息 19
自由論壇——「中日關係的基調」讀後 孔賜安 19
名人家庭訪問記
上海特別市長傅筱庵氏 申之 20
北京市商會長鄒泉蓀氏 秀華 20～21
北京之花(十九)〔小説〕
李薫風(作)/劉凌滄(畫) 22～23
畫刊
世界唯一的(三) 25
國民政府還都之春 26～27
文壇隨話
雷雨聲中談屑 游衍生 29

關於稿費 許強 29
中國的小説(下二)
賽珍珠(作)/一坤(譯) 30～31
臺灣文學界的現狀
中村地平(作)/紅筆(譯) 30
拾故――美麗的水神 江寄萍 32
中國的文字和書法(下) 馮貫一 32～33
詩
行人 烏甘 34
搖籃與棺材 噩疋 34
月亮三部曲 高深 34、37
我在想 羅錦圭 37
三國人物木刻選(二十三、二十四)
王青芳(刻)/紫荊花館(文) 35、36
小品文
感動・苦惱與憤激 白樺 34～35
燭火 博奮 35
雪朝、駱駝 微夫 36
灰雲 小尹 36
夢記 藍汀 37
四十年來日本文筆人――宇野浩二 許穎 38～40
文評――夜工 范紫 38～39
印象――對於「新文字」的熱情 石稜 39
新〝毛三爺〟(連續漫畫) 席與承 41
『軍校風光』 季風 41
『女難』評 王雪橋 41～42
『女人』評 琳 42
言菊朋唱片評記 凰芷 42～43
每期一星――袁美雲 琳 42
致北京評劇作家 凄其 43
個人漫畫展(十一) 楊苓 44
簡
情感的波浪 張金壽 45
熱・力・行々・沒有疲倦 噩疋 45
大地的波動(二)(本刊第一次徵募長篇小説當選正選) 田瑯(作)/王金鍊(畫) 46～49
半月影事小記 大山 49
珍聞集 50
中華語文講座 白廷賛 51
日本語文講座 51
編後隨筆 編者 52

第四巻第八期　第三十六號
一九四〇年四月十五日発行
中華民國々民政府改組還都慶祝特大號

封面 更生中華民國國旗下的汪主席 封面
慶祝新中國中央政府成立 下田將美 2～3
目錄 2～3
建設新中國時論特輯
談新政府成立經緯 溫宗堯 4～5
今後中國的教育 傅式説 4～5
滿洲與日本與中國 阮振鐸 5～6
對於所謂「建設東亞新秩序」之私見
王蔭泰 5～6
環繞於華南的國際情勢之現在與將來
彭東原 6～7
大亞洲主義之哲學的基礎 周化人 6～12
各國對中央政府的態度 上原虎重 7～10
什麼是興亞建國運動? 費一方 10～12
祝新中央政府之誕生 嚴軍光 12
國際漫畫 加藤悦郎 9、10、11、12
昭和國民讀本(十六)
德富猪一郎(著)/張文華(譯) 13
肩負新中國的新貴們 14～17
世界戰爭與東亞綜合體 谷口吉彦 18～20
本社奥村社長・汪氏會談記 21
中日文化交流的回顧與前瞻(三)
楊鴻烈 22～25
拾故――日本雅樂傳來考(上)
水原琴窗 25
苔岑詩壇
梁衆異/岩溪裳川/溥心畬/仁賀保香城/陳寥士/川崎早月/丘逸庵/土屋竹雨 26
追憶中國 松井石根 27～28
臨時・維新兩政府發展的終極 28～29
半月日曆 29
陳璧君女士印象記 佐藤俊子 30～31
東亞文藝消息 31

半月影事小記 31
各地風光――新都南京勝蹟 馮貫一 32〜33
北京之花（完）〔小説〕
李薰風（作）／劉淩滄（畫） 34〜35
中國文藝復興之意義 夏孟剛 36
畫刊
本社「ニッポン」機慶祝國民政府還都飛行 37
新中國首腦與其家庭 38〜39
新政府的產室「中政會議」 40
新中國的武力 40〜41
悠久的中國 42〜43
歷史的一瞬 44〜45
更生南京 46〜47
日本各地亦大歡喜 48
世界唯一的（四） 49
春與櫻 50〜51
短篇小説
黑月亮 王朱 53〜55
病與病 李靈 55〜56
雪 凰芷 56〜58
呈 陸續 58〜59
女人 李無雙 59〜60
人間 阿里 60〜61
王二姐〔連續漫畫〕 陳固 61
個人漫畫展（十二） 張仲人 62
畫報漫談 拜石 63

大陸與日本文學界片談
中國文學與日本文學 村松梢風 64〜65
我與中國作家之交遊 小田嶽夫 65
回想魯迅（上）
長與善郎（作）／紅筆（譯） 65〜68
木刻無雙譜序（下） 子荊 67
詩
對語 羅綺 68
炬火 傅莓 68〜69
靈魂的手 阿茨 68
口笛 微夫 68
輪廓／耗子的心情 噩疋 69〜70
蒲公英的夢／海與夢 謝人堡 69〜71
泣 雷力普 70
夜記 烏甘 71
陳跡 黃茶 71
小品文
城與人 戈壁 68
別語 賀行 68〜69
春天的夢 方滌 69〜70
空曠之旅 蕭菱 70〜71
畫 李北川 71
漂流 柯炬 71
滿洲特殊會社（二）――滿洲映畫協會 坤燈 72〜73
戰時下歐洲電影界（一） 記者 74〜75
『小人國』 莊雷 75

三國人物木刻選（二十五、二十六）
王靑芳（刻）／紫荊花館（文） 75、76
一九四〇年好萊塢大選記（上） 紅宮 76〜77
戲劇的悲喜論 仙芥 77
每期一星――高峰秀子 雪 77
文評――評「死」 季瘋 78
文壇隨話
雷雨聲中談屑（二） 游衍生 78〜79
「最是」篇 石砮 79
向文運者進一言 季瘋 79
大地的波動（三）（本刊第一次徵募長篇小説當選正選） 田瑯（作）／王金鍊（畫） 80〜83
新〝毛三爺〟〔連續漫畫〕 席與承 83
莎士比亞之青春
島村抱月（作）／賀行（譯） 85
文學與人生
賽珍珠（講演）／鉛刀（譯） 84〜85
朝鮮文學界 張赫宙（作）／紅筆（譯） 84
珍聞集 86
日本語文講座 洪子博 87
中華語文講座 白廷蕢 87
編後隨筆 編者 88

第四巻第九期　第三十七號

一九四〇年五月一日発行

封面　乾隆時代美人畫陶器 封面

巻頭語　歡送阿部大使赴華 1
目録 1
華南之政治觀與復興　歐大慶 2～3
復興廣東之經濟　許少榮 3～4
我對於新中央政府成立的感想　林國恩 4
時人月旦——犬養健　外史氏 5
國際問題解剖——北歐戰火與歐洲戰局　賈騰 6～8
半月日曆 7～8
新民會厚生工作今後之展望　張鍈緒 9
名人家庭訪問記——阿部特命全權大使　記者 10～11
自由論壇——中日和平中應注意三點　姜希瑜 12
天津棉紗業概況　沈家駒 12～13
中國建築的特徴(上)　村田治郎(作)／邱野(譯) 13
昭和國民讀本(十七)　德富猪一郎(著)／張文華(譯) 14
本刊主辦座談會特輯
(之一)訪粤日本婦女使節印象談
來賓方面：矢田鈴江／高尾公子／八坂喜久子／末永壽美子／清藤泰子／阿部淑子／横尾美智子／長山義男。本刊：楢崎觀一／吉岡文六／中保與作／三宅英一(記錄) 15～17
(之二)歡迎華北記者團懇談會
訪日記者團：范劭陽／呉菊痴／宗威之／汪家祉／王以之／傅白雪／呉偉／崔笑我／劉南茁／周蔓琪／尹梅伯／宋上達／陳語天／王代昌／石英／房師俊／張文熙／關仲和／關伯章／王逸軒／邢幼傑／狄榮／關昨非／張孟雄／胡鐵珊／安尹靜／李顯柔／楊宗慧／長崎。本刊：原田(記錄)／松本 18～19
上海街頭瘺三現狀　弟弟 17
詩
血的故事／我們　陳蕪 20
泥鰍　雷厲 20
山東瑩　何行 20
不是詩　葛蕾 20
哭　噩疋 20
旅　林靈 20
十月的罪人　賀行 20
落葉之献　舎魚 20
路(一)(本刊第一次徴募長篇小説當選副選)　張金壽(作)／呂風(畫) 21～23
文評——「風」　默夫 23
苔岑詩壇
王逸塘／江雲山／服部空谷／呂仲素／岩田鶯崖／江鷗伴／鄒子襄／士屋竹雨 24
畫刊
世界唯一的(五) 25
日本二千六百年歴史展覽會 26～27
本刊第一次青年課題大徴文當選發表　『華文大阪每日』編輯處 29
東亞文藝消息 29
回想魯迅(下)　長與善郎(作)／紅筆(譯) 31
在柏林　Mary Boyle O'keilley(作)／星星(譯) 31
疑心　芥川龍之介(作)／賀行(譯) 31
紅旗(上)　Vsevolod M.Garshin(作)／劉釺(譯) 30
文壇隨話
雷雨聲中談屑(三)　游衍生 32
雷、雨和雹　伯文 32
厭惡、迷惘　奚儲平 32
「渣」與「老」　振尋 33
北京文壇小事集(一)　任福 33
簡
鱗鴻草　傅苺 34
信簡　里雁 34
望空之書　韓護 34
四十年來日本文筆人——横光利一　許穎 35～37
三國人物木刻選(二十七、二十八)　王青芳(刻)／紫荊花館(文) 35、36
詩人與國際(上)　凌霄漢閣主 37
各地風光——哈爾濱　坤燈 38～39

滿洲特殊會社(三)――滿洲興業銀行　本社記者　40~41
新〝毛三爺〟(連續漫畫)　席與承　41
戰時下歐洲電影界(二)　記者　42~43
每期一星――愛琳鄧　納咸　43
一九四〇年好萊塢大選記(下)　紅宮　43~44
評『奇城血雨』　施禮　44
半月影事小記　大山　44
大地的波動(四)(本刊第一次徵募長篇小説當選正選)　田瑯(作)/王金錬(畫)　45~49
拾故――日本雅樂傳來考(中)　水原琴窗　49
個人漫畫展(十三)　秦啓風　50
東行漫記(一)　林火　51
中華語文講座　白廷蕡　52
日本語文講座　洪子博　52
編後隨筆　編者　53

第四卷第十期　第三十八號
一九四〇年五月十五日発行

封面　阿部大使在赴任船上　封面
卷頭語　中日提携的利益　1
目錄　1
告中華民國國民　松本鎗吉　2~3
由謁陵説到大亞洲主義　周化人　3
怎樣救今日的中國?(本刊第一次青年課題大徵文當選作品)　林鴻翥/楊雨亭/金毓仙　4~8
國際問題解剖――環繞荷屬東印度的國際關係　中上雅夫　9~11
一粒種子的故事(漫畫)　江汀　10
半月日曆　11
各地風光――采石磯探勝　白衣　12~14
名人家庭訪問記――溫宗堯氏　記者　14~15
中國建築的特徴(下)　村田治郎(作)/邱野(譯)　15
拾故――日本雅樂傳來考(下一)　水原琴窗　16
滿洲特殊會社(四)――滿洲拓殖會社　記者　16~17
東亞文藝消息　18
四十年來日本文筆人――川端康成　許穎　18~20
三國人物木刻選(二十九、三十)　王青芳(刻)/紫荊花館(文)　19、20
路(二)(本刊第一次徵募長篇小説當選副選)　張金壽(作)/呂風(畫)　21~23
時人月旦――林柏生　達　24
畫刊
世界唯一的(六)　25
中日恢復國交第一幕　26~27
文壇隨話
滿日文學交流問題(上)　王則　29
北京文壇小事集(二)　任福　29
紅旗(下)　Vsevolod M. Garshin(作)/劉針(譯)　31
北海道文學界　伊藤整(作)/紅筆(譯)　30~31
生活的觸角(上)　和田誠一(作)/連雲(譯)　30
本刊主辦滿洲文化漫談會　佐藤膽齋/王光烈/陳承瀚/姚任/徐長吉/山口愼一/富彭年/顧承運/小澤柳之助/趙孟原/劉夷馳/弓文才/李冷歌/王秋螢/張我權/杉村勇造/陳邦直/梁世錚/孫鵬飛/楊葉/季守仁/陳毛利/王則/宋世如/江草茂/劉多三。本社:柳龍光/小川潤八。記錄:季守仁/王則　32~36
東行漫記(二)　林火　36
文評――和「大地的波動」的初面　季瘋　37
出走前(小説)　舒柯　37~40
桃花水(詩)　李北川　38~39
北風南風(小説)　錦玉　40
個人漫畫展(十四)　胡琳　41
戰時下歐洲電影界(三)　42~43
『初戀』又獲得滿意的批評　李靈　43~44
半月影事小記　大山　43
電影在西藏　莊雷　44

毎期一星――陳燕燕　施禮　44
大地的波動(五)(本刊第一次徵募長篇小説當選正選)　田瑯(作)/王金錬(畫)　45〜49
詩人與國際(下)　凌霄漢閣主　49
珍聞集　50
日本語文講座　洪子博　51
中華語文講座　白廷賛　51
編後隨筆　編者　52

第四巻第十一期　第三十九號
一九四〇年六月一日発行

封面　明朝萬暦五彩陶器水甕　封面
巻頭語　歡迎中華民國使節團　1
目錄　1
三民主義與王道　小柳司氣太　2〜3
今後中國婦女應該走哪條路?(本刊第一次青年課題大徵文當選作品)
時秀文/徐纓紋/范起華　4〜7
半月日暦　7〜8
從北歐戰談到西歐戰　上原虎重　8〜9
歐戰的擴大與意美的動向　吾山　9〜10
時人月旦――英新首相邱吉爾　外史氏　11
新生中國縱横談
楢崎觀一/橘善守/松本鎗吉/長岡克曉/馬場秀夫/吉岡文六/中保與作/緒方昇/松田庄一　12〜15
與彭市長問答記　楢崎觀一　16〜17
日本文化・藝術奬金紀略――附鮮滿文藝賞(上)　冉邕　17
名人家庭訪問記――韓雲階氏　坤燈　18〜19
詞的四季(一)　江寄萍　19
各地風光――山西運城塩池概況
王仲明　20〜21
路(三)(本刊第一次徵募長篇小説當選副選)
張金壽(作)/呂風(畫)　22〜25
詩
蟹的厄運　高深　25
灯火　陌人　25
夜之歌　烏甘　25
戰　履泰　25
苔岑詩壇
上村賣劍/服部擔風/松田學鷗/野間説堂/竹井星溪/加來聚軒/大瀧靜修/橋本栗谿/佐藤錦城/内ヶ崎愛天/齋藤天城/若槻克堂/田邊松坡　26
畫刊
世界唯一的(七)　27
歐戰日益展開!!　28〜29
本刊徵募中篇小説啓事
『華文大阪毎日』編輯處　31
東亞文藝消息　31
生活的觸角(下)
九州文學界現狀
和田誠一(作)/連雲(譯)　32〜33
劉寒吉(作)/紅筆(譯)　32
我的反對者
屠格涅夫(作)/玉珍(譯)　32
昭和國民讀本(十八)
德富猪一郎(著)/張文華(譯)　34
慶祝使節行　菊池寛　35〜36
文壇隨話
滿日文學交流問題(下)　王則　37
和平文學與古董　趙大德　37〜38
北京文壇小事集(三)　任福　38
東行漫記(三)　林火　38
文評――希望　季瘋　39〜43
小品文
思ひ出　方之蕙　40
蝙蝠的死　微夫　40〜41
故人　伯封　41
雨中的人　陳巖　41〜42
落花　白樺　42
窗　蕭髯奴　42
牧猪場　戈壁　42〜43
夜之唄　小尹　43
路　范瑩　43
滿洲特殊會社(五)――滿洲電信電話株式會社　田井　44〜45
個人漫畫展(十五)　陌人　46

中國話劇的前路(上)　張允中　47～48
每期一星――金姫蘿結絲　彦　47
半月影事小記　大山　48
三國人物木刻選(三十一、三十二)　王青芳(刻)／紫荊花館(文)　48、49
評「萬里尋師」　邢致　49
新〃毛三爺〃(連續漫畫)　席與承　49
大地的波動(六)(本刊第一次徵募長篇小説當選正選)　田瑯(作)／王金鍊(畫)　50～53
拾故――日本雅樂傳來考(下二)　水原琴窗　53
珍聞集　54
中華語文講座　白廷萱　55
日本語文講座　洪子博　55
編後隨筆　編者　56

第四卷第十二期　第四十號　一九四〇年六月十五日発行

歡迎國府答禮使節特輯

封面　綠蔭小閑――南京革命塔附近　封面
卷頭語　「疑心生暗鬼」　1
目錄　1
怎樣建設東亞新秩序　林柏生　2～3
林柏生氏與陳本刊編輯同人一問一答　4～5
半月日曆　5
時人月旦――陳公博　外史氏　6
昭和國民讀本(十九)　德富猪一郎(著)／張文華(譯)　7
本刊主辦林柏生氏與日本學生代表對談會　林柏生／楊鴻烈／鍾任壽。日本學生方面：木寅隆二郎／武藤忠人／渡邊泰造／落合昇／高出馨／那須聖／大谷辰雄／緒方一男／新田谷透子／岡田敬江／伊賀正子。本刊方面：下田／原田。司會：三池　8～9
德國「打倒英國」的基本作戰　永戸政治　10～11
給蔣介石的信　武者小路實篤　12～14
告蔣介石君　德富蘇峰　13
關於波多萊爾　蕭菱　14
名人家庭訪問記――陳群答禮使節　記者　15～16
林鶴一小傳　藤松原三郎(作)／翟希哲(譯)　16
日本文化・藝術奬金紀略――附鮮滿文藝賞(下)　冉邕　17～19
詩
卜　高深　18
年代　噩疋　18
木場外之夢　駝子　18
永恒的意識　傅莓　18～19
春　郁李英　19
拓荒者　周章　19
我與文學(本刊第一次青年課題大徵文當選作品)　紀蘋／范紫／羅文芳　20～23
畫刊
世界唯一的(八)　25
答禮使節一行光榮的足蹟　26～27
文壇隨話
北京的「作家」　趙天人　29
「文」與「人」　季瘋　29
同人　慶祥　29
臺灣文學界補　余若林　29
堯兒　坪田讓治(作)／落人(譯)　31
關西文學界現狀　藤澤桓夫(作)／紅筆(譯)　30～31
瑪莎・在海上　屠格涅夫(作)／玉珍(譯)　30
各地風光――神戸之遊　張蕾　32～33
東亞文藝消息　33
砍柴婦(小説)　但娣　34～35
低簷(小説)　小松　35～38
貞節牌坊(小説)　亞嵐　38～39
三國人物木刻選(三十三、三十四)　王青芳(刻)／紫荊花館(文)　35、36
本刊徵募中篇小説啓事　『華文大阪毎日』編輯處　38
文評――對「五月的農村」的幾句話　賀平　39
滿洲特殊會社(六)――滿洲電業株式會社　田井　40～41

詞的四季(二)　江寄萍　41
新〝毛三爺〟(連續漫畫)　席與承　42
中國話劇的前路(下)　張允中　42～43
每期一星――陸露明　雨巫　43
半月影事小記　大山　43
攝製古裝片的各項問題　納咸　43～44
個人漫畫展徵求讀者推選啓事　『華文大阪每日』編輯處　44
個人漫畫展(十六)　譚沫子　45
大地的波動(七)(本刊第一次徵募長篇小說當選正選)　田瑯(作)／王金鍊(畫)　46～49
珍聞集　50
中華語文講座　白廷贇　51
日本語文講座　洪子博　51
編後隨筆　編者　52

第五巻第一期　第四十一號　一九四〇年七月一日發行

恭迎滿洲帝國皇帝陛下特輯

封面　滿洲帝國國務院　封面
巻頭語　法國停止抗戰了！　1
目錄　1
各方面對新中央政府應有之認識　溫宗堯　2～4
今後中國思想界的根本問題　井上哲次郎　4～6
大同主義發凡(一)　錢今葛　2～6
時人月旦――韋煥章氏　外史氏　7
滿洲今昔談　遠藤柳作　8～9
半月日曆　8～9
意大利參戰與國際政局　吾山　10～11
自由論壇――讓我們也來談々中日提携的問題吧　瑋賢　12～13
世界時事漫畫選(一・德)　12～13
滿洲特殊會社(七)――滿洲生活必需品株式會社　小川　14～15
關於『中美日報』的錯覺　原田稔　15
各地風光――奉天　雪螢　16～17
文評――讀「黑月亮」　默夫　17
名人家庭訪問記――張煥相氏　坤燈　18～19
性行為不可能問題　伊禮斯(作)／鉛刀(譯)　19
路(四)(本刊第一次徵募長篇小說當選副選)　張金壽(作)／呂風(畫)　21～23
康德七年滿洲國皇帝訪日之感想及二年扈從之回憶(上)　林出賢次郎　24
畫刊
七月日曆・百合花　25
東亞五族青年的大會集　26～27
文壇隨話
關於戰後文學　柳浪　29
隨話二則　亞嵐　29
英雄與紙斧　蕭菱　29
父親　Bjornstjerne Bjornson(作)／劉針(譯)　31
内部生命論　北村透谷(作)／賀行(譯)　30～31
犬・明天　屠格涅夫(作)／玉珍(譯)　30
現代日本文學的潮流(一)――農民文學・和田傳　安本　32～33
詩
山裏的一夜　唐達　34
跋涉　林靈　34
晨之旅人　穆華　34
我們的歷史　落人　34
子夜　林鳥　34
一個女人　問流　34～35
歡迎你　杜白雨　35
北陵　金人　35
華每紙上文筆人像贊(一)――像的故事　但娣　34～35
小品文
另一隻影子　也麗　36
偶感　金音　36～37
雨後　白芷　37
十年間　氷壺　37
三國人物木刻選(三十五、三十六)　王青芳(刻)／紫荊花館(文)　38、41
中國的漆器　馮貫一　38～41
拾故――拿破崙進佔柏林時　磊磊生　38～41

出席於東亞運動大會的中國・滿洲選手的活躍 42〜45
東亞文藝消息 44
老骨董(二)〔連續漫畫〕 牛作周 45
大地的波動(八)(本刊第一次徵募長篇小說當選正選) 田瑯(作)/王金鍊(畫) 46〜49
珍聞集 50
日本語文講座 洪子博 51
中華語文講座 白廷賚 51
編後隨筆 編者 52

第五卷第二期　第四十二號
一九四〇年七月十五日発行
「海外文學」選輯

封面 濟南黑虎泉 封面
卷頭語 世界的變局與日本的「不介入」 1
目錄 1
孤立的英國與日本的立場 上原虎重 2
大同主義發凡(二) 錢今葛 2〜4
大亞細亞主義協會組織緣起 彭東原 4
滿洲國皇帝陛下訪日敬賦十二章 鈴木虎雄 5
半月日曆 5
趙士桓氏會見記 楢崎觀一 6
德國爲什麼這樣强? 大原武夫 7
法國爲什麼戰敗了呢? 向後英一 8
時人月旦――貝當元帥 外史氏 9
自由論壇――讀「新生中國縱横談」後想到的一兩個問題 高原 10〜11
世界時事漫畫選(二・德) 10〜11
丁默邨氏過阪與本刊洪編輯同人等一夕熱辯 12〜13
東亞文藝消息 13
各地風光――泰國片影 記者 14〜15
現代日本文學的潮流(二)――農民文學・伊藤永之介 安本 16〜17
文評――生活的攝像 邱野 17
名人家庭訪問記――小磯國昭大將 本刊記者 18〜19
昭和國民讀本(二十) 德富猪一郎(著)/張文華(譯) 20
路(五)(本刊第一次徵募長篇小說當選副選) 張金壽(作)/呂風(畫) 21〜23
康德七年滿洲國皇帝訪日之感想及二年扈從之回憶(下) 林出賢次郎 24
畫刊
滿洲國皇帝陛下參拜靖國神社 25
法國全面降伏於德國電擊戰略之下 26〜27
苔岑詩壇
王揖唐/傅增湘/楊鍾羲/仁賀保成人/神田喜一郎/陳道量/近藤杢/岡田元三郎/山田準/高坂駒/小室貞/土屋久泰 29
「海外文學」選輯(一)
A・紀德和他的作品 雪螢 30
藝術的界限 A・紀德(作)/白樺(譯) 30〜31
一九一四大戰日記 A・紀德(作)/魯風(譯) 32〜33
文壇隨話
滿洲文壇雜感(上) 季瘋 34〜35
「翻譯」的話 振尋 35
華每紙上文筆人像贊(二)――木頭人自白 王青芳 34〜35
小說
綁票 伯仁 36〜37
茶村 江峯 37〜38
老虎 夏萊 38〜39
詩
飛蛾與流螢 烏甘 39
惡夢 青野 39
一顆黑色的蠅 靐疋 39
滿洲特殊會社(八)――滿洲特產專管公社 小川 40
炎夏漫談 夏孟剛 41
三國人物木刻選(三十七、三十八) 王青芳(刻)/紫荊花館(文) 41、42
影評的商榷――女人評讀後感 時秀文 42〜44
每期一星――哈蕙蘭 雲 43

老骨董(二)〔連續漫畫〕 牛作周 44
漫畫的素材是怎樣的? 季風 44
半月影事小記 44
簡
信 高深 45
悲慟的含笑 王淳 45
訴 張金壽 45
大地的波動(九)(本刊第一次徵募長篇小說當選正選) 田瑯(作)/王金鍊(畫) 46~49
降落傘部隊(一) 筑紫二郎 50
中華語文講座 白廷蕢 51
日本語文講座 洪子博 51
編後隨筆 編者 52

第五卷第三期　第四十三號
一九四〇年八月一日発行

封面　大阪濱寺本社海水浴場 封面
卷頭語　新日本的發軔 1
目錄 1
東亞計劃經濟諸問題 目崎憲司 2~4
大同主義發凡(三・完) 錢今葛 2~5
近衛公與日本國民體制的强化 董敬 6~7
背負實施最高國策的日本新內閣四閣僚面像 8~11
近衛內閣成立及其目標 8
米內內閣總辭職的經緯 10~11
時人月旦——原嘉道 外史氏 12
國際問題解剖——動盪中的巴爾幹和近東 上原虎重 13~17
半月日曆 17
世界時事漫畫選(三・美) 18~19
自由論壇——關於中日的民族性 曄曄 18~19
簡
夜風 方之菁 20
小簡 茅野 20
熱情的辯 于揚 20
路(六)(本刊第一次徵募長篇小說當選副選) 張金壽(作)/呂風(畫) 21~24
文評——關於「低簷」 爻瑪 24
畫刊
八月日曆・向日葵 25
時局問題下的法屬安南荷屬東印度 26~27
文壇隨話
重視文名、文利的 游衍生 29
再論「稿費」 許强 29
滿洲文壇雜感(下) 季瘋 29
紙團
Lajos Zilahy(作)/趙文(譯) 31
家之歸來
太戈爾(作)/劉針(譯) 30~31
祝福(俄・民謠曲)〔歌詞〕 高原(譯) 30
現代日本文學的潮流(三)——戰爭文學・火野葦平 安本 32~33
穆時英君之死 菊池寛 33
話木刻 萬板樓主 34~35
華每紙上文筆人像賛(二)——「漫畫」及我 呂風 34~35
二聖聯歡萬歲圖 穆春雷 36
各地風光
安新縣 菽畦 36~37
海淀鎮 伯達 37~38
本刊主辦北京藝術家座談會
來賓:熊唐守一/熊先蓬/蔣非同/陳慎言/徐凌霄/王青芳/吳一舸/張我軍。
本社:石川順/蘇瑞麟/橘清志/鍾凌茹/林秀華(記錄) 39~41
話劇在滿洲 季瘋 42~44
半月影事小記 大山 42
每期一星——安妮塔露薏絲 納咸 43
『萬世師表』記評 林孖 44
老骨董(三)〔連續漫畫〕 牛作周 44
大地的波動(十)(本刊第一次徵募長篇小說當選正選) 田瑯(作)/王金鍊(畫) 45~49
東亞文藝消息 49
降落傘部隊(二) 筑紫二郎 50
編後隨筆 編者 51

第五巻第四期　第四十四號
一九四〇年八月十五日発行

封面　蕪湖片帆　封面
巻頭語　所望於中日文化協會　1
目錄　1
中國青年往哪裏去？　朱念庸　2〜7
中日和平的後顧與前瞻（上）　汪向榮　2〜7
新秩序下全歐的經濟體系――德國經濟部長
芬克氏會見記　大原武夫　8〜9
德國大勝後的世界　向後英一　9〜11
世界時事漫畫選（四・美）　10〜11
現代日本文學的潮流（四）――戰爭文學・上
田廣　安本　12〜13
三國人物木刻選（三十九、四十）
王青芳（刻）／紫荊花館（文）　13、14
東亞文藝消息　14
新的創傷――哭燕兒（一）〔散文〕
張資平　14〜15
滿洲特殊會社（九）――滿洲炭礦株式會社
飛石　16〜17
半月日曆　17
時人月旦――小林一三　外史氏　18
這次在歐洲觀察所得到的結論
小林一三　19〜20
名人家庭訪問記――林柏生　Y・V　21
路（七）（本刊第一次徵募長篇小説當選副選）
張金壽（作）／呂風（畫）　22〜24
畫刊
第二次近衛內閣初次閣議後紀念合影　25
肩負國家新体制的近衛內閣閣僚們　26〜27
苔岑詩壇
湯爾和／小川平吉／康同璧／渡邊彰／方
洺／服部荘夫／土屋久泰　29
「海外文学」選輯（二）
詩人〔小説〕
H・海塞（作）／魯風（譯）　30〜32
詩人海塞底靈魂　紅筆　31
奇妙的故事〔小説〕
H・海塞（作）／梅娘（譯）　32〜33
「海文」展望　貢　33
本刊第一期「個人漫畫展」讀者推選結果發表　34
華每第一期「個人漫畫展」總評　冉邕　34〜37
華每紙上文筆人像賛（四）――照相印感
文壇隨話　亞嵐　36〜37
北京的文學界　A・B　37〜38
論文場上的筆戰　李文湘　38
滿洲文壇後感（上）　季瘋　38
小品文
中年一日　果菴　39〜40
車票　陌蘭　40〜42
也算日記　蕭艾　42
詩
平原　傅莓　39〜40
倒臥／再嫁前　亞嵐　40〜41
偶感　楊野　41
已經是離不掉的　鄧東遮　42
老人　黃茶　42
銀幕與舞台表演的研究　王崙　43
老骨董（四）〔連續漫畫〕　牛作周　43
半月影事小記　大山　43
每期一星――琶琶拉史丹薇　施禮　44
評『賣花女』各方面　張一鶴　44
話劇當前的問題：撰寫劇本最重要
施禮　44〜45
一封公開的信　火口　45
大地的波動（十一）（本刊第一次徵募長篇小説
當選正選）
田瑯（作）／王金鍊（畫）　46〜49
降落傘部隊（三）　筑紫二郎　50
日本語文講座　洪子博　51
中華語文講座　白廷賛　51
編後隨筆　編者　52

第五巻第五期　第四十五號
一九四〇年九月一日発行

封面　朝鮮金剛山三仙巖　封面
巻頭語　落一葉知天下秋　1

目録 1
斷行收回租界 植田捷雄 2～3
中日和平的後顧與前瞻(中) 汪向榮 2～5
關於中日文化合作問題 傅式説 4～5
世界新秩序討論會
大原武夫/榎本桃太郎/寺村誠一/大島謙吉/若山淳四郎/森正藏/小野七郎 6～8
蘇聯對歐戰的動向 吾山 8～9
半月日曆 9
滿洲特殊會社(十)——滿洲重工業開發株式會社 飛石 10～11
文豪與獨裁者——與戰亂下的歐洲文人會見記 山本實彥(作)/中村貢(譯) 11
現代日本文學的潮流(五)——知性文學・阿部知二 安本 12～13
三國人物木刻選(四十一、四十二) 王青芳(刻)/紫荊花館(文) 13、14
自由論壇——訪日觀感 修國瑛 14
新的創傷——哭燕兒(二)〔散文〕 張資平 14～15
時人月旦——趙正平 Y・V 16
各地風光——金剛山 阿甦 17～20
路(八)(本刊第一次徵募長篇小説當選副選) 張金壽(作)/呂風(畫) 21～24
東亞文藝消息 24
畫刊
九月日曆・萩 25
東西南北集 26～27
昭和國民讀本(二十一) 德富猪一郎(著)/張文華(譯) 29
烏鴉(上)〔小説〕 李俊泰(作)/羅懋(譯) 30～31
混血女兒〔詩〕 H. W. Longfellow(作)/光友(譯) 30
世界時事漫畫選(五・意) 32～33
詩
扯謊之門 噩疋 32
煙 孫品三 32
我的謌吟 林蒼 32～33
前奏曲 疚瘤 33
故宮 嚴賦 33
短篇創作
病 韓護 34
沒有灵魂的人 磊々生 35～37
老王 莫克 37～39
米老鼠 亞嵐 39
華每紙上文筆人像贊(五)——生活的一課 季瘋 40～41
文壇隨話
不能寫與不敢寫 默夫 40
論清高名士 趙天人 40
滿洲文壇後感(中) 季瘋 40～41
每期一星——瑙瑪薛愛黎 季風 42
『重見光明』的評價 施禮 42
在現實生活中是否需要戀愛問題的劇本? 李靈 43
關於「檢察官」的上演 呉郎 43
吻在銀幕(二) 紅宮 44
怎樣表演笑和哭? 允 44
老骨董(五)〔連續漫畫〕 牛作周 44
半月影事小記 大山 44
文評——「狗」 紀封 45
本刊個人漫畫展第二期連續漫畫素描徵稿啓事 45
大地的波動(十二)(本刊第一次徵募長篇小説當選正選) 田瑯(作)/王金鍊(畫) 46～50
中華語文講座 白廷賁 51
日本語文講座 洪子博 51
編後隨筆 編者 52

第五巻第六期　第四十六號
一九四〇年九月十五日発行

封面　青島海濱公園 封面
卷頭語　國交調整條約成立 1
目錄 1
傾覆的舊經濟和日本(上) 下田將美 2～6
「中國青年往哪裏去」讀後 竹內照夫 2～3
中日和平的後顧與前瞻(下) 汪向榮 3～6

歐戰一年
德國連勝歐洲變貌 7～8
美國的參戰 楠山義太郎 8～11
世界時事漫畫選(六・英) 10～11
自由論壇――「文化的鴉片」 白峰 12
新的創傷――哭燕兒(三)〔散文〕 張資平 12～13
現代日本文學的潮流(六)――社會文學・島木健作 安本 14～15
三國人物木刻選(四十三、四十四) 王青芳(刻)/紫荊花館(文) 15、16
中國歷代的帝王陵墓(上) 馮貫一 16～18
路(九)(本刊第一次徵募長篇小説當選副選) 張金壽(作)/呂風(畫) 19～23
東亞文藝消息 23
時人月旦――村田省藏 外史氏 24
畫刊
初秋的大陸 25
怎樣訓練二十世紀戰爭寵兒!――降落傘部隊 26～27
苔岑詩壇
服部擔風/若槻克堂/安廣龍峯/古莊雅山/松田學鷗/近重物庵/川村亞洲/古澤北冥/岡野半畊/三好敬堂/齋藤天城/難波三空/高島米峯/山縣香山/志水松厓/田邊松坡 29
「海外文学」選輯(三)
白牙〔小説〕 J・倫敦(作)/張蕾(譯) 30～32
生活的探求――關於J・倫敦 紅筆 31
「地獄人群」序 J・倫敦(作)/雪螢(譯) 32
地獄人群 J・倫敦(作)/魯風(譯) 32～33
「海文」展望 30
新日本的科學圈(一) 34～35
半月日曆 35
詩
火的微笑 瀟霏 36
秉燭/送行吟 駝子 36、39
疲乏 雷力普 39
猴子的祈禱 何行 39
小品文
年・月・日 韓護 36～37
餘日集 蕭菱 37
職場雜筆 吳瑛 38
悼 小尹 38～39
文壇隨話
滿洲文壇後感(下) 季瘋 40
幽默在中國 路丁 40～41
文人與商人 任情 41
北京出版界之一面 柳浪 41～42
華每紙上文筆人像贊(六)――給「你」 張金壽 40～41
旅居散記(一) 呂風 42
漫畫與漫畫家 默夫 42
『靈肉之門』 龍翼 43～44
半月影事小記 大山 43
每期一星――格烈泰嘉波 施禮 44
吻在銀幕(二) 紅宮 44～45
老骨董(六)〔連續漫畫〕 牛作周 45
大地的波動(十三)(本刊第一次徵募長篇小説當選正選) 田瑯(作)/王金鍊(畫) 46～50
日本語文講座 洪子博 51
中華語文講座 白廷贇 51
編後隨筆 編者 52

第五巻第七期 第四十七號
一九四〇年十月一日発行

封面 山西五臺山 封面
巻頭語 九一八滿洲事變紀念日 1
目錄 1
傾覆的舊經濟和日本(下) 下田將美 2～5
華中經濟再建的指標 錢今葛 2～5
歐洲新情勢與美國的軍擴 北川正夫 6～9
世界時事漫畫選(七・英) 8～9
半月日曆 8～9
新的創傷――哭燕兒(四)〔散文〕

張資平　10～11
時人月旦――星野直樹　外史氏　12
蔡培南京市長家庭訪問記　D・N　13～14
中國歴代的帝王陵墓（下）　馮貫一　14～17
旅行大陸感想與期望（上）　石川興二　18
路（十）（本刊第一次徴募長篇小説當選副選）　張金壽（作）／呂風（畫）　19～22
詩
豹之死　高深　23
心響　余治　23
急行列車　未名　23
文評――讀「子夜・惡夢・老人」　噩疋　23
畫刊
十月日曆・西番蓮　25
現代日本庭園　26～27
簡
在船艙中　王則　29
小簡――給滿洲的作家們　茅野　29
覆　傅莓　29
烏鴉（下）〔小説〕　李俊泰（作）／羅懋（譯）　31
法西斯治下意大利的文學　Paolo Treves（作）／鉛刀（譯）　30～31
新日本的科學圈（二）　32～33
大陸文化通信（一）――南京新「中央大學」誕生　33
現代日本文學的潮流（七）――風俗文學・石川達三　安本　34～35
書的故事〔小説〕　舒柯　36～39
暑〔小説〕　葆眞　39～40
三國人物木刻選（四十五、四十六）　王青芳（刻）／紫荊花館（文）　37、38
旅居散記（二）　呂風　40
東亞文藝消息　40～41
文壇隨話
雜感之感　季瘋　41～42
北京報紙上的通俗小説　柳浪　42
華每紙上文筆人像贊（七）――照片附記　方之蕢　42
半月影事小記　43
評『琵琶記』　時秀文／司徒珂　43
關於京劇　徐來　44
吻在銀幕（三）　紅宮　44～45
老骨董（七）〔連續漫畫〕　牛作周　45
電影批評談　張允中　45
大地的波動（十四）（本刊第一次徴募長篇小説當選正選）　田瑯（作）／王金鍊（畫）　46～50
自由論壇――木刻與世界語　高深　50
中華語文講座　白廷贊　51
日本語文講座　洪子博　51
編後隨筆　編者　52

第五巻第八期　第四十八號　一九四〇年十月十五日発行

封面　北京天壇秋色　封面
卷頭語　時事小言　1
目錄　1
日德意三國同盟的根本精神　上原虎重　2～3
論日德意三國同盟　吾山　2～7
東亞共榮圈的目標　高田元三郎　4～7
自由論壇――美國援英之前途　王楚文　8～9
世界時事漫畫選（八・法）　8～9
勞山心影〔随筆〕　吳乃禮　10
傅式説氏的家庭　Y・V　11～12
虎踞魯北之德州城　馬驪　12～13
新日本科學圈（三）　14～15
大陸文化通信（二）――蹶起的北京學生層　小林　15
現代日本文學的潮流（八）――風俗文學・丹羽文雄　安本　16～17
三國人物木刻選（四十七、四十八）　王青芳（刻）／紫荊花館（文）　17、18
半月日曆　18～19
文評――「年・月・日」　鐵川／草　18
旅行大陸感想與期望（下）　駒井卓　19
簡

北極的邊緣　韓護　20
致小倪　高深　20
路（十一）（本刊第一次徵募長篇小說當選副選）　張金壽（作）／呂風（畫）　21～23
本刊二周年紀念加大號「日本新体制運動言論」特輯下期預告　23
畫刊
珍聞一束　25
日本的秋收　26～27
時人月旦――芬克　外史氏　29
「海外文学」選輯（四）
搭瑪尼〔小說〕　M・Y・萊蒙托夫（作）／白樺（譯）　30～34
早死的萊蒙托夫　雪螢　30～31
抒情詩抄　M・Y・萊蒙托夫（作）／糸己（譯）　32
「海文」展望　32
苔岑詩壇
王揖唐／楊檠／小川平吉／橋川時雄／高阪駒／納三治／呉景箕／長澤越／岡崎壯／土屋久泰　35
德國的木刻　萬板樓主　36
小品文
過大嶺記　柳寨　37～38
伏莽　亞嵐　38～39
棗樹　伯仁　39～40
海　冉邕　40
詩
迢遙的跋涉　蘇丹　38～39
夜步／醒　雷力普　39
文壇隨話
不必憂慮「言情小說」之多　博奮　41
再談幾種「作家」　趙天人　41
談「寫實主義」　赫更　41
旅居散記（三）　呂風　42
關於藝人的一些話　蓼花　42
演員修養論　王嵩　43
半月影事小記　43
從文學與電影談到本年度轟動文影『這一切與天堂』　羅勃　44～45
老骨董（八）〔連續漫畫〕　牛作周　44
每期一星――唐阿曼契　靈子　45
大地的波動（十五）（本刊第一次徵募長篇小說當選正選）　田瑯（作）／王金鍊（畫）　46～50
華每紙上文筆人像贊（八）――嚶鳴伐山　王金鍊　50
東亞文藝消息　50
日本語文講座　洪子博　51
中華語文講座　白廷賛　51
編後隨筆　編者　52

第五巻第九期　第四十九號
一九四〇年十一月一日發行
「日本新体制運動言論」特輯

封面　豐收　呂風（畫）　封面
目錄　1
卷頭語　我所看的「新體制」　1
大政翼贊會及其運動的意義　高石眞五郎／本刊記者　2～3
我的分野裡的新體制――養成青年人材　田中穗積　3
日本大政翼賛会的中樞人物　4～16
新體制組織大綱圖解　4
大政翼贊會成立經緯　山口　4
日本新體制的政治形態　吉村正　5～6
特輯執筆者介紹　6
新體制與外交體制　原勝　7～9
新體制下的日本文化　室伏高信　9～10
新經濟體制的理論與實際　猪谷善一　11～13
對日本新體制運動的感想　林柏生　13
日本新體制與滿洲協和会　曲秉善　14
我的分野裡的新體制――指導青年女子　吉岡彌生　14
我的分野裡的新體制――一切爲國家服務　津田信吾　15
路（十二）（本刊第一次徵募長篇小說當選副選）　張金壽（作）／呂風（畫）　17～19

昭和國民讀本（二十二）
德富猪一郎（著）／張文華（譯） 20
聖地曲阜參拜記　馮貫一 21～23
苔岑詩壇
梁鴻志／平井參／李宣倜／龜島憲／納三治／落合爲誠／千葉郁治／岡田元三郎／井上雅二／柳井信治／土屋久泰 22～23
世界時事漫畫選（九・法） 24～25
時事備忘錄 24～25
日本現代木刻拾零（之一）——木崎湖風景　平塚運一 25
論黃金將來的出路　吾山 26～27
新日本科學圈（四） 28～31
三國人物木刻選（四十九、五十・完）
王青芳（刻）／紫荊花館（文） 29、30
大陸文化通信（三）——昂揚的留日熱　寺島 31
浪子〔小説〕
G・巴比尼（作）／劉釺（譯） 32～33
中國的看法
H・海塞（作）／魯風（譯） 32
鍍銀的風車〔小説〕
L・紀拉虛（作）／趙文（譯） 35
忽必烈汗〔詩〕
S・T・柯雷支（作）／光友（譯） 34
戒指〔小説〕
K・哈姆生（作）／紀雲龍（譯） 34
良善的作爲者〔小説〕
O・王爾德（作）／龔爾（譯） 34
本刊徵募百頁中篇小説審選結果發表 36
畫刊
日本大政翼贊會發會式／十一月日曆・菊 37
街頭的新体制 38～39
今日的日本婦女 40～41
日本外交的新發展 42
失去的歌聲〔小説〕
方之蕢（作）／呂風（畫） 45～53
日本的新體制是什麼？（座談會）
有馬賴寧／挾間茂／奥村喜和男／村瀨直養。本社方面：高田／西野入／阿部／川邊／高杉 54～61
現代日本文學的潮流（九）——風俗文學・石坂洋次郎　安本 62～63
日本現代木刻拾零（之二）——兵營的沿路　平塚運一 63
日本現代詩選譯特輯（一）
選譯特輯『日本現代詩』緒言　糸己 64
歸鄕／少年時／心象（一・二）／秋／冬日的記憶／寒冷的夜／一個童話／月夜的濱邊
中原中也（作）／白樺（譯） 64～65
强烈的天／富士幻現／冰雨／石／秋／Bering-Fantasy
草野心平（作）／魯風（譯） 65
詩
誕生日及其他　蘇丹 66
故宮行　舒望 66
一夜　伯封 66
華毎紙上文筆人像贊（九）——微吟　田瑯 67
東亞文藝消息 67
讀衆與作品
滿洲文壇新語　季瘋 68
文學遺產與其他　青野 68～69
「病」讀後　默夫／木可／謳疋 68
我所認識的劉吶鷗先生　隨初 69
從文學與電影談到本年度轟動的文影『這一切與天堂』（下）　羅勃 70
美術講座——自畫像歷史性的研究（一）　穆家麒 70～73
小憩／暮歸〔木刻〕　李文琨 71
老骨董（九）〔連續漫畫〕　牛作周 72
略談中國「歌舞」片　雨柯 73
旅居散記（四）　呂風 74
話劇劇本題材的選擇　王水 74
大地的波動（完）（本刊第一次徵募長篇小説當選正選）　田瑯（作）／王金鍊（畫） 75～78
中華語文講座　白廷賛 79
日本語文講座　洪子博 79
編輯會議　紅筆（記錄） 80

第五巻第十期　第五十號　一九四〇年十一月十五日発行

封面　日本大阪箕面公園紅葉　封面
目錄　1
巻頭語　明治節與東亞維新　1
日本經濟新體制之世界史的意義　時子山常三郎　2～3
中國對日本和平的理由　朱華　4～8
有馬賴寧伯爵家庭訪問記　井上松子　9～10
輕描淡寫――香港　怡悦　11～12
世界時事漫畫選（十・俄）　12～13
時事備忘録　12～13
現代日本文學的潮流（十）――都會文學・高見順　安本　14～15
上海報販的特殊勢力　陶然　16～17
路（完）（本刊第一次徵募長篇小説當選副選）　張金壽（作）／呂風（畫）　18～21
歐洲大戰怎樣發展下去？　城戸又一　22～24
時人語錄拾零　24
畫刊
天皇陛下的英姿　25
威鎮世界的日本陸海空軍　26～27
夜流（一）
夜雨〔詩〕　雷力普　29
短歌〔詩〕　何行　29
我歸來了／跛脚者／在上海／月光與蘆葦／深夜／當他聽到／火柴〔詩〕　蘇丹　30～31
期待〔詩〕　但娣　31
未是〔詩〕　陸望　31
紅葉吟〔詩〕　噩疋　31
蟋蟀・晨〔散文〕　伯仁　29～30
星〔散文〕　沙林　30～31
感情中的力〔散文〕　噩疋　31～32
一個淒冷的秋夜〔散文〕　江寄萍　32～33
華每紙上文筆人像贊（十）――自己的寫照　舒柯　32～33
日本現代木刻拾零（之三）――工場地帯　前川千帆　33
新日本科學圈（五）　34～35
苔岑詩壇
溥儒／郭則澐／服部莊夫／龜島憲／陳道量／田中房／大村司／小室貞／土屋久泰　34～35
日本現代木刻拾零（之四）――香港夜景　永瀬義郎　35
「海外文學」選輯（五）
拜倫的一生　梅娘　36～37
拜倫的詩　拜倫（作）／白樺（譯）　37～39
「海文」展望　39
讀衆與作品
由『平沙』談到「作家訪日」　北村謙次郎（作）／駱駝生（譯）　40～41
「書的故事」讀後　陳茵　40
所謂批評　鐵川　41
關於梅娘的創作　山丁　41
日本現代詩選譯特輯（二）
鴉／信號／山慈姑／鹿／遲刻／土／庭／燕／淚／湖水　三好達治（作）／但娣（譯）　42～43
拾垃圾的人／皮膚的經營／戀愛的結果／春／在小站睡熟了的人們／秋／高原地方／化石　北川冬彦（作）／雪螢（譯）　43
本刊徵募百頁中篇小説入選作者介紹
感　但娣　44
我與「教群」及雜談　金音　44～45
「夢」　馬還　45
「事變半年」當選前後　亞嵐　45～46
東亞文藝消息　46
紘索調質疑　佟晶心　47
『慾海慈航』印象記　石朋　47～48
老骨董（十）〔連續漫畫〕　牛作周　48
中國影片的人物・背景探討　淩琳　48～49
美術講座――自畫像歴史性的研究（二）　穆家麒　49～50
創造劇中的空氣――給電影導演們　張哀鴻　50
旅居散記（五）　呂風　51
編輯會議　魯風（記錄）　51
日本語文講座　洪子博　52

中華語文講座　白廷賛　52

第五巻第十一期　第五十一號
一九四〇年十二月一日発行

封面　松花江冰橇　封面
目錄　1
卷頭語　承認中國的時期迫近！　1
新體制的理論與實踐　河田嗣郎　2〜3
日本强盛的原因的探討　方炳堃　4〜6
時局常識——日本的文化勳章　4
今日的人物——W・喬治氏／莫洛托夫氏　5
時人語錄拾零　6
羅斯福三選與美國今後的外交動向　小川恆　7〜9
時局常識——劉公島問題是什麼？　7
羅斯福夫人與威爾基夫人　9
日本財界對羅氏三選的觀測　9
時事備忘錄　10〜11
世界時事漫畫選（十一・俄）　10〜11
彌勒佛／驢子〔木刻〕　王青芳　11、41
新日本的科學圈（六）　12〜13
苔岑詩壇
王揖唐／大倉祺／黃公渚／國分高胤　12〜13
日本現代木刻拾零（之五）——木崎湖　平塚運一　13
赴日隨感（一）——日本之佛教　鐵禪　14
時局常識——中華東亞聯盟協會　14
赴日隨感（二）——上海和東京　汪向榮　15
中國的地毯　馮貫一　16〜18
東亞文藝消息　18
讀衆與作品
感（上）　石羽　19
老作家　博奮　19
我的話　韓護　19〜21
陳大悲的奮鬪　慧子　20〜21
現代日本文學的潮流（十一）——生產文學・
間宮茂輔　安本　22〜23
本刊特派記者柳龍光視察戰後南北實情
『華文大阪每日』編輯處　24
畫刊
參謁孫總理遺像的汪精衛氏　25
十二月日曆・水仙花　25
大和民族的祭典　26〜27
昭和國民讀本（二十三）
德富猪一郎（著）／張文華（譯）　29
日本現代詩選譯特輯（三）
溶岩流／在車站上喫水團／異途的出發／
原體劍舞連／作品第一〇八八番
宮澤賢治（作）／白樺（譯）　30〜31
浦島太郎／白浪／明朗的姑娘們／眼睛里
／植樹去／別／離開水邊／望月
中野重治（作）／張蕾（譯）　31
夜流（二）
驛及其他〔詩〕　蘇丹　32〜33
九月遼陽〔詩〕　柳舒　33
無色的記憶〔詩〕　陳蕪　33
孤獨者言〔散文〕　張金壽　34
向命運抗議〔散文〕　韓護　34〜36
人類急需的新型鏡　陳大悲　34〜35
「情緒的體操」〔散文〕　蕭菱　36
華每紙上文筆人像贊（十一）——自白　馮貫一　33
張永福先生訪問記　陳一峯　37〜38
美術講座——自畫像歷史性的研究（三）　穆家麒　38〜40
老骨董（十一）〔連續漫畫〕　牛作周　39
旅居散記（六）　呂風　40
對木刻的外行話　辛愷　40〜41
「原野」在滿洲的演出　吳郎　41
德國民族文學的特質
茅野蕭蕭（作）／姚遠（譯）　42〜43
戰後的法國文學界
島木正三郎（作）／上官潔（譯）　42
僕人〔小說〕
西格達夫（作）／方未人（譯）　44〜45
異邦人〔詩〕
C. Baudelaire（作）／冉邕（譯）　44

老婦〔散文〕 屠格涅夫(作)／朽木(譯) 44
老彭〔小説〕 高深 46～48
還鄕〔小説〕 老翼 48～50
中華語文講座 白廷蕡 51
日本語文講座 洪子博 51
編輯會議 吾山 52

第五巻第十二期 第五十二號 一九四〇年十二月十五日発行

封面 北京年景 封面
目錄 1
卷頭語 「保衛東亞」 1
「保衛東亞」之歌大徵募 2～3
中日事變祕聞 周佛海 4～6
木刻二題――踩高蹻／不倒翁 王青芳 6
調整中日國交條約中日滿三國共同宣言成立
觀禮前後 紅筆 7
中國新政治體制 何海鳴 8～9
時局常識――卑斯麥政策 9
世界時事漫畫選(十二・小國群) 10
一九四〇年國際情勢的回顧與展望 長野敏夫 11～13
今日的人物――長谷川淸大將 13
憶西園寺公 近衛文麿 14～15
時事備忘錄 14～15
時局常識――元老與國葬 15
陳公博院長訪問記 張雲史 16～17
日本現代詩選譯特輯(完)
晩秋／家庭／花鳥／天景／軍隊／在郵局的窗口
萩原朔太郎(作)／魯風(譯) 18
「海外文学」選輯(六)
L・皮藍代羅 魯風 19
密友〔小説〕
L・皮藍代羅(作)／蕭然(譯) 19～21
最好再想一遍〔小説〕
L・皮藍代羅(作)／劉針(譯) 21～23
「海文」展望 貢 19
苔岑詩壇
淸浦奎吾／王克敏／楊壽枏／木下彪／對馬機／山本昌一／服部莊夫／土屋久泰 24
畫刊
結成東亞恒久和平樞軸 25
恐怖氣雰中的倫敦 26～27
汪政權前途的關鍵與重慶政權的窮狀――吉岡文六答本刊記者問 29～31
時人語錄拾零 30
現代日本文學的潮流(十二)――戲曲・眞船豊 安本 32～33
苦悶〔木刻〕 葉未行 33
新日本的科學圈(七) 34
夜流(二)
荒野〔散文〕 也麗 35
末雨〔散文〕 噩疋 35～36
童話兩篇――盲人與猪／蝴蝶的滅亡 未名 36～37
懷念〔散文〕 李靈 37
給「大地的波動」的作者〔詩〕 高深 35
脩壩人〔詩〕 嵲巖 36
飢寒線上〔詩〕 青野 36～37
寄遠人〔詩〕 烏甘 37
晞〔詩〕 噩疋 38
十一月詩稿――夜曲／斷片／紅葉／鰥夫／情熱／傍晩／街角／秋天／「故鄕」／波
拉・娜姑麗／西風 余蘇丹 38
東亞文藝消息 39
華毎紙上文筆人像贊(十二)――勿忘草與心 蕭菱 39
中國的音樂思想與近代音樂 江文也 40
「新聞片」叢談 施禮 40～41
給漫畫作家們 侖火 41
老骨董(完)〔連續漫畫〕 牛作周 41
關于漫畫 張一帆 42
找虱子〔木刻〕 葉未行 42
讀衆與作品
文壇旁感 漠沙 43～44
讀「失去的歌聲」 金若 43

碎詩語　噩疋　43～44
感（下）　石羽　44～45
讀詩後感　藝筠　45
叔嫂（小説）　勵行建　46～49
日本語文講座　洪子博　50
中華語文講座　白廷賓　50
旅居散記（完）　呂風　51
編輯會議　雪螢（記録）　51

第六巻第一期　第五十三號

一九四一年一月一日発行

封面　田家春雪　封面
目録　1
卷頭語「東亞的光明」　1
「保衛東亞」之歌大徴募
上海中華日報社／『華文大阪毎日』編輯處　2
我們的文學的實體與方向——新中國之部
楊正宇　3～4
孔子的音樂底斷面與其時代的展望
江文也　4～7
走入了新階段的中日兩國　長岡克曉　8～9
法國走向更生之路　榎本桃太郎　10～11
時事備忘録　10～11
一年來中國的出版界　蕭菱　12～14
日本古典文学鑑賞（一）——古事記・日本書紀　許穎　15～17
華毎紙上文筆人像贊（十三）——蝸牛的脚步
許穎　17
大陸視察報告（一）——和平與祖國
柳龍光　18～24
時局常識——美國的國際派和孤立派　23
時局常識——日本無任所大臣的意義與官制　24
畫刊
中日提携電影『日記一頁』紙上公映　25～27
苔岑詩壇
王揖唐／李元暉／土屋久泰／服部荘夫　29
今日的人物——本多熊太郎氏／李紹庚氏　29
新南京素描　小咪（文）／馬午（圖）　30～31
一九四〇年的北京漫畫界　季風　32
一年來北京話劇運動的回顧　李靈子　33
街頭巷尾（北京）（一）（畫・文）
竇宗淦　33
嚴冬的莫斯科生活　森正藏　34～35
新中國地方的政情與民生　柳龍光　36～37
讀衆與作品
我對於「大地的波動」的感想　高深　38～39
讀「路」後　汪灩　39
本刊徴募第二期「個人漫畫展」入選發表　40
東亞文藝消息　40
第二期「個人漫畫展」（一）　劉針　41
安荻和馬華（上）（本刊徴募百頁中篇小説入選作）　但娣（作）／陸望（畫）　42～48
中華語文講座　白廷賓　49
日本語文講座　洪子博　49
編輯會議　呂風（記録）　50

第六巻第二期　第五十四號

一九四一年一月十五日発行

封面　日本九州宮崎「八紘一宇」之基柱　封面
目録　1
卷頭語　建設新中國的要着　1
日本文化再建的問題　宮澤明義　2～3
我們的文學的實體與方向——滿洲國之部
呉郎　4～5
敬告文藝界諸公　忠惠　5
中日為兄弟之邦的考證　鵬摶　5
關於「宣傳」的座談會
來賓：馮節／湯郁文／劉紫風／沈志浩／高漢／倪弘毅／楊任遠／沈逸凡／呉琦／蔣灝。本社：原田稔／柳龍光（司會）／張蕾（記録）　6～9
史太林的陣營　森正藏　10～12
時人語録拾零　12
對於「東亞聯盟」的意見　周化人　13
中日親善之道　朱華　13
今日的人物——新駐德大使大島中將　13
讀衆與作品

歴史作品　王素稔　14
戰爭文學　丁度　14～15
讀書拾零　呉瑛　14
記憶是永遠的　莎姍　15
東亞文藝消息　15
海上　柴霍甫(作)／朱牧(譯)　17
飢餓
James Stephens(作)／仲鴻(譯)　16～17
兩個富翁・乞丐
屠格涅夫(作)／趙文(譯)　16
「海文」展望　16
大陸視察報告(二)――和平與祖國　柳龍光　18～24
演藝與民衆　傅惜華　24
和平的祖國之行〔畫刊〕　柳龍光　25～27
「保衛東亞」之歌大徵募
上海中華日報社／『華文大阪毎日』編輯處　29
日本古典文学鑑賞(二)――萬葉集　許穎　30～33
新日本的科學圈(八)　33～34
昭和國民讀本(二十四)
德富猪一郎(著)／張文華(譯)　35
鳴〔詩〕　陳因　36
不知名的詩人〔詩〕　疚瘤　36
患着憂鬱病的人〔散文〕　張金壽　36～37
早晨〔散文〕　阿里　37
蝸背散記〔散文〕　烏甘　38
脚步抄〔散文〕　鄧東遮　38
他的生命〔散文〕　漫沙　38
第二期「個人漫畫展」(二)　沈紅　39
關於漫畫　路平　40～41
本刊學生徵文
『華文大阪毎日』編輯處　40
街頭巷尾(北京)(二)〔畫・文〕
竇宗淦　41
超意識的造型美術　如宣　42
安荻和馬華(下)(本刊徵募百頁中篇小説入選作)
但娣(作)／陸望(畫)　43～50
日本語文講座　洪子博　51
中華語文講座　白廷賛　51
編輯會議　張蕾(記錄)　52

第六卷第三期　第五十五號
一九四一年二月一日発行

封面　銀嶺鵬翼(日本穂高嶽)　封面
目錄　1
卷頭語　美國國務卿的暴言　1
中日提携之道　阿部信行　2～3
國民政府之財政施設　陳之碩　3
中日經濟提携之前瞻　梅思平　4
我們的文學的實體與方向――台灣之部
漫沙　5～7
時人語錄拾零　7
二千六百年來的日本婦女　李如蘋　8～9
滿洲新文化的發軔　瀧川政次郎　10～11
時事備忘錄　11～13
中國的青幫與和平運動　君匋　12～13
歐洲大戰的觀測　上原虎重　14
日本古典文学鑑賞(三)――竹取物語・伊勢物語　許穎　15～17
大陸視察報告(三)――和平與祖國　柳龍光　18～24
東亞文藝消息　23
赴日隨感　何庭流　24
日本的冬季運動〔畫刊〕　25～27
第二期「個人漫畫展」(三)　孫特哥　29
讀衆與作品
關於華北的報紙文藝　張金壽　30～31
感情的洗禮　莎姍　31
華毎紙上文筆人像賛(十四)――我的眞面目
高深　30～31
受暑〔小説〕　蒲寧(作)／方未人(譯)　32～33
火車中之一夕(上)〔小説〕
K.S.Smith(作)／蔣覺厂(譯)　32
鬪爭的美術
瓦爾他・荷侖(作)／冉邕(譯)　34～35
連續漫畫王先生演出銀幕與舞台後的感想
楊用珊　35
美術講座――寫實主義繪畫與克魯貝(一)

攝影場隨筆 穆家麒 36～37
王則 37
豆腐生涯（報告文學試寫） 吳郎 38～39
年〔小説〕 蕭菱 39～40
金魚〔散文〕 高深 40
沙漠的旅歌〔詩〕 藝筠 40
夜歌者〔詩〕 雷力普 40
靡捉住的力量〔詩〕 噩疋 40
昨夜〔詩〕 陳蕪 40
新日本的科學圈（九） 41～42
街頭巷尾（北京）（三）〔畫・文〕 竇宗淦 42
教群（上）（本刊徵募百頁中篇小説入選作）
金音（作）／穆家麒（畫） 43～50
瘋僧〔木刻〕 王青芳 50
中華語文講座 白廷蕢 51
日本語文講座 洪子博 51
編輯會議 洪子博（記錄） 52

第六巻第四期　第五十六號

一九四一年二月十五日発行

封面　大同雲崗石佛洞窟之額飾浮彫 封面
目錄 1
卷頭語　希總統警告美國 1
解決事變復興東亞 近衛文麿 2～3
日本之外交近況 松岡洋右 3～4
時人語録拾零 4
「保衛東亞」之歌預選完了 5
美國外交政策的透視 吾山 6～8
昭和國民讀本（二十五）
德富猪一郎（著）／張文華（譯） 9
我們的文學的實體與方向——朝鮮之部 張赫宙 10～11
時事備忘錄 10～11
國民政府司法行政部長李聖五氏家庭訪問記 YV 12～13
火車中之一夕（下）〔小説〕
K. S. Smith（作）／蔣覺厂（譯） 14～15
荷印的地方文化
宮武正道（作）／上官潔（節譯） 14
新日本的科學圈（十） 16～17
寒燈小話〔散文〕 夏孟剛 17
大陸視察報告（四）——和平與祖國 柳龍光 18～24
南京通信（一） 恕平 19
東亞文藝消息 21
失了孩子的母親〔木刻〕 陸拾陸億 24
畫刊
走上了正軌的中日滿外交 25
日本戰時下第七十六次「翼贊議會」 26～27
讀衆與作品
「安荻和馬華」面面觀
默夫／禾葩／處士 29～31
又一種「作家」 趙天人 30
「大地的波動」 蒙殊 31～33
第二期「個人漫畫展」（四） 葛藤 34
日本古典文学鑑賞（四）——源氏物語 許穎 35～37
八月的罪人〔詩〕 高深 38～39
怎樣來發展中國音樂 陳汝翼 40～41
海濱漁人〔木刻〕 舒易誠 41
美術講座——寫實主義繪畫與克魯貝（二） 穆家麒 42～43
木刻 韋休 42
街頭巷尾（北京）（四）〔畫・文〕 竇宗淦 43
教群（下）（本刊徵募百頁中篇小説入選作）
金音（作）／穆家麒（畫） 44～50
日本語文講座 洪子博 51
中華語文講座 白廷蕢 51
苔岑詩壇
落合爲誠／千葉郁／陳道量 52
編輯會議 袁天任（記錄） 52

第六巻第五期　第五十七號

一九四一年三月一日発行

封面　春日 封面
目錄 1
卷頭語　「遠東危機説」 1

日本肇國之歴史　永井潛　2〜3
我們的文學實體和方向——中國之部　陸續　4〜6
周作人先生　白衣　6
本刊第二期青年課題當選發表　『華文大阪毎日』編輯處　7
太平洋座談會
出席者：上原虎重／永戸政治／吉岡文六／高田市太郎／栗原千代太郎／楠山義太郎／百々正雄／藤岡啓／馬場秀夫／鈴木三郎　8〜11
時事備忘録　11
健全娯樂的問題　三宅英一　12〜13
日本古典文学鑑賞(五)——日記・随筆　許穎　14〜16
大陸視察報告(五)——和平與祖國　柳龍光　17〜23
東亞文藝消息　19
時人語録拾零　22〜23
日本的國技「大相撲」〔畫刊〕　25〜27
南京文化人座談會
出席者：秦墨哂／張資平／湯孤芳／孟梓／朱右白／劉敏君／上沼健吉／金子靜雄／村上剛(司會)／花香育(記録)　29〜32
再致燕兒〔散文〕　張資平　31
小花瓶〔小説〕　敏君　32〜35
寒燈小話〔散文〕　夏孟剛　35
風景〔木刻〕　中村清　35
讀衆與作品
文藝與功利主義　高漢　36
臺灣的作家要到那裡去？　余若林　36
文壇側感　張金壽　36〜37
漫談詩的鑑賞與批評　莎姍　37
世界名漫畫家G・麥克麥納斯及其作品「怕老婆」　季湝　38
關於木刻的二三事　止戈　38〜39
新新京素描及其他(一)　王金鍊　39
幼兒與母〔木刻〕　韋休　39
中國電影當前的諸問題檢討　凌琳　40
街頭巷尾(北京)(五)〔畫・文〕　竇宗淦　41
演員個性・個性演員　李孔　41
第二期「個人漫畫展」(五)　梁津　42
事変半年(上)(本刊徴募百頁中篇小説入選作)　亞嵐(作)／孫之雋(畫)　43〜50
中華語文講座　白廷贇　51
日本語文講座　洪子博　51
編輯會議　紅筆(記録)　52

第六巻第六期　第五十八號　一九四一年三月十五日発行

封面　晨之上海　封面
目録　1
巻頭語　保加利亞参加三國同盟　1
中日條約成立及中日滿共同宣言後之中國　徐良　2
我們的文學實體與方向——中國之部　傅弼　3〜4
中國文化内容之檢討　劉延甫　5〜11
歐洲新情勢的透視　林三郎　12〜14
時事備忘録　14
周作人先生訪問記　秀華　15〜16
時人語録拾零　16
新新京素描及其他(二)　王金鍊　17
讀衆與作品
關於「敎群」的讀後感　安郎　18
論「心理的準備」與「文藝感受」　楊文昌　18〜19
「安荻和馬華」　李文湘　19
大陸視察報告(六)——和平與祖國　柳龍光　20〜24
東亞文藝消息　24
『荷印探訪記』紙上公映〔畫刊〕　25〜27
本刊第二期青年課題當選作品——東亞共榮圈的確立與我的理想　傅伯明／呂書軒　29〜32
南京通信(二)　恕平　32
第二期「個人漫畫展」(六)　曇禹　33
日本古典文学鑑賞(六)——八代集　許穎　34〜37

今後的新女性　華　37
街頭巷尾（北京）（完）〔畫・文〕　竇宗淦　38
漫話漫畫　葛藤　38～40
劇運前進中的阻力　柏樸　40
在畫面上漫畫與一般繪畫之不同點　庚黃　40～41
爲藝術語　遐觀室（抄）　41
事変半年（下）（本刊徵募百頁中篇小説入選作）　亞嵐（作）／孫之儁（畫）　42～50
簡
流浪者言　黃軍　51
別　噩疋　51
編輯會議　呂風（記録）　51
日本語文講座　洪子博　52
中華語文講座　白廷賛　52

第六巻第七期　第五十九號　一九四一年四月一日発行
「保衛東亞」之歌當選發表專號

封面　黎明之東亞　封面
目録　1
巻頭語　保衛東亞　1
「保衛東亞」之歌當選發表　2～3
評選委員談話——樊仲雲氏・馮節氏談　3
對「保衛東亞」之歌、汪主席的關心　4
正副選作者感談　5
汪主席之題字　6
審選委員會議〔照片〕　6
歌詞評選決定經過　6～7
褚民誼題字　7
林柏生部長之讚詞及其題字　7
保衛東亞與保衛東亞之歌　高天棲　8～9
譜成旋律的兩位作曲家——柯政和・江文也　8～9
日樂界巨星山田耕筰氏、擔任「保衛東亞」之歌編曲　9
爲華每徵得「保衛東亞之歌」讚　高原　9
東亞民族進行曲〔歌譜〕　楊壽聃（詞）／江文也（曲）　10～11
首次發表演奏大會及當選者授賞典禮　12
兩歌唱片完成　12
旅途雜寫　魯風　13～14
東亞新文化的創造　楊鴻烈　15～18
日蘇國交調整的展望　吾山　19～21
時人語錄拾零　21
我們的文學實體與方向——滿洲之部　韓護　22～24
「保衛東亞」之歌歌詞與曲譜　高天棲（作詞）／柯政和（旋律）／山田耕筰（編曲）　26～28
本刊第二期青年課題徵文當選作品——中國的新文化是什麼？　張玉暉／桑醉筠　29～33
時事備忘錄　33
第二期「個人漫畫展」（七）　黃龍　34
日本古典文学鑑賞（七）——平家物語・太平記　許穎　35～37
東亞文藝消息　38
新新京素描及其他（三）　王金鍊　39
關於近代中國繪畫的理論　李孔　40
音楽常識——「奏鳴曲的研究」（上）　陳汝翼　40～43
木刻講座（一）　王青芳　42～43
中國電影工業的危機？　凌琳　43
夢（上）（本刊徵募百頁中篇小説入選作）　馬還（作）／陳固（畫）　44～50
編輯會議　魯風（記録）　51

第六巻第八期　第六十號　一九四一年四月十五日発行

封面　杏花　封面
目録　1
巻頭語　松岡外相訪歐的意義　1
本刊紙上座談會——國民政府一年來的實績及今後和平運動的開展
參加者：溫宗堯／梁鴻志／江亢虎／陳群／梅思平／林柏生／徐良／傅式説／丁默邨／諸青來／趙毓松／李士群／鮑文樾／

任援道／周學昌　2〜6
現階段下的教育　蘇醒　7
東地中海的新風雲　上原虎重　8〜9
日本古典文学鑑賞（八）――謠曲・狂言　許穎　10〜13
昭和國民讀本（二十六）　德富猪一郎（著）／張文華（譯）　13〜14
三十年前中日親善佳話　秀華　15〜16
紅蓮寺遺跡　小螢　16
褚大使欣賞天下奇勝　訪謁徐福墓詳情　洪子博　17〜24
遊熊野隨感　褚民誼　22
國府還都一周年紀念〔畫刊〕　25〜27
蜻蜓酒家――憶鄧演達將軍（上）　張資平　29〜34
葉蓬將軍的家庭　本刊記者　34〜35
時人語錄拾零　35
本刊第二期青年課題當選作品――科學與我　馬雲龍／張康　36〜39
關於「在畫面上漫畫與一般繪畫之不同點」的再檢討　龐曾瀛　40〜41
木刻講座（二）　王青芳　41
某人像〔木刻〕　葉未行　41
第二期「個人漫畫展」（八）　王瓔　42
音楽常識――「奏鳴曲的研究」（中）　陳汝翼　43
夢（中）（本刊徵募百頁中篇小説入選作）　馬還（作）／陳固（畫）　44〜50
新新京素描及其他（四）　王金鍊　51
東亞文藝消息　51
編輯會議　吾山（記錄）　52

第六卷第九期　第六十一號　一九四一年五月一日発行

封面　保衛東亞大行進（新中國軍於武漢）　封面
目錄　1
卷頭語　南國降服後的戰局　1
音樂與文化　柯政和　2
文學異名與其研究　朱友白　3〜6
時事備忘錄　7
日蘇中立條約與世界局勢　吾山　8〜9
本刊第二期青年課題當選作品――我愛讀的書　楊文昌／趙月英　10〜13
齊白石先生　白衣　14〜15
昭和國民讀本（二十七）　德富猪一郎（著）／張文華（譯）　16〜17
蜻蜓酒家――憶鄧演達將軍（下）　張資平　18〜24
本刊啓事：『華文大阪每日』編輯處聘請實習員　『華文大阪每日』編輯處　24
「保衛東亞」之歌發表大會之盛況第一報（南京）〔畫刊〕　25〜27
第二期「個人漫畫展」（九）　颯漠　29
音楽常識――「奏鳴曲的研究」（下）　陳汝翼　30
日本洋畫壇的進展與現狀　穆家麒　30〜33
日本駐滬領事岩井先生像〔木刻〕　迎曉　32
木刻講座（三）　王青芳　33
詩
生之絮聒　冷歌　34〜35
沒有靈魂的人們　高深　35〜37
夢與古琴　但娣　37
我與她　西津島三　37
思鄉　孤雁　37
聖潔的朋友　黙行　37
小品
短視野的見習生　吳瑛　34
小景偶拾　王朱　35
讀衆與作品――「小花瓶」發表後的反響　36〜37
東亞文藝消息　36
日本古典文学鑑賞（九）――浮世草紙　許穎　38〜41
新新京素描及其他（完）　王金鍊　41
夢（下）（本刊徵募百頁中篇小説入選作）　馬還（作）／陳固（畫）　42〜49
本刊學生徵文　『華文大阪每日』編輯處　49

中華語文講座　白廷蕡　50
日本語文講座　洪子博　50
編輯會議　雪螢　51

第六巻第十期　第六十二號
一九四一年五月十五日発行

封面　芍藥花　封面
目錄　1
巻頭語　促美國反省　1
訪歐感想　松岡洋右　2〜3
皇道、王道與王道政治　朱華　4〜5
時人語錄拾零　5
强化中日親善合作　何海鳴　6〜7
今後之留日教育　汪向榮　8〜14
昭和國民讀本(二十八・完)
德富猪一郎(著)／張文華(譯)　15〜16
杭州紫來洞難民〔木刻・文〕
田川憲(刻)／止戈(文)／韋休(文)　16
中國婦女與文藝　夏孟剛　17〜18
讀四月號「北京漫畫」及其他　齊容　18
靈感論略　祝敔　19〜20
第三期個人漫畫展徵稿　20
日本古典文学鑑賞(十)——淨瑠璃
許穎　21〜24
畫刊
「保衞東亞」之歌發表大會之盛況第二報(上海)　25
松岡外相在歐洲　26〜27
本刊第二期青年課題徵文當選作品——新中國婦女與第二代
徐纆汶／王汝楣　29〜34
第二期「個人漫畫展」(十)　季湝　35
日本美術的特性(上)
瀧精一(著)／宋培菡(譯)　36〜37
來訪半月記　37
藝術苦心談　尚小雲　38〜39
同時代的人〔木刻〕　F・M・楊贊　38
木刻講座(四)　王青芳　39
活躍在華中的漫畫界　紫燕　40
簡
唏嘘之書　雷力普　41
幽冥簡　成紘　41〜43
淚與愛的告白　王金鍊　43
第一次本刊特輯預告　42
夏夜〔小説〕　田瑯(作)／呂風(畫)　44〜49
東亞文藝消息　46〜47
時事備忘錄　48〜49
日本語文講座　洪子博　50
中華語文講座　白廷蕡　50
編輯會議　張蕾(記錄)　51

第六巻第十一期　第六十三號
一九四一年六月一日発行
第一次本刊特輯「短篇小説」之巻(巻上)

封面　泰山中天門　封面
目錄　1
巻頭語　時局與家庭婦女　1
强化國民政府的大方策　本多熊太郎　2
社會教育的重要性　唐家楨　3〜4
苔岑詩壇
汪兆銘／岡崎壯歸／杉溪言長／服部莊夫／松村春水／國分高胤　3〜6
近三十年來中國的兒童教育　希民　5〜6
和平反共建國　高全生　7〜8
本社主辦海軍座談會——海上作戰的新形態(上)
海軍方面：伊藤賢三／平出英夫／松山五郎／三浦明／山田茂雄／高瀬五郎／白水亘／川添利男／青木武／大塚修／金子敬太郎／富永謙吾／田中勇。本社：高石眞五郎／上原虎重、其他　9〜13
阿拉伯民族的動向　上原虎重　12〜13
日本古典文学鑑賞(十一)——俳句
許穎　14〜17
來訪半月記　17
第二期「個人漫畫展」(十一)　金子　18
今日中國婦女應有的覺悟　萬孟婉　19〜20

木刻講座（五）　王青芳　21〜22
瑞士・達佛斯之山家〔木刻〕　K・F・瓦林克　22
中國書家譜系　曄　22〜23
世界素描選（一）　畢伽索（畫）／韋休（文）　23
日本美術的特性（下）　瀧精一（著）／宋培菡（譯）　24
畫刊
「保衛東亞」之歌發表大會之盛況第三報（漢口）　25
體與力（集團體操）　26〜27
丁默邨先生訪問記　D・N　29〜30
K・F・瓦林克之自刻像〔木刻〕　K・F・瓦林克（刻）／韋休（識）　30
第一次本刊特輯「短篇小説」之巻（巻上）
玲瓏笛　牧人　31〜33
酒樓上　青野　33〜34
血債　秋螢　34〜38
英雄的夢　金人　38〜40
伙伴　汀子　40〜43
約會　伯仁　43〜47
王海廷　田兵　47〜48
巴黎的憂鬱　韓護　48〜49
世界名人木刻像之一、二――莎士比亞／囂俄　立墩　35、37
沙金集　遐觀室（抄）　41
時事備忘録　42〜43
牧牛者〔木刻〕　維爾達・陶瓦屈　44
東亞文藝消息　45
泰國紀行（一、二）〔文・畫〕　川島理一郎　46、49
中華語文講座　白廷賛　50
日本語文講座　洪子博　50
編輯會議　子博　51

第六巻第十二期　第六十四號
一九四一年六月十五日発行

封面　日本保津川　封面
目録　1
巻頭語　只有打倒蔣政權的一途　1
日本的海戰精神　平出英夫　2〜3
離間中傷三國軸心　德富蘇峰　3
孟子的民生思想與厚生主義　郝希宗　4〜5
苔岑詩壇　王揖唐／土屋久泰　4〜5
關於在日本的中國話教育問題　倉石武四郎／竹内照夫　6〜7
反英路綫的回憶　奥村信太郎　8〜10
來訪半月記　10
本社主辦海軍座談會――海上作戰的新形態（中）
海軍方面：伊藤賢三／平出英夫／松山五郎／三浦明／山田茂雄／高瀬五郎／白水亘／川添利男／青木武／大塚修／金子敬太郎／富永謙吾／田中勇。本社：高石眞五郎／上原虎重、其他　11〜14
英屬馬來亞述略　達三　15
日本古典文学鑑賞（十二）――洒落本等　許穎　16〜19
時事備忘録　20
日本抒情漫畫家竹久夢二之追憶　禾葩　20〜21
工作者／賣報童子〔木刻〕　齊容　20、46
世界素描選（二）　丟菲（畫）／韋休（文）　21
木刻講座（六）　王青芳　22
全日本華僑總會第二屆大會參加記　魯風　23〜24
畫刊
旅日華僑的大集會　25
宣誓後方奉公　26〜27
第二期「個人漫畫展」（十二）　邱揚　29
第一次本刊特輯「短篇小説」之巻（巻下）
匪徒　袁文　30〜32
文化米　知羊　32〜34
一個未成名的作家　蔚然　34〜35
處世哲學　裴雲同　35〜41
前科犯　未名　41〜42
歸寗　蕭菱　42〜43
齟齬　白佛　43〜48

在牧場上　磊磊生　48～49
樹〔木刻〕　韋休　31
泰國紀行(三、四、五)〔文・畫〕　川島理一郎　33、37、40
世界名人木刻像之三、四――富蘭克林／瓦特　立璈　35、39
第二次本刊特輯下期預告　『華文大阪毎日』編輯處　38
東亞文藝消息　47
日本語文講座　洪子博　50
中華語文講座　白廷萱　50
編輯會議　袁天　51

第七巻第一期　第六十五號
一九四一年七月一日發行
歡迎汪主席訪日特輯

封面　汪國府主席　封面
今日的日本工業(一)――帯鐵　1
目錄　2～3
我們的主張
歡迎汪主席訪日／日本外交的基調不變／蒙古政府的機構改革／荷印當局的錯覺／毫無意義的赫爾氏的提案　2～3
歡迎汪主席　近衛文麿　4
歡迎汪主席的感想　褚民誼　5
世界第一流的政治家汪主席　本多熊太郎　5
汪主席訪日的意義　6～8
中日國交與强化國民政府的方策　高木陸郎　8～10
中日事變與歐洲大戰　大場彌平　11～14
汪精衛氏與中國革命　山田純三郎　13～14
汪主席的家庭與生活　陳篤言　15～16
抵東京後的汪主席〔畫刊〕　17
隨員特寫　18～19
汪先生的印象
奥村信太郎／高田元三郎／下田將美／長岡克曉／吉岡文六／桐原眞二／村上剛／田中香苗／田知花信量／三池亥佐夫　20～22
汪主席訪日記　23～24
畫刊
汪主席入東京　25
汪主席抵日第一步　26～27
本刊學生徵文入選發表
我們的大學校(一)――北京輔仁大學　陳更　29～31
海外連續漫畫介紹(一)――天使由里兒畫傳
Frank Bergman(畫)／M.Peake(文)　32
日本文學指南
菊池寛(著)／以齋(譯)　33
來訪半月記　33
本社主辦海軍座談會――海上作戰的新形態(下)
海軍方面：伊藤賢三／平出英夫／松山五郎／三浦明／山田茂雄／高瀬五郎／白水亘／川添利男／青木武／大塚修／金子敬太郎／富永謙吾／田中勇。本社方面：高石眞五郎／上原虎重、其他　34～36
散文之巻、第三次本刊特輯下期預告
『華文大阪毎日』編輯處　36
今後漫畫界應走的道路及其他　黄河　37～38
本刊「第二期個人漫畫展」推選優秀者辦法啓事
『華文大阪毎日』編輯處　37
本刊「第三期個人漫畫展」徵稿啓事
『華文大阪毎日』編輯處　38
木刻講座(七)　王青芳　38～39
世界素描選(三)
馬諦斯(畫)／韋休(文)　39
新詩之巻
無窮／鄉心／笛音／溯往／答辭／脚步／杞人之憂／招魂／閨婦怨　冉邕　40～41
葬／白雲　秦莽　41
夜車／情詩　楊野　41～42
雨聲　蕭霏　42
三個犯人／流落／旅人　青鳥　42～43
獨歸　柳舒　43
離開了馬來亞的海岸線　白鷺　43
宿夢之前／我的歌／瘖啞的行人／哈爾濱行／雪夜／星子的希翼　雷力普　43～44

失題／我們一齊走　鐵川　44
遙弔——悼一個死難的摯友　西韋　45
彷徨／矛盾的心緒　黙行　45
笑　藝筠　45
渠們／雪朝　陳茵　46
家鄉之戀　何許人　46～47
雨夜的記憶／生命的咀咒　紫荊　47
霜降的日子／暗巷的黃昏　白練　47
雜詩／生的回憶　疚瘤　47～48
誕日與鷄之命運／話／醉／沈寂　噩疋　48～49
急雨前／想　烏甘　49
世界文化消息　50
中華語文講座　白廷賁　51
日本語文講座　洪子博　51
編輯室　亥生　52

第七巻第二期　第六十六號
一九四一年七月十五日発行
特輯：散文之卷

封面　徐州散見　封面
今日的日本工業(二)——紡織　1
目錄　2～3
我們的主張
德意樞軸諸國的國府承認／德蘇開戰與日本外交／汪主席訪日的收穫／對蘇援助與美國　2～3
德蘇開戰與歐洲動向　布施勝治　4～6
國際大勢與中國前途　王誼　7～9
歐美侵略中國之外交史略　呉克峻　10～16
新聞叢脞錄——報／紙　拜石　16、18
中日共同的史地觀念　何海鳴　17～18
木刻講座(八)　王青芳　19
海外連續漫畫介紹——天使由里兒畫傳(二)　Frank Bergman(畫)／M.Peake(文)　20～21
有感於木刻重振之拉雜談　張止戈　21～22
談漫畫速寫(上)　穆家麒　22
世界素描選(四)　脇田和(畫)／韋休(文)　22
二十世紀的滑翔機　23～24
畫刊
德意等八國承認國民政府　25
飛翔的女人們　26～27
我們的大學校(二)——南京國立中央大學　費致全　29～31
日本文學指南　菊池寛(著)／以齋(譯)　32
世界文化消息　33
散文之卷
縴夫　果夫　34
江的憂愁　韓護　34～37
漁船　藍苓　35
春之懐戀　穆華　37
斷片　李烽　37～38
更夫　陶倩　38
寒夜抄　青野　38
槐花　野翁　39
野的夢　冉邕　39～40
生命的點滴　沙林　39
第三次訪問　未明　40～43
皓月的誘惑　王耑　41
風雪之夜　雷力普　42
雨後　蕭髯奴　43
野猫　朱亨　43～44
藍野菊　蕭菱　44～46
笑　噩疋　46～47
憤懣　功濤　46
晴天的風　蔓緡　47
夢　靳丙沙　47
哈爾濱之夜　季瘋　48～49
世界名人木刻像之五～九——巴斯德／拿破倫／鼐爾遜／威靈頓／哥德　立璈　36・40・45・48・49
日本語文講座　洪子博　50
中華語文講座　白廷賁　50
編輯室　吾山　51

第七巻第三期　第六十七號
一九四一年八月一日発行

封面　日本舞子濱　封面
今日的日本工業(三)——製紙　1
我們的主張
第三次近衛内閣的成立／中日事變四週年／德蘇戰局的進展／「英蔣同盟」不足爲奇／英蘇協定的効用　2～3
目錄　2～3
訪日感想　林柏生　4
和平運動之回顧與前瞻　周佛海　5～7
德蘇戰爭後的國際情勢　吾山　6～7
清鄉工作與和平運動　瘦公　8～9
苔岑詩壇　國分高胤／土屋久泰　8～9
南洋的華僑　袁鼎昌　10～11
南渡追述　達三　12～14
第三期個人漫畫展(一)　馬午　15
江南夏景　黄君匋　16～18
中國婦女運動的前途　鳳林　19
日本文學指南　菊池寛(著)／以齋(譯)　20
木刻的獨立性　辛愷　21
木刻講座(九)　王青芳　21～22
夜讀〔木刻〕　葉未行　21
談漫畫速寫(下)　穆家麒　22～23
風景／牧童〔木刻〕　齊容　22、49
世界素描選(五)　水谷清(畫)／韋休(文)　23
世界文化消息　24
畫刊
德蘇戰爭第一報　25
活躍的清鄉工作　26～27
我們的大學校(三)——國立北京師範學院　黄仲揚　29～31
海外連續漫畫介紹——天使由里兒畫傳(三)　Frank Bergman(畫)／M.Peake(文)　32
翻譯文藝之卷
家畜　島崎藤村(作)／賀行(譯)　33～35
山鷄　夏目漱石(作)／周欲鳴(譯)　35～36
馬套・法爾强那　梅禮美(作)／劉針(譯)　36～39
猫　莫泊桑(作)／燕然(譯)　39～40
我的隣居　泰戈爾(作)／金戈(譯)　40～41
火夫的爪牙　Gosta Larson(作)／劉針(譯)　42～43
惡風　F. Brett Young(作)／劉嘉祿(譯)
聖誕老人的禮物　奥亨利(作)／左洛(譯)　43～45
雪中行　普式庚(作)／朽木(譯)　45～47
無題　柴霍甫(作)／朱牧(譯)　47～48
　48～49
中華語文講座　白廷贊　50
日本語文講座　洪子博　50
編輯室　魯風　51

第七巻第四期　第六十八號
一九四一年八月十五日発行
特輯：『女子作品之巻』

封面　青島海濱　封面
今日的日本工業(四)——炻器　1
目錄　2～3
我們的主張
增加派兵越南的意義／國民政府育成的具體化／排擊英美的妄動／國共合作與英美　2～3
近衛新内閣與對外政策　廣瀬英太郎　4～7
新閣僚素描
豊田外相／左近司商相／田邊内相／小泉厚相／岩村法相　5～7
赤政洗禮過的立陶宛拉脱維亞現狀　8～10
美國現地報告　對馬好武　11～13
歐洲大戰見聞記　大原武夫　13～14
一個華僑青年致日本青年界書　達三　15～17
苔岑詩壇
國分高胤／岡田兼一／安倍留治　15～17
國民政府僑務委員會委員長陳濟成先生　D・N　18～19

世界素描選(六) 配許太因(畫)/韋休(文) 19
關於中國的音樂 蔭朗 20~21
木刻講座(十) 王青芳 21~22
華中的漫畫問題 劉子 22~23
第三期個人漫畫展(二) 經羽 24
畫刊
第三次組成强有力的近衛内閣 25
起來的泰國! 26~27
我們的大學校(四)——燕京大學 荻生 29~31
海外連續漫畫介紹——天使由里兒畫傳(四) Frank Bergman(畫)/M.Peake(文) 32
日本文學指南 菊池寛(著)/以齋(譯) 33
女子作品之卷〔小説〕
表弟 蔣果儒 34~36
月缺花殘 敏君 36~38
輕煙 李烽 39
小二子的妻與母 熊先蓬 39~41
忽瑪河之夜 但娣 41
幼小的靈魂 白玲 41~42
小犯人 呉瑛 42~45
遭遇 冰壺 45~46
隣居 東方雋 47~48
世界名人木刻像之十、十一——悲多芬/孟德斯鳩 立璥 37、44
本刊自九月一日號起連載兩大長篇特約小説 『華文大阪毎日』編輯處 48
世界文化消息 49
日本語文講座 洪子博 50
編輯室 雪螢 50

第七巻第五期　第六十九號　一九四一年九月一日発行

封面 越南安格爾廟 封面
今日的日本工業(五)——鑄鐵 1
我們的主張
國民政府的機構改革/英美共同宣言的野心/英美不當的壓迫泰國/泰國承認滿洲國 2~3
目錄 2~3
日越共同防衛的意義 渡瀨亮輔 4~6
東亞聯盟的神聖使命 瘦公 7~10
苔岑詩壇
李元暉/溥叔明/陳道量/土屋久泰 9~10
論自由貿易 竹生 11~13
新聞叢脞錄——新聞 拜石 13
越南・泰國瞥見記 藤岡啓 14~15
林柏生先生之精神 于秋士 16~17
世界素描選(七) 洛托(畫)/韋休(文) 17
第三期個人漫畫展(三) 趙文 18
新紅A字(一)〔小説〕 張資平(作)/曹涵美(畫) 19~23
世界文化消息 24
畫刊
日軍越南南部和平進駐! 25
綠的樂園——西貢 26~27
西藏的一朶茉莉花〔散文〕 Fritz Secker(作)/秀華(譯) 29~30
心與心〔小説〕 陶清 30~31
日本文學指南 菊池寛(著)/以齋(譯) 32~33
我們的大學校(五)——天津工商學院 苗蒂 34~36
論幽默與程心枌 仲華 37~38
海外連續漫畫介紹——天使由里兒畫傳(五) Frank Bergman(畫)/M.Peake(文) 39
漫談漫畫 劉維樞 40~41
演劇雜憶隨筆 張允 41~42
西歐文藝復興時代的偉大藝術家達・文西(上) 李光 43
木刻講座(十一) 王青芳 44
蟹(一)〔小説〕 梅娘(作)/呂風(畫) 45~49
中華語文講座 白廷賛 50
日本語文講座 洪子博 50
編輯室 呂風 51

第七巻第六期　第七十號
一九四一年九月十五日発行

封面　泰國的大佛　封面
今日的日本工業(六)――人造絲　1
我們的主張
新情勢與德意巨頭的會見／美國陸軍的重
慶「進駐」／英蘇軍侵入伊朗／應先抛棄反
日政策／非一油槽船問題／可笑的美國的
挿言　2～3
目錄　2～3
評「羅邱共同宣言」　王誼　4～6
論美英凍結日本資金　吾山　7～8
大陸經營論　岸信介　9～12
白山黑水行(滿洲紀行)　章學海　12～16
苔岑詩壇　橋川時雄　13
「廣東人」在歷史上的研究　珏宜　17～19
新紅A字(二)〔小説〕
張資平(作)／曹涵美(畫)　20～24
畫刊
名人及其書齋(一)――樊仲雲氏　25
女子們的武道　26～27
方外的反感〔散文〕　傅彥長　29
文藝批評的重要性　夏孟剛　30～31
足音〔散文〕　蘿茘　31
我們的大學校(六)――北京中國大学　棄崇　32～34
第三期個人漫畫展(四)　王忠　35
現代日本畫人傳(一)――横山大觀　36～37
謹奉給話劇界(上)　聶提格　37
沈寂狀態下的北京話劇界　張一鶴　38
西歐文藝復興時代的偉大藝術家達・文西
(下)　李光　39
木刻講座(十二)　王青芳　40
海外連續漫畫介紹――天使由里兒畫傳(六)
Frank Bergman(畫)／M.Peake(文)　41
日本文學指南
菊池寛(著)／以齋(譯)　42～43
世界文化消息　44
蟹(二)〔小説〕　梅娘(作)／呂風(畫)　45～49
日本語文講座　洪子博　50
中華語文講座　白廷賛　50
世界素描選(八)
谷訶(畫)／韋休(文)　51
編輯室　亥生　51

第七巻第七期　第七十一號
一九四一年十月一日発行

封面　葡萄與少女　封面
今日的日本工業(七)――汽車　1
我們的主張
滿洲國進行經濟建設／德國當然要反擊美
國／湖南北部作戰的意義／日本對法越之
特派大使／日本是決心南進　2～3
目錄　2～3
歐洲戰爭二週年(現地報告)
德：最後目標在英國　加藤特派員　4～6
意：覺悟到長期戰　小野特派員　6～7
英：無勝利的實力　工藤特派員　7～8
美：視蘇聯如同盟國　高田特派員　8～9
戰爭勃發當時之歐洲與開戰二週年之比較　5
東亞問題的一元化　何海鳴　10～12
苔岑詩壇
汪兆銘／岡田兼一／陳道量　10～12
寫給日本的青年們　高漢　13～14
外交部次長周隆庠氏家庭訪問記
世界素描選(九)　柳黛　15～16
谷訶(畫)／韋休(文)　16
關於滿洲文藝家協會的創立　呉郎　17～18
第三期個人漫畫展(五)　陳金錕　19
新紅A字(三)〔小説〕
張資平(作)／曹涵美(畫)　20～24
霏霏傘〔散文〕　東方雋　24
畫刊
名人及其書齋(二)――周作人氏　25
再出發的新中國女性　26～27
本刊駐華辦事處在南京成立　29～30
上海和平陣線報界的現狀　江瑩　30
我們的大學校(七)――北京大學工學院

日本文學指南　健心　31～33
菊池寛(著)／以齋(譯)　34～35
本刊第二期「個人漫畫展」推選結果發表
——推選者的話
金鍊／季風／楊芩／張仲人／秦風啓／胡
琳　36～37
關於第二期「個人漫畫展」的話(上)
援公　37～38
女僕〔木刻〕
葉未行　38
海外連續漫畫介紹——天使由里兒畫傳(七)
Frank Bergman(畫)／M.Peake(文)　39
木刻講座(十三)　王青芳　40
抒情漫畫與我　王金鍊　41
現代日本畫人傳(二)——藤島武二　42～43
謹奉給話劇界(下)　聶提格　43
世界文化消息　44
蟹(三)〔小説〕梅娘(作)／呂風(畫)　45～49
中華語文講座　白廷贇　50
日本語文講座　洪子博　50
編輯室　吾山　51

第七巻第八期　第七十二號
一九四一年十月十五日発行

封面　滿洲呼倫高原　封面
今日的日本工業(八)——新玻璃　1
我們的主張
樞軸同盟一週年／莫斯科之三國會談／長
沙佔領的意義／今後黒海之爭奪戰　2～3
目錄　2～3
經濟戰卽武力戰　下田將美　4～6
從「抗日教育」説到「親日教育」
瘳公／潘璿　7～10
史太林陣線破壞了(一)　布施勝治　11～14
事變十週年的滿洲　橘善守　15～17
第三期個人漫畫展(六)　宗羽　18
新紅A字(四)〔小説〕
張資平(作)／曹涵美(畫)　19～23
世界文化消息　24
畫刊
名人及其書齋(三)——江亢虎氏　25
今日的滿洲　26～27
北滿大密林之生態　H・拜克夫　29～31
H・拜克夫氏略歴　30
我們的大學校(八)——新京醫科大学
秦莽　32～34
海外連續漫畫介紹——天使由里兒畫傳(八)
Frank Bergman(畫)／M.Peake(文)　35
櫻島散記　柳黛　36
赴日雜感　劉美君　36～37
弘法大師灌頂記跋　陳柱　37
現代日本畫人傳(三)——竹内栖鳳　38～39
關於第二期「個人漫畫展」的話(下)
援公　39～40
讀第二期個展的印象録(上)　季風　40～41
木刻講座(十四)　王青芳　42
日本文學指南
菊池寛(著)／以齋(譯)　43～44
蟹(四)〔小説〕梅娘(作)／呂風(畫)　45～49
日本語文講座　洪子博　50
中華語文講座　白廷贇　50
世界素描選(完)
特朗(畫)／韋休(文)　51
編輯室　魯風　51

第七巻第九期　第七十三號
一九四一年十一月一日発行
太平洋問題特輯

封面　太平洋上之威容　封面
本刊創刊三週年紀念之祝詞
汪兆銘／張景惠／王揖唐　1
我們的主張
本刊三週年／超越政變的日本使命／近於
終局之德蘇戰局　2～3
目錄　2～3
太平洋問題特輯
太平洋上的外交概論　上原虎重　4～6
太平洋的地理概觀　林三郎　6～8
列强在太平洋的經濟戰　穗積三雄　9～12

太平洋的資源和產業　上妻齊　13～16
太平洋的軍備　栗原千代太郎　16～20
太平洋的民族問題　武内辰治　20～22
太平洋的將來　楠山義太郎　22～24
畫刊
風雲緊急的太平洋、增軍狂的諸要城　25
太平洋現勢圖　26～27
本刊創刊三週年紀念大徵文
『華文大阪每日』編輯處　29
北滿大密林之生態(二)　H・拜克夫　30～31
史太林陣線破壞了(二)　布施勝治　32～35
現代日本畫人傳(四)――梅原龍三郎　36～37
中國戲劇運動之過去與將來　陳大悲　37～40
木刻講座(十五)　王青芳　40
第三期個人漫畫展(七)　胡音　41
論現代文學之使命　陳柱　42～43
東方偉大文星的隕落　夏孟剛　43～45
讀第二期個展的印象錄(下)　季風　45
我們的態度　阿華　46
新紅A字(五)〔小說〕
張資平(作)／曹涵美(畫)　47～51
編輯室　呂　52

第七卷第十期　第七十四號

一九四一年十一月十五日發行

封面　古北口　封面
今日的日本工業(九)――製鐵　1
我們的主張
法幣暴落及其對策／重慶狂奔於列國勢力的誘致／美大總統的空聲援／推進文化共榮的計劃　2～3
目錄　2～3
東條新內閣與國際關係　永戶政治　4～6
苕岑詩壇　汪兆銘／土屋久泰　6
我們是這樣地作戰　克烈基麥爾　7～10
僑務工作之進展現狀及其計劃　陳濟成　11～13
中國的美感教育　徐公美　13～16
新聞叢脞錄――報紙(一)　拜石　16
我們的大學校(九)――新京南嶺建國大學　閻豎忱　17～19
新紅A字(六)〔小說〕
張資平(作)／曹涵美(畫)　20～24
我的書〔散文〕　莫須　24
畫刊
三笠宮殿下御成婚大典　25
東條內閣成立　26～27
史太林陣線破壞了(三)　布施勝治　29～32
第三期個人漫畫展(八)　迂兒　33
現代日本畫人傳(五)――川合玉堂　34～35
華中漫畫界報道(上)　端木靜　35
木刻講座(十六)　王青芳　36
海外連續漫畫介紹――天使由里兒畫傳(九)
Frank Bergman(畫)／M.Peake(文)　37
日本文學指南
菊池寬(著)／以齋(譯)　38～39
日本鐵道之七十週年　胡家法　40～41
社會教育與娛樂　茂如　41
母親〔散文〕　柳黛　42～44
一個女子的路〔小說〕　禎　42～43
羅源太太〔小說〕　游萍　43～44
蟹(五)〔小說〕　梅娘(作)／呂風(畫)　45～49
世界文化消息　50
日本語文講座　洪子博　51
中華語文講座　白廷贊　51
編輯室　亥生　52

第七卷第十一期　第七十五號

一九四一年十二月一日發行

封面　海州之鹽　封面
今日的日本工業(十)――大豆洋服　1
我們的主張
中日滿簽訂一週年／打倒重慶的傀儡師／同床異夢的美國與蘇聯　2～3
目錄　2～3
舊法幣價值的破局形態　仲鎮雄　4～6
戰時下的各國經濟概觀　竹生　7～9
中國留日教育問題(上)――松本龜次郎氏的功績　明石　10～14

怎樣挽救教育上的危機　趙如珩　14～15
史太林陣線破壞了(四)　布施勝治　16～19
新紅A字(七)〔小説〕
　張資平(作)／曹涵美(畫)　20～24
畫刊
　華北學生運動會
　日本第十二回明治神宮國民體育大會　25
本刊創刊三週年紀念大徵文　26～27
　『華文大阪每日』編輯處　29
中國書法源流引論　陸續　30～32
甘地像〔木刻〕　齊容　32
北滿大密林之生態(三)　H・拜克夫　33～34
日本文學指南
　菊池寛(著)／以齋(譯)　35～36
第三期個人漫畫展(九)　青雲　37
現代日本畫人傳(六)——石井柏亭　38～39
華中漫畫界報道(下)　端木靜　39～40
木刻講座(十七)　王青芳　40
海外連續漫畫介紹——天使由里兒畫傳(十)
　Frank Bergman(畫)／M.Peake(文)　41
我渡日的抱負
　旅足的跫音　念華　42
　實踐和平之經緯　恭藻　42～43
初次渡日的感想
　乘風此夜去扶桑　季夷　43～44
　精神生活的寄託　鍾蓀　44
蟹(六)〔小説〕　梅娘(作)／呂風(畫)　45～49
世界文化消息　50
中華語文講座　白廷蕡　51
日本語文講座　洪子博　51
編輯室　子博　52

第七卷第十二期　第七十六號
一九四一年十二月十五日発行

封面　越南柬埔寨新王　封面
今日的日本工業(完)——國產無線電機　1
日・美英遂至開戰　2～3
目錄　2～3
本年中的世界情勢回顧
　歐美的一年　板倉進　4～7
　東亞的一年　松本鎗吉　7～11
分配不公平的世界——人口原料與國際關係　王誼　11～13
如何擊碎南洋華僑支持渝方抗戰的心臟　達三　14～16
史太林陣線破壞了(五)　布施勝治　17～19
新紅A字(完)〔小説〕
　張資平(作)／曹涵美(畫)　20～24
托爾斯泰〔木刻〕　立璈　23
畫刊
　駐法越芳澤特派大使就任式　25
　新中國的海軍　26～27
中國留日教育問題(下)——松本龜次郎氏的
　功績　明石　29～32
第三期個人漫畫展(完)　蘇菲　33
北滿大密林之生態(完)　H・拜克夫　34～35
現代日本畫人傳(七)——橋本關雪　36～37
木刻講座(十八)　王青芳　37
日本文學指南
　菊池寛(著)／以齋(譯)　38～39
畫片劇的編與演　陳大悲　40～41
偉大的教訓　黃軍　41
零々總々之讀後感想——華中讀衆給本刊的
　高見　42～44
蟹(完)〔小説〕　梅娘(作)／呂風(畫)　45～49
世界文化消息　51
編輯室　雪螢　52

第八卷第一期　第七十七號
一九四二年一月一日発行
「大東亞戰爭」特輯

封面　馬　封面
扉繪　陽春　福岡青嵐(畫)　1
目錄　1
時事短評
　新年之辭／海上權歸於日本／德意終於對
　美宣戰　2～3
大東亞戰爭特輯

告戰時下的東亞民族檄　松本忠雄　4～7
大東亞戰爭與國民的覺悟　下田將美　7～9
大東亞戰爭之綜合經過　本刊記者　9～14
美國的弱點以及政府内幕　福本福一　14～15
新國民運動座談會
周學昌／郭秀峰／樊仲雲／王德言／趙如珩／楊鴻烈／徐公美／高天棲／丁丁／許錫慶／張愼之／周雨人／何海鳴／徐亞生／東野平／原田稔（司會）／鄭吾山（司會）　16～20
東方文化問題　管翼賢　21
如何展開中國現階段的文藝運動　馬野　22～24
鞏固大東亞共榮圏、擊滅英美陣線！〔畫刊〕　25～27
本社『HOME LIFE』（『家庭生活』）月刊發刊啓事　29
史太林陣線破壊了（六）　布施勝治　30～32
哨子風〔小説〕　夏孟剛　33～35
日本美術介紹（一）——彫刻（上）　馮貫一　36～38
唐詩解放論（一）　朱右白　39
日本文學指南　菊池寛（著）／以齋（譯）　40～41
現代日本畫人傳（八）——和田英作　42～43
木刻講座（十九）　王青芳　43～44
年輪（一）〔小説〕　蕭菱（作）／郭爽（畫）　45～49
日本語文講座　洪子博　50
中華語文講座　白廷贊　50
編輯室　吾山　51

第八巻第二期　第七十八號
一九四二年一月十五日発行

封面　連峯之雲　封面
扉繪　天女　田村孝之介（畫）　1
目錄　1
時事短評
東亞侵略之牙城香港陷落／窮策之美英會談／美艦隊全滅與中南美的動向／日泰同盟條約成立／駐華大使之更迭　2～3
捧讀大詔　德富猪一郎　4～5
德意的參戰與世界新秩序　永戸政治　6～8
大東亞戰爭之綜合經過　本刊記者　9～11
東亞的決戰體制　何海鳴　12～13
國民政府之社會政策　江亢虎　14
新時代的文藝　關埜㕓　15～17
待機〔木刻〕　葉未行　16
兩種解釋〔随筆〕　黃軍　17
唐詩解放論（二）　朱右白　18
東方美術座談會
在席者：原田尾山／江亢虎／陳群／今關天彭／上村松園／陳柱尊／三谷十糸子／見尾勝馬／程淯／鈴木吉祐／談月色／兪寄凡／胡國仁／渡邊公平／徐雲紅／荊位辰／管一得／唐榮愷／段拭／張伯鈞／龔維疆。本社：原田稔（司會）／王一言（記錄）／江瑩（記錄）／張銘（記錄）　19～23
戰時國際法（一）　鄭吾山　24
畫刊
殲滅了英東亞戰鬪的主力！　25
斷然粉碎英美之進駐！　26～27
史太林陣線破壊了（七）　布施勝治　29～32
日本美術介紹（二）——彫刻（下）　馮貫一　33～36
你我〔散文〕　東野平　37
影戲〔散文〕　藍苓　37～38
墓風〔小説〕　狂夢　38
日本文學指南　菊池寛（著）／以齋（譯）　39～40
文學的本質　片山敏彦　41～42
勞者之歌〔詩〕　劍南　42
天涯〔詩〕　石根　42
嵐山之遊〔詩〕　叶一　42
現代日本畫人傳（九）——安田靫彦　43～44
木刻講座（二十）　王青芳　44～45
年輪（二）〔小説〕　蕭菱（作）／郭爽（畫）　46～50

中華語文講座　白廷賚　51
日本語文講座　洪子博　51
編輯室　魯風　52

第八巻第三期　第七十九號　一九四二年二月一日発行

封面　佔領下之香港　封面
扉繪　紹興的酒船　矢野鐵山(畫)　1
目録　1
時事短評
馬尼剌陷落與菲島之運命／美英敗戰會談的結論／大東亞戰爭與蘇聯／南洋華僑的覺醒／作戰達及荷領印度　2～3
重慶抗戰理念的喪失　田中香苗　4～7
打倒美英與建設大東亞經濟　阿部賢一　7～9
美英如何來進攻　大場彌平　10～11
大東亞戰爭之綜合經過(三)　本刊記者　12～15
青年工讀制度與中國青年工讀團　陳端志　16～20
華北實業振興　王蔭泰　19
廣東之佛教　謝爲何　21
東亞兒童與東亞建設　邵鳴九　22～23
須就當面的最大急務　林文龍　23
戰時國際法(二)　鄭吾山　24
畫刊
眞珠灣的大襲擊!!　25
佔領下美英在東亞的據點!　26～27
史太林陣線破壞了(八)　布施勝治　29～31
日本美術介紹(三)――建築　馮貫一　32～35
櫻花開的時候〔小説〕　胡光　36～38
南京新春〔文・畫〕　馬午　39～40
近代中國花鳥畫概觀　荊位辰　40
日本文學指南　菊池寛(著)／以齋(譯)　41
現代日本畫人傳(十)――小杉放庵　42～43
木刻講座(二十一)　王青芳　43～44
年輪(三)〔小説〕　蕭菱(作)／郭爽(畫)　45～49
日本語文講座　洪子博　50
中華語文講座　白廷賚　50
編輯室　呂風　51

第八巻第四期　第八十號　一九四二年二月十五日発行

封面　汪國府主席與重光新駐華大使　封面
扉繪　由故宮望景山　福田惠一(畫)　1
目録　1
時事短評
雄壯的大東亞建設宣言／對重慶政策的新發軔／樞軸之挾擊與美英的窮境／於緬甸展開新戰場／邱吉爾之悲鳴與錯覺　2～3
大東亞戰爭之經濟的展望　谷口吉彦　4～5
暴露敗戰英美的内幕
四面楚歌之英國　城戸又一　6～8
負傷的巨獸美國　百百正雄　8～10
夏威夷馬來海上兩海戰勝利的記錄
美太平洋艦隊全滅記(海鷲指揮官〇〇中佐談)　11～12
威爾斯親王號之末期　中山特派員　12～14
大東亞戰爭勝利終屬於日本　澄遠　15～17
苔岑詩壇　夏孫桐／陳道量　17
告重慶南洋的志士　明達　18～20
中國文學向那裏去　龔持平　20～22
唐詩解放論(三)　朱右白　23
戰時國際法(三)　鄭吾山　24
畫刊
目指仰光新嘉坡的攻略戰　25
青春氣息的紀律生活　26～27
史太林陣線破壞了(九)　布施勝治　29～31
復活節的晚上〔小説〕　威立　32～34
失題〔詩〕　柳黛　33
高樓話詩　涵之　34
日本美術介紹――建築(續)　馮貫一　35～38
初耘〔小説〕　O'Flaherty(作)／劉針(譯)　39～40
牛〔小説〕　J. V. Jensen(作)／趙文(譯)　40

日本文學指南　菊池寛(著)/以齋(譯)　41〜42
現代日本畫人傳(十一)——鏑木清方　43〜44
木刻講座(二十二)　王青芳　44〜45
年輪(四)〔小説〕　蕭菱(作)/郭爽(畫)　46〜50
日本語文講座　洪子博　51
中華語文講座　白廷蕡　51
編輯室　柳黛　52

第八巻第五期　第八十一號　一九四二年三月一日発行

封面　緬甸之塔　封面
扉繪　高千穗　青木大乘(畫)　1
目錄　1
時事短評　2〜3
新嘉坡陷落之世界的影響/戰勝日本的大理想/戰々兢々的澳洲/爪哇海戰之大捷/蔣介石之印度訪問/赤道以南的新戰果
大東亞的新構想　長岡克曉　4〜6
戰後世界的經濟依歸　竹生　7〜9
美國在東亞侵略行為之溯源　湯良禮　10
苔岑詩壇　寄凡　10
新嘉坡遂至陷落　本刊記者　11〜13
視察大東亞戰爭下的日本　姚作賓　14〜16
噴火口上之澳洲　林三郎　16〜17
大東亞戰爭與我們南洋華僑　達三　17〜18
史太林陣線破壞了(完)　布施勝治(作)/魯風(譯)　19〜21
日本文學指南　菊池寛(著)/以齋(譯)　22〜23
戰時國際法(四)　鄭吾山　24
畫刊
新嘉坡陷落!　25
日軍與南方的風土・人物　26〜27
本刊大徵文當選發表　『華文大阪每日』編輯處　29
本刊三週年紀念大徵文當選作品
告重慶的朋友們(論文正選)　沐華　30〜35
青年與新中國(青年課題正選)
日本美術介紹——書道(上)　田軍　33〜35
抒情漫畫的素材和性靈　馮貫一　36〜39
新臘八粥〔小説〕　金錬　39
現代日本畫人傳(完)——藤田嗣治　顧靜嫻　40〜42
木刻講座(完)　王青芳　43〜44
年輪(五)〔小説〕　44〜45
蕭菱(作)/郭爽(畫)　46〜50
日本語文講座　洪子博　51
中華語文講座　白廷蕡　51
編輯室　苔蘚　52

第八巻第六期　第八十二號　一九四二年三月十五日発行

封面　日落下傘部隊奇襲美那多成功　本間海軍報道班員撮影　封面
扉繪　芍藥　林重義(畫)　1
目錄　1
時事短評　2〜3
國民政府還都二週年/大東亞戰爭與印度的立場/滿洲建國十週年/葡領的摩爾之英荷軍驅逐/戰果越發展向南方
論全面和平之時機　溫宗堯　4
花甲同慶節要　褚民誼　5〜6
大東亞戰爭的後方民食問題　蔡培　6
中日教育的改造與合作　戴英夫　7〜9
新國民運動與教育改進　楊正宇　10〜11
苔岑詩壇　楊壽枏　11
在現階段如何推進中國南洋華僑運動　達三　12〜13
新興的南京　黃君匋　14〜16
世界戰爭的春季攻勢　楠山義太郎　17〜18
大東亞海制壓戰　19〜20
東亞文藝復興與復興東亞　關埜叵　21〜22
國學家陳柱氏訪問記　鳳兮　23
戰時國際法(五)　鄭吾山　24
畫刊
汪主席軍服近影　25

國府還都二周年、鏡頭下復興的南京　26～27
本刊三週年紀念大徵文當選作品
如何溝通中日文化（論文正選）　問陶　29～34
職業婦女與家庭婦女（婦女課題正選）　張瑾　32～34
鄭板橋的思想研究　許惕生　35～37
中國畫的前路與如何實踐（上）　趙越　37
日本文學指南
菊池寛（著）／以齋（譯）　38～39
雜談畫片劇　青原　40
唐詩解放論（四）　朱右白　41
日本美術介紹――書道（下）　馮貫一　42～45
年輪（六）〔小説〕
蕭菱（作）／郭爽（畫）　46～50
中華語文講座　白廷賛　51
日本語文講座　洪子博　51
編輯室　藻　52

第八巻第七期　第八十三號

一九四二年四月一日発行

封面　復興着的昭南島之華僑市街　封面
扉繪　北京中南海公園
伊藤慶之助（畫）　1
目錄　1
時事短評
歡迎滿洲國之謝恩特使／全荷印終於無條件降服／澳洲之存續與印度再生之道／無敵日本陸軍攻陷仰光／南方諸民族之指導方針／英國所謂之印度「危機」　2～3
應認識日本的實力　吉岡文六　4～6
建國十年之滿洲國　緒方昇　7～8
大東亞戰爭之第二階段　9～11
新世界觀之劃立〔座談會〕
出席者：上原虎重／阿部賢一／渡瀨亮輔／近藤操／久米正雄／木村毅／田中香苗　12～15
解放東亞運動中之精神建設　關埜扂　16～17
決戰下日本的美術界　外人　18～19
領賑〔小説〕　芒芟　20～23
新都南京〔木刻〕　迎曉　21
北京風景線〔木刻〕　卓褆　22
母與子〔木刻〕　葉未行　23
戰時國際法（六）　鄭吾山　24
畫刊
滿洲國特派謝恩大使張總理抵日情況　25
歷史的勝利　26～27
本刊三週年紀念大徵文當選作品
自學生活（青年課題正選）　如水　29～33
告重慶的朋友們（論文副選）　東舒　33～36
殘箋一束〔散文〕　小野馬　36
唐詩解放論（五）　朱右白　37
漫話滿洲　旱海　38～39
日本美術介紹――繪畫（上）　馮貫一　40～43
中國畫的前路與如何實踐（下）　趙越　44
年輪（七）〔小説〕
蕭菱（作）／郭爽（畫）　45～49
日本語文講座　洪子博　50
中華語文講座　白廷賛　50
編輯室　海　51

第八巻第八期　第八十四號

一九四二年四月十五日発行

封面　上海郊外龍華塔之春　封面
扉繪　六甲山　田崎廣助（畫）　1
目錄　1
時事短評
儲備券與舊法幣等價流通的廢止／印度洋作戰的展開／安達曼島的佔領與印度／混亂的西部亞細亞／日蘇漁業協定之妥結　2～3
大戰下日本的經濟政策　西谷彌兵衞　4～5
圍繞獨立的印度潮流　宮森喜久二　6～7
中國民心的轉變與中日關係之發展　周毓英　8～10
苔岑詩壇　寄凡　9～10
南洋華僑問題與在日華僑的使命　松本於菟男　11

神經戰與無線電 12～14
英艦擊沉／仰光占領（照片） 14
我與日本（一） 楊鴻烈 15～18
談竹枝詞（上） 江寄萍 18
唐詩解放論（六） 朱右白 19
中國音樂界之回顧與前瞻 高天棲 20～23
戰時國際法（七） 鄭吾山 24
畫刊
「美英」翼的沒落 25
大東亞戰爭壁畫展覽會 26～27
本刊三週年紀念大徵文當選作品
婦女與文化（婦女課題正選） 白鶩 29～30
青年與新中國（青年課題副選）
金周 31～32
日本文學指南
菊池寛（著）／以齋（譯） 33～34
到上海去（小說） 柯雷 35～36
易經的基本觀念 吳家煦 37～39
日本美術介紹——繪畫（中） 馮貫一 40～44
年輪（八）（小說）
蕭菱（作）／郭爽（畫） 45～49
中華語文講座 白廷賛 50
日本語文講座 洪子博 50
編輯室 美君 51

第八卷第九期　第八十五號

一九四二年五月一日発行

封面 汪主席海軍裝近影 封面
扉繪 送「入唐使」 生田花朝（畫） 1
目錄 1
時事短評
巴答安半島完全攻略／南方經營之基本方針／印度喲！奮起呼應日軍／印英交涉的決裂／美英利用伊朗的謀略／德法協力進展 2～3
站在存亡關頭的印度 永戸政治 4～5
印度洋上之大戰果 6～7
爲什麼要有新國民運動 郭秀峰 8～10
苔岑詩壇
鵜澤總明／岡崎壯／杉溪言長 9～10
大東亞戰爭與南洋華僑 陳耀祖 11
歷史轉換期中之思想問題 關埜屋 12～14
大東亞戰爭與中國（一）（名家感言集）
溫宗堯／褚民誼／丁丁／陳群／何佩瑢／管翼賢／傅彥長／唐仰杜／江亢虎／許錫慶／錢慰宗／秦墨哂／齊燮元 15～17
東亞民族解放的呼聲 高天棲 18
中國民衆歌詠問題 劉邦興 18～20
我與日本（二） 楊鴻烈 21～24
談竹枝詞（下） 江寄萍 23
畫刊
巴答安半島肅清戰 25
昭南島热帶植物園 26～27
本刊三週年紀念大徵文當選作品
職業婦女與家庭婦女（婦女課題副選） 時秀文 29～30
如何溝通中日文化（論文副選） 緝熙 31～33
戰時國際法（八） 鄭吾山 34
無住地帶（上）（小說） 石軍 35～36
唐詩解放論（七） 朱右白 37
日本美術介紹——繪畫（下） 馮貫一 38～41
黄老思想與中國文學及其他 許竹園 42
日本文學指南
菊池寛（著）／以齋（譯） 43～44
開路拓士（木刻） 孫常非 44
年輪（九）（小說）
蕭菱（作）／郭爽（畫） 45～49
日本語文講座 洪子博 50
中華語文講座 白廷賛 50
編輯室 亥生 51

第八卷第十期　第八十六號

一九四二年五月十五日発行

封面 馬來避難民歸回 封面
扉繪 茶室 伊藤繼郎（畫） 1
目錄 1

時事短評
蔣抗戰陣營之分裂／東西呼應的擊碎美英作戰／日泰通貨之等價成立／蘇聯不爲美英的策謀所動／法新內閣與英美 2～3
我對於三大中心工作之瞻顧 梅思平 4～6
中國如何與日本協力？ 何海鳴 6～8
大東亞戰爭與中國（續） 高天棲／東野平 8～10
告僑胞書 吳克峻 9～10
大東亞戰爭與中國（二）（名家感言集） 任援道／劉熙暄／夏奇峰／朱右白／周隆庠／龔持平／李超／喻熙傑／陳君慧／辛陀／葛偉昶／顧繼武／顏任衡／葛亮疇／邵鳴九／溫世珍／袁殊 11～13
從公羊學上觀到大東亞戰爭之意義 朱光溥 14～15
中國青年思想的新建與新文化運動 劉清源 16～18
新中國報人的性格 許錫慶 16～17
北京的糞車〔木刻〕 張止戈 18
中國新聞事業的進步與趨向 趙慕儒 18～19
太平天國與南京 黃君匋 19～22
橋〔木刻〕 王桂生 22
唐詩解放論（八） 朱右白 23
戰時國際法（九） 鄭吾山 24
畫刊
兩件慶祝親善的訪問 25
南方戰線特報 26～27
本刊三週年紀念大徵文當選作品
自學生活（青年課題副選） 陳勵生 29～31
婦女與文化（婦女課題副選） 施義 31～33
苔岑詩壇 汪兆銘／服部莊夫 33
我與日本（三） 楊鴻烈 34～36
無住地帶（下）〔小說〕 石軍 37～39
愛戀的尾巴〔小說〕 顏潔 40～41
花圃〔木刻〕 葉未行 40
談寫文章 江上風 41
日本美術介紹——庭園（上） 馮貫一 42～45
年輪（十）〔小說〕 蕭菱（作）／郭爽（畫） 46～49
中華語文講座 白廷萱 50
日本語文講座 洪子博 50
編輯室 保祿 51

第八卷第十一期　第八十七號
一九四二年六月一日発行

封面 爪哇豐收風景 封面
扉繪 初夏 中村貞以（畫） 1
目錄 1
時事短評
汪主席之訪問滿洲國／高松宮殿下御渡滿／珊瑚海海戰之大勝／日軍進入雲南／全菲島之戡定完成／德軍勝利的前哨戰 2～3
全體主義與三民主義 鄭吾山 4～5
雜感一束 周化人 6
緬甸戰線的崩壞與重慶・美英・印度・澳洲 谷萩那華雄 7～9
大東亞戰爭與東亞民族解放 錢仲華 9～12
佛教與華僑 謝爲何 10～11
溝通中日文化與建立東亞新文化 關埜戸 13～14
重慶政權之病理及治療 澄遠 15～18
大東亞戰爭與中國（三）（名家感言集） 蘇體仁／陸光杰／萬孟婉／王敏中／華漢光／張仁蠡／趙尊嶽／陳寥士／胡寄凡 19～20
我與日本（四） 楊鴻烈 21～23
戰時國際法（十） 鄭吾山 24
汪主席訪滿特輯〔畫刊〕 25～27
秋果小記〔散文〕 公孫嬿 29～31
暴風雨底前奏〔小說〕 辛愷 30
車廂小記〔散文〕 黃軍 31～32
春花〔小說〕 朱毅 32
祈禱〔小說〕 禎 33
徬徨的心情〔詩〕 冰旅 33
夜泊〔詩〕 原犁 33
影星在南京 小咪 34～35
中央陸軍々官學校學生々活介紹 公孫惲 36～38

唐詩解放論(完)　朱右白　39〜40
論蘇東坡詩　陳寥士　40〜41
日本美術介紹——庭園(下)　馮貫一　42〜45
年輪(完)〔小説〕　蕭菱(作)／郭爽(畫)　46〜49
編輯室　旅人　50

第八卷第十二期　第八十八號　一九四二年六月十五日発行

封面　泰國猶地亞附近之浮家　封面
扉繪　清山捕漁　矢野橋村(畫)　1
目錄　1
時事短評
東條首相之議會演説／德蘇兩國之肉搏／法蘭西的最惡之敵／浙江東部作戰的意義／敗戰英國的動搖　2〜3
今日的青年與今後的教育　王敏中　4〜6
中日文化溝通的我見　沈紱　6〜8
東亞教育應有的革新　呉家煦　8〜10
珊瑚海海戰及其意義　10〜11
大東亞戰爭與小劇場運動　徐公美　12〜15
佛教藝術溯源　李超　13〜17
巡廻圖書車之理論與實際　楊敬遠　17〜19
大東亞戰爭與中國(四)(名家感言集)
周化人／沈紱／楊昔川／何心／蘇成德／王廈材／王逸軒　20〜21
我與日本(五)　楊鴻烈　22〜24
畫刊
欽差高松宮殿下抵滿　25
珊瑚海大捷記錄　26〜27
戰時國際法(十一)　鄭吾山　29
街景〔小説〕　青鳥　30〜31
爸々的死〔小説〕　如水　31〜35
石佛／雨後〔木刻〕　葉未行　33、36
曼君〔小説〕　汪家祉　35〜37
答語(外二首)〔詩〕　范泛　37
靜靜的遼河〔詩〕　冰旅　37〜40
需求与逃避〔獨幕劇〕　劉萼　38〜40
女人是一切〔散文〕　路鵲　41〜42
決定〔小説〕　陸白人　42〜44
煙〔隨筆〕　漁作　44
生活的觸角〔隨筆〕　紀梅　44〜45
日本美術介紹——漆工(上)　馮貫一　46〜49
日本語文講座　洪子博　50
中華語文講座　白廷賛　50
編輯室　魯風　51

第九卷第一期　第八十九號　一九四二年七月一日発行

封面　爪哇之舞　封面
目錄　1
昭南港〔照片〕　1
大東亞戰爭的倫理性　阿部賢一　2〜4
舊法幣的驅逐與儲備券的使命　5〜6
共存共榮主義論　關埜屋　7〜9
新中國的報紙和報人　竹邨　10〜11
對於東亞文藝復興運動的我見　雷宏張　12〜13
宋教仁先生被刺案始末　逃名　13〜16
我與日本(六)　楊鴻烈　17〜19
本刊主辦南京婦女座談會——現代婦女在社會上的使命與責任
萬孟婉(司會)／原田稔／江瑩／張銘／王一言／郭敏／譚伊先／李蘊冰／張亭／顏任衡／蔣果儒／沈錦／花貞彬／李超／金問蘭／時秀文／顏潔／沈茵／王英／張瑾　20〜24
畫刊
褚特使訪日與張總理訪華　25
新聞集萃　26〜27
近三十年中國畫概論　鄭秉珊　29〜32
翻譯文藝
五虎　樊爾(作)／龔意平(譯)　33〜35
絶島　辛德巴德(作)／宗翔(譯)　36
黃昏
斯蒂凡・瑟隆斯基(作)／楊產(譯)　37〜38
自刻像／瘋馬〔木刻〕　葉未行　34、44
風天〔詩〕　張抒　38
春芽(外二首)〔詩〕　空飄　39〜40

嘉嘉〔小説〕 東野平 39〜45
日本美術介紹——漆工(下) 馮貫一 46〜49
編輯室 雪螢 50

第九巻第二期 第九十號 一九四二年七月十五日発行

封面 厦門之夏 封面
目録 1
樹海上的機影〔照片〕 1
英美的財政與戰爭能力 高木壽一 2〜4
日海軍既已壓制東太平洋——平出英夫大佐談 5〜7
惟神之道 白文會 8〜11
儒家學説與中國文化(上) 呉家煦 11〜13
中國歴史上母教的模範 美娟 14〜17
研究西北的必要 馬念祖 14〜17
汪主席在廣東親閲國軍〔照片〕 17
大砲一聲響黄金萬兩 劉勤 18〜20
銀錠橋話往圖記 張江裁 18〜19
我與日本(七) 楊鴻烈 21〜23
本刊創刊四週年紀念大徴文 『華文大阪毎日』編輯處 24
阿留西安群島的急襲上陸!〔畫刊〕 25〜27
新中國兩年來的戲劇運動 魏建新 29〜32
抒情漫畫小譚 王金錬 32
短篇創作
年前 周正 33〜34
售血者 但娣 34〜38
仇殺 王玉 38〜40
灰色的命運 舒放 40〜45
簡
秋夜小札 左洛 34〜35
槍後的書 黄軍 35〜37
寄幽冥 寒沙 38〜41
一封回信 痕 41〜42
詩
神女 柳黛 43〜44
我的供狀 陸拾 44
詩三首——生之末日/今日之歌/鄉思 盧克忠 45
無題 何行 45
木刻
東條首相/陳公博氏/王揖唐氏 王迎曉 33、37、41
檢煤碴 孫常非 42
禁 王青芳 44
保衛東亞 徐振之 45
日本美術介紹——金工(上) 馮貫一 46〜49
中華語文講座 白廷賛 50
日本語文講座 洪子博 50
編輯室 翡翠 51

第九巻第三期 第九十一號 一九四二年八月一日発行

封面 塞外駱駝隊 封面
目録 1
榕樹上的小孩子們〔照片〕 1
印度獨立第一步 城戸又一 2〜4
大英國的崩潰與立於岐途的埃及 横山正幸 5〜7
中國全體主義之實踐基礎 周毓英 8〜10
中國問題的解決 何海鳴 10〜12
儒家學説與中國文化(下) 呉家煦 13〜14
清鄉區的回顧與前瞻(上) 魏建新 15〜17
東亞文藝復興的基本問題(上) 陳貞 18〜20
我與日本(八) 楊鴻烈 21〜23
戰時國際法(十二) 鄭吾山 24
畫刊
覺醒的古國・印度的獨立大會 25
再建的華北! 26〜27
日本歌舞伎劇源流 張歿 30〜32
散文
初試 芒苂 33〜36
林中 狂夢 33〜34
秋天的鷹之歌 麗凡 34〜35
床上 如水 36〜37
嶋田海相/李祖虞氏/林柏生氏〔木刻〕 王迎曉 34、36、44

詩
　深夜／激情之獻／贈／清晨／靜中　冰旅　37
　哀景山　靳辛流　38
　碎詩片片　羅靈　38～39
　前路　四幸　39
　夢　一颯　39
綠影〔小説〕　沙青　40～45
日本美術介紹——金工（下）　馮貫一　46～49
日本語文講座　洪子博　50
中華語文講座　白廷萱　50
編輯室　海　51

第九卷第四期　第九十二號
一九四二年八月十五日發行

封面　夏之海　封面
目錄　1
爪哇海面的日本哨戒艦〔照片〕　1
東亞共榮圈之法的性格　前原光雄　2～4
我與中國文人交游記　谷崎潤一郎　5～8
敬告渝方文化界同胞書　光甫　9～10
中日文化交流座談會
　來賓：奧平定世／有馬健之助／山本修二
　／金子二郎／張源祥／角田敬三／深山杲
　／木谷千種／佐藤邦夫。本社：石川欣一
　／三池亥佐夫／鄭吾山／李景新／陳漪堃
　／蘇瑞麟　11～13
東亞文藝復興的基本問題（下）　陳貞　14～15
清鄉區的回顧與前瞻（下）　魏建新　16～17
食糧增產之理論與實際　陸廸康　18～19
我與日本（完）　楊鴻烈　20～23
戰時國際法（十三）　鄭吾山　24
畫刊
　東亞的新經濟加强　25
　積極的造船建設　26～27
釣魚叢談（一）　裴明　30～33
評與感
　讀書小記　支援　34～35
　當我讀完了「嘉々」之後　至剛　34～35
童話
　話匣子的悲哀／梟鳥／狐和驢　葛筆　36～38
褚民誼氏／梅思平氏〔木刻〕　王迎曉　38、43
挑夫〔木刻〕　王青芳　39
散文
　路・海之吟　紀水　39
　夾竹桃的花簪　蓀瑛（譯）　40
　野捲簾花　王金鍊　40
嫩江河畔〔小説〕　穆穆　41～45
苦難〔木刻〕　徐成　45
日本美術介紹——窯工（上）　馮貫一　46～49
日本語文講座　洪子博　50
編輯室　明夷　51

第九卷第五期　第九十三號
一九四二年九月一日發行

封面　菲島的種田風景　封面
目錄　1
起來了！亞細亞的青年們〔照片〕　1
英帝國必滅論
　楠山義太郎（作）／保祿（譯）　2～5
怎樣建設大東亞文化？　吳家煦　6～10
巴達維亞街頭日本語的研究熱〔照片〕　10
大東亞戰爭中英美的宣傳　何非　11～12
上海之文化界　野丁　13～16
事變前的中國新聞事業　朱明　17～20
釣魚叢談（二）　裴明　21～23
戰時國際法（十四）　鄭吾山　24
畫刊
　野村・來栖兩大使昭南島入港　25
　大東亞的黎明　26～27
駐日大使徐良氏會見記　柳黛　30
童話兩篇——臭蟲及其鬼魂／蠅與蛆　潘中一蛀　31～33
落花／別之刹那〔詩〕　陸白人　33
評與感
　「綠影」簡評　葛筆　34
　兩篇讀後感　風人　34～35
　「感」二題　黎笳　35
懷念〔散文〕　芳田　36～37

病及其他〔散文〕　姜千里　37
銅指環〔小説〕　綠萍　38～40
査驗〔木刻〕　張武　39
慈善者〔小説〕　椿　40～41
邂逅〔小説〕　稷客　42
從「上海漫畫學會」談到華中漫畫界　劉子　43～45
日本美術介紹——窯工(中)　馮貫一　46～49
編輯室　50

第九巻第六期　第九十四號
一九四二年九月十五日発行

封面　吉林之鵜船　封面
目錄　1
巴里舞〔照片〕　1
新國民運動之意義及其性格〔座談會〕
國府：林柏生／李聖五／丁默邨／葉蓬／任援道／李士群／陳之碩／鍾任壽。日本方面：松井／寺岡／好富正臣／清水董三／永井／朝比奈策太郎　2～6
德蘇戰爭的動向　馬場秀夫　7～9
和平教育理論體系的樹立　孫育才　10～11
苔岑詩壇
王揖唐／楊圻／岡田兼一／江洪杰／庄司乙／土屋久泰　10～11
渝軍内幕之一斑及其他　太玄　12～17
杜工部詩的新檢討　陳寥士　18～20
釣魚叢談(三)　裴明　21～23
戰時國際法(十五)　鄭吾山　24
日本全國體育大會〔畫刊〕　25～27
北京萬柳堂小志　張江裁　29～30
北京伶人之今昔觀　恨吾　29～31
今後的新女性　張瑾　30～31
馬年「馬」外談　辛生　31～32
中國文化的新發源地　孫祖惠　32
無恥的考拉〔小説〕
L・修士(作)／劉針(譯)　33～35
鄉中記事〔散文〕　丁卜人　36～37
死的創痛〔散文〕　華透　37～38
未凋題辭〔散文〕　黃軍　38
人〔小説〕　王往　39～41
屠門〔木刻〕　孫常非　40
生之牧鞭〔小説〕　鐵漢　42～43
梅雨〔小説〕　王崇仁　43～45
日本美術介紹——窯工(下)　馮貫一　46～49
日本語文講座　洪子博　50
編輯室　51

第九巻第七期　第九十五號
一九四二年十月一日発行

封面　日本農收風景　封面
目錄　1
迎着建國十週年的滿洲南嶺之戰跡〔照片〕　1
歐洲第二戰線的趨向　永戸政治　2～4
所羅門海戰的教訓　本刊記者　5～7
苔岑詩壇
汪兆銘／鵜澤總明／夏敬觀／陳道量／富永禮／岩溪晋　6～7
論政治的戰略　周毓英　8～9
蘇聯戰敗的因果觀測　陸元懽　10～12
廣播教育之理論與實施　劉邦興　13～15
華僑移殖南洋之史蹟　曉星　15～16
如何推進南洋華僑教育　昭明　17
周佛海氏〔木刻〕　王迎曉　17
老子之文學研究　王豈　18～19
釣魚叢談(四)　裴明　20～23
戰時國際法(十六)　鄭吾山　24
畫刊
史太林格勒攻擊戰　25
南方之舞　26～27
本刊擴大機構啓事
大阪毎日新聞社／東京日日新聞社　29
小品
七月十五日　蕭強　30
中秋節時　呂公眉　30～31
蛛絲雨　魯丁　31
燈　藍苓　31～32
夏末小集　鄭蕪　32
斗室小記　辛愷　32～33

詩
祈雨　凌文　30
鐵窗　王德亭　30～31
我的歌聲　氷旅　32
枯槐頌　何行　32～33
簡
不算血書　寒沙　34～35
心訴　如水　35
評與感
讀「綠影」後　田野　36
「嫩江河畔」讀後　陳述　36
希冀〔小説〕　張砥　37～46
秋收〔木刻〕　靳錚　41
征途〔木刻〕　王青芳　42
畫室〔木刻〕　張岑　44
母子〔木刻〕　葉未行　46
日本美術介紹——染織與衣服（上）　馮貫一　47～49
日本語文講座　洪子博　50
編輯室　51

第九卷第八期　第九十六號
一九四二年十月十五日発行

封面　柿　封面
目錄　1
天高馬肥〔照片〕　1
孔子之教與中日邦交　陳彬龢　2～4
明日世界之國家聯合　張雲笙　4～8
痛論强化　周毓英　8～10
晉南文化的第一線　王厂　11～12
日本家族制度之特徴　致遠　13～14
歐陽予倩在桂林　鳳平　14
日本美術介紹——染織與衣服（下）　馮貫一　15～18
故名畫家金拱北先生評傳　鄭秉珊　19～20
釣魚叢談（完）　裴明　21～22
由素描談到筆觸　王金鍊　22
戰時國際法（十七）　鄭吾山　23
畫刊
平沼特使等訪華集　25
時事特輯　26～27
華北文藝特輯
熱與冷〔小説〕　蕭艾　29～31
槐花篇〔小説〕　吳明世　31～35
燕〔詩〕　白林　33
霜〔小説〕　璇玲　35～37
未完成的傑作〔小説〕　共鳴　37～39
赤心淚〔小説〕　歐陽斐亞　39～42
韋馱菩薩的故事〔小説〕　司空彥　42～43
唐吉〔小説〕　沙里　43～45
蝸牛〔隨筆〕　蕭菱　46
夢〔隨筆〕　艾玲　46～47
過客語〔隨筆〕　宇文古易　47～48
晨〔隨筆〕　揚子江　48～49
鄉景〔隨筆〕　王眞夫　49～50
感〔隨筆〕　東方雋　50～51
婚後〔隨筆〕　張金壽　51～52
編輯室　魯風　52

第九卷第九期　第九十七號
一九四二年十一月一日発行
創刊四週年紀念號

封面　新京秋景　封面
目錄　1
日本的造船界〔照片〕　1
大東亞戰爭中所見之種種　林柏生　2～3
全體主義與東方文化精神　關埜屋　4～6
四年來的體驗與教訓　趙如珩　7～8
元曲家喬吉之生平及其著作　仲玉　9～13
倚欄〔木刻〕　張淑蘭　10
叫苦連天〔木刻〕　張淑華　11
無題〔木刻〕　王青芳　13
本刊創刊四週年紀念大徵文當選小説——夜航　藍苓（作）／比亞（畫）　14～21
幻〔簡〕　劉萼　22～23
戰時國際法（十八）　鄭吾山　24
畫刊
軍刀研磨工作的女性們　25
戰時的日本科學陣　26～27

本刊創刊四週年紀念大徵文掲曉　29
目睹之大上海文獻環寶——松太十縣方志紀要　陳端志　30～33
日本文學史要（上）　兪寄凡　34～36
苔岑詩壇
梁鴻志／李宣倜／松林篤／對馬機／傅子餘／古澤幸吉／土屋久泰　35～36
本刊創刊四週年紀念徵求連續漫畫發表——吾國與吾民（一）　竇宗淦　37
隨筆
瓜棚閒話　陳學稼　38～39
登高　南薫　39～41
步孔誕前夜月　龔意平　40～42
閒話酒與文學　陳柱　42～43
棄婦的幽訴〔詩〕　克幻　43
日本美術介紹——人形　馮貫一　44～46
揖愛記（一）〔小説〕　黄君匋（作）／南宮吉（畫）　47～50
編輯室　51

第九卷第十期　第九十八號
一九四二年十一月十五日発行

封面　日本女子練成之一景　封面
巴達維亞回教徒們之禮拜情況〔照片〕　1
目錄　1
大東亞文化之開展　周毓英　2～5
中國的新青少年運動——陳本刊編輯同人與林柏生氏對談記　陳漪堃／林柏生　6～7
新新疆與盛世才　陳彬龢　8～9
本刊創刊四週年紀念大徵文當選作品——十年後的大東亞　石瑩　10～14
汪主席像／李士群像〔木刻〕　王迎曉　12、14
四十年戲劇生活　梅蘭芳　15～18
南方的構想（一～三）〔畫・文〕　橋本關雪　16、17、18
文化短訊　19
遊民〔小説〕　伊班涅兹（作）／山葉（譯）　20～21
跳舞的熊〔小説〕　愛甲尼・巴遜尼（作）／秀士（譯）　21～23
故都風光〔木刻〕　徐青之　22
文壇隨感　博奮　23
戰時國際法（十九）　鄭吾山　24
畫刊
新民會全體聯合協議會盛況　25
南方繪卷　26～27
鐵窗生活實紀（一）　楊光政（作）／李是聞（畫）　29～32
談歐美派　亢德　33
絶裾〔短劇〕　仲文　34～35
斜陽〔木刻〕　舒以　35
從尊敬與親愛説起　傅彦長　36
日本文學史要（中）　兪寄凡　37～40
漫談隨筆　五十嵐力（作）／潔茜（譯）　40
本刊四週年紀念大徵文漫畫當選作——吾國與吾民（二）　竇宗淦　41
關於新文學運動　龔持平　42
日本美術介紹——朝鮮美術（上）　馮貫一　43～45
現代中國繪畫諸傾向　陳心禾　46
揖愛記（二）〔小説〕　黄君匋（作）／南宮吉（畫）　47～50
編輯室　曉森　51

第九卷第十一期　第九十九號
一九四二年十二月一日発行

封面　熱河所見　伊藤慶之助（畫）　封面
目錄　1
冬天裡的櫻花〔照片〕　1
大東亞戰爭下的電影政策及其創造　徐公美　2～10
南方的構想（四～八）〔畫・文〕　橋本關雪　4、6、7、8、10
本刊徵求「報告文學」「青年之聲」「讀者意見」　『華文大阪毎日』編輯部　11
土耳其的中立問題　方濟　12～13
學藝知識　13、38
四週年紀念大徵文當選小説——黄金色的貝

殻　呉山青(作)／陳一萍(畫)　14～20
生與死〔簡〕　狂夢　20
日本文學史要(下)　兪寄凡　21～23
「希冀」評集　陳時／白文／風人　24
畫刊
　護衛北方　25
　第十三回明治神宮國民錬成大會　26～27
文化短訊　29
本刊四週年紀念大徵文當選作品——和平文化的指標　沐華　30～34
本題的審査意見　楊光政　30～31
聞人軼事　薄田泣菫　34
中國近代元首印象記(一)　江亢虎　35
鐵窗生活實紀(二)　楊光政(作)／李是聞(畫)　36～38
漫畫・木刻・素描專頁　北燕／灑零／葉未行　39
伊藤慶之助先生訪問記　呂風　40
本刊四週年紀念大徵文漫畫當選作——吾國與吾民(三)　竇宗淦　41
日本美術介紹——朝鮮美術(中)　馮貫一　42～44
揖愛記(三)〔小説〕　黃君匋(作)／南宮吉(畫)　45～49
編輯室　大蓼　50

第九巻第十二期　第百號

一九四二年十二月十五日発行

大東亞戰爭一週年　本刊一百號紀念號

封面　滿洲之冬　封面
目錄　1
日機出發轟炸夏威夷時之艦上送別情形〔照片〕　1
大東亞戰爭一週年　本刊一百號紀念　2
大東亞戰爭一週年蹴破了美英的包圍陣〔地圖〕　3
一年的回顧〔照片特輯〕
　馬來作戰／菲島作戰／緬甸作戰／東印度作戰／阿留地安攻略戰／珊瑚海海戰／所羅門海戰　4～6
冬將軍上臺後的歐洲戰線　楠山義太郎　7～9
中國近代元首印象記(二)　江亢虎　10
文化短訊　12
散文
　秋窗集　林子　13
　水夜笛　公孫嫵　13～14
　風雨抄　蘇鳳羽　14～15
　雨　荷山　15
　白髮吟　張止戈　15
聞人軼事　薄田泣菫　15、50
徵文當選小說三篇讀後的私見　傅彥長　16
四週年紀念大徵文當選小說——星光　王靜(作)／松見(畫)　16～22
戰時國際法(二十)　鄭吾山　23
學藝知識　23
畫刊
　大東亞戰爭一週年　25
　南方建設一年　26～27
光之子〔童話〕　鄉吟　29
談苦茶庵〔散文〕　挹彭　30
寂靜的房子〔小說〕　高爾滋華綏(作)／劉嘉祿(譯)　31～32
詩
　黃昏之獻　紀水　32
　枕頭　查顯琳　32
　白描　楊濤　32
本刊四週年紀念大徵文漫畫當選作——吾國與吾民(四)　竇宗淦　33
鐵窗生活實紀(三)　楊光政　34～36
四十年戲劇生活(二)　梅蘭芳　37～39
南方的構想(九、十)〔畫・文〕　橋本關雪　38、39
漫畫・木刻・素描專頁
　馬午／金風／楊孚舜／王青芳／梁津／吳學禮／陳應／李桂英／高炳華／平凡　40～41
日本美術介紹——朝鮮美術(下)

揖愛記(完)〔小説〕　馮貫一　42～45
黄君匋(作)／南宮吉(畫)　46～50
編輯室　魯風　51

第十巻第一期　第百一號

一九四三年一月一日発行

滿洲文藝特輯

封面　女　呂風(畫)　封面
天下事　1
目錄　1
獻給汪國民政府主席　吉岡文六　2～4
三個地中海戰爭　長岡克曉　5
一年來文化界總檢討(一)
一年來的華北文藝界　羅特　6～8
一年來的華中文藝界　徐衡　9～11
一年來的中國電影界　白心　11～13
一年來的上海漫畫界　亦庵　13
一年來的華北漫畫界(上)　吳宇　14～16
鐵窗生活實紀(四)　楊光政　17
中國近代元首印象記(三)　江亢虎　18
文化短訊　19
四十年戲劇生活(三)　梅蘭芳　20
本刊四週年紀念大徵文漫畫當選作——吾國
與吾民(五)　竇宗淦　21
漫畫・木刻・素描專頁
孫常非／葉未行／江棟良／季瀾／友言　22
本刊四週年紀念大徵文漫畫當選作——時代
的誕生(一)　藍讀　23
戰時國際法(二十一)　鄭吾山　24
默默挺身〔畫刊〕　25～27
滿洲文藝特輯
白藤花〔小説〕　支援　29～33
霜葉〔散文〕　公眉　32
故鄉的家〔小説〕　藍苓　34～38
再來的日子〔散文〕　里雁　36
憂鬱的月夜〔小説〕　孫吳　38～39
棉花〔小説〕　任陶　40～44
盆竹〔散文〕　孟復　43
哥哥〔小説〕　石靑　44～50
阿里堀〔小説〕　磷映　47
古城〔詩〕　石鳴　49
小溪〔詩〕　曉津　49
學藝知識　33
聞人軼事　薄田泣菫　50
編後　51

第十巻第二期　第百二號

一九四三年一月十五日発行

華北文藝特輯

封面　講武　生田花朝女(畫)　封面
天下事　1
目錄　1
新國民運動與新民會　橘淸志　2～3
大東亞的基礎　原一郎　4～6
積極挽回敗勢的反樞軸陣〔地圖〕　7
一年來文化界總檢討(二)
一年來的中國出版界　馬司亞　8～12
一年來的華北話劇界(上)　王則　13～17
一年來的華北漫畫界(下)　吳宇　18～20
學藝知識　12、14、21
新年偶感　林柏生　17
藝術情況之感想　陳抱一　20
中國近代元首印象記(四)　江亢虎　21
漫畫・木刻・素描專頁
董天野／楊孚舜／佚名／濟時／張子信／
家瑛　22
本刊四週年紀念大徵文漫畫當選作——吾國
與吾民(六)　竇宗淦　23
戰時國際法(二十二)　鄭吾山　24
畫刊
汪主席再度訪日　25
滿洲國陸軍々官学校　26～27
青年之聲
滿洲教育小言　海波　29
誰爲我們啓開這閉着的樊籠?　茁丁　29
鼓舞之書　潤心　29
鐵窗生活實紀(五)　楊光政　30～31

毛澤東與藍蘋　司馬史　32〜33
顧蘭君訪問記　柳黛　34
文化短訊　35
本刊四週年紀念大徵文漫畫當選作——時代的誕生(二)　藍讀　36
華北文藝特輯第二次(上)
幾句介紹話　張鐵笙　37
銀溪渡〔小説〕　雷妍　37〜42
海之旅〔視察隨感〕　郝慶松　38〜39
父與女〔小説〕　聞國新　42〜50
剪遊記〔視察隨感〕　王石子　44
不歸序〔詩〕　聞青　47
冀中行脚拾零〔視察隨感〕　陳松齡　48
過廣濟寺(外二首)〔詩〕　查顯琳　50
學藝知識　42
編後　魯風　51

第十巻第三期　第百三號
一九四三年二月一日発行
華北文藝特輯

封面　早春　福岡青嵐(畫)　封面
天下事　1
目錄　1
國民政府已對美英宣戰　2〜3
國民政府宣戰佈告　2
關於現時中國民衆之生活問題
一年來文化界總檢討(三)　張魯山　4〜6
一年來的滿洲話劇界　安犀　7〜11
一年來的華北話劇界(下)　王則　11〜12
關於「談尤譯『我是猫』」　東胡　12〜14
青年之聲
代農民請命　唐毅風　13
投稿難的呼籲　柏綠　13
一點希冀　莎　13
小學教師三個月〔報告文學〕　劉蒼　15〜16
學藝知識　16、36
本刊四週年紀念大徵文漫畫當選作——吾國與吾民(七)　竇宗淦　17
延安面面觀　沈田夫　18〜20
日本的陸軍少年航空兵〔畫刊〕　21〜23
文化短訊　25
本刊四週年紀念大徵文漫畫當選作——時代的誕生(三)　藍讀　26
漫畫・木刻・素描專頁　江棟良／思心／郭爽／若草／黃龍　27
華北文藝特輯第二次(下)
到北京去〔小説〕　鮮魚羊　28〜34
幾點感想〔視察隨感〕　張金壽　30〜31
天宿鎮〔小説〕　程心粉　34〜36
比隣〔小説〕　陳逸飛　37〜42
夜店〔視察隨感〕　馬秋英　39〜40
冀東之行雜感〔視察隨感〕　李羽沉　41
本刊徵求「報告文學」「青年之聲」　42
編後　43

第十巻第四期　第百四號
一九四三年二月十五日発行
滿洲文藝特輯

封面　北面的海　青木大乘(畫)　封面
天下事　1
目錄　1
大東亞戰爭之世界的意義　陳彬龢　2〜3
大東亞戰爭與中國財政　申蘭生　3〜6
愛國漢詩百人一首　6〜9
重慶的補給路〔地圖〕　10
一年來文化界總檢討(四)
一年來的滿洲文藝界　吳郎　11〜17
對宣傳的再認識　元懽　16〜17
本刊四週年紀念大徵文漫畫當選作——吾國與吾民(八)　竇宗淦　18
青年之聲
肅正態度　徐慶魁　19
醒々吧!酣睡的人們　白葦　19
現代青年所期望於雜誌者　墨元　19
學藝知識　19、42
戰時國際法(二十三)　鄭吾山　20
南方的女〔畫刊〕　21〜23
可以茶莊〔散文〕

內山完造(作)/呂蘊玉(譯) 25
兩種「中國通」
太田宇之助(作)/丙阜(譯) 25
鐵窗生活實紀(六) 楊光政 26〜27
本刊四週年紀念大徵文漫畫當選作——時代的誕生(四) 藍讀 28
漫畫・木刻・素描專頁
聞靑/江常/經羽/張季/張祥生/王册 29
糧(報告文學) 桑薪 30〜31
評「滿洲文藝特輯」 辛歌 32
小評「銀溪渡」及其他 常春藤 32
滿洲文藝特輯第二次(上)
香妃(小說) 爵靑 33〜38
盼新春(詩) 外文 37
沈落(小說) 秋螢 38〜40
在白頭山(小說) 勵行建 40〜42
奈何艸(詩) 成絃 41
執筆者介紹 呉郎 35
文化短訊 43
編後 44

第十卷第五期　第百五號

一九四三年三月一日發行

滿洲文藝特輯

封面　北京的小姐　田村孝之介(畫) 封面
天下事 1
目錄 1
世界戰爭的歸趨 劉希平 2〜4
歐洲共榮圈中樞的生產力(地圖) 4
革新生活的基本理論 陸元懽 5〜9
日本本土空襲的宣傳(圖解) 吉 10
今日戰時下德國的「國內戰線」 11
國際問題與文化 陳紹裴 12〜14
日本女服簡素美(一、二)
無線電機工場的勞働婦女
田村孝之介(繪・文) 14
書店的姑娘 中西利雄(繪・文) 27
談東方影戲 馮貫一 15〜17
學藝知識 17、20、26、43
本刊四週年紀念大徵文漫畫當選作——吾國與吾民(九) 竇宗淦 18
說報告文學 孟毅 19〜20
游刄集序 安犀 20
新中國的生產力(畫刊) 21〜23
戰時國際法(二十四) 鄭吾山 25
介紹俳句 晶孫 26〜27
文化短訊 28
靑年之聲
華北教育小言 裴闓 29
教育與良心 朱媞 29
爲北京教育當局進一言 陳鍾育 29
本刊四週年紀念大徵文漫畫當選作——時代的誕生(五) 藍讀 30
漫畫・木刻・素描專頁
莫斯科夫/何紹君/石偉/馬午/張淑華/巴炎 31
鐵窗生活實紀(七) 楊光政 32〜34
滿洲文藝特輯第二次(下)
殘缺者(小說) 山丁 35〜37
褚魁・陳遠和小珍珠(小說) 小松 37〜39
長煙(小說) 疑遲 39〜41
旅燕詩艸(詩) 金音 40
永生之靈(小說) 呉瑛 42〜43
執筆者介紹 呉郎 41
編後 44

第十卷第六期　第百六號

一九四三年三月十五日發行

翻譯文藝特輯

封面「梅香」 矢野橋村(畫) 封面
天下事 1
目錄 1
最近的世界情勢
印度會議/壓制下之印度/一九四四年/焦急着的美國/北菲美軍之慘敗 2〜4
通商破壞戰的經過 4
參戰國府的陣容 5
甘地翁絶食抗英 賀蘭 6〜7

華北文藝座談會
出席者：陳綿／柳龍光／聞國新／李景慈／梅娘／徐白林／陳松齡／郝慶松／陳邦直。本刊：石川／陳漪堃／鍾凌茹　8〜13
學藝知識　13、27、31
點・線・面的關係　張深切　14〜16
關於緬印國境的種々　16
戰鬪機的話　南宮吉　17〜18
蘇聯的電影和文學界　不文（譯）　19〜20
海南島的建設〔畫刊〕　21〜23
戰時國際法（二十五）　鄭吾山　25
當代日本女流小説家評介　冉邕　26〜27
街頭的蜘蛛〔報告文學〕　呉如倫　28〜30
讀詩亂彈　趙玄武　30〜31
漫畫・木刻・素描專頁
何紹君／東亮／任信／劉濟時／楊鮑／王仲　32
本刊四週年紀念大徵文漫畫當選作——時代的誕生（完）　藍讀　33
文化短訊　34
翻譯文藝特輯
親與子〔小説〕
國木田獨歩（作）／秉琪（譯）　35〜37
畢生事業〔小説〕
亥丁歇納（作）／石林（譯）　38〜40
雨〔散文〕
吉田絃二郎（作）／東美（譯）　39
我病篤的時候〔小説〕
左琴科（作）／劉振強（譯）　40〜41
蠶〔小説〕
小泉八雲（作）／白夢異（譯）　42〜43
跳蚤〔詩〕
G・亞波裡奈爾（作）／魯迅（譯）　43
名著介紹——『八旗藝文編目』　37
編後　44

第十卷第七期　第百七號
一九四三年四月一日発行
散文特輯

封面　琉璃鳥　山口華楊（畫）　封面
天下事　1
目錄　1
蘇聯實力的再認識　布施勝治　2〜4
莫斯科的様相〔通信〕　4
蘇聯之重工業中心〔地圖〕　5
史太林格勒的悲劇　渡邊善一郎　6〜8
春天的德蘇戰局　江東　7〜8
東亞共榮圈内人口密度與民族的構成　9
印度的繪畫　馮貫一　10〜14
文化短訊　15
漫畫・木刻・素描專頁
李眞／江常／王成／王册／青雲／平凡　16
中國農村報導（一）〔連載素描〕　朱少華　17
轟炸機的種種　南宮吉　18〜19
戰時國際法（二十六）　鄭吾山　20
學藝知識　20
畫刊
東條首相訪問國府　21
敗將顏色　22〜23
關於唐詩的助詞
豐田穰（作）／梅波（譯）　25〜27
談歷史小説　左洛　27〜28
日本四百字街頭小説
國際飯店
大下宇陀兒（作）／魯風（譯）　28
是誰的戰爭
石川達三（作）／魯風（譯）　28
青年之聲
達到光明須要我們的力量　陳超塵　29
名與實　陳介　29
商店夥計的話　萑蕾　29
婦女與職業　斐麗　29
希望　若梅　29
散文特輯
瘦馬、破舊的車　田野　30〜31
我們的先生　荷山　31〜32
紫色的憂鬱　沉遲　32〜33
海　山葉　32〜33
風箏　眉郎　33〜34

迢遠的星群　孟嘉　33～35
荻的小夜　常春藤　34～35
橋　林子　35～36
我認識的孩童　英哥　35～36
大頭的小孩　狂夢　36～37
寒村抄　張止戈　36～37
阿什河畔　支羊　37～38
路　依稀　37～39
晨曦　朝熹　38～39
螞蟻　九郎　39～40
冷月　乙梅　39～40
麻雀　辛歌　40
友人　姜千里　40～41
夢　藍苓　41
夢與青春　朱媞　42～43
島崎藤村語録　島崎藤村(作)／魯迅(譯)　41
編後　44

第十巻第八期　第百八號
一九四三年四月十五日発行
童話・民間傳説特輯

封面　櫻　麻田辨次(畫)　封面
天下事　1
目錄　1
戰爭是怎樣起來的?　F・狄維斯／A・K・林德蘭　2～7
大東亞(土耳其新聞的一篇論説)　7
美國軍事生產力的分析　8
所羅門群島詳圖　9
日本四百字街頭小説
座席　吉屋信子(作)／魯風(譯)　10
期待　白井喬二(作)／魯風(譯)　10
戰史　火野葦平(作)／魯風(譯)　11
獻給海　葉山嘉樹(作)／魯風(譯)　11
談宣傳文字　陸元懽　10～11
鐵窗生活實紀(八)　楊光政　12～14
中國農村報導(二)〔連載素描〕　朱少華　15
動亂追記〔報告文學〕　仰正　16～17
學藝知識　17
關於華北的木刻界　穆羊　18～19
文壇隨感　博奮　19
文場新臉譜　馬不烈　19～20
附白　編者　20
畫刊
國府還都三週年紀念　21
爪哇的花草　22～23
神戸理事府(上)　汪向榮　25～27
日本的舞蹈　小寺融吉(著)／冉邕(譯)　28～32
漫畫・木刻・素描專頁　瓦須黎・瑪修丁／孫常非／朱古　33
童話・民間傳説特輯
池邊的春天　鄉吟　34～35
高爾基『俄羅斯童話』第十四篇——沒頭虫　高爾基(作)／魯迅(譯)　35
科學家和他的人形　椰子　36～37
鼠的故事　秦旡度　38～39
滿洲傳説抄——狗咬瀋陽／風颳卜奎／火燒船廠　張蕾　40～42
文化短訊　43
編後　44

第十巻第九期　第百九號
一九四三年五月一日発行
新生緬甸特輯・詩歌書簡特輯

封面　牡丹　黒田重太郎(畫)　封面
天下事　1
目錄　1
新生緬甸特輯
新生緬甸與東亞民族之興隆　平野義太郎　2～3
緬甸民族宣言　達金奴　3～4
緬甸行政府長官・巴莫氏　江東　5
緬甸的面積與人種〔地圖〕　6
緬甸佛蹟巡禮　7～10
德蘇新戰局之展望　前芝確三　11～13
北菲戰線〔地圖〕　12

日本國體千字文　高津寅次郎　13
各國赤字公債的累積〔圖表〕　14
青年之聲
　農民將如何增產　曼軍　15
　革新青年教育的問題　艾磊　15
　乾而枯的教育　紫哨　15
中國農村報導(三)〔連載素描〕
　朱少華　16
爪島血鬪記　森川賢司　17～20
畫刊
　陳公博特使訪日　21
　還都三週年的江南早春　22～23
神戸理事府(下)　汪向榮　25～28
日本四百字街頭小説
　船長　豐田三郎(作)／曉森(譯)　28
　光遠之妹　菊池寛(作)／曉森(譯)　28
漫畫・木刻・素描專頁
　漢斯・巴比／江棟樑／趙始昂／張經羽／
　一士　29
航空母艦　南宮吉　30～31
詩歌書簡特輯——詩
　不新鮮的歌　宋泛　32～34
　沙漠之旅　藍苓　34～35
　南營夜・燕子　柳金　35～36
　白屋廢詩　登漢　36
　領布　蒼影　36～37
　葦花(天壇)　聞青　37
　湖上　楊濤　37
　雪訊　桑薪　37
　雲・鹿　曲晚　37～38
　野孩子　端木麗文　38
　瀋陽詩草　林火　38～39
　七月的黃昏　常春藤　39
　歌者外一章　氷旅　39
　舊邊城　華青　39～40
　送煤夫　沈遲　40
　殘破的新年　宋泛　40
　童工　于雁　40～41
　老馬　何一鴻　41
　沈悶的駝鈴　夏寧　41
　太廟　查顯琳　41
　微思　王證　41
詩歌書簡特輯——簡
　松江箋　余冶　32～33
　燕雜之書　辛愷　33～36
　罪與罰　三弟　37
　寄　高亢　38～40
　失題小札　范一民　40～41
文化短訊　42
編後　43

第十巻第十期　第百十號

一九四三年五月十五日発行

雜文特輯

封面「青衣」　三宅凰白(畫)　封面
天下事　1
目録　1
全體主義的民族觀念　呉一琴　2～10
國府參戰與東亞民族之興隆
　平野義太郎　8～9
反樞軸歐洲上陸作戰的謀略〔地圖解説〕　11
都市風景線〔報告文學〕　盧斯　12～14
中國陶磁器(上)　冉邕　14
鐵窗生活實紀(九)　楊光政　15～17
文化短訊　18
畫刊
　敬贈同光大勳章　19
　鍛鍊之春　20～21
神戸和大阪的華僑　李達生　23～25
日本街頭詩
　太陽之子
　　野口米次郎(作)／不文(譯)　25
　新秩序
　　薄田泣菫(作)／安東亀太郎(譯)　39
孤島夜曲〔詩〕　夏穆天　26～29
中國農村報導(四)〔連載素描〕
　朱少華　30

漫畫・木刻・素描專頁　馬午／王冊／劉濟時／季瀾　31
雜文特輯
京派談林　呉公汗　32～35
關於喫人肉　蕭森　33～36
湊個趣　司空彥　35～36
文章雜談　張章　36～38
關於文藝批評　鮑風　37～39
素描與抒情漫畫的血緣　王金鍊　39
編後　40

第十卷第十一期　第百十一號　一九四三年六月一日発行

封面　安藝嚴島　池田遙邨（畫）　封面
天下事　1
目錄　1
對華新政策與華北　橘善守　2～4
世界第一――蘿佛列夏花　4
歐洲的決戰形態　岩井良太郎　5～7
復興中華與保衛東亞　樊仲雲　6
共榮圈内的宗教〔地圖解説〕　8
星空（一）（大東亞民族小説當選作）　小畑柿三（作）／丁佐久（譯）　9～13
中國陶磁器（下）　冉邕　14～17
文化短訊　18
畫刊
東條首相訪問菲律賓　19
喇嘛廟　20～21
留日華僑座談會
政府方面：戴策／馬玉生／汪向榮。僑務團體方面：朱華。僑胞代表方面：何芍筵／陳洞庭／唐化南／詹延英／任傅伯／呉振東／易彜伯／杜雨樵／梁永恩／李電英／鮑金鉅／簡達明／林金次／丁聽●／林慶英／楊家達／司子明／鄭維芬／孫景三／崔善德／楊牟民。本刊：引田哲一郎／編集員全體　23～27
青年之聲――爲滿洲的出版界一哭　周騷　27
漫畫・木刻・素描專頁　馬午／達姆留・亢姆背爾替／芝娜／王寧　28
中國農村報導（五）〔連載素描〕　朱少華　29
從媒婆説起〔散文〕　趙玄武　30～31
學藝知識　31
驢皮影〔隨筆〕　黄軍　32～37
母親的異訓〔小説〕　那居　32～35
夜沉々〔小説〕　炉火　36～38
南方情歌選――馬來戀歌〔歌詞〕　38
編後　39

第十卷第十二期　第百十二號　一九四三年六月十五日発行

封面「耕作」　中野草雲（畫）　封面
天下事　1
目錄　1
總力參戰的理念及其實踐　林柏生　2
西北問題　陳濟成　3～6
湖畔的姑娘（日本四百字街頭小説）　上田廣（作）／曉旅（譯）　6
大東亞自給圈的構想　石原廣一郎　7
世界第一――最大的金剛石　7
南方共榮圈資源圖〔圖解〕　8
星空（二）（大東亞民族小説當選作）　小畑柿三（作）／丁佐久（譯）　9～13
理性與批判　張深切　14～17
上海的副刊及雜誌　羅雅子　17～18
畫刊
南海前線　19
巴里島的生活　20～21
鐵窗生活實紀（完）　楊光政　23～27
魯迅書簡鈔　人（譯）　27
漫畫・木刻・素描專頁　影肖／李見／江常／戈文・拉凡拉脱／劉濟時　28
中國農村報導（完）〔連載素描〕　朱少華　29

緬甸的美術　馮貫一　30〜32
黎明的挿曲〔小説〕　宋泛　33〜35
沙漠間的故事〔小説〕　丹梠　35〜38
服裝閒話〔雜文〕　冷夜　36〜37
森林的誘惑〔詩〕
阮江(作)／鐵漢(譯)　38
文化短訊　39
編後　40

第十一巻第一期　第百十三號
一九四三年七月一日発行華北文藝特輯

封面　小姐　中村貞以(畫)　封面
『存華挫狄論』――佐藤信淵先生的卓見
楢崎觀一　1〜3
目錄　1
不平等條約的取消和中國國民　劉興　4〜5
孔子精神猶存論　川村宗嗣　6〜8
世界第一――最深的海溝　8
戰爭的世界〔解説圖〕　9
星空(三)(大東亞民族小説當選作)
小畑柿三(作)／丁佐久(譯)　10〜14
學藝知識　14
印度的建築　馮貫一　15〜18
畫刊
爪哇風光　19
山本元帥國葬　20〜21
優美的中國藝術　王異　23〜24
本刊創刊五週年紀念大徵文
『華文毎日』編輯處　24
漫畫・木刻・素描專頁
若草／池田三郎／高炳華／白光　25
華北文藝特輯(上)
揭起鄉土文學之旗　上官箏　26〜32
大蓮〔小説〕　楊鮑　32〜34
蜜桃餡的粽子〔小説〕　呈分　35〜37
恭悼・山本元帥〔詩〕　鶏澤總明　36
文化短訊　38
編後　39

第十一巻第二期　第百十四號
一九四三年七月十五日発行
華北文藝特輯

封面　小姐　秋野不矩(畫)　封面
致中國友人書　松本鎗吉　1〜3
目錄　1
對于中日經濟新開展的意見
積極增產與開發內地　呉震修　4
「經濟提携」首在眞心的連繫　殷汝耕　4〜5
一掃對日疑慮　木村增太郎　5〜6
建立現地工業　津島壽一　6
東亞民族精神論　丁元普　7〜8
星空(四)(大東亞民族小説當選作)
小畑柿三(作)／丁佐久(譯)　9〜13
印度的咆哮　匡時　14〜16
『中日事變解決的根本途徑』〔書評〕　任重　16〜17
封面畫作者介紹　17
文化短訊　18
畫刊
獨立的呼聲與實現　19
來自北部蘇門答臘　20〜21
漫畫・木刻・素描專頁
劉濟時／王惕／王成／李公啓／王册　23
南方介紹
安南的婦女　松尾邦藏　24〜25
南方結婚風俗　井出季和太　26〜27
世界第一――飛機上昇最高紀錄　27
華北文藝特輯(下)
一条心〔小説〕　蕭艾　28〜33
紫屋〔小説〕　蕭菱　30〜31
蜀道上〔詩〕　顧視　34
賭徒〔小説〕　張金壽　35〜38
編後　39

第十一巻第三期　第百十五號
一九四三年八月一日発行

封面　富獄　西山翠嶂(畫)　封面

中華民國參戰下之三大急務——汪主席與本社下田主幹會談記 1～2
目錄 1
强化新中國經濟之途徑——周國府財政部長及本社下田主幹對談 2～3
英國的悲劇 德富蘇峰 4～6
「第三國際」的解散與「中共」的突變 蔣中俊 7～8
中日文化關係的展開 藤澤親雄 9
爲五百萬頭顱鳴不平 10
躍進的滿洲／南方都市的人口〔圖解〕 11
記創造社(上) 史蟫 12～13
苔岑詩壇 王揖唐／今關壽／土屋久泰 13
星空(五)(大東亞民族小說當選作) 小畑柿三(作)／丁佐久(譯) 14～18
畫刊
印度獨立國民軍 19
東條首相南行錄 20～21
文化短訊 23
南國風土攝影集 松尾邦藏 24～25
關於傀儡戲 馮貫一 26～27
母子〔小說〕 王丹 28～34
科爾沁底六月〔詩〕 高嵩 31～36
靜土菴〔小說〕 畹人 32～34
深夜〔小說〕 如水 34～35
上海雜誌聯合會在期望下誕生了 雅子 34～35
由「從媒婆說起」想到北方文藝界 張止戈 36
談長篇兩部 寒蹤 37～38
福氣〔散文〕 丁丁 38
世界第一——最年幼的國王 38
編後 39

第十一卷第四期　第百十六號
一九四三年八月十五日発行
滿洲文藝特輯

封面　桔梗 金島桂華(畫) 封面
寄中國姐妹們 阿部靜枝 1～4
目錄 1
世界第一——最高的山案 4
德國的蘇聯「再評價」 馬場秀夫 5～7
反軸心國的食糧問題 詹姆士・派登 7～8
國際新語——美國海事委員會 8
優秀的日本環境〔圖解〕 9
米國的黑人〔圖解〕 9
泰國的美術 馮貫一 10～12
滑翔機 弓早 13～14
岐路(一)〔小說〕 福德勝 15～18
大空神兵〔畫刊〕 19～21
漫畫・木刻・素描專頁 喬治・布代／栢江／白光／馬午／黃龍 23
南國風土攝影集 松尾邦藏 24～25
記創造社(下) 史蟫 26～28
苔岑詩壇 國分高胤／仁賀保成人／黃孝紓／陳道量／佐藤知恭／森太郎人／服部莊／土屋久泰 27
陳雲裳訪問記 劉美君 29
吃煙的科學 柳黛(譯) 30
滿洲文藝特輯(上)
草原風雨〔小說〕 田兵 31～34
執筆者介紹 吳郎 32
孩提夢〔詩〕 冷歌 33
烏龍背〔小說〕 戈禾 34～36
船廠行〔詩〕 冷歌 36
想起旅館居住六年間〔隨筆〕 吳郎 37
文化短訊 38
編後 39

第十一卷第五期　第百十七號
一九四三年九月一日発行
滿洲文藝特輯

封面　慈菇 方洺(畫) 封面
「有武事者必有文備」 鹽谷溫 1～4
目錄 1
苔岑詩壇 汪兆銘／川田瑞穗／土屋久泰 4

宮島大八先生傳　平貞藏　5〜7
新緬甸史的誕生　長岡來造　8
租界收回後之中國經濟　李權時　9
世界三大決戰場　10
岐路(二)〔小説〕　福德勝　11〜14
南國風土攝影集　松尾邦藏　15〜16
緬甸建國之日〔畫刊〕　17〜19
書於第二屆大東亞文學者大會之前　羅雅子　21
船(一)〔論文〕
和辻春樹(作)／皓帆(譯)　22〜24
記語絲社　史蟫　25〜27
世界第一——世界最速的飛機　27
漫畫・木刻・素描專頁
王冊／江棟樑／何紹君／王仲／郁鵬程／王禹　28
滿洲文藝特輯(下)
曠野裡的故事〔小説〕　但娣　29〜30
聖女篇〔詩〕　魔女　31
執筆者介紹　吳郎　31
黃騏〔小説〕　劉漢　32〜33
文化短訊　34
編後　35

第十一卷第六期　第百十八號
一九四三年九月十五日発行

封面　孔子之像　矢野鐵山(畫)　封面
大東亞共榮圈的建設　孟金　1〜4
目錄　1
苔岑詩壇　岩溪晋／曹樹聲／陳道量　4
「大東亞文學者決戰大會」簡誌　5
大東亞戰爭下中日婦女的責任　徐啓文　6〜7
苔岑詩壇
王揖唐／國分高胤／土屋久泰　7
明代之日本研究(上)　汪向榮　8〜11
岐路(三)〔小説〕　福德勝　12〜15
文學報國會第二次大會觀迎華滿蒙代表諸君
賦呈〔詩〕　鹽谷溫　15
文化短訊　16
畫刊
新聞　17
緬甸的結婚　18〜19
雜談「合羽版」　屠鞭　21
「記創造社」的補正　倉父　21
寶塚　徐爲　22〜23
船(二)〔論文〕
和辻春樹(作)／皓帆(譯)　24〜25
世界第一——世界最小的國家摩納哥／世界
人口最少的國家安道爾／歐洲最古的小國
聖馬力諾　25
南國風土攝影集　松尾邦藏　26〜27
漫畫・木刻・素描專頁
王禹／楊棣／張経羽／向啓／李桂英／王
冊　28
杏子結實的時候〔小説〕　劉蕚　29〜32
新都／古塔〔詩〕　蕭歌　31
古刹〔詩〕　荷山　31
小屋子裡〔小説〕　穀梁異　32〜33
漫談喜劇(上)　吳覇霄　33〜34
綠雲小簡〔散文〕　魯丁　34
編後　35

第十一卷第七期　第百十九號
一九四三年十月一日発行
大東亞文學者決戰大會特輯

封面　湖畔好日　粂本一洋(畫)　封面
目錄　1
「大東亞文學者決戰大會」特輯
粗描淡寫下的大會第一日　林鐘　1〜3
文學者大會的前奏曲　田誌　2〜3
言華(各地代表隨感集)
寫在「言華」之前　雅子　4
略有所感　陶亢德　4
本年度大會的收獲　河上徹太郎　4
眞誠與實行　吳郎　5

大會閉會後的一兩點感想 柳龍光 5
鮮明的自覺 王承琰 5～6
思想戰與必勝的信念 陳寥士 6
「三心」和「兩意」 魯風 6～7
滿洲青年 田兵 7
人和與大會的實踐 火野葦平 7
中日文化的交流問題 章克標 7
文學者大会的印象 吉屋信子 8
互識 周越然 8
偉哉日本文學者之精神 陳綿 9
合作與思想的鍊成 大内隆雄 9
期待新人出現 草野心平 9
共榮圏内的文學路線 謝希平 10
出席本屆大會後的感想 陳璞 10
感想 楊雲萍 10
步着曙光前進（日本大東亞省大臣賞） 阿魯茲羅・M・托林基諾 11
亞細亞的光榮（每日新聞社賞） M・R・蓓蕾拉 12～13
中共的組織 13
渝共相爭的現狀 赤谷 14～16
菲律賓獨立準備委員會委員長洛勒爾氏的印象 16
畫刊
菲律賓憲法草案完成之日 17
戰爭下之滿洲 18～19
緬甸獨立秘聞
巴莫博士脱險記 藤田福乎（作）／秋（譯） 21～22
另外的三件故事 中野喜一（作）／秋（譯） 22～23
明代之日本研究（下） 汪向榮 24～25
世界第一――世界最深的湖泊・蘇聯貝加爾湖 秋 25
船（三）〔論文〕 和辻春樹（作）／皓帆（譯） 26～27
俳句二首 田村木國 27
漫談喜劇（下） 呉覇霄 28～29
某少女底話（街頭小説） 芹澤光治良（作）／曉旅（譯） 29
岐路（四）〔小説〕 福德勝 30～33
少見多怪（一） 省白 33
文化短訊 34
編後 35

第十一卷第八期　第百二十號　一九四三年十月十五日発行

封面　蘇州 福田惠一（畫） 封面
與中國友人書 中山優 1～4
目錄 1
對於雙十節之展望 丁元普 5～6
國慶與國家 陳彬龢 6
東方大同思想 墨僧 6
復興的曙光 馮節 7
再建中國文化導論 呉鳴堂 8～10
中日兩國之女性會談 窪川稻子／關露 10～11
岐路（五）〔小説〕 福德勝 12～15
從沈寂裡走出來的――『青年文化』發刊前後（上）〔書評〕 呉杜 15
文化短訊 16
畫刊
世界大事 17
女性戰線 18～19
南國風土攝影集 松尾邦藏 21～22
船（四）〔論文〕 和辻春樹（作）／皓帆（譯） 23～24
成層圏飛行及其將來〔論文〕 松浦四郎（作）／燕子（譯） 25～27
世界第一――世界第一之殲滅戰・唐寧白洛依大會戰 27
前路〔小説〕 劉詠蓮 28～31
伏爾加的洪流〔詩〕 廢丁 30
學藝知識 31
打開幔子〔散文〕 東皐 32
苔岑詩壇
國分高胤／井上哲次郎／杉溪言長／陳道量／土屋久泰 32
今日的散文界 魯植 33～34
倔强〔散文〕 林冷 33～34

編後 35
華北的京劇電影――拍攝『紅線傳』參觀記　李郡捷 36

第十一巻第九期　第百二十一號
一九四三年十一月一日發行
本刊創刊五週年紀念號

封面　北京玉泉山　矢野鐵山(畫)　封面
五週年紀念大徵文當選發表 1
選後隨筆　編者 1
目錄 1
中國革新之基本理論(五週年紀念大徵文當選作品)　矢眞 2～6
本刊五週年紀念名人題辭　張景惠／周佛海／林柏生／蔡培／王克敏 3,4,5,6,10
菲律賓獨立祕史(座談會)　木村惇／井澤實／木村毅／本社記者 7～10
岐路(六)(小説)　福德勝 11～14
世界第一――世界最大之捕鯨船・德國烏尼他斯號　秋 14
萬葉集抄(巻一)　張文華(譯) 15～16
從沈寂裡走出來的――『青年文化』發刊前後(下)(書評)　呉杜 16
圓規進化(評論)　鄭奠 16
畫刊
菲律賓第一任大總統洛勒爾氏的風采 17
新幾內亞東南角的居民 18～19
本刊五週年紀念當選時事漫畫　北野／陸少青／送玉男／可木／雨林 21
船(五・完)(論文)　和辻春樹(作)／皓帆(譯) 22～23
五週年紀念大徵文當選作品
透視(小説)　楊雲 24～26
新太陽(小説)　王羊 27～31
編者的話　白 31
新文化的創造　引田哲一郎 32～33
五年雜感　洛夫 32
一條踏過的足跡――略記創刊以來的本刊文藝版　曉旅 32～33
五週年感言　波良多 33
文化短訊 34
編後 35

第十一巻第十期　第百二十二號
一九四三年十一月十五日發行

封面　晴日　小野竹喬(畫)　封面
大東亞共榮圈建設理論(五週年紀念大徵文當選作品)　林鼎 1～5
目錄 1
德蘇戰線面面觀　馬場秀夫 5～6
漢譯西洋文化之日本傳人(上)　汪向榮 7～9
記胡適之　禪聲 10～11
天空轟炸問題之檢討　嚴懋德 12～13
世界第一――現存的最大動物・鯨 13
古都奈良一日錬成之旅　呂寶田 14～16
畫刊 17
記着吧！壯烈的「南太平洋海戰」 17
蘇門答臘的產業 18～19
漫畫・木刻・素描專頁　楊鮑／長城／丙昭／王成 21
南國風土攝影集　松尾邦藏 22～23
萬葉集抄(巻二)　張文華(譯) 24
五週年紀念大徵文當選作品
廖鳳梧(小説)　江槿 25～27
童心(小説)　張蘿 28～31
狂熱之歌(詩)　黃軍 32～33
日本印象記　顧鳳城 34
文化短訊 35
編後 36

第十一巻第十一期　第百二十三號
一九四三年十二月一日發行
大東亞戰爭二週年紀念號

封面　決戰下的女性　寺島紫明(畫)　封面
欣逢大東亞戰爭二週年紀念感言

引田哲一郎 1
目録 1
英國的將來 2～3
民族精神與民族性 張深切 4～6
漢譯西洋文化之日本傳人(下) 汪向榮 7～9
一個亟待實現的問題 羅雅子 9
回教問題及教育 何欽明 10
收回租界與文化再造 陳端志 11～12
臨近澳洲的西南太平洋諸島 嚴懋德 13～14
南方的民藝(上) 馮貫一 15～16
畫刊
大東亞民族的祭典——大東亞會議 17
大東亞民族之黎明 18～19
木刻專頁
何天雷／徐承振／張止戈／白光／艾果 21
南國風土攝影集 松尾邦藏 22～23
萬葉集抄(卷三) 張文華(譯) 24
學藝知識 24
罪惡與懲罰〔小說〕 田軍 25～27
旅愁(詩五章)〔詩〕 徐白林 27
隨筆
論情致 傅彥長 28
清談 顧鏞 28～29
世事 何其外 29
忙與閒 危月燕 29～30
朋輩之間 一颿 30
三葉詩抄〔詩〕 魯丁 31
心靈上的重擔〔書簡〕 黃軍 32～33
文化短訊 34
編後 35

第十一卷第十二期　第百二十四號　一九四三年十二月十五日発行

封面　紅蘿蔔 板倉星光(畫) 封面
中日締盟與大東亞會議 管翼賢 1～3
目録 1
建設大東亞之五大原則(上)
平野義太郎／神川彥松／杉森孝次郎 4～7
世界第一——朱特蘭大海戰 7
出版文化質的改善 方濟 8～10
苔岑詩壇
蔡培／謝祖元／國分高胤／土屋久泰 10
出席大東亞新聞記者大會各國代表在大阪 田誌 11
我所知道的陳獨秀 周越然 12～13
旅滬雜寫〔畫・文〕 竇宗淦 14～15
南方的民藝(下) 馮貫一 16
畫刊
大東亞新聞大會揭幕 17
新生爪哇 18～19
漫畫・木刻・素描專頁
李明／武錫新／平凡／劉濟時／可木 21
南國風土攝影集 松尾邦藏 22～23
萬葉集抄(卷四) 張文華(譯) 24～25
航海〔詩〕 朱媞 25
康德十年的滿洲文藝 吳郎 26～28
一年來的漫畫界 吳倫 29～30
文士精神 爻瑪 30
評『京西集』〔書評〕 張夫邁 31
像的故事〔小說〕 羅蜜爾 32～33
日本人的禮節 平方 34
文化短訊 35
編後 36

第十二卷第一期　第百二十五號　一九四四年一月一日発行　蒙疆文藝特輯

封面　小姐 中村貞以(畫) 封面
新歲獻詞 引田哲一郎 1
目録 1
中國之新國民運動 戴英夫 2～3
建設大東亞之五大原則(下)
宮澤俊義／杉村廣藏 4～5
苔岑詩壇
蔡培／千葉郁治／玉木懿夫／陳道量 5
英美在大東亞西部戰線之企圖 田中香苗 6～8

世界第一（完）——世界最小的生物・微生物　8
印度國民軍　大久保憲美　9
論音樂美（一）　張源祥　10〜11
棲霞一日旅　馬午　12〜13
大鐘之歌〔詩〕　胡波　13
訪鄧將軍墓　何心　14
活躍線上的人物　阪南生　15〜16
畫刊
日本無敵海軍雷擊機　17
朝氣蓬勃的菲律賓　18〜19
文化短訊　21
南國風土攝影集（完）　松尾邦藏　22〜23
一年來北京話劇演出總評　落雨　24〜25
學藝知識　25
滿洲一年的出版界　宋毅　26〜27
萬葉集抄（卷五）　張文華（譯）　28、11
蒙疆文藝特輯（上）
壯烈的心影〔小說〕　呉彥　29〜30
小言〔評論〕　王承琰　30
驢〔散文〕　王令　30〜31
哈巴嘎之夜〔小說〕　司空鹿　31〜32
玫瑰色的夢〔小說〕　品清　32〜33
夜記〔小說〕　穀梁異　33〜34
影（外二章）〔詩〕　杜若　34
三十年後的新世界——一個社會學家的預言　34
編後　35

第百二十六號　一九四四年二月一日発行
蒙疆文藝特輯
＊自本號起不標示卷・期数

封面　童舞　生田花朝女（畫）　封面
二月號目錄　1
大事小記　風　1
中國參戰第二年　陳彬龢　2
汪主席語錄　2〜3
世界決戰之年　高石眞五郎　3
道義東亞的顯現　吉岡文六　4〜6
苔岑詩壇
蔡培／小室貞／國分高胤／陳道量　6
期望於大陸有識之士及文化人　松本鎗吉　7〜8
本刊啓事　8
德黑蘭會談後世界之動向
平岡敏男（作）／奠之（譯）　9
新生緬甸國防軍　藤田福平　10
給亞細亞的女作家　呉瑛　11〜12
幾點希望——爲「第三屆文學者大會」而寫　羅雅子　12
一年間的華北文壇（上）　黎建青　13〜15
論音樂美（二）　張源祥　16〜17
漫畫素描
李亮／南光／柳操／酈雩／葉未行　18
畫刊
日本最新銳的陸軍機　19
怒吼中的自由印度臨時政府　20〜21
萬葉集抄（卷六）　張文華（譯）　23〜24
夜鶯之誓（外一章）〔詩〕　魯丁　24
日本電影的回顧與前瞻（上）　平井忠夫　25〜27
新作家論補〔評論〕　牛蒡　28
糧食文學與標奇立異〔評論〕　巴客　28
蒙疆文藝特輯（下）
燭影〔小說〕　張波　29〜30
九弟〔小說〕　盧蘊　30〜31
默禱〔小說〕　沐華　31〜32
禁錮的生命〔小說〕　朝熹　32〜33
有一天〔小說〕　乙文　33〜34
烏梅茶（外一章）〔詩〕　乃帆　34
三十年後的新世界——人工操縱氣候　34
華北文藝一夕談〔座談會〕
出席者：袁犀／上官箏／馬驪／山丁／魯風／王眞夫／梅娘／雷妍／呂奇。本刊側：和田進／上野／呂風（司會）　35〜37
人物〔木刻〕　思心　37
文化城　38
卽景艸〔散文〕　慶公（文）／里予（圖）　38
編輯室錄音　鳳　39

第百二十七號　一九四四年三月一日発行

封面　早春　赤松雲嶺(畫)　封面
三月號目錄　1
大事小記　愚　1
新春之希望　王克敏　2～3
談中國新統一問題　陳彬龢　2～3
汪主席語錄　3
日本國民研究中國語文學之重要性　鹽谷溫　4～5
日本精神　小松堅太郎　6
日本的神社　予且　6
在新畿内亞有害人體動物的調査　龔(譯)　7～8
固若金湯的「大西洋要塞」　8
忠義救國軍的正體　子江　9
航空界本年度的課題　糸川英夫　10～11
從「漢詩」說起　橫光利一　12
苔岑詩壇　土屋久泰　12
論音樂美(三)　張源祥　13～14
報道給：有志留日的青年同學們　李翔　15～17
漫畫素描
王成／王冊／汰藍／劉濟時／柳操　18
畫刊
空的勝利　19
獻肉運動　20～21
萬葉集抄(卷七)　張文華(譯)　23～24
卽景艸(二)〔散文〕　慶公(文)／里予(圖)　24
一年間的華北文壇(下)　黎建青　25～27
木刻鑑賞——村屋　雍克斯(刻)／楊馳(文)　27
化名〔評論〕　辛人　28
立此存照〔評論〕　袁敬　28
文場掏屍骨〔評論〕　孝舜　28
題「不」定草〔評論〕　馬不走　29
文化城　28～29
現階段木刻雜談　穆于　30～31
日本電影的回顧與前瞻(下)　平井忠夫　32～33
中國文學瑣談　大内隆雄(作)／袁意(譯)　33
入選小說綜合評　魯植　34～35
日本散文選譯
宿帳　福田清人(作)／凌靈(譯)　36～37
熊野道上　山本和夫(作)／龔之(譯)　36～37
最初的海　坪田讓治(作)／吉澤(譯)　37
現代日本從軍畫家素描選(一)　宮本三郎　38
編輯室錄音　鳳　39

第百二十八號　一九四四年四月一日発行

封面　櫻　池田遙村(畫)　封面
四月號目錄　1
大事小記　1
中國參戰與東亞解放　喻熙傑　2～3
儒教上之指導者觀　宇野哲人(作)／龔之(譯)　3
求是　亞民　3
印度的曙光　上原虎重　4～5
重慶經濟的一瞥　克之　6～7
渝情點滴——學校風景線　卿商　8～9
德國今年的新目標　平岡敏男　10
大河内輝聲與清代文人(上)　實藤惠秀(作)／龔之(譯)　11～12
黑潮之國　室伏高信(著)／金堅(譯)　13～14
論音樂美(四)　張源祥　15
萬葉集抄(卷八)　張文華(譯)　16
畫刊
自由印度的旗下　17
馬來的民家　18～19
蘋果園
讀書散記　郭雲濤　21
隨想　辛人　21
筆名之話　路丁　22～23
「死掉」之感　孟隼　22
並未中毒　龐清　23

悼高深　蘆村　22～23
死了便算完結　鮑犂　23
悼未識者　康成　23
木刻之頁
杜留・康姆背爾諦／約翰・法雷／季瀾／白光／魏醒　24
木刻之頁評與介　24
我懷念着北京　吉屋信子　25
幽靈〔小説〕
莫泊桑(作)／王衍繹(譯)／韋休(圖)　25～28
文化城　26～27
兄弟〔小説〕
德富蘆花(作)／檢貝(譯)　28
清明〔詩〕　姜千里　28
由于憂鬱的弟兄〔詩〕　宮頁川　28～29
去鄕〔詩〕　蒼影　29
發酵的夢〔小説〕
予岂(作)／楊永(圖)　29～31
寂寞的城〔散文〕　穆阿鹿　30
傍晚的視野〔散文〕　朱媞　31
在長江的旅程裡〔散文〕
張章(作)／牛陽(圖)　32～35
江山(外一題)〔散文〕　韋烽　32
思索的指標〔散文〕　穀梁異　33～34
一月三日〔散文〕　祝他　34
編輯室錄音　35

第百二十九號　一九四四年五月一日発行

封面　雄心　福田翠光(畫)　封面
五月號目錄　1
大事小記　嚴　1
中日文化交流與東亞文藝復興　管翼賢　2～4
南方華僑的覺悟　楢崎觀一　4～5
緬印國境　江　5
中日合作前途的管見　常盤大定　6～8
拉丁民族之厄運　檢貝　8
印度縱橫談　嚴懋德　9～11
聖地麥加巡禮
鈴木剛(作)／鄭奠(譯)　12～13
大河内輝聲與清代文人(下)
實藤惠秀(作)／奠之(譯)　14～15
現代日本從軍畫家素描選(二)
猪熊弦一郎　16
畫刊
國府還都四週年／海軍節　17
印度國民軍　18～19
萬葉集抄(卷九)　張文華(譯)　21～22
論音樂美(五・完)　張源祥　23～24
蘋果園
地理・生活・文學的進路——評「蒙疆文藝特輯」　張文華　25～27
卽景而感　鮑風　25
思索邊緣　葉伯巨　26
隨感錄(上)　紀梅　26～27
隨感隨寫　牛膝　27
木刻鑑賞
農家　漢斯・巴背(作)／馳(文)　28
鑛山技師
佛利克斯米雷爾(作)／楊馳(文)　34
無名小寫〔小説〕　張蔭萱　28～29
變幻〔散文〕　葉櫻　29
斷簡〔散文〕　九郎　29～33
山裡的風波〔小説〕　劉詠蓮　30～35
文化城　33
編輯室錄音　35

第百三十號　一九四四年六月一日発行

封面　匡盧飛瀑　矢野鐵山(畫)　封面
六月號目錄　1
大事小記　施　1
中國文化與世界使命　江亢虎　2～4
告中國有識者　和田清　2～6
印度國民軍攻入祖國
今村得之(作)／奠之(譯)　6～7
一欄課題
文化與民族精神　趙丁一　6～8
還得進化　辛暮　8
試答井上博士「關於易哲學底疑義」

呉鳴堂 8〜10
萬葉集抄（卷十） 張文華（譯） 10〜11
知識手冊——梅雨 康成 11
苔岑詩壇
仁賀保成人／玉木懿夫／松林篤 12
中國孤兒學成歸國 12
畫刊
爲解放祖國而戰 13〜15
日本陸軍美術展 16〜19
現代日本從軍畫家素描選（三）
吉岡堅二 17〜18
山川・風土・人物（一）——崔承喜
陳乃勇 17〜19
漫畫・素描
高棲／炳華／若草／梁津 18〜19
蘋果園
故事及其他 董直 21〜22
評
崔雄／沙蘭／麥波 21〜22
厨子食客問題 孟隼 22
即景而感 鮑風 22
那麼一推 首陀 22〜23
隨感錄（下） 紀梅 23
剪 23
隔着海洋的聲音〔散文〕 村岡花子 24
驟雨〔散文〕
馬場孤蝶（作）／李翔（譯） 25
山居〔詩〕 田蕪 24
歸〔詩〕 畢勵 24
感覺〔詩〕 王埣 24
失題〔詩〕 楊濤 24〜25
前夜〔詩〕 呉春草 25
洮兒河〔詩〕 沈氷魚 25
秦始皇〔詩〕 華青 25
老爸々的手札〔散文〕 姚寶 26〜31
文學散歩——病支配了莫泊桑
海揚波 26〜27
哲學散歩——實踐熱情的菲希特
修伯 27〜28
木刻鑑賞——風車／泊
維利・弗庫斯（作）／楊馳（文） 29
文化城 30
編輯室錄音 31

第百三十一號　一九四四年七月一日発行

封面　朝風 福岡青嵐（畫） 封面
七月號目錄 1
大事小記 1
中日文化溝通的前提 許力求 2〜3
給中國的知識女性們
井上秀（作）／龔之（譯） 3〜5
一欄課題
抗戰與全面和平 索之 4
認識自己 梁篤 4〜5
學藝知識 5
現階段中國文学的進路 柳龍光 6〜7
現階段中國文学的進路
島田政雄（作）／伯恩（譯） 7〜8
知識手冊——椰子 華夏 8
大選擧前夜美國的政治動向
高田市太郎 9〜10
內地文化的動靜脈（上）
徐恒芝（著）／唐靜（摘譯） 10〜12
本刊創刊六週年紀念大徵文 11
畫刊
黎明之昭南島 13
第二戰線終於開始遭受德軍自信迎擊
漫畫・素描・木刻 14〜15
牛鼎／林白影／趙浩／高炳華／葉行寅／
平凡／穆羊 16〜18
山川・風土・人物（二）——原始舞踊 16〜17
現代日本從軍畫家素描選（四）
清水登之 18〜19
注意擊滅的敵機 18〜19
萬葉集抄（卷十一） 張文華（譯） 21〜22
美術散歩——最古的一匹牛 江葉梁 21〜22
文學散歩——老年的霍普特曼 馬奇 22〜23
東西美術的性格 李衍 22〜25
木刻鑑賞——雪後

蘋果園　藤牧義夫(刻)／馬夫(文)　25
感　阮幸生　26
論「蓋棺定論」　矢眞　26～27
個性與技巧
淺原六朗(作)／祝他(譯)　27
疵評談　孟隼　27
文化城　27
日本童話選譯
島崎藤村(作)／揚波(譯)・莊煦(譯)　28
德國寓言　雷辛(作)／鄭貧(譯)　28～30
遠離了市街的騷擾
野口米次郎(作)／新玲(譯)　28
我想傾訴〔散文〕　司馬琯　28～29
病榻記〔散文〕　朱媞　29～31
學藝知識　30
編輯室錄音　31

第百三十二號　一九四四年八月一日発行

封面　葡萄　齊白石(畫)　封面
日本帝國政府聲明　1
大事小記　1
八月號目錄　1
七七紀念日感言　尹天哲　2
一欄課題——不容苟且　朱佩　2
中日提攜與大東亞建設　岩垂憲德　3～4
第二戰線與蘇聯　馬場秀夫　5～6
激戰中的北法〔地圖解說〕　6
現階段中國文學之進路　呉自嚴　7
關西留學生座談會——決戰下日本學生的印象
出席者：張源祥／黃頌德／徐朝宗／張知夫／孫廷璋／何廣尚／淩皓帆／鄭孝舜。
引田編輯長及本刊編輯同人　8～9
知識手冊——地圖的看法　高芳　9～10
熱與誠的呼應〔青年通信〕
山崎良三／笹川儀三郎／大谷晃一　10
內地文化的動靜脈(下)
徐恒芝(著)／唐靜(摘譯)　11～12
文化城　12
畫刊
磐石不動的日本海軍　13～15
無人飛機解剖　唐道尚　16
時局常識——橋頭堡　羽衣　17
德國戰爭壁畫　17
山川・風土・人物(三)——黑暗大陸　賢之　18
漫畫・木刻・素描
郭任遠／曹幸／經羽／李培昌／劉濟時／
葉末行　19
美術散步——墓室裡的壁畫　丁靜　19
萬葉集抄(卷十二、十三)
張文華(譯)　21
中國的日記(上)　玉井幸助　22～23
哲學散步——海特格　修伯　22～23
蘋果園
章回之外　艾岩　24
譯文瑣談　阿闟　24～25
評「老爸々的手札」　超塵　24
非上上章　莫須有　25
斷想　力兵　25
雲影〔散文〕
阿部靜枝(作)／麥浪(譯)　26
簡——新居雜記〔散文〕　蘇夫　26
小夜(外二章)〔詩〕　紫荊　26～27
滄州拾記〔詩〕　荷山　27
鄰城的祭典〔小說〕　張蔭萱　27～31
半頁小說
霧　陶望　28
慈愛心腸　滕大翼　28～29
某一個夜晚〔散文〕　王者幹　30
編後　31

第百三十三號　一九四四年九月一日発行

封面「女」　田村孝之介(畫)　封面
九月號目錄　1
大事小記　1
日本新內閣的性格與陣容　永戸政治　2～3
在此決戰期間吾人應有之認識

德軍之三面作戰　管翼賢　4～5
寺村誠一（作）／伯恩（摘譯）　6～7
時局常識――無人飛機的實態　7
中日學界提携的一途徑　石田幹之助　8～10
現階段中國文學的進路　引田春海　8～9
對中國電影的印象――以『萬世流芳』爲話題
〔座談會〕
出席者：金子二郎／張源祥／伊藤慶之助／角田敬三／深山杲／村上忠久／清水光／小倉浩一郎／德光文美。本社側：開田靖一／引田編輯長　10～12
文化城　12
畫刊
日本新内閣成立　13
西里伯斯素描　14～15
飛機――由設計到製作　16
自走砲　王嘉　17
知識手册――郵票　山峭　17～19
山川・風土・人物（四）――新幾内亞的藝術　高芳　18
漫畫・素描
喬留生／白厨川／平凡／王成　19
美術散步――蘭錫斯二世的石彫像
靜　19
萬葉集抄（卷十四、十五）
張文華（譯）　21
中國的日記（下）
玉井幸助（作）／龔之（譯）　22～23
木刻鑑賞――牛日
平塚運一（刻）／田進（文）　22
文學散步――七十九歲的老鰥夫
李衍　23
蘋果園
爭論二三事　齊楚斗　24
譯文談　常良　24
轉舵與騎牆　莫須有　24～25
王先生讀「卽景而感」　鮑風　25
逃世之流　司空痴　25
仰　胡彦　25
譯叢
關於武者小路實篤
川端康成（作）／馬奇（譯）　26
濤聲
武者小路實篤（作）／金森（譯）　26～27
偶感
武者小路實篤（作）／謝靑（譯）　27
某畫之讚
武者小路實篤（作）／崔雄（譯）　27
自傲
武者小路實篤（作）／魯萊（譯）　27
神呵／杜斯妥耶夫斯基的臉／喜悦〔詩〕
武者小路實篤（作）／魯萊（譯）　27
看中國畫〔詩〕
武者小路實篤（作）／祝他（譯）　27
學藝知識――白樺派　27
監督哈里法克斯如是説〔小説〕　姜彦　28
小肚子痛〔小説〕　莊哲　28
結束了的行旅〔散文〕　朱媞　29
寄語〔散文〕　丁靜　29～30
寧靜的思索〔散文〕　姜千里　30
啞然的悲哀〔散文〕　安光　30～31
古都〔詩〕　田蕪　30
猫的遊獵〔詩〕　白荊　30
荒村之夜〔詩〕　東方鴻　30
院落〔木刻〕　馮世達　30
編後　31

第百三十四號　一九四四年十月一日発行

封面　秋風　伊藤慶之助（畫）　封面
十月號目錄　1
大事小記　1
大東亞經濟建設之原則　公理　2～3
日本人的中國語研究　實藤惠秀　3～5
時局常識　4、6
中國的服裝
小田嶽夫（作）／龔之（譯）　5～6
美國的人性和其理想的解剖
高田市太郎（作）／凡節（譯）　7～8
謀刺希特勒總統未遂的經緯

寺村誠一　8～10
吉格弗里要塞線〔圖解〕　9
大東亞共益社會論　程公俊　10
戰時的惡性流行感冒　王洛　11
文化城　12
畫刊
必勝決戰議會揭幕　13
昭南博物館一瞥　14～15
火箭式飛機ROCKET　王嘉　16
世界最初的市內電車　維靜　16
知識手册——影印版的製版印刷
滿福　17
素描專頁
高炳華／阿處・康夫／王益軒／若草／王
成　18
萬葉集抄(卷十六、十七)
張文華(譯)　19
蘋果園
筆調・性靈・閒適　莫須有　21
「一筆作」　魏野平　21
讀書小記　姜千里　21～22
何其芳・和他的散文　魯植　22～23
學藝知識　22
木刻鑑賞
人像　K・罕內(刻)／平凡(文)　23
人像　麥綏萊勒(刻)／田進(文)　23
譯叢
蒼蠅〔小說〕
橫光利一(作)／張葆(譯)　24～26
橫光利一論
淺見淵(作)／幸人(譯)　25
所謂實驗者
橫光利一(作)／金森(譯)　26
小說與時間
橫光利一(作)／路光(譯)　26
哲學散步——尼采的事情　修伯　27
簡——淚是苦澁的　韋中蘭　27
散文
祭獻　蘇夫　28
如此草　馮冷　28
星光　西葦　29
隨想隨寫　孫路伊　29～30
黃昏　翟君聖　30～31
半頁小說
老李的一年　修佩　28
皮膚的顏色　淀姬　29
實驗　李希廸　30
編後　31

第百三十五號　一九四四年十一月一日発行

封面　長江萬里　矢野鐵山(畫)　封面
十一月號目錄　1
大事小記　1
本刊六週年紀念大徵文當選發表　1
本刊六週年紀念感言　引田哲一郎　2～3
本刊六週年大徵文當選作品
大東亞戰爭必勝的信念　秋蒿　2～3
中國民族意識的發揚澎湃　呉南緯　3～4
時局常識　4
致大東亞文學者大會　管翼賢　5～6
中國文藝復興的我見　河上徹太郎　6～8
西南太平洋略圖〔地圖解說〕　8
理解與愛——給中國文化人
阿部知二(作)／奐之(譯)　9～10
黑色的潮〔評論〕　梁桑　10～11
第三次大東亞文學者大會日本代表介紹　11
文化城　12
畫刊
菲律賓對英美佈告宣戰　13
海鷲——日本海軍航空隊　14～15
世界木刻選
R. Gibbings／E. Schlangennausen／(意)B. Osimo／(俄)V. Favorsky／(俄)P. Pavlinoff／C. Leightou／E. F. Daglish／石井鶴三／(德)F. M. Janfen／(法)F. Byangwyn／(德)Hans Pape／(墨)W. K.　16～17
譯叢(三)
知識手册——編輯的事情　曹幸　18
遺言〔散文〕

A・羅丹（作）／大辛（譯） 20〜22
羅丹
Adolphe Basler（作）／丁静（譯） 21
片斷的手記
A・羅丹（作）／郭傑（譯） 22
萬葉集抄（卷十八、十九） 張文華（譯） 23
雨的感想 周作人 24〜25
我底隨想與日本 梅娘 25〜26
半頁小説
志願兵 勞力 27
一盒煙捲 邦容 27
本刊六週年大徵文當選作品
有這麼兩族人〔民間文學〕 長白 28
石湖〔民間文學〕 盧華 28〜29
霜花〔詩〕 韋長明 29
橋上〔詩〕 姜千里 29
黄昏雨〔詩〕 前人 29
歸來〔詩〕 南宮絜 29
蘋果園
獷悍 莫須有 30
雜感 休敬 30
關於民間文學 若言 30
編輯室談話 31

第百三十六號　一九四四年十二月一日発行

封面　武藏野之秋 福田惠一（畫） 封面
十二月號目錄 1
大事小記 1
敬悼汪主席
偉大者之身死 2〜3
日本帝國政府聲明 2
陳公博氏代理國府主席 3
如火之信念貫徹始終 3〜4
迎大東亞戰爭三週年 引田哲一郎 4〜6
敵陣展望 上原虎重 5〜7
文化城 7
本刊六週年大徵文當選作品
大東亞戰爭必勝的信念 玉璋 8〜9
中國民族意識的發揚澎湃 李欣 9〜10
與中國青年學生談話錄 伊藤貴麿 10〜12
萬般 奐之 12
畫刊
永遠的偉大者 13
汪主席靈柩返國 14
回想汪主席 15
獨立公約下歡騰的東印度民族 16〜17
最近之歐亞戰況〔地圖解説〕 18
最近流行于日本的空氣電池 張葆（譯） 19
萬葉集抄（卷二十） 張文華（譯） 21
譯叢（四）——世界作家日記摘譯
澁民村日記
石川啄木（作）／何畏（譯） 22
感想日記　愛彌爾（作）／祝他（譯） 22〜23
十千萬堂日錄
尾崎紅葉（作）／之淳（譯） 23
羅馬尼亞從軍日記
加羅薩（作）／柴柯（譯） 23〜24
勝利的日記
郭培爾（作）／金堅（譯） 24
托爾斯泰日記
托爾斯泰（作）／高慈（譯） 24
紀德的日記　紀德（作）／何畏（譯） 24
附記 編者 24
本刊六週年大徵文當選作品
痧藥是這樣發明的〔民間文學〕 莫誼 25
寂寞的蘆葦〔民間文學〕 精競 26〜27
半頁小説
辦壽 希穆 26
錢老師 佳田 26〜27
蘋果園
正是文學 孟隼 28
文章感想 荷山 28
隨想三題 後旗 28
詩選
有贈 楊悌 29

離鄉　王羊　29
荒邸　劉肇霖　29
畑霧海　韋長明　29
腦　柏綠　29
退回來的一封信〔簡〕　姜煥　30
窓邊草〔散文〕　張蔭萱　30
某夜〔散文〕　鄭蕪　30
離開你們〔散文〕　朱佩　30～31
編後　31

第百三十七號　一九四五年一月一日發行

封面　春鳴　板倉星光（畫）　封面
大事小記　1
一月號目錄　1
新歲述感　引田哲一郎　2～3
迎大東亞戰爭第四年感言　王克敏　2～3
汪主席逝世與華北民衆應有之認識　喩熙傑　3～5
中國之覺悟　管翼賢　5
給中國知識界　高坂正顯　6
寄中國文學者　橫光利一　7～8
知識手冊——葡萄閒話　麥浪　8
戰時美國後方的治安剖視
大森洪太（作）／杜偉（節譯）　9～10
時局常識　10、21
關於日本的教習　汪向榮　10～11
文化城　12
畫刊
戰機成熟了的雷伊泰島大決戰！　13～15
挺身飛機生產戰的日本女性　16～17
洛開特（噴射推進裝置）　王嘉　18～19
德國有力的兩件武器　岩濤　19
三十三年前的回憶　鴻山俊雄　21
萬般　龔之　22
譯叢（五）
兒童底世界
有島武郎（作）／高芳（譯）　23
兒童文學底精神
古谷綱武（作）／後先（譯）　23～24
童話文學
坪田譲治（作）／光軍（譯）　24～25
關於兒童文學底藝術性與非藝術性
百田宗治（作）／祝他（譯）　25
學藝知識　25
故事新編三篇
君和臣的故事　孔烈　26～27
壯行　蔣芳洲　27～30
半頁小説
莊周的死　楚眉　30～31
分內的責任　樹屏　28～29
父與子　李希廸　29
編後　31

第百三十八號　一九四五年二月一日發行

封面　雪後　中野草雲（畫）　封面
大事小記　1
二月號目錄　1
亞洲之命運　永戸政治　2～3
解剖——羅大總統的教令／火藥庫中的希臘
政潮　3
此一年間日本文化的回顧和展望
吉屋信子　4～5
留呉記　那波利貞　6～8
解剖——美國軍部的法螺／英美頭痛的波蘭
問題　7
清鄉工作考察記　張源祥　8～10
雲南的回憶　島田俊雄　10～11
在漩渦中的巴爾幹　11～12
畫刊　13
轟沈
菲島激烈的戰況　14～15
天降敵陣的奇兵　16～17
素描選
郁鵬程／捷克／姜肇爾／秋山／周羽　18～19
航空用的地上判別機　鐵夫　19
知識手冊——銀的世界　谷靈　21～22
萬般　龔之　22
懷友　蕭艾　23～25

達仁〔小説〕　之淳　25〜26
半頁小説――小心眼兒　馬崑　26
愚蠢的孩子〔散文〕　朱媞　27
小殘燭四根〔小説〕　穀梁異　27〜28
紅低廊詩抄〔詩〕　荷山　28
酩酊涙〔詩〕　王羊　28
鐘〔詩〕　汪琪　28
偶成〔詩〕　柳寂　28
宮本武藏（上）〔小説〕
吉川英治（作）／德仁（譯）／石井鶴三（圖）　29〜31
文化城　30
編後　31

第百三十九號　一九四五年三月一日発行

封面　花開鶯語滿園春　福田翠光（畫）　封面
大事小記　1
三月號目錄　1
不要忘掉自我實踐　管翼賢　2
解剖――蘇聯與蘇彝士運河　2
決戰體制下青年之進路　陳宰平　3
告新中國青年諸君　尾崎卓郎　4〜5
醫學界的日華提携　布施信良　5
英國的命運　金堅　6〜7
解剖――美英蘇三國會談　7
國際文化生活的動靜脈　鄭龔　8〜9
戰後之科學
莎渥德・泰納（作）／劉振强（譯）　10〜11
噴射推進式飛機　11
文化城　12
畫刊
日本的新精鋭飛機群像　13〜15
歡躍的前線生活　16〜17
時事地圖――東亞及東線　18〜19
日本的配尼西林研究　18〜19
知識手册――鑽石的故事　德惠　21
萬般　麥浪　22
緬印邊境旅行追記
Herbert Tichy（作）／七紅（譯）　23
學藝知識　23
說祥夢　村上知行　24〜25
雜文的新方向　胡秉　25
關於李太白之作品　卓功　26〜27
南行的夢　胡宗愨　27
湖畔手記　葛西善藏（作）／新玲（譯）　28
譫語〔詩〕　竹溪（作）／鐵漢（譯）　28
宮本武藏（中）〔小説〕
吉川英治（作）／德仁（譯）／石井鶴三（圖）　29〜31
幸福的船〔詩〕　蘇夫　30
編後　31

第百四十號　一九四五年四月一日発行

封面　雲雀　板倉星光（畫）　封面
大事小記　1
四月號目錄　1
中日間的反省和自覺　加藤繁　2
解剖
「解放」歐洲通貨生活的慘狀　2
曖昧的邱吉爾演詞　3
評「三國會談」　林三郎　3〜4
特攻隊頌　橫光利一　4
美國人的殘忍性　小泉信三　5
美國黑人兵的問題　程公俊　6〜7
我底希冀　鴻山俊雄　7
神經戰　林𩕳（作）／杜偉（譯）　8〜9
德國文化搖籃的萊因河　谷靈　9
華北棉花增產之現階段　10〜11
解剖――美國魔手操縱西亞　11
文化城　12
畫刊
世界郵票文化展覽　山峭　13
決戰下的日本尼姑生活　14〜15
萬般　麥浪　17
中國哲學的路線（上）　張深切　18〜19
自然與人爲　內山完造　19〜20
現代德國文藝思潮（上）
高橋健二（作）／冉邕（譯）　21〜22

美國文學的另一面　片岡鐵兵(作)／伯恩(譯)　22〜23
宮本武藏(下)〔小説〕
　吉川英治(作)／德仁(譯)／石井鶴三(圖)　24〜26
記哲兄　鳴潔　26〜27
編後　27

第百四十一號　一九四五年五月一日発行

封面　春宵　中野草雲(畫)　封面
論反軸心國戰後和平保障案　神崎驥一　1〜3
五月號目錄　1
政府與人民　王蔭泰　2
戰爭與烹飪　下田吉人　3〜4
本刊七週年紀念大徵文啓事　4
日華電影合作論　筈見恒夫　5〜6
中國哲學的路線(中)　張深切　7〜8
萬般　麥浪　8
畫刊
　日本鈴木内閣成立　9
　介紹「文樂」　山口廣一　10〜11
訪上村松園女史記　白神喜美子　12〜13
文化城　13
現代德國文藝思潮(中)
　高橋健二(作)／冉邕(譯)　15〜17
最短的故事　山口秋風(作)／蕭詢(譯)　17〜19
再感錄　念金華　19
幽冥之簡　金森　20
䶑　恒虹　20
車窓吟　柳寂　20
生之歌　沉氷魚　20
詩人之恋　姚寶　21〜23
編後　23

※以下、〈上海版〉

創刊號　第九卷第九期　第九十七號
一九四二年十一月一日発行

封面　少女像　陳抱一(畫)　封面
目錄　1
風聞言事　捕風　1
四週年紀念大徵文當選小説──夜航
　藍苓(作)／一萍(畫)　2〜9
讀後的私見　傅彥長　2
四週年紀念大徵文當選作品──十年後的大
　東亞　石瑩　10〜14
「十年後的大東亞」審查意見　楊光政　10
本刊創刊四週年紀念徵求連續漫畫發表──
　吾國與吾民　竇宗淦　15
大東亞戰爭中所見之種種　林柏生　16〜17
華文論　何海鳴　17〜18
新新疆與盛世才　陳彬龢　19〜20
威爾基奔波的浪費　姜天航　21〜23
大東亞文化之開展　周毓英　24〜27
發揚孔子遺教以完成共榮圈的基礎
　呉家煦　28〜30
四年來的體驗與教訓　趙如珩　31〜32
永井柳太郎〔木刻〕　王迎曉　32
畫刊
　新中國軍備之威容　33

上海的新動態 34～35
深秋 36
本刊創刊四週年紀念大徵文掲曉
大阪毎日・東京日日新聞社『華文毎日』 37
中國近代元首印象記（一） 江亢虎 38
戰時國際法（十八） 鄭吾山 39
談々袁中郎 克展 40～42
漫話東方大港（一） 達愚 42～45
「蜀中七記」辯 離石 44～45
關於新文學運動 龔持平 46
從尊敬與親愛説起 傅彦長 47
閒話酒與文學 陳柱 48～49
登高〔随筆〕 南薫 49～51
市河〔木刻〕 顧藝華 51
談歐美派 亢德 52
四十年戲劇生活 梅蘭芳 53～54
步孔誕前夜月 龔意平 55～56
瓜棚閒話 陳學稼 56～57
『博愛』〔影評〕 鋼人 58～59
「大馬戲團」〔劇評〕 魯卒 59
孟姜女攷略及其他 南容 60～61
談馬弔牌 静生 61～63
名畫家陳抱一氏（本刊本期封面作者介紹） 63
鐵窗生活實紀（一） 楊光政（著）／李是聞（繪） 64～67
投稿簡約 68
編輯室 編者 68

第二號　第九巻第十期　第九十八號　一九四二年十一月十五日発行

封面　玫瑰 陳抱一（畫） 封面
目録 1
風聞言事 捕風 1
四週年紀念大徵文當選小説――黄金色的貝殼 呉山青（作）／陳一萍（畫） 2～8
讀後的私見 傅彦長 2
本刊四週年紀念大徵文當選作品――和平文化的指標 沐華 9～13
「和平文化的指標」審査意見 楊光政 10
二十四番風歌用壬午高考典襄監委姓字依發表次序記之 康瓠 12
大東亞戰爭下的電影政策及其創造 徐公美 14～19
日本美術介紹――人形 馮貫一 20～23
戰時國際法（十九） 鄭吾山 24
畫刊
大東亞戰爭博覧會 25
新生南洋巡禮 26～27
中國近代元首印象記（二） 江亢虎 29
土耳其的中立問題 方濟 30～31
本刊創刊四週年紀念徵求連續漫畫發表――吾國與吾民 竇宗淦 32～36
詩經中之東亞民族精神 張江裁 33～37
清代駐日使臣黎庶昌 楊鴻烈 38～39
絶裾〔獨幕劇〕 仲文 40～41
新京三日〔随筆〕 楊敬遠 42～43
棄婦的幽訴〔詩〕 克幻 43
織夢者〔詩〕 白濤 44
陟岵〔詩〕 楊卽墨 45
嘹喨的嗓子〔詩〕 克幻 45
幻〔小説〕 劉蕚 46～47
鐵窗生活實紀（二） 楊光政（著）／李是聞（繪） 48～50
編輯室 編者 51

第三號　第九巻第十一期　第九十九號　一九四二年十二月一日発行

封面　犬 關紫蘭（畫） 封面
目録 1
四週年紀念大徵文當選小説――星光 王靜（作）／江濤（畫） 2～8
讀後的私見 傅彦長 2
東亞軸心的强化與大東亞建設之前途
全體主義與東方文化精神 錢仲華 9～11
中國的新青年運動――林宣傳部長與本刊記者之對談記 關埜㕓 12～14
青運之回顧 15～16
漫畫 江克 16
目覩之大上海文獻瓌寶――松太十縣方志紀 江棟良／S・K 17

要

弘一法師圓寂　陳端志　18～22
戰時國際法（二十）　彼鷗　22
中國近代元首印象記（三）　鄭吾山　23
畫刊　江亢虎　24
國父誕辰紀念日　25
大東亞親善體育大會　26～27
秣陵竹枝詞　十翁　29～30
我如果做主管官　周毓英　31～32
四十年戲劇生活（二）　梅蘭芳　33～34
素描上海　柳黛　34
閒話文壇　方衞　35～36
苦悶〔木刻〕　三江　37
桃色的囹圄〔小説〕　江上風　37～41
失戀〔小説〕　剛克　42～43
木刻　陳應　44
生活〔隨筆〕　路鵑　44～45
本刊本期封面作者洋畫家關紫蘭女士介紹　記者　45
鐵窗生活實紀（三）　楊光政（著）／李是聞（繪）　46～50
編輯室　編者　51

（作成：牛 耕耘／ぎゅう こううん）

III

総目次（日訳）

牛　耕耘（編）

総目次（日訳）・凡例

一、この「総目次」は、大阪毎日新聞社・東京日日新聞社編・発行の『華文大阪毎日』創刊号（一九三八年一一月）～第一四一号（一九四五年五月）の全一四一冊（第一〇一号より『華文毎日』と改題）と、同誌「上海版」（第一号～第三号、一九四二年一一月～一九四二年一二月）の全三冊より作成した。

一、表記は原則として現代仮名遣い、新漢字としたが、固有名詞についてはこの限りではない。明らかに誤字・誤植と思われるものは、これを正した。

一、原則として、広告頁は割愛した。重要と見なされる社告の類は、適宜、それらを採った。

一、日本語の新聞・雑誌から同誌に訳載された記事や文芸作品などは、あたう限り初出紙誌にあたり、原題の見出しやタイトルを採ることにした。

一、表題の下の〔　〕内は、編者による補足的説明である。

一、原本において判読が困難な文字は、それぞれ●印をもって示した。

『華文大阪毎日』

第一巻第一期　第一号

一九三八年一一月一日発行

表紙　北京太和殿前の銅の獅子　題字は漢碑から　表紙1
目次　1
創刊詞　2
祝詞　王克敏／近衛文麿／高凌霨／湯爾和／荒木貞夫／梁鴻志　3
日中相知は相親の前提　徳富猪一郎　4～7
煩悶時代のソ連　上原虎重　8～9
対華輿論集
蒙疆代表を迎ふ（大阪毎日新聞十月十九日社説）　9～10
皇軍、広東に入城（大阪毎日新聞十月二十二日社説）　10～11
新支那連邦論（十月号改造）　吉岡文六　11
新民主義に論じて中国当局に（十月号日本評論所載）　井上哲次郎　12
一以ってこれを貫く〔随筆〕　徐剣胆　13
秋の感懐〔随筆〕　泊言　13～14
葱薑魚について　張酔丐　14～15
中国の俗諺　零余　15
中日著名人家庭の訪問記
余晋龢　秀華　16～17
木戸幸一　17～18
四国雅集〔コラム〕　18
清浄〔小説〕　王代昌　19
日本紹介――日本軍はなぜ強い？　20～21
白人支配地を奪還せよ！〔評論〕　宋介　22～23
哲人語録〔コラム〕　23
漫画　譚沫子／萍泊　24
小智慧〔生活情報〕　25
婦女界――大日本国防婦人会の展望　26～27
日中女性をつなぐ髪の綱――熊谷蝶子談　27
世間新聞
敵を愛する／日本軍が広東を攻略／「対支院」の要綱、他　28～31
朔望東西〔時事雑報〕　31
科学新聞　32
紫髯客伝〔小説〕
趙鳴岐（作）／呉一舸（絵）　33～36
ユーモア漫談　文彦　36
俳優・馬連良について　凌霄漢閣　37～38
「失街亭」について／評劇者について　秋庚　38
楊小楼の逸話　大由　38
前途ある路明　阿燕　39
中国が撮影した『椿姫』について　寄生草　39
パラマウントの本年度の名作『青髭八人目の妻』　太原　39
李後主と李清照の詞文　李冰人　40
京華漫談――「媽媽大全」について　落落斎主人　41
苔岑詩壇
国分青厓／仁賀保香城／土屋竹雨／富塚默成庵　42
慈善家の仮面〔小説〕
陳慎言（作）／席与承（絵）　43～46
執筆者紹介　47
読者の声　劉樸　47
編輯後記　48
投稿規則　48
『華文大阪毎日』号外　(1)～(4)

第一巻第二期　第二号

一九三八年一一月一五日発行

表紙　富士山の黎明　表紙1
目次　1

巻頭言 2
日本政府の重大声明 3
近衛首相の演説要旨 4〜5
新東亜建設の基調（大阪毎日新聞十一月四日社説） 5
東亜の再建をともに担うべき 芳沢謙吉 6〜7
新中国建設の方向 長岡克暁 7〜9
英米仏ソの中華侵略を阻止する 神川彦松 9〜10
『新民』について 朱華 10
対華輿論集
新文化を創造するための戦争を 土肥原賢二 11〜13
対支文化工作につき 山本実彦 13〜14
苔岑詩壇
杉渓六橋／鵜沢俸湫／安岡瓠堂／小室翠雲／渡辺湖畔／庄司杜峰／土屋竹雨 15
打油詩について 王雲孫 16〜17
秋日山に遊ぶ 田木国 17〜18
名人名好〔コラム〕 呉樾 18
『香道』〔書評〕 銭稲孫 19
俳優・程硯秋について 凌霄漢閣 20〜21
『貂蟬』と怪奇映画 林孖 21
紫髯客伝〔小説〕
趙鳴岐（作）／呉一舸（絵） 22〜25
婦女界――日本の花嫁学校 26〜27
中日著名人家庭の訪問記
方宗鰲 秀華 28〜29
菊池寛 30〜31
日本紹介――日本の教育制度 赤坂清七 32〜33
京華漫談――「媽媽大全」について（続） 落落斎主人 33
豆を煮るに豆殻を焼くな、共存の道へ 王蔭泰 34
祝辞 孫湜 34
小智慧〔生活情報〕 35
漫画 正一／陳固／木子 36
世間新聞
有田外相には何か妙策がある？／英仏の認識を喚起／武漢陥落を祝う、他 37〜40
科学新聞 41
国際珍聞 41
朔望東西〔時事雑報〕 42
慈善家の仮面〔小説〕
陳慎言（作）／席与承（絵） 43〜46
執筆者紹介 47
読者の声 江秋蓼 47
編輯後記 48

第一巻第三期　第三号

一九三八年一二月一日発行

表紙　安慶迎江寺古塔 表紙1
目次 1
巻頭言 2
論評
アジア連盟機構を完成することは中国自主的再建の前提 松井石根 3〜4
建国のもとは民族精神にある 小柳司気太 4〜7
世界大勢は分散から統合へ 河相達夫 7〜9
東亜経済集団を建設するため、一時的な困難を耐えて楽土を作る 横山吾市 9〜10
対華輿論集
梁鴻志氏を迎ふ（大阪毎日新聞十一月十六日社説） 11
揚子江航行問題（大阪朝日新聞十一月一五日社説） 11
国際が現実東亜への認識 12
苔岑詩壇
国分青厓／服部空谷／長瀬巴山／土屋竹雨 13
清代図書収集の気風 王逸樵 14
宋詞が興したいくつかの主要原因

摩殊室の雑談　許穎　15
女人と美を雑談〔随筆〕　水淇　16〜17
桃色の心〔詩〕　黎明　18
漫画　雪　18
事変後の中国映画業界　李光／陳固／譚沫子　19
大同劇団の訪日公演　冬春　20
俳優・程硯秋について（続）　大山／太原　21
紫髯客伝〔小説〕　凌霄漢閣　22
　趙鳴岐（作）／呉一舸（絵）　23〜26
婦女界——宝塚少女歌劇団の欧洲巡演が好評を搏す　27〜28
中日著名人家庭訪問記
　荒木貞夫　記者　29〜30
　熊唐守一　秀華　31〜32
日本紹介——政治経済機構の現状と将来　阿部賢一　33〜34
中国の教育に一言　武田熙　35〜36
内外情報
　有田外相が英米仏に答える／蒙疆主席団が本社を訪問、他　37
国際珍聞　38
諧謔詩　蜉蝣　38
民間の情歌〔歌詞と絵〕　方木（絵）　38
九カ国条約と中国　39
科学新聞　40
小智慧〔生活情報〕　41
朔望東西〔時事雑報〕　42
慈善家の仮面〔小説〕
　陳慎言（作）／席与承（絵）　43〜46
執筆者紹介　47
読者の声　王強　47
編輯後記　48

第一巻第四期　第四号

一九三八年一二月一五日発行

表紙　日光の陽明門　表紙1
目次　1
巻頭言　2
論評
　日中両国は一体化すべき　王子恵　3〜5
　防共枢軸の現状と将来　藤沢親雄　5〜7
　日中満経済懇談会の収穫　安宅弥吉　7〜8
　日独文化協定の意義　佐多愛彦　8〜9
対華輿論集
　新東亜建設の基礎条件（日本評論十二月号）　宇治田直義　10〜11
　蔣政権今後の抗戦力（改造十二月号）　小林幾次郎　12〜13
　中国から帰った　高石真五郎　14〜15
　梁鴻志院長の車中談　記者　15〜16
五色旗の下〔歌詞〕　武田熙　16
苔岑詩壇
　岩溪裳川／土屋竹雨／木下周南／国分青厓　17
宋詞が興したいくつかの主要原因（続）　許穎　18
西湖の夜〔随筆〕　呉乃礼　19
芸術家の難関〔随筆〕　秦淮碧　19〜20
中国の友を憶う——郭沫若・郁達夫・欧陽予倩〔随筆〕　村松梢風　20
北京における囲碁　聞旭東　21
蔡琰の「胡茄十八拍」　冰人　22
白話文作法の研究　馮昿　22
孔子時代作家〔随筆〕　秦淮碧　23
北京の三つの宝物　暁堤　23
中日著名人家庭訪問記
　江朝宗　秀華　24〜25
　結城豊太郎　井上松子　26〜27
日本紹介——日本の結婚式と訪問する時の礼儀　李殿閣　28
紫髯客伝〔小説〕
　趙鳴岐（作）／呉一舸（絵）　29〜32
彼女の話〔随筆〕　漫沙　32
婦女界——日本女性の職業　八野井実　33〜34
俳優・韓世昌　凌霄漢閣　35〜36
関羽劇について　鄭菊痩　36

日本映画界の動き　時英　37

漫画　孫特哥／譚沫子　38

内外情報

日独が文化協定を締結／日本外務省が声明を発表、他　39～40

国際珍聞　40

解頤録〔コント〕　石菴（訳）　40

科学新聞　41

朔望東西〔時事雑報〕　42

慈善家の仮面〔小説〕　陳慎言（作）／席与承（絵）　43～46

読者の声　滸茂嘉　47

執筆者紹介　47

編輯後記　48

第二巻第五期　第五号　**一九三九年一月一日発行**

表紙　空に飛び立つ鶴　仲田光緑（絵）　表紙1

頭書の挿絵　群仙が祝寿　斉白石／陳年

目次　1

新年の挨拶　主幹　2

新春の感想　中日諸家　3

論評

中国の国民へ　有田八郎　4～5

経済建設と私たちの主張　殷同　5～7

日中経済集団の基礎　栗本勇之助　7～8

大陸モンロー主義を完成、東亜の各民族が独立すべき　神川彦松　9～10

国際前途が危機に直面　芦田均　11～12

対華輿論集

英米の対蒋借款（十二月十八日大阪毎日新聞社説）　13

北支経済体制の整備（十二月十日大阪朝日新聞社説）　13～14

新春の感想　呂栄寰　14

新興中国は努力すべき　奥村信太郎　15～16

天に飛ぶ〔絵〕　溥心畬　16

日本紹介――正月風習の今昔　江馬務　17～19

正月の遊戯〔絵〕　木村斯光　19

苔岑詩壇

梁衆異／李釈戡／横山黄木／孫簡庵／土屋竹雨　20

昭君の中国詩における描写　子建　21

味の美〔随筆〕　孟剛　22

黄色い饅頭〔随筆〕　不為　23

日本の女性〔絵〕　木谷千種　23

貧乏な家〔小説〕　王代昌　24～25

解頤録〔コント〕　石菴（訳）　25

中日著名人家庭訪問記――近衛文麿　中山善三郎　26～28

婦女界――パイロットの母親の会　松井彰　28～29

紫髯客伝〔小説〕　趙鳴岐（作）／呉一舸（絵）　30～33

華南における中国映画の動き　微塵　34

友邦における富連成ファン　村上知行　35

俳優・梅蘭芳　凌霄漢閣　36～37

「捉放曹」のあらすじについて　王仲明　37

朔望東西〔時事雑報〕　38

要聞

日本青年が自然を制覇／動物の寿命、他　39～40

海スケッチ〔絵〕　池部鈞　41

漫画　孔飛／陳固／黄達／何紹君　42

慈善家の仮面〔小説〕　陳慎言（作）／席与承（絵）　43～46

読者の声　戴泉　47

執筆者紹介　47

日本語講座　48

編輯後記　48

第二巻第二期　第六号　**一九三九年一月一五日発行**

表紙　廬山　表紙1

目次　1

巻頭言　平沼内閣成立の意義　主幹　2
論評
日本が東亜再建に対する使命　本位田祥男　3～6
東亜資源の開発と利用　田中芳雄　6～8
経済から見る新東亜の傾向　田辺忠男　8～9
対華輿論集
中国に対する外交調整の具体的要求、近衛首相が重大声明を発表　10
近衛声明の意義（十二月二十三日大阪毎日新聞社説）　11
近衛声明の反響（十二月二十四日大阪朝日新聞社説）　11～13
事変第二年の回顧（十二月三十一日大阪毎日新聞社説）　13
独がユダヤ人を弾圧する問題　高田市太郎　14～15
朔望東西〔時事雑報〕　16
苔岑詩壇
什公王揖／周南木下／苓泉／竹雨土屋　17
旅の幻想〔随筆〕　成瀬無極　18
『疑雨集』について〔随筆〕　王雲孫　19
秋燕の詩　双燕楼主　20
題壁について　忍庵　20
中国が発明した印刷　拝石　21～22
蘇東坡の硯　木村毅　22
漫画　陳固／夢芳　23
中日著名人家庭訪問記――周龍光　秀華　24～25
星岡茶寮雅集席上　柏梁体聯句　25
日本紹介
日本運動界の現状　玉置徳三　26～27
日本二十年以来の科学と発明の躍進　名和幸丸　28～29
婦女界――日本女性の美徳　井沢真太郎　30～32
漫画　譚沫子／陳固／馬午／何紹君　33
復興途上にある華南・華北の新しい姿　本社特派員　34～35
倫拳〔小説〕　白羽（作）／呉一舸（絵）　36～39
学校生活の回想〔コント〕　文彦　39
映画『マルコポーロの旅路』　平凡　40
俳優・余叔岩　凌霄漢閣　41～42
慈善家の仮面〔小説〕　陳慎言（作）／席与承（絵）　43～46
読者の声　孟仲輝　47
執筆者紹介　47
日本語講座　48
編輯後記　48

第二巻第三期　第七号
一九三九年二月一日発行

表紙　京都の金閣寺　表紙1
目次　1
巻頭言　ソ連が目覚めないなら実力的教訓を　2
論評
明治天皇の大計の実現を期する　野村吉三郎　3～4
長期建設が軌道に乗る　池田成彬　5～6
独伊の条約を調整する運動の躍進　上原虎重　7～8
対華輿論集
当然の声明、援蒋借款の否認（一月十二日大阪毎日新聞社説）　9
満洲国の防共協定参加（一月十七日大阪毎日新聞社説）　9～10
新内閣の対支政策（一月九日大阪毎日新聞社説）　10～11
汪兆銘脱離の影響（一月九日大阪朝日新聞社説）　11～12
汪の中央政府への電報　12
ソ連が改造を急ぐ　森正蔵　13～15
朔望東西〔時事雑報〕　16
留日学生座談会（第一回）
学生：李経邦／楼亨茂／張乃霖／沈家琦

／冷廷暘／任重遠／郭宗賢／袁家珍／李尚志／張家祺／白今愚／張師倹／黄書年／蒲和基／曹永裕／白光。来賓：譚覚真／李書香／張季行／小林隆助。本誌：楢崎観一／松井彰／田中香苗／中保与作　17～19
煙草と兵隊〔小説〕
火野葦平(作)／呉業盛(訳)／李彦(絵)　20～21
日本の秘教の遡源　蕙農　22
苔岑詩壇
田辺新／服部轍／松田甲／木南保／近重真澄／高島圓／野村毅／三好機／川俣篤／千葉郁治／福島英雄／伊佐寿／尾中郁太／山崎虎／萩原彰／上村才六　23
中日著名人家庭訪問記――平沼騏一郎
加藤正雄　24～26
執筆者紹介　26
人物スケッチ
平沼内閣に初入閣の四名　H記者　27～29
田辺長官、黒崎長官と青木総裁
I記者／O記者　29～31
日本紹介――日本の演劇
三宅周太郎　32～34
梨園の言葉　日叟　34
京劇漫談　奪山緑館　35～36
陳少霖・候喜瑞・周瑞安・魏蓮芳は奉天の舞台に　峰波　36
宋徳珠の穎光社の公演　秋庚　36
フィギュアスケートとソニア・ヘニー　文彦　37
漫画
馬午／黄達／譚沫子／阿顰／荘厳　38
王というお母さん〔小説〕　顧瞻　39～41
文人の悪い癖〔随筆〕　微塵　41
深夜に帰宅〔随筆〕　一泓　42
懸賞小説募集
『華文大阪毎日』編輯処　42
慈善家の仮面〔小説〕
陳慎言(作)／席与承(絵)　43～46
中国語講座　白廷賛　47
日本語講座　47
読者の声　急覚　48
編輯後記　48

第二巻第四期　第八号

一九三九年二月一五日発行

表紙　杭州雲林寺の仏像　表紙1
目次　1
巻頭言　東西両洋の二大宣言　主幹　2
論評
蒋介石の時局対策の唯一の方法
竹越与三郎　3～4
欧洲から戻り東亜の現状を懐かしむ
韓雲階　5～6
四人の議会演説を聞く
阿部真之助　6～8
募集現代小説　賞金一千元
『華文大阪毎日』編輯処　8
対華輿論集
呉佩孚将軍の蹶起(一月二十七日大阪毎日新聞社説)　9
新政権の発展(一月二十七日東京朝日新聞社説)　9～11
五中全会と国民党の運命(一月二十日読売新聞社説)　11
顧維鈞の提案に反対(一月十八日ジュネーヴ日報社説)　12
英米は直ちに認識を正すべき(一月十六日スイス紙社説)　12
汪精衛の和平声明に応ずる――蕭省長電文　10
松岡洋右の大陸経営　13～14
出廬する呉将軍の談話と詩
北京本社電　15
日本紹介――日本の議会　沢田勇　16
朔望東西〔時事雑報〕　17
苔岑詩壇
学軒吉田／六橋杉渓／憚園／龍川森／空谷服部／竹雨土屋　18

臘八節について〔随筆〕 陳蝶生 19
冬の夕〔小説〕 田青 20~21
雪〔随筆〕 江寄萍 21
煙草と兵隊〔小説〕
火野葦平(作)／呉業盛(訳)／李彦(絵) 22~24
留日学生の座談会(続)
学生：李経邦／楼亨茂／張乃霖／沈家琦／冷廷暘／任重遠／郭宗賢／袁家珍／李尚志／張家祺／白今愚／張師倹／黄書年／蒲和基／曹永裕／白光。来賓：譚覚真／李書香／張季行／小林隆助。本誌：楢崎観一／松井彰／田中香苗／中保与作 25~27
中日著名人家庭訪問記――周大文 秀華 28~29
夜〔詩〕 古怪児 29
人物紹介
ヒトラー総統 寺村特派員 30~31
ムッソリーニ首相 小野特派員 31~32
チェンバレン首相 工藤特派員 32~33
スターリン 森本特派員 33
ルーズヴェルト総統 福本特派員 33
偸拳〔小説〕 白羽(作)／呉一舸(絵) 34~37
西洋笑い話 石菴(訳) 37
漫画 何紹君／陳固／雨辰 38
汪笑儂を評す 凌霄漢閣 39~41
王少楼について 微塵 41
北京映画館の巡礼 冬春 42
慈善家の仮面〔小説〕 陳慎言(作)／席与承(絵) 43~46
日本語講座 47
中国語講座 白廷賛 47~48
読者の声 高文淵 48
編輯後記 48

第二巻第五期　第九号

一九三九年三月一日発行

「建設東亜新秩序運動」号

表紙 名古屋城 表紙1
目次 1
巻頭言 堅固な「新秩序建設」 主幹 2
論評
東亜民族の奮起を願う 板垣征四郎 3
東亜新秩序建設運動のために同胞に告げる書 孫湜 4~5
東亜新秩序建設運動の実行 譚覚真 5~6
東亜の永久平和のために 横溝光暉 6~7
新東亜建設の基礎理論 杉森孝次郎 7~9
日本の真意を疑うな 高木陸郎 9~12
対華輿論集
平沼総理の演説 12
紀元の祝節と長期建設(二月十一日大阪毎日新聞社説) 13
紀元節(二月十一日東京日日新聞社説) 13~14
海南島占領(二月十一日大阪毎日新聞社説) 14~15
海南島占領と英仏(二月一五日大阪毎日新聞社説) 15~16
国民党五中全会の始末(二月十二日大阪朝日新聞社説) 16~17
呉佩孚氏の中原出馬(二月二日大阪毎日新聞社説) 17~18
九国条約の命数(二月七日東京朝日新聞社説) 18~19
朔望東西〔時事雑報〕 13~17
読者の声 程大鈞 18~19
東亜名流婦女の座談会(本誌主催)
吉岡弥生／三輪田繁子／武岡鶴代／守屋東／村岡花子／柳原燁子／山室民子／松平俊子／井上秀子／竹内茂代。本社：楢崎観一／中保与作／井沢真太郎 20~23
西洋笑い話 石菴(訳) 23
幸せな中国の孤児ら 記者 24
中日著名人家庭訪問記――柳川平助

時人月旦——王克敏　原田仁　25〜27
婦女界　太史公　28
封建圏外の中国女子学生　英子　29〜31
各国の女性に関する統計　微(訳)　31
詞は「詩余」にあらず〔評論〕　許穎　32〜33
染み〔小説〕　程巨川　34
懸賞小説〔広告〕
『華文大阪毎日』編輯処　34
雲崗石窟の研究　貫奇　35〜36
漫画　趙英／程巨川　37
倫拳〔小説〕　白羽(作)／呉一舸(絵)　38〜41
酔墨軒、劇を談ずる　寿農　42〜43
平劇映画、ますます退化　微塵　43
芸術家ウォルト・ディズニー　平凡　44
日本紹介——日本の映画界　岩崎昶　45〜46
日本語講座　47
中国語講座　白廷責　47
編輯後記　編者　48

第二巻第六期　第一〇号　一九三九年三月一五日発行

表紙　海口の風景　表紙1
目次　1
巻頭言　スペイン赤色政府没落の教訓　主幹　2
論評——中国将来の施設　大谷光瑞　3〜10
呉佩孚将軍の再起を祝す　張舜九　10
中国知識人へ　加田哲二　11〜14
朔望東西〔時事雑報〕　13〜16
対華輿論集
租界概念の修正(二月二十一日東京日日新聞社説)　15〜16
租界粛清の根本問題(二月二十五日大阪毎日新聞社説)　16
日本における現代中国学界への展望(上)　長瀬誠　17〜20
時人月旦——鮎川義介　外史氏　21
各地風光——北京　漪堃　22〜23
『四庫全書』について　冥鴻　23
苔岑詩壇
服部轍／田辺新／横山又吉／山県新熊／野間政／定井貞／吉田熊槌／伊倉恭蔵／川俣篤／米山元／丸山弘／篠田勝也／大矢要／木南保／上村才六　24
洪流〔小説〕　王朱(文・絵)　25〜27
夜と夢〔詩〕　葉風　27
夜〔随筆〕　江寄萍　28〜29
冷雨の夕〔随筆〕　白芷　29
長崎の新華僑民団　記者　30〜31
安東省の省歌　31
倫拳〔小説〕　白羽(作)／呉一舸(絵)　32〜35
漫画　馬午／何紹君／譚沫子／黄達　36
名優家庭訪問記——馬連良　秀華　37〜38
南国の佳人——陳雲裳　景輝　39〜40
名優・黄桂秋　梅花居士　41〜42
読者の声　王白水　42
慈善家の仮面〔小説〕
陳慎言(作)／席与承(絵)　43〜46
五カ年計画に関する笑い(一)〔コラム〕　苑淑芳　46
中国語講座　白廷責　47
日本語講座　47
編輯後記　編者　48

第二巻第七期　第一一号　一九三九年四月一日発行

表紙　桜　表紙1
目次　1
巻頭言　チェコの滅亡と英仏ソの驚き　主幹　2
論評
王道国際運動と指導自治政体　繆斌　3〜4
蒙疆の現状と希望　金永昌　5〜6
訪日の回想　周思靖　6〜7
アジア主義と中日提携　秦鈞　7
対華輿論集
協定の実行を期せよ(三月五日大阪毎日新

聞社説） 8
大陸政策と宗教法案（三月七日東京日日新
聞社説） 9
英の対蒋援助強化（三月十日大阪朝日新聞
社説） 9〜10
聯銀の基礎を強化（三月二十一日本社経済
旬刊 Economist） 10〜11
朔望東西〔時事雑報〕 8〜11
セント・ジェームズ宮殿の悲喜劇 賈騰 12
日本における現代中国学界への展望（中）
長瀬誠 13〜15
苔岑詩壇
梁衆異／落合東郭／亀島春江／単雲詩客
／秋雲館主／渡辺湖畔／国分青厓 16
中日満蒙学生懇談会
中華民国：賈培元／蔡権／高夢槐／李樹
藩（ほか六名）。満洲：張国新（ほか四名）。
蒙古：卓理格図。日本：沢開進／渡辺清
／荒津啓一郎／橋詰益栄／高見之忠／松
本一馬（ほか二十名）。本社：久米正雄／
大宅壮一／王柏栄（通訳） 17〜19
清吏の自画自賛 微塵 19
時人月旦――呉佩孚 太史公 20
昭和国民読本（一）
徳富猪一郎（作）／張文華（訳） 21〜22
中日著名人家庭訪問記――大角岑生
井上松子 23〜25
婦女界――中国における女性の職業と女性
英子 26〜27
上海の難民〔コラム〕 織情 27
狂った女〔小説〕 蘭客 28〜31
演劇と映画の脚本募集〔広告〕
『華文大阪毎日』編輯処 29
船上にて〔詩〕 糸己 30
隠痛〔小説〕 陳灝 31〜32
憶念の中の三つの影〔小説〕 微塵 32
漫画 黄達／何紹君／譚沫子 33
倫拳〔小説〕 白羽（作）／呉一舸（絵） 34〜37
五カ年計画に関する笑い（二）〔コラム〕
苑淑芳 37
張君秋について 任世禎 38
満映の新作『慈母涙』 記者 38〜39
『子供の四季』、東京にて上映 時英 40
各地風光――蘇州の女性 張喆 41〜42
慈善家の仮面〔小説〕
陳慎言（作）／席与承（絵） 43〜46
日本語講座 47
中国語講座 白廷賛 47
編輯後記 編者 48

第二巻第八期　第一二号　一九三九年四月一五日発行

表紙　大同の石仏寺 表紙1
目次 1
巻頭言　イギリスの窮状 主幹 2
論評
日本科学が大陸に進出する問題
志方益三 3〜6
九カ国条約を廃止 丁策 6〜7
対華輿論集
防共枢軸を強化せよ（三月二十四日大阪毎
日新聞社説） 8
最近の戦果（三月二十五日大阪朝日新聞社
説） 8〜9
議会終了と政府の態度（三月二十六日大阪
毎日新聞社説） 9〜10
南昌陥落（三月二十八日大阪毎日新聞社
説） 10〜11
中華政府聯合側の声明（四月一日大阪毎日
新聞社説） 11
文化と経済の日満支交驩（四月一日東京日
日新聞社説） 11
朔望東西〔時事雑報〕 8〜11
チェコ滅亡の過程とスペイン戦争の終焉
賈騰 12〜13
時人月旦――杉山元 外史氏 14

日本における現代中国学界への展望(下)　長瀬誠　15～18
日中親善と映画文化〔コラム〕　内ヶ崎作三郎(作)／徐公美(訳)　18
昭和国民読本(二)　徳富猪一郎(作)／張文華(訳)　19
中日著名人家庭訪問記――繆斌　秀華　20～21
西洋笑い話　21
苔岑詩壇
田辺新／服部轍／若槻礼／安広伴／小川郷／田昌／秋雲館主／木南保／野間政／石塚参／志水松／佐藤道／近藤慶／大森繁／萩原彰／上村才六　22
脱隊日記〔小説〕　白佛　23～25
文芸雑談(一)　秦淮碧　25
子供時代の回想〔随筆〕　落楓　26～27
病気になった感想〔随筆〕　雁氷　27
婦女界――婚後の芸術生活に関する三つの原則　莫須　28～29
清朝慈安太后の軼事　鄭菊痩　29
偸拳〔小説〕　白羽(作)／呉一舸(絵)　30～33
五カ年計画に関する笑い(三)〔コラム〕　苑淑芳　33
漫画　譚沫子／何紹君　34
「武家坡」談　凌霄漢閣　35～36
古い銅銭〔詩〕　許可　36
東京の白光女史　M生　37～38
将棋漫談　那健庭　38
『楚覇王』　月光　39
各地風光――東京　山口久吉　40～42
慈善家の仮面〔小説〕　陳慎言(作)／席与承(絵)　43～46
中国語講座　白廷賁　47
日本語講座　47
編輯後記　編者　48

第二巻第九期　第一三号

一九三九年五月一日発行

表紙　日本端午節の甲冑　表紙1
目次　1
巻頭言　欧洲の情勢と日本の立場　主幹　2
論評
新中国教育の新動向を論じる　周鴻緒　3～5
和戦の岐路に立つアメリカ(一)　河上清　6～7
国際漫画　加藤悦郎　7、11、13
朔望東西〔時事雑報〕　7～11
対華輿論集
総力戦の形勢を強化(板垣陸相の演説)　8～9
汪兆銘の第三次声明(四月二日大阪朝日新聞社説)　9
一元の国策推進に邁進(四月十日興亜院聯絡部長官会議における平沼総裁訓示)　10
抗戦支那の苦悩(四月十一日東京日日新聞社説)　11
イタリアはバルカンへ進出　賈騰　12～13
留日外国人の注意事項　日本内務省　12
関門トンネル　早川朝雄　14～16
前田鉄相、海底試掘洞を視察　須古特派員　16～17
昭和国民読本(三)　徳富猪一郎(作)／張文華(訳)　17
時人月旦――梁鴻志　太史公　18
日本の女性博士　MC生　19～21
ほおべにをつける　微塵　20～21
読書と外観〔コラム〕　飛　23
雨の中で〔小説〕　梅娘　22～23
唐代詩人の出世と苦悶　暁岑　24～25
清明節〔随筆〕　舒柯　26～27
憶〔小説〕　淩氷　27
文芸砕話(二)　秦淮碧　27
偸拳〔小説〕　白羽(作)／呉一舸(絵)　28～31
役に立たない示唆〔コラム〕　紀者　31
苔岑詩壇
王揖唐／岩渓晋／若槻礼／細貝泉／土屋久泰　32

各地風光——奈良　張蕾　33～36
乾隆時代における天津の皇会の盛況　小雲　36
名優家庭訪問記——程硯秋　秀華　37～38
漫画　席与承／何紹君／譚沫子　39
松竹の京都撮影所　大山峯　40～41
孟虹が公開した情詩　記者　41
慈善家の仮面（小説・完）
陳慎言（作）／席与承（絵）　42～45
社会小説「北京の花」予告
『華文大阪毎日』編輯処　43
珍聞集〔コラム〕　記者　46
日本語講座　47
中国語講座　白廷蕢　47
編輯後記　編者　48

第二巻第一〇期　第一四号　一九三九年五月一五日発行

表紙　北京の北海公園　表紙1
目次　1
巻頭言　四巨頭の論戦と応酬　主幹　2
日中事変と華北概況　張松老　3～6
和戦の岐路に立つアメリカ（二）　河上清　7～9
国際漫画　加藤悦郎　7、11、12、13
欧洲列強軍備図解　8
朔望東西〔時事雑報〕　9～12
対華輿論集
靖国神社臨時大祭（四月二十四日東京日日新聞社説）　10
「五月攻勢」の空宣伝（四月二十五日大阪毎日新聞社説）　10～11
天長節（四月二十九日東京日日新聞社説）　11～12
華興商業銀行創立（四月三十日大阪毎日新聞社説）　12
懸案解決の鍵（五月一日大阪朝日新聞社説）　13
昭和国民読本（四）
徳富猪一郎（作）／張文華（訳）　14
中国建築芸術の研究　馮貫一　15～17
苔岑詩壇
田辺新／服部轍／横山又吉／橋本好蔵／石井彬／川村文鼎／定井貞／加来復翁／影山佳雄／石井忠利／相羽清次／高橋宗雄／野間政／熊谷論／間野庫太／坂野大龍／森部逞禅／上村才六　18
日中学生親善懇談会　19～21
中日著名人家庭訪問記——町田忠治　井上松子　22～24
邸報について（上）〔コラム〕　拜石　24
時人月旦——喜多誠一　外史氏　25
秋の夕〔小説〕　王彷　26～27
生きる〔詩〕　許可　26
無題〔詩〕　駱子　26～27
小さな林を懐う〔詩〕　愛子　27
失業〔小説〕　葆廉　28～29
文芸雑談（三）　秦淮碧　28
数字が入った詩〔随筆〕　江寄萍　29
夏の北京文学界〔コラム〕　紅筆　28
偸拳〔小説〕　白羽（作）／呉一舸（絵）　30～33
雑抄〔コラム〕　孟秋　33
反独・伊映画の製作について　昭芸　34
旧劇「花木蘭」雑考　平公　34～35
上海映画界雑談　月光　35
満洲の映画　魏名　36～38
映画『女性』から女性を思う〔コラム〕　小吉子　38
劇「秦瓊、馬を売る」について　秋庚　39
各地風光
広州　山本一郎　40～41
綏遠・帰化　崔幻虹　41
漫画　楊苓／与承／春柳　42
北京の花（一）〔小説〕
李薫風（作）／劉凌滄（絵）　43～45
珍聞集〔コラム〕　記者　46
中国語講座　白廷蕢　47
日本語講座　47
編輯後記　編者　48

第二巻第一一期　第一五号

一九三九年六月一日発行

表紙　日本日光山の華厳滝　表紙1
目次　1
巻頭言　海戦記念日と国民の努力　主幹　2
東亜を安定させる根本方針　平沼騏一郎　3
日中提携にあるべき認識　彭東原　4～5
和戦の岐路に立つアメリカ(三)　河上清　5～7
イタリアの地中海における工作　董敬　8～9
国際漫画　加藤悦郎　8、10、12
朔望東西〔時事雑報〕　9～12
対華輿論集
敵都空爆の効果(五月八日大阪朝日新聞社説)　10～11
蔣、成都に遁入(五月九日大阪毎日新聞社説)　11
湖北作戦の成功(五月十六日大阪毎日新聞社説)　12
中ソ密約の図解　記者　13
東京国立博物館と所蔵する大陸珍宝　松井彰　14～17
国際学童オリンピック〔コラム〕　17
苔岑詩壇
梁衆異／岩渓裳川／清浦奎堂／玉木椿園／呂仲素／孫燕南／森龍川／岩田鶯崖／永井千山／土屋竹雨　18
時人月旦――徳王　太史公　19
中日著名人家庭訪問記――王克敏　秀華　20～21
邸報について(下)　拝石　21
日本観光に関する懇談会　22～23
超凡先生〔小説〕　家祉　24～25
夜の街〔詩〕　夜楓　26
硝を売る人〔小説〕　洗心　26～27
沈淪〔小説〕　陳濬堃　27～28
「総動員」旗の下〔コラム〕　琛　27
中国学術不振の検討〔コラム〕　28
昭和国民読本(五)　盛宣明　28
徳富猪一郎(作)／張文華(訳)　29
詩鐘について〔評論〕　冥鴻　30～31
満洲国留日学生会館を参観　馬茲義　30～31
倫拳〔小説〕　白羽(作)／呉一舸(絵)　32～35
ディアナ・ダービンは変わった？
日本の中国映画ファンは『木蘭従軍』と『歌声涙痕』を評する　蘿茜　36～37
　矢原礼三郎　38
程硯秋が出演した「梅妃」について　舜九　39
上海の諺「十三点」〔コラム〕　伯光　39
各地風光――青島　西村聡　40～41
漫画　楊棣　42
北京の花(二)〔小説〕　李薫風(作)／劉凌滄(絵)　43～45
雑抄〔コラム〕　孟秋　45
珍聞集〔コラム〕　記者　46
日本語講座　47
中国語講座　白廷贇　47
編輯後記　編者　48

第二巻第一二期　第一六号

一九三九年六月一五日発行

表紙　西湖公園　表紙1
目次　1
巻頭言　日本未曾有の戦果　主幹　2
日本経済力の発展と将来　藤原銀次郎　3～4
剿共滅党は同列に論じてはならない　邢幼傑　5
対華輿論集
黄河の増水対策(五月十八日大阪毎日新聞社説)　6
租界対策積極化の必要(五月二十六日大阪毎日新聞社説)　6～7
支那和平派の弾圧(六月二日大阪朝日新聞

社説）　7〜8

朔望東西〔時事雑報〕　6〜8

国際漫画　加藤悦郎　7、8、10、11

海外から見るソ連　布施勝治　9〜12

全欧洲皇室の血統　記者　12

日本帝国大学一瞥（一）——東京帝国大学　松井彰　13〜14

日中名流交歓座談会　秀霖　15〜17

事変当時の上海新聞界（上）〔コラム〕　微塵　17

中日著名人家庭訪問記——佐藤春夫　井上松子　18〜19

家理とはなにか？　奪山緑館　20〜22

書画に対する評価〔コラム〕　華章　22

時人月旦——陳群　23

昭和国民読本（六）　徳富猪一郎（作）／張文華（訳）　24

菊児という少女〔小説〕　芳之蕢　25〜26

雨〔小説〕　舒柯　26〜28

失った歌〔詩〕　馬遅　27

開門を待つ二人〔小説〕　許可　28

苔岑詩壇　服部轍／田辺新／若槻礼／小川郷／安広伴／杉渓言長／近重真澄／川俣篤／尾形慶／香川錬弥／石井忠利／小川通義／上村才六／野間政　29

各地風光

通州　漪堃　30〜31

宝山　楊花　31

偸拳〔小説〕　白羽（作）／呉一舸（絵）　32〜35

漫画　譚沫子／何紹君／程巨川／楊苓　36

婦女界——上海における女子大学生の楽しみ　梅華　37〜38

発言と執筆は慎重に〔コラム〕　紅筆　37

光栄なるカナダの五つ子　39

満洲文化人、日本映画を語る　曼英　39〜40

アメリカ俳優の年収　景　40

『風流寃魂』を見た感想　葆廉　41

過去の有名女優たちを語る　梅花居士　42

北京の花（三）〔小説〕　李薫風（作）／劉凌滄（絵）　43〜45

珍聞集〔コラム〕　記者　46

日本語講座　47

中国語講座　白廷蕢　47

編輯後記　編者　48

第三巻第一期　第一七号

一九三九年七月一日発行

表紙　奈良薬師寺の五重塔　表紙1

巻頭言　盧溝橋事件二周年の感想　1

目次　1

東アジア諸国の歴史関係を回顧　岩村成允　2〜6

華中名流の交歓座談会　王修／于宝軒／余祥森／鄧祖禹／李伯勤／王熊／熊士林。本社：楢崎観一／原田　7〜9

学術研究の方法について〔コラム〕　成皿　9

対華輿論集

法幣の危機（六月九日東京日日）　10〜12

ソ連の極東政策（六月四日大阪毎日）　12〜13

英仏租界の封鎖（六月十三日大阪朝日）　13〜14

悪夢の感情〔随筆〕　金音　10〜11

愚公・愚子・愚孫〔随筆〕　平凡　11〜12

中国人の長所について〔コラム〕　梅霊　12

中日著名人家庭訪問記——呉念中　盛宣明　13〜14

国際漫画　加藤悦郎　14、15、16

事変当時の上海新聞界（下）〔コラム〕　微塵　14

朔望東西〔時事雑報〕　15〜17

イギリスの欺瞞政策　賈騰　15〜16

半月日暦〔時事〕　16〜17

国際情勢の図解　董敬　17

日本帝国大学一瞥（二）――東京帝国大学
（続）　松井彰　18～20
原稿募集　『華文大阪毎日』編輯処　20
時人月旦――リッベントロップ
呉光　21
呉佩孚氏の短文〔墨筆〕　22～23
中国の彫刻芸術について　花朝生　22～23
昭和国民読本（七）
徳富猪一郎（作）／張文華（訳）　24
あるぜんちな丸〔グラビア〕　25
登山とカヌー――日本の初夏〔グラビア〕
26～27
鳳子〔小説〕　謝園　29
趙夫人〔小説〕　幽霊　30
風雨の夜〔小説〕　漫沙　31
墓地の風景〔詩〕　小蒨　31
各地風光――曲阜　馮貫一　32～33
苔岑詩壇
王克敏／吉田学軒／李抜可／呂仲素／
双燕楼主／杉渓六橋／小川射山　34
北京の花（四）〔小説〕
李薫風（作）／劉凌滄（絵）　35～37
五言詩の起源について　白放翁　38～39
岳楓の新作映画『欲魔』　矢原礼三郎　40～41
楊太真（一、二）〔絵物語〕
呉一舸（絵）　40、41
北京の劇団　任世祺　42～43
毎期一星――原節子　袁天瀋　43
旧劇雑考　揚馬　44
偸拳〔小説〕　白羽（作）／呉一舸（絵）　44～47
漫画　孫秀文　48
珍聞集〔コラム〕　記者　50
中国語講座　白廷賛　51
日本語講座　51
編輯後記　編者　52

第三巻第二期　第一八号
一九三九年七月一五日発行

表紙　奈良郡山名産の金魚　表紙1
巻頭言　本社の世界一周大飛行　1
目次　1
現段階の東亜建設方策　吉岡文六　2～4
時人月旦――王蔭泰　太史公　5
対華輿論集
占領汕頭（六月二十二日東京日日）　6～7
舟山列島の占領（六月二十六日東京朝日）　7
各地風光
シンガポール　柳重徳　6～7
北戴河　茀郎　8
ああ！　優越感〔コラム〕　紀者　8
朔望東西〔時事雑報〕　9～10
半月日暦〔時事〕　9～11
国際漫画　加藤悦郎　9、10、11
国際情勢図解　董敬　11
昭和国民読本（八）
徳富猪一郎（作）／張文華（訳）　12
平凡人生漫談〔随筆〕　葛今　13～14
楊太真（三、四）〔絵物語〕
呉一舸（絵）　14、15
商人と風雅〔随筆〕　牛何之　15
日本帝国大学一瞥（三）――京都帝国大学
藤田信勝　16～17
著名人家庭訪問記――住友吉左衛門
大成栄子　18～20
袁寒雲の軼事（一）〔随筆〕　寒水　20
北京の花（五）〔小説〕
李薫風（作）／劉凌滄（絵）　21～23
「麻雀牌」考〔コラム〕　阿甦　23
日本の中国語ブーム〔グラビア〕　25
水泳の覇者、日本〔グラビア〕　26～27
苔岑詩壇
田辺新／服部轍／松田甲／若槻礼／小川
郷／紫安新／桜井兵／石塚参／薄恕一／
大川誠／吉岡初／伊藤義彦／久保万／萩
原彰／上村才六　29
曹さん〔小説〕　白鋒　30～31
〝悼〟〔詩〕　陳灝　30～31
殺人者〔小説〕　進修　31～32
王お姉ちゃん〔漫画〕　陳固　32

恋愛哲学〔漫画〕　林孖　33
日本の国民性についての印象　陳慎言　34
日本の「漢詩」について　水原琴窓　34〜37
鉄筋コンクリートはなぜ現代建築材の「寵児」になった？　張公　35〜37
日本文壇の巨匠が映画を語る〔座談会〕菊池寛／大佛次郎／吉川英治／久米正雄／本社記者　38〜40
北京文壇の近況　史策　40
婦女界——働く女性へ　張蕾　41
「捉放曹」　凌霄漢閣主　42〜43
マレーネ・ディートリヒ脱税　景　42
毎期一星——轟夕起子　袁天濤　43
俳優・侯俊山の逸事　寿農　44〜45
清水宏の傑作『花ある雑草』　景　44
毛三じいさん（一）〔漫画〕　席与承　45
倫拳〔小説〕　白羽（作）／呉一舸（絵）　46〜48
「雲裏飛」について〔随筆〕　王鵬　49
珍聞集〔コラム〕　50
日本語講座　51
中国語講座　白廷賛　51
編輯後記　編者　52

第三巻第三期　第一九号
一九三九年八月一日発行
本社世界一周大飛行壮行号

表紙　本社世界一周機「ニッポン」号の雄姿　表紙1
巻頭言　日本の余裕と実力　1
目次　1
本社主催世界一周大飛行計画の全貌　2〜3
本社主催世界一周大飛行を讃える　4〜5
日本民間航空界の現勢と将来　郡龍彦　6〜7
対華輿論集
汪兆銘の進路表明（七月十一日大阪毎日新聞社説）　6〜7
日本の態度は不動（七月十九日大阪毎日新聞社説）　7
各地風光——本社世界一周機の経由地　8〜13
新航空文学の出現を期待〔随筆〕北村小松（作）／紀（訳）　14〜15
美しい虹〔随筆〕吉屋信子（作）／紀（訳）　15
大きな安心〔随筆〕藤原義江（作）／紀（訳）　15
時人月旦——徳川好敏　紫雲樹　16
文化史上もっとも文明的な一頁〔コラム〕
山茶花〔随筆〕　王蘭　17
鵜舟〔随筆〕　田瑯　17〜18
楊太真（五、六）〔絵物語〕　馮貫一　18〜20
呉一舸（絵）　18、19
機名の応募について〔コラム〕　琛　20
北京の花（六）〔小説〕李薫風（作）／劉凌滄（絵）　21〜23
袁寒雲の軼事（二）〔随筆〕　寒水　23
苔岑詩壇
杉渓六橋／千葉所南／野村玩古／奥無声／納明浦／福山天蔭／木内淇堂／守谷碧江／安部溟鵬／三浦英蘭／長潭赤埭／土屋久泰　24
「ニッポン」号特輯〔グラビア〕　25〜27
朔望東西〔時事雑報〕　29
国際漫画　加藤悦郎　29
列強航空界の現勢　中正夫　30〜31
半月日暦〔時事〕　30〜31
著名人家庭訪問記——田辺治通　井上松子　32〜33
光栄なる日本海軍少年航空兵　山口久吉　34〜37
中国倉庫業について　沈家駒　34〜37
日本の女性飛行士　董敬　38〜39
手のメイク法　梅華　39
珍聞集〔コラム〕　40〜41

風の災〔小説〕　白彿　42～43
如意という女〔小説〕　呉瑛　43～45
孤独な老女〔詩〕　許穎　43
毛三じいさん（二）〔漫画〕　席与承　44
広告の始まり（上）〔コラム〕　拝石　45
北京文壇の近況（続）　史策　45
日本帝国大学一瞥（四）――東北帝国大学（上）　福島停　46～47
文逸民の作品『神秘夫人』について　矢原礼三郎　49～50
毎期一星――ダグラス・コリガン　袁天濬　50
二黄戯と明雑劇との比較（一）　江寄萍　51
王お姉ちゃん〔漫画〕　陳固　51
編輯後記　編者　52

第三巻第四期　第二〇号　一九三九年八月一五日発行

表紙　朝顔　表紙1
巻頭言　イギリスはどこへ？　1
目次　1
イギリスの中国に対する侵略と権益　董敬　2～4
時人月旦――クレイギー　外史氏　5
忠霊奉戴運動　北条清一　6
広告の始まり（下）〔コラム〕　拝石　6～7
児童愛護会訪問記　張蕾　7～10
春の悩み（上）〔小説〕
鹿島孝二（作）／阿大（訳）／小西謙三（絵）　8～10
昭和国民読本（九）
徳富猪一郎（作）／張文華（訳）　11
銀色の壷〔小説〕　謝人堡　12～13
鶏〔小説〕　洗心　13～14
アメリカ文壇の新風景――ダイジェスト雑誌ブーム〔評論〕　冬春　13～14
心配なこと〔小説〕　柳雲　15
憧れの楽園〔詩〕　謝園　15
各地風光――外蒙古　馮貫一　16～17
楊太真（七、八）〔絵物語〕
呉一舸（絵）　18、19
「雨」と「黒いカッパを着る人」〔随筆〕
許可　18
憧憬〔随筆〕　田林　19
苔岑詩壇
王逸塘／杉渓六橋／橋川酔軒／高阪夜雨／陳寥士／秋雲館主／山田友泉／澤田東皐／木下周南／川崎早月／土屋竹雨　20
北京の花（七）〔小説〕
李薫風（作）／劉凌滄（絵）　21～23
袁寒雲の軼事（三）〔コラム〕　寒水　23
時局と人物〔グラビア〕　25
北京と南京の夏〔グラビア〕　26～27
日中親善提携の実績〔コラム〕
中川俊思　29
毛沢東印象記　黄審　29～33
日本帝国大学一瞥（五）――東北帝国大学（下）　福島停　30～32
毛三じいさん〔漫画〕　席与承　33
著名人家庭訪問記――冷家驥　秀華　34～35
松林山人を訪ねる（上）〔随筆〕
陳慎言　34～35
四十年来の日本文学者――夏目漱石
許穎　36～37
東亜文芸消息〔コラム〕　36～37
真理と事実〔随筆〕　平凡　38
×君への返信〔随筆〕　金音　38～39
個人漫画展の原稿募集
『華文大阪毎日』編輯処　39
自ら窓を開けるべき〔コラム〕　紅筆　39
日本との通商条約を廃止したアメリカの魂胆　賈騰　40
国際漫画　加藤悦郎　40、42
朔望東西〔時事雑報〕　41
半月日暦〔時事〕　41
対華輿論集
法幣崩壊と通貨政策（七月二十七日東日社説）　42
天津租界の経済問題（七月三十一日大毎社

説） 42
『黒蘭の女』を評す〔映画評〕　王雪橋 43〜44
大学生の日曜日の悲しみ〔漫画〕　張允中 43
毎期一星――白楊　景 44
『二進宮』について〔劇評〕　蓬隠 45
二黄戯と明雑劇との比較（二）　江寄萍 45
中国劇壇のエピソード　梅華 46
王お姉ちゃん〔漫画〕　陳固 46
珍聞集〔コラム〕 47
倫拳〔小説〕　白羽（作）／呉一舸（絵） 48〜50
中国語講座　白廷賛 51
日本語講座 51
編輯後記　編者 52

第三巻第五期　第二一号

一九三九年九月一日発行

表紙　睡蓮　表紙1
巻頭言　独ソ不可侵条約の成立 1
目次 1
「一体主義」を実行する　土肥原賢二 2〜3
時人月旦――汪精衛　太史公 4
日本帝国大学一瞥（六）――九州帝国大学　安東重紀 5〜7
病〔随筆〕　金音 7〜8
北京人〔随筆〕　王度 8〜10
楊太真（九、十）〔絵物語〕　呉一舸（絵） 8、9
日本における漢文学の地位〔コラム〕　西本曙光 10
春の悩み（下）〔小説〕
鹿島孝二（作）／阿大（訳）／小西謙三（絵） 10〜14
各地風光
朝鮮の京城　阿甦 11〜13
北京の北海公園　李彦 13
東亜に生まれる新文字を期待〔コラム〕　琛 14
婦女界
日本から帰って　石応蓮 15
訪日感想　劉玉函 15〜16
北京の「新婦女社」　阿華 16
勃発寸前のダンチッヒ問題　塩見孝雄 17
国際漫画　加藤悦郎 17、18、19
半月日暦〔時事〕 18〜19
対華輿論集
汪氏の広東声明（八月十一日大阪毎日社説） 18
法幣惨落後の対策（八月十六日大阪朝日社説） 18〜19
朔望東西〔時事雑報〕 20
昭和国民読本（十）
徳富猪一郎（作）／張文華（訳） 21
北京の花（八）〔小説〕
李薫風（作）／劉凌滄（絵） 22〜23
白系ロシア人の反英デモ〔グラビア〕 25
世界一周飛行の歌の演奏会〔グラビア〕 25
日本武道の精華〔グラビア〕 26〜27
湖北省の婚俗　範 29〜31
本誌主催の映画・演劇脚本募集の当選者
『華文大阪毎日』編輯処 29
四十年来の日本文学者――谷崎潤一郎　許穎 30〜31
著名人家庭訪問記――平生釟三郎　大成栄子 32〜34
松林山人を訪ねる（下）〔随筆〕　陳慎言 32〜33
最大の熱誠〔随筆〕　魯風 35
批評家に答える〔随筆〕　史策 35
思わず放言〔随筆〕　達 35
文化人の本体〔随筆〕　糸己 36
東亜文芸消息〔コラム〕 36
毛三じいさん〔漫画〕　席与承 36
苔岑詩壇
田辺新／松田甲／木南保／萩原彰／桜井兵／古沢幸吉／石井彬／野間政／清水龍山／塩出孝潤／尾中郁太／大滝金吉／千葉郁治／及川英／生方一哉／竹村為／上

村才六　37
毎期一星――季燕芬　梅　38
映画『大平原』について　昭芸　38
馬連良のレコード　凰芷　38～39
王お姉ちゃん〔漫画〕　陳固　39
「羽根けり」について　孛力　40
『同命鴛鴦』（本誌募集一等賞当選作）〔映画脚本〕　方之蕢（作）／陳固（絵）　41～49
作者の当選感想　42～43
珍聞集〔コラム〕　50
日本語講座　51
中国語講座　白廷蕢　51
編輯後記　編者　52

第三巻第六期　第二二号　一九三九年九月一五日発行

表紙　万里長城の八達嶺　表紙1
巻頭言　阿部内閣の対外政策　1
目次　1
平和運動の展開　樊友実　2
欧洲大戦が勃発の前哨戦　賈騰　3～5
独伊と英仏波の兵力　董敬　5
対華輿論集
欧洲の危機とわが国（八月二十八日東京日日社説）　6
純正国民党の発足（九月一日大阪毎日社説）　6
国際漫画　加藤悦郎　7
朔望東西〔時事雑報〕　7
半月日暦〔時事〕　8
日本帝国大学一瞥（七）――北海道帝国大学　石井定一　9～10
各地風光
海南島　馮貫一　11～12
海口市　川崎栄蔵　13
北京芸壇の怪傑――王青芳　白衣　11～13
海外の九月〔小説〕　小松　14～17
失った記憶〔詩〕　許潁　15
自画像賛〔詩〕　金音　15
故郷〔詩〕　巉巖　14～15
幽居〔詩〕　許可　14
漫画　孫秀文　16
長篇小説募集の締切を延期　『華文大阪毎日』編輯処　17
昭和国民読本（十一）　徳富猪一郎（作）／張文華（訳）　18
偸拳〔小説〕　白羽（作）／呉一舸（絵）　19～20
ニッポン機が太平洋を横断！〔搭乗者手記〕　大原武夫／中尾純利　21～24
四十年来の日本文学者――芥川龍之介〔評論〕　許潁　22～24
壮途に就いた「ニッポン」号〔グラビア〕　25
阿部内閣の誕生〔グラビア〕　26～27
時人月旦――阿部信行　富岡生　29
阿部新内閣陣営の紹介　30～32
我々は団結して努力すべき〔コラム〕　張蕾　32
苦しい思い出〔随筆〕　慕容玉　33
再生草〔随筆〕　陳灝　33
天津の水災　馮貫一　34
蕭菱先生に〔随筆〕　紅筆　35
芸術と功利心〔随筆〕　呉郎　35～36
歌唱を論じる　方昭芸　36～37
東亜文芸消息〔コラム〕　36～37
「蝴蝶装」考（上）〔コラム〕　拜石　37
苔岑詩壇
王逸塘／松平天行／李釈戡／呂寒碧／庄司杜峯／土屋竹雨　38
劇『法門寺』を語る　凌霄漢閣主　39～40
王お姉ちゃん〔漫画〕　陳固　39
ポーラ・ネグリが勝訴　景輝　40
北京の雑芸　汪介夫　41～42
毎期一星――山田五十鈴　大山峯　41
歯科医の家族（本誌募集二等賞当選作）〔劇脚本〕　白樺（作）／植村俊（絵）　44～49
作者の当選感想　48
珍聞集〔コラム〕　50
中国語講座　白廷蕢　51
日本語講座　51
編輯後記　編者　52

第三巻第七期　第二三号　一九三九年一〇月一日発行

表紙　蒙古の牧場風景　表紙1
巻頭言　国際形勢と盧溝橋事件　1
目次　1
中国開発の資本問題　本位田祥男　2～3
欧洲大戦の展望　賈騰　4～6
欧洲大戦の半月間　記者　6～7
国際漫画　加藤悦郎　5、6、10
対華輿論集
新中央政府樹立期迫る（九月十五日東京日日新聞社説）　6～7
蔣政権の金融対策（九月十二日大阪毎日社説）　7
時人月旦――ダラディエ　外史氏　8
欧洲戦争と今後の中国　汪精衛　9～10
朔望東西〔時事雑報〕　10
東亜文芸消息〔コラム〕　11
中国新文学の回顧と展望　孟剛　11～17
夜／窓下〔随筆〕　金音　12～13
雨〔随筆〕　白芷　13～14
砂洲／某日〔随筆〕　田瑯　14～15
砂〔随筆〕　慕容玉　15～16
故郷〔随筆〕　陳異　16
盲女の歌〔随筆〕　江寄萍　16～17
中国農村問題研究の一助　盛宣明　17
名人家庭訪問記――呉賛周　太史公　18～19
香妃の墓について　虹雯　18
「蝴蝶装」考（下）〔コラム〕　拝石　19
北京の花（九）〔小説〕　李薫風（作）／劉凌滄（絵）　20～21
倫拳〔小説〕　白羽（作）／呉一舸（絵）　22～23
蒙古聯合自治政府の成立と意義　関口保　24
同情と声援〔コラム〕　梅霊　24
蒙古聯合自治政府の誕生〔グラビア〕　25
欧洲大戦の始まり〔グラビア〕　26～27
日本帝国大学一瞥（八）――大阪帝国大学　藤田信勝　29～32
四十年来の日本文学者――菊池寛　許潁　29～33
半月日暦〔時事〕　33
北京の西山について　呉乃礼　34～36
各地風光――新京　惠清　34～35
中国の糸繍　馮貫一　36～38
中国の代用貨幣研究　沈家駒　37～39
大作家談〔随筆〕　糸己　39～40
正道に導く〔随筆〕　魯風　40～41
天津の水害〔漫画〕　楊苓　40～41
個人漫画展　原稿募集〔広告〕　『華文大阪毎日』編輯処　41
漫画　孔飛　42
四川における目蓮劇　凡之　42
皮黄劇におけるひげについて　徳鄰　42～43
『愛の勝利』を見て　石芸　43
毎期一星――マーナ・ロイ　大山峯　43
毛三じいさん〔漫画〕　席与承　44
『我が家の楽園』評　王雪橋　44～45
半月の映画界　景／曼英　44
王お姉ちゃん〔漫画〕　陳固　45
楊貴妃（上）（本誌募集二等当選）〔映画脚本〕　林火／林凡　46～49
「楊貴妃」の執筆経緯　林火　47
楊太真（十一、十二）〔絵物語〕　呉一舸（絵）　48、49
日本語講座　51
中国語講座　白廷賛　51
編輯後記　編者　52

第三巻第八期　第二四号　一九三九年一〇月一五日発行

表紙　建設と力（河北石景山製鉄所にて）　表紙1
巻頭言　東亜道義国家の誓約　1
目次　1
東亜連盟に関する私見　繆斌　2～3
独ソによるポーランド分割後の欧洲戦況は？　賈騰　4～5
欧洲大戦の半月間　記者　5

国際漫画　加藤悦郎　5
対華輿論集
汪・王・梁会談（九月二十二日大阪毎日社説）　6
西尾総司令官の声明（十月二日大阪朝日社説）　6
半月日暦〔時事〕　6～7
朔望東西〔時事雑報〕　7
汪精衛先生会見記　田知花信量　8～9
汪精衛の奥村社長・平川主幹への手紙　8～9
「ニッポン」機、アンデス山脈を横断　9
四十年来の日本文学者——武者小路実篤　許穎　10～14
「同命鴛鴦」読後〔コラム〕　陳曼　10～11
日本帝国大学一瞥（九）
名古屋帝国大学　牧野肇　12
京城帝国大学　檀野数雄　13
台北帝国大学　山本礼　14
否定は力〔随筆〕　山丁　15～16
賞味〔随筆〕　昭芸　16～17
霊魂の書〔随筆〕　金音　17
奇形流行の文化情調〔随筆〕　呉郎　16
「文化人」について〔随筆〕　蒋山青　16～17
低級な崇拝と遊離〔随筆〕　秉慈　17～18
「主題」と「目的」と「パトロン」〔随筆〕　傅双姝　18
東亜文芸消息〔コラム〕　18
時人月旦——湯爾和　太史公　19
アメリカ人における世論調査　冬春　20～21
著名人家庭訪問記——岳開先　秀華　20～21
偸拳〔小説〕　白羽（作）／呉一舸（絵）　22～24
興亜建設の大黒柱〔グラビア〕　25
新民会中央訓練所〔グラビア〕　26～27
苔岑詩壇
若槻礼／桜井兵／石塚参／田辺新／服部轍／木南保／野間政／薄恕一／池田超爾／横山又吉／塩出孝潤／川村文鼎／中西檀成／長東保／萩原彰／上村才六　29
決壊〔小説〕　許穎　30～31
仔羊〔小説〕　林緩　32～36
夜行〔小説〕　立日　36～38
飲んべえ〔小説〕　李駘子　38～39
本誌個人漫画展
孔飛／牛作周／何紹君／小乖／譚沫子／范榕子／羅鳳／龍翼／陳乃豊／林孖／程巨川　30～39
一利一害〔随筆〕　桑埜　40
子供と大人の譲り合い〔随筆〕　張金寿　40
各地風光——嘉陵江　崇東　41
「このような疑いと恐れ」〔コラム〕　琛　41
昭和国民読本（十二）
徳富猪一郎（作）／張文華（訳）　42
陳雲裳、再び上海へ　承骸　43～44
毎期一星——顧蘭君　琳　43
半月の映画界
景／曼英／曹来的／大山　44
斌慶社について　彊三　44～45
毛三じいさん〔漫画〕　席与承　45
楊貴妃（下）（本誌募集二等当選）〔映画脚本〕
林火／林凡　47～49
執筆後記　林火　48～49
楊太真（十三、十四）〔絵物語〕　呉一舸（絵）　48、49
珍聞集〔コラム〕　50
中国語講座　白廷賓　51
日本語講座　51
編輯後記　編者　52

第三巻第九期　第二五号

一九三九年一一月一日発行
創刊一周年記念号

表紙　平和　方洺　表紙1
広告　1
巻頭言　創刊一周年の感想　平川清風　2～3
目次　2～3
新中国と汪精衛　近衛文麿　4～6

日中平和の基礎　褚民誼　7
新東亜建設の指導理念　谷口吉彦　8～9
孫中山先生を憶う――頭山満翁談　10～12
日中親しむの歌〔歌詞〕　朱華　12
今後の日中文化問題　室伏高信　13～15
長篇小説募集要項
『華文大阪毎日』編輯処　15
今日の労働者教育〔コラム〕　鈕先錚　15
三民主義批判　河野密　16～17
時人月旦――野村吉三郎
宇治田直義　18
四十年来の日本文学者――有島武郎
許穎　19～23
日本の代表的会社・工場紹介（一）――大阪
毎日新聞社　本社記者　20～23
平和提案をめぐる欧洲の新情勢
賈騰　24～25
独ソはなぜ不可侵条約を締結？　山　25～26
国際漫画　加藤悦郎　26
対華輿論集
ソ連と支那共産党（十月十五日大阪朝日社
説）　27
占領区内の鉄道全通（十月八日大阪毎日社
説）　27
半月日暦〔時事〕　27～28
朔望東西〔時事雑報〕　記者　28
著名人家庭訪問記――許蘭洲　秀華　30～31
本号表紙の作者――方洺先生　記者　31
北京の花（十）〔小説〕
李薫風（作）／劉凌滄（絵）　32～33
偷拳〔小説〕　白羽（作）／呉一舸（絵）　34～35
本誌一周年の祝辞
王克敏／王蔭泰／近衛文麿／張景恵／徳
王／呉応墀／張仁蠡／余晋龢　36、45
独軍、ポーランドを制圧〔グラビア〕　37
日本婦女の「学」〔グラビア〕　38
華北棉花の収穫〔グラビア〕　39
本誌新聞社の社内様子〔グラビア〕　40～41
本社ニッポン機を讃美する歌劇〔グラビア〕　42
本社の世界一周大飛行、大成功！！　46～47
中国の文化人へ〔随筆〕　菊池寛　48
「天下の思想」〔随筆〕　葛今　48
中国婦人へ寄す〔随筆〕　吉屋信子　49
猷〔随筆〕　梅娘　49
楊太真（十五、十六）〔絵物語〕
呉一舸（絵）　48、49
瓜の畑〔随筆〕　馮貫一　50
「報」と「新聞」〔コラム〕　凌霄漢閣主　50～51
お供えをいただく〔随筆〕　鳳芷　51
一年〔小説〕　傅双姝　52～53
十二の水死体〔小説〕　徐健　54～55
三国人物木刻選（一、二）
万柩楼主（刻）／紫荊花館（文）　55、56
南への旅〔小説〕　夢殊　55～56
熱中症〔小説〕　張金寿　56～57
夕暮れの家（上）〔詩〕　糸己　58～59
苔岑詩壇
江朝宗／大島蘇谷／井上巽軒／落合東郭
／江鷗伴／陳寥士／伍澄宇／岡崎春石　60
「老曹」について〔コラム〕　魯風　61
日本精神を理解しよう　琛　61
本誌創刊一周年記念――百万読者大募集〔広
告〕　大阪毎日・東京日日新聞社　62
飛行機と映画　平井忠夫　63～65
半月の映画界　63
毎期一星――ルイーゼ・ライナー
施礼　65
日本の演劇　貫奇　66～67
毛三じいさん〔漫画〕　席与承　67
個人漫画展（一）　張瑋　68
遁辞〔随筆〕　伯達　69
「青春文芸」の始末〔随筆〕　明軒　69
各地風光
北京　張迷生　70～71
臨汾　王永言　70～71
王お姉ちゃん〔漫画〕　陳固　70
乱世鴛鴦（上）（本誌募集二等当選）〔映画脚
本〕　方之蕢（作）／陳固（絵）　72～77
東亜文芸消息〔コラム〕　77
珍聞集〔コラム〕　78

日本語講座　79
中国語講座　白廷賛　79
編輯後記　編者　80

第三巻第一〇期　第二六号　一九三九年一一月一五日発行

表紙　北京北海公園の九龍壁　表紙1
巻頭言　興亜の明治節　1
目次　1
汪精衛と新中央政府　徳富猪一郎　2～3
汪精衛に期待すること（一）　高木陸郎　4
二十世紀における科学〔コラム〕　梅霊　4
新中国経済建設の方法　陸夢熊　5
欧洲動乱〔写真〕　6
欧洲戦線の長期化と独の経済力　賈騰　6～7
国際漫画　加藤悦郎　7
日本精神に関する管見　焦定遠　8～9
朔望東西〔時事雑報〕　8～9
日本の代表的会社・工場紹介（二）——鐘淵紡織会社大阪淀川工場　10～11
時人月旦——周仏海　杉　12
各地風光——宮島　東野　13～15
骰子の始まり〔コラム〕　江寄萍　15
日本は中国の真実の友だと理解すべき〔コラム〕　蕭世毓　16
日本人の中国に関する著作　所倉蔵　16～19
著名人家庭訪問記——阮振鐸　17～19
怪癖を持つ国学者・黄侃（上）　白衣　19
北京の花（十一）〔小説〕　李薫風（作）／劉凌滄（絵）　20～21
倫拳〔小説〕　白羽（作）／呉一舸（絵）　22～23
半月日暦〔時事〕　23
苔岑詩壇
田辺松坡／萩原錦江／小川五江／岡田愚山／伊藤盤南／熊谷翠軒／尾中鶴洲／石井成器／定井香厓／福島松濤／真鍋竹州／内ケ崎愛天／服部担風／上村売剣　24
興亜美術展の作品〔グラビア〕　25
ニツポン機が凱旋〔グラビア〕　26～27
四十年来の日本文学者——志賀直哉　許穎　29～33
北京高等警官学校紹介　煥宇　30～32
三国人物木刻選（三、四）　万板楼主（刻）／紫荊花館（文）　31、32
東亜文芸消息〔コラム〕　33
「歯科医の家族」評〔コラム〕　紅筆　33
青い河〔随筆〕　昭芸　34
両地〔随筆〕　但娣　34～35
犬／笛の音〔随筆〕　田瑯　35
夕暮れの家（中）〔詩〕　糸己　36～37
現在の幽黙（ユーモア）家を論じる〔随筆〕　張金寿　38～39
コラム「熱風」について〔随筆〕　史之風　39
楊太真（十七、十八）〔絵物語〕　呉一舸（絵）　38、39
毛三じいさん〔漫画〕　席与承　40
程硯秋のレコードについて　凰芷　40～41
映画『黄昏』評　允　41
王お姉ちゃん〔漫画〕　陳固　41
映画『パナマレディー』評　王雪橋　42
毎期一星——桑野通子　袁天瀋　42
半月の映画界　大山　42
個人漫画展（二）　呂風　43
乱世鴛鴦（下）（本誌募集二等当選）〔映画脚本〕　方之蕢（作）／陳固（絵）　45～49
珍聞集〔コラム〕　50
中国語講座　白廷賛　51
日本語講座　51
編輯後記　編者　52

第三巻第一一期　第二七号　一九三九年一二月一日発行

表紙　菊花　表紙
巻頭言　英軍、華北から撤退　1
目次　1

今後の中国思想界　井上哲次郎　2～4
皇室から下賜金〔コラム〕　4
汪精衛に期待すること（二）　中野正剛　5～6
朔望東西〔時事雑報〕　6
英独、北海に攻防網を設置　7
小国の苦悶とベルギー、オランダの危機　賈騰　8～9
国際漫画　加藤悦郎　8
対華輿論集
　南支北海の新作戦（十一月十六日東京朝日社説）　9
三民主義の是正（十一月八日東京日日社説）　9
半月日暦〔時事〕　10
昭和国民読本（十三）
　徳富猪一郎（作）／張文華（訳）　11
日本の代表的会社・工場紹介（三）――横浜正金銀行　本刊記者　12～13
時人月旦――ジョセフ・グルー　外史氏　14
四十年来の日本文学者――里見弴　許穎　15～17
長篇小説募集
　『華文大阪毎日』編輯処　16
「夕暮れの家」（上）を読む　山青　17
各地風光――開封　陳笠／曹金港／大可　18～19
災後の天津　黙夫　18～19
北京の花（十二）〔小説〕
　李薫風（作）／劉凌滄（絵）　20～21
暦書と時憲書〔コラム〕　琛　21
倫拳〔小説〕　白羽（作）／呉一舸（絵）　22～23
橿原神宮の本殿遷座祭〔グラビア〕　25
第十回明治神宮国民体育大会〔グラビア〕　26～27
礼と楽〔随筆〕　林火　29
回憶〔随筆〕　金音　29
著名人家庭訪問記――王揖唐　秀華　30～31
怪癖を持つ国学者・黄侃（下）　白衣　31
夕暮れの家（下の一）〔詩〕　糸己　32～33
中国絵画の研究（上）　馮貫一　34～35
「××家」を論じる〔随筆〕　張金寿　36
いわゆる長篇小説〔随筆〕　魯風　36～37
東亜文芸消息〔コラム〕　36
「ゴミ」談〔随筆〕　游衍生　37
国策映画を論じる〔コラム〕　井上瑛青　37
秋風の中で〔小説〕　林緩　38～40
五くん〔小説〕　白鋒　40～41
三国人物木刻選（五、六）
　万板楼主（刻）／紫荊花館（文）　39、40
映画『少年の町』評　龍翼　42～43
映画『舞姫ザザ』について　王雪橋　43～44
王お姉ちゃん〔漫画〕　陳固　42
毎期一星――モーリン・オサリヴァン　納咸　43
喜彩蓮の「玉堂春」から評戯を論じる　憶蘭　44
半月の映画界　大山　44
個人漫画展（三）　王金錬　45
書生（本誌募集当選作）〔劇脚本〕　趙孟原　46～49
楊太真（十九、二十）〔絵物語〕　呉一舸（絵）　47、48
「衙門」の解釈（上）〔コラム〕　燾　49
珍聞集〔コラム〕　50
日本語講座　51
中国語講座　白廷賛　51
編輯後記　編者　52

第三巻第一二期　第二八号
一九三九年一二月一五日発行

表紙　北京天壇祈年殿　表紙1
巻頭言　一九三九年を送る　1
目次　1
中国国民に告ぐ　野村吉三郎　2
汪精衛に期待すること（三）　松本忠雄　3
米国の新中立法の検討　山　3～4

英、独の輸出を封鎖する　立作太郎　4〜5
国際漫画　加藤悦郎　5
対華輿論集
四川・雲南の中央化（十二月一日大阪朝日社説）　5
南寧陥落と重慶の苦境（十一月二十六日東京日日社説）　5〜6
朔望東西〔時事雑報〕　6
半月日暦〔時事〕　7
時人月旦――斉燮元　太史公　8
各地風光――京都　記者　9〜11
紅葉〔随筆〕　白衣　11
日本の代表的会社・工場紹介（四）――造幣局（大阪）　12〜14
「衙門」の解釈（下）　燾　14
中日著名人家庭訪問記――賀屋興宣　本刊記者　15〜16
本誌長篇小説募集　『華文大阪毎日』編輯処　16
四十年来の日本文学者――永井荷風　許穎　17〜19
「十二の水死体」評〔コラム〕　魯風　17
楊太真（二十一、二十二）〔絵物語〕　呉一舸（絵）　18、19
偸拳〔小説〕　白羽（作）／呉一舸（絵）　20〜21
北京の花（十三）〔小説〕　李薫風（作）／劉凌滄（絵）　22〜23
苔岑詩壇
王揖唐／市村瓚／小川平吉／納三治／土屋久泰　24
東亜の飛行機〔グラビア〕　25
新民学院の概況〔グラビア〕　26〜27
満洲国記者団を歓迎する〔座談会〕
満洲弘報協会記者団：譚鉄錚／劉士忱／李士栄／索冠軍／沈亨沢／弓文才／岩下輝夫。本誌：原田稔／洪光洲／鄭吾山／李景新／陳滄堃／柳龍光／張秀霖／松本鎗吉　29〜31
編輯者について〔随筆〕　蔣山青　30〜31
閑話三題〔随筆〕　伯達　31
兵と兵〔随筆〕
火野葦平（作）／阿大（訳）　32〜35
感傷的な散歩者〔随筆〕　田瑯　32〜34
初冬二題〔随筆〕　系子　34
冬から春へ〔随筆〕　陳蕪　34〜35
中国絵画の研究（下）　馮貫一　36〜37
東亜文芸消息〔コラム〕　37
夕暮れの家（下の二）〔詩〕　糸己　38〜39
劇『王宝釧』を映画化　琳　40
毎期一星――路明　40
映画『城砦』について　王雪橋　40〜41
劇の姿態を論じる　莎比　41〜42
半月の映画界　41
毛三じいさん〔漫画〕　席与承　42
暴風雨（本誌募集当選作）〔映画脚本〕　柳浪　44〜48
三国人物木刻選（七、八）
王青芳（刻）／紫荊花館（文）　45、46
人類愛を擁護する〔随筆〕　羽仁もと子　47
王お姉ちゃん〔漫画〕　陳固　48
個人漫画展（四）　季風　49
珍聞集〔コラム〕　50
中国語講座　白廷賛　51
日本語講座　51
編輯後記　編者　52

第四巻第一期　第二九号
一九四〇年一月一日発行
新年加大号

表紙　新春と日本少女
堂本印象（絵）　表紙1
広告　表紙2、1
巻頭言　平和運動の黎明　平川清風　2〜3
目次　2〜3
時論特輯
共同の前進を　汪兆銘　4〜5
呉佩孚と汪精衛　温宗堯　7〜8
華僑同胞に告げる　李憲　8〜9
汪精衛に期待すること（四）

杉森孝次郎 9
東亜経済懇談会の成果 10～11
中国経済の将来〔コラム〕 朱錫瑋 16
華北建設事業の概要 殷同 18～19
本号表紙の作者――堂本印象 5
時人月旦――張景恵 外史氏 6
一九三九年国際情勢の総検討 上原虎重 11～13
国際漫画 近藤日出造 13
本誌主催・日中教育懇談会
維新政府教育部中小学教員訪日視察団：田中邦彦／菊沖徳平／俞義範／王質庵／欧季撫／張竹軒／朱雲程／朱令彝／王錫賓／岳継先／姚人龍／謝超／胡建球／朱尚忠／于経武／王宇澄／汪特璋／李鴻勳／張忠禹／柳舜年／季準平／蘇樹徳／趙恒勤／李平／周宗貴／戴若愚／杜和声／王浩然／陳増安／袁峻徳／孫悦信／徐国韶／呉梯芳／周定影。日本大阪市方面：菅野和太郎／内田娯老／津田六郎／中村好／能沢信二／石川為蔵／宮崎武夫／大曾根源助／岡村育次郎／村上五郎／田付徳三／新谷幸次郎／小豆沢義光／砂原熊市／小森俊一／小寺好一／植田善蔵／田中寅一／金田政一。本誌方面：原田稔／陳漪堃(記録)、他。 14～16
日本大陸漫画の代表作
西塔子郎／中村篤九／志村常平 17
朔望東西〔時事雑報〕 19
日本の代表的会社・工場紹介(五)――百貨店の現状 20～22
半月日暦〔時事〕 21～22
抗議に対する反駁〔随筆〕 菊池寛 23
中国の旅〔随筆〕 林芙美子 23～24
人との付き合いについて〔随筆〕 張金寿 24～25
中国社会と「独身男」〔随筆〕 村上知行 25
各地風光――南京 蘋末 26～27
著名人家庭訪問記――青木一男 本刊記者 28～29
「曲赦」談(上)〔コラム〕 班書閣 29
倫拳〔小説〕(完) 白羽(作)／呉一舸(絵) 30～31
昭和国民読本(十四) 徳富猪一郎(作)／張文華(訳) 32
厳冬の大地〔グラビア〕 34～35
東亜の女優たち〔グラビア〕 36～37
児童の楽園〔グラビア〕 38～39
愛読者懸賞の当選発表 41
皇紀二千六百年記念行事 赤坂清七 42～43
東亜文芸消息〔コラム〕 42～43
『華文大阪毎日』新年特輯号への祝辞 孫其昌 43
沙漠の同行者／死／隅田川にて〔詩〕 田瑯 44～45
黄昏／友へ〔詩〕 巉巖 45
アポロンの歌〔詩〕 陳蕪 45
魚肆／一日〔詩〕 山丁 45～46
橋畔〔詩〕 藍苓 46
鉄窗／雷光〔詩〕 呉郎 46
砂浜を渉る〔詩〕 テニソン(作)／冷歌(訳) 46
秋の実〔詩〕 ニコラス(作)／冷歌(訳) 46
冥土頌〔詩〕 謝人堡 46～47
私の燈〔詩〕 ラマルティーヌ(作)／謝人堡(訳) 47
魯迅先生を憶う 内山完造 48～49
「夕暮れの家」を読む〔コラム〕 方之蕙 48～49
四十年来の日本文学者――佐藤春夫 許穎 50～52
三国人物木刻選(九、十) 王青芳(刻)／紫荊花館(文) 51、52
「中国文芸協会」の誕生 重緑 52～54
中国文学と私の因縁 佐藤春夫 53～54
青年課題大募集 『華文大阪毎日』編輯処 54
紅筆に答える〔随筆〕 蕭菱 54～55
「口語」について〔随筆〕 文芳 55

個人漫画展(五)　竇宗淦　56
一九三九年華北漫画の総検討　宋以仁　57
舷上〔小説〕　方之蕢　58
氷雪の世界〔小説〕　白佛　58〜59
一人の老人〔小説〕　蕭菱　60
寒流と暖流〔小説〕　馳父　60〜62
過去の中国映画に対する検討と今後の展望　凌琳　63〜64
毎期一星――ベティ・デイヴィス　琪英　63
半月の映画界　大山　64
メトロが撮影中の映画　李栄　64〜65
一九三九年北京の演劇　林孖　65
毛三じいさん〔漫画〕　席与承　65
上海の夜の街(本誌募集当選作)〔劇脚本〕　楊棣　66〜69
楊太真(二十三、二十四)〔絵物語〕　呉一舸(絵)　68、69
寺下宗孝著『中国の姿』序文　樊友実　69
珍聞集〔コラム〕　70
日本語講座　71
中国語講座　白廷蕢　71
編輯後記　編者　72

第四巻第二期　第三〇号　**一九四〇年一月一五日発行**

表紙　山西の太行山脈　表紙1
巻頭言　興亜時代の害虫を排除する　1
目次　1
文化人と国民精神の再建運動　宋介　2〜3
汪精衛に期待すること(五)　吉岡文六　3
「呉佩孚と汪精衛」を書いて　温宗堯　4
汪精衛の文学作品とその性格　小柳司気太　4〜6
時人月旦――津田信吾　外史氏　7
ソ連、今後の目標　布施勝治　8〜9
漫画　近藤日出造／江汀　8、9
「今後の中国思想界」を読む　果菴　10〜11
皇道文化と王道文化〔コラム〕　田崎仁義　11
日本の代表的会社・工場紹介(六)――王子製紙会社　12〜14
中国音楽の復興　柯政和　14〜15
中国米産業の現況(上)　沈家駒　15
文人の痴愚　孟剛　16〜17
著名人家庭訪問記――鮑鑑清　秀華　16〜17
各地風光――西湖　呉乃礼　18
東亜文芸消息〔コラム〕　19
漫画　王金錬　19
「曲赦」談(中)〔コラム〕　班書閣　20
上海の文化界　琳　20〜21
亡国的な「風・馬・牛」主義　鍾礼山　20〜21
北京の花(十四)〔小説〕　李薫風(作)／劉凌滄(絵)　22〜23
歳末〔グラビア〕　25
日本の正月〔グラビア〕　26〜27
苔岑詩壇　田辺新／松田甲／小川通義／高島米峯／佐藤祖道／加来復翁／守谷富／定井貞／野間政／大矢要／森川定／萩原彰　29
広東の盲妹〔小説〕　火野葦平(作)／阿大(訳)　30〜31
朝鮮童話〔小説〕　中村亮平(作)／黄沙(訳)　30
中国の陶器　馮貫一　32〜33
四十年来の日本文学者――小川未明　許穎　34〜36
新文壇の建設者と協力したい〔随筆〕　式風　35
「中立」と「日和見主義」〔随筆〕　伯達　35〜36
「文芸賞」と「団体」〔随筆〕　陳従善　36
青年課題原稿募集　『華文大阪毎日』編輯処　37
かごかき〔小説〕　張金寿　37〜39
未完結の物語〔詩〕　但娣　38〜39
月下の出来事〔詩〕　陌人　39〜41

五月の農村〔小説〕　于揚　39～42
沙漠の草〔詩〕　金音　41
「仔羊」を評す〔コラム〕　李嬌　42
個人漫画展(六)　姚紅　43
唐宋以来の旧戯曲について(上)
若愚　44～45
半月の映画界　大山　44
王お姉ちゃん〔漫画〕　陳固　45
映画『邂逅』について　王雪橋　45
映画『土と兵隊』を見る　井上瑛青　45～46
毎期一星――李紅　華　46
毛三じいさん〔漫画〕　席与承　46
鉄血情花〔本誌募集当選作〕〔映画脚本〕
林風　47～49
三国人物木刻選(十一、十二)
王青芳(刻)／紫荊花館(文)　47、48
珍聞集〔コラム〕　50
日本語講座　51
編輯後記　編者　51

第四巻第三期　第三一号
一九四〇年二月一日発行

表紙　南京中山陵　表紙1
巻頭言　米内新内閣の成立　1
目次　1
米内新内閣の陣容　2～3
今後の中国の文化と思想に関する私見
――井上哲次郎博士に答える
五知　4～5
日独米伊ソの現状打破　上原虎重　6～7
一月日歴　7～8
朔望東西〔時事雑報〕　8
時人月旦――米内光政　外史氏　9
汪精衛先生に問う〔インタビュー〕　10～11
「三民主義」の由来　丁士源　11
「曲赦」談(下)〔コラム〕　班書閣　11
日本の代表的会社・工場紹介(七)――日本
発送電株式会社　記者　12～14
三国人物木刻選(十三、十四)
王青芳　13、14
中国米産業の現況(下)　沈家駒　14
昭和国民読本(十五)
徳富猪一郎(作)／張文華(訳)　15
各地風光――別府温泉　園部緑　16～18
温泉回想〔随筆〕　陳慎言　17～18
著名人家庭訪問記――羽田亨
本刊記者　19～21
蔵書について〔随筆〕　陸続　19～20
東洋人は団結すべき〔コラム〕
程希賢　21
北京の花(十五)〔小説〕
李薫風(作)／劉凌滄(絵)　22～23
日本の雪〔グラビア〕　26～27
米内新内閣の成立〔グラビア〕　28～29
北京の正月の玩具〔グラビア〕　30
苔岑詩壇
梁鴻志／楊寿枏／李宣倜／陳道量／小室
貞／服部荘夫／細貝泉／土屋久泰／岩渓
晋　33
幽霊と兵隊(上)〔小説〕
ロバート・グレイヴス(作)／魯風(訳)　34～35
中国の銅器(上)　馮貫一　36
四十年来の日本文学者――加藤武雄
許穎　37～41
一人のために／世紀の景色〔詩〕
陳蕪　38～39
哲学の詩四篇／年〔詩〕　微夫　39～43
友人を慕う〔随筆〕　呉瑛　38～39
異国〔随筆〕　但娣　39～41
宴／童年の春〔随筆〕　藍苓　41～42
新年〔随筆〕　也麗　42～43
東亜文芸消息〔コラム〕　42～43
答えと質問〔随筆〕　游衍生　44
「戯劇文字」と文芸作者〔随筆〕　伯文　44
「気勢」と「環境」〔随筆〕　伯達　45
「一年」評〔コラム〕　阿虎　45
個人漫画展(七)　楊棣　46
唐宋以来の旧戯曲の梗概(下)　若愚　47～48
毎期一星――ポール・ムニ　琪英　48

映画『グレート・ワルツ』評　王雪橋　49
半月の映画界　49
毛三じいさん〔漫画〕　席与承　49
光と影（上）（本誌募集当選作）〔劇脚本〕　阿金　50〜53
青年課題原稿募集　『華文大阪毎日』編輯処　51
楊太真（二十五、二十六）〔絵物語〕　呉一舸（絵）　52、53
珍聞集〔コラム〕　54
中国語講座　白廷賛　55
日本語講座　55
編輯後記　56

第四巻第四期　第三二号　一九四〇年二月一五日発行

表紙　北京頤和園の長廊　表紙1
巻頭言　無条約の日米関係　1
目次　1
日中和平の方法　孫鞏圻　2〜3
日中の文化教育問題　徐公美　3〜4
朔望東西〔時事雑報〕　4〜5
汪精衛の平和的な建国方式　5
時人月旦——呉贊周　太史公　6
本誌編輯主幹・平川清風氏逝去　7
優秀な新聞記者——徳富蘇峰翁談　7
欧洲経済戦の解説　愛因支希／包姆加敦　8〜10
本誌主催・南京日中文芸座談会
陳寥士／尤半狂／朱重録／鍾礼山／郭崇階／呉経伯／王西神／馮乃駿／曹熙宇／張次渓／馬午／孫夢花／鄭錦瑗／羅錦圭／呉悌芳／原田稔／富岡羊一／金子静雄／庄子勇之助　10〜11
半月日暦〔時事〕　12〜13
日本の代表的会社・工場紹介（八）——大宮鉄道工場　市川五郎　12〜13
四十年来の日本文学者——山本有三　許穎　14〜18
悼〔詩〕　烏甘　15
囚／牧童〔詩〕　噩疋　15
上海・南京の旅の感想（上）　原田稔　16〜17
青年課題原稿募集〔広告〕　『華文大阪毎日』編輯処　17
著名人家庭訪問記——殷同　秀華　18〜19
隣国の友へ　市川房枝　19
「寒流と暖流」を評す〔コラム〕　李無双　19
各地風光——済南城　鄒光明　20〜21
北京の花（十六）〔小説〕　李薫風（作）／劉凌滄（絵）　22〜23
青島会談〔グラビア〕　25
日本写真美術展〔グラビア〕　26〜27
火花〔随筆〕　小尹　29
暗い窓——朔への手紙〔随筆〕　金音　29
中国の小説（上）〔評論〕　パール・バック（作）／一坤（訳）　30〜31
幽霊と兵隊（下）〔小説〕　ロバート・グレイヴス（作）／魯風（訳）　30
中国の銅器（下）　馮貫一　32〜33
共通の感触〔随筆〕　蕭菱　34
雷ばかりで雨が降らない〔随筆〕　徐新　34〜35
非凡な外観〔随筆〕　散髪　35
友人から夜盗へ〔随筆〕　口良　35
東亜文芸消息〔コラム〕　34〜35
個人漫画展（八）　張振仕　36
漫画漫談〔随筆〕　謝人堡　37
夜勤〔小説〕　亜嵐　37〜38
農家の女〔小説〕　林風　38〜41
三国人物木刻選（十七、十八）　王青芳（刻）／紫荊花館（文）　39、40
上海の「慈善家」〔コラム〕　弟弟　41
毛三じいさん〔漫画〕　席与承　42
映画『銀翼春秋』評　王雪橋　42
譚富英のレコードについて　凰芷　42〜43
半月の映画界　大山　43
王お姉ちゃん〔漫画〕　陳固　43
毎期一星——貂斑華　華　44
光と影（下）（本誌募集当選作）〔劇脚本〕

楊太真(二十七、二十八)〔絵物語〕　阿金　45～49
呉一舸(絵)　47、48
「奇装異服」談(上)〔コラム〕　王章也　49
珍聞集〔コラム〕　50
日本語講座　51
中国語講座　白廷賛　51
編輯後記　52

第四巻第五期　第三三号

一九四〇年三月一日発行

表紙　日本国会議事堂　表紙1
巻頭言　奉祝紀元節　1
目次　1
日中関係の基調　長岡克暁　2～3
新中央政府の展望(一)――汪精衛氏談　4
東亜操觚者懇談会出席者を歓迎　下田将美　5
「決口」を評す〔コラム〕　黙夫　5
トルコにおけるイギリスの勢力　楠山義太郎　6～7
半月日暦〔時事〕　7
日本の重臣について　記者　8～9
四十年来の日本文学者――倉田百三　許穎　10～13
上海・南京の旅の感想(下)　原田稔　12～13
青年課題原稿募集　『華文大阪毎日』編輯処　13
時人月旦――小山松寿　外史氏　14
青島会談のこぼれ話　申之　15
各地風光――チベット　冉邕　15～17
龍について　凌霄漢閣主　17～18
著名人家庭訪問記――張景恵　坤燈　18～19
北京の花(十七)〔小説〕　李薫風(作)／劉凌滄(絵)　20～21
興亜建国運動原稿募集　興建月刊社　22～23
世界で唯一(二)〔グラビア〕　25
子供とスキー〔グラビア〕　26～27
個人漫画展(九)　侯少君　29
本誌長篇小説原稿募集第一回当選発表　30
審査に当たって　編者　30～31
私の労作と私の感情　田瑯　31～32
当選感想　張金寿　31
中国の小説(中)　パール・バック(作)／一坤(訳)　33
北京の文学雑誌〔随筆〕　野中修(作)／紅筆(訳)　32～33
東亜文芸消息〔コラム〕　34
名誉、利益、名を売る手段〔随筆〕　張金寿　34～35
「奇行流行の文化情調」続〔随筆〕　方式風　35
満洲文壇を語る〔随筆〕　山丁　35
三国人物木刻選(十九、二十)　王青芳(刻)／紫荊花館(文)　35、36
中国の文字と書法(上)　馮貫一　36～37
死〔随筆〕　方之蕢　38～39
窓外の見聞〔随筆〕　林火　40
引っ越し後〔随筆〕　白彿　40～41
冬の夜の回想〔随筆〕　江寄萍　41
猟人〔詩〕　但娣　38
故事以後〔詩〕　李北川　38～41
日本の代表的会社・工場紹介(九)――松竹大船撮影所　山口久吉　42～43
朔望東西〔時事雑報〕　42～43
毛三じいさん〔漫画〕　席与承　44
映画『はい、私の最愛の娘』を評す　王雪橋　44
毎期一星――陳雲裳　琳　45
皮簧の芸術　徳鄰　45
半月の映画界　大山　45
満洲国からの留学生の座談会　大宅壮一／中保与作／徐振渭／張宗源／関枢／郭鳳鳴／劉鳳雲／白宝媛／于韶華／趙秀芳／趙静言　46～49
楊太真(二十九、三十)〔絵物語〕
呉一舸(絵)　47、48
「奇装異服」談(中)〔コラム〕　王章也　49
珍聞集〔コラム〕　50
中国語講座　白廷賛　51

日本語講座 51
編輯後記 52

第四巻第六期　第三四号　一九四〇年三月一五日発行

表紙　冬の海南島の農場風景 表紙1
巻頭言　満洲帝国の教訓 1
目次 1
日中文化交流の回顧と展望（一）　楊鴻烈 2〜5
楊太真（三十一、三十二）〔絵物語〕　呉一舸（絵） 4、5
欧洲の戦況はどうなる？ 6〜8
半月日暦〔時事〕 8
新中央政府の展望（二）――周仏海氏・褚民誼氏談 9
日本の代表的会社・工場紹介（十）――日本の生命保険会社の組織と機構　戸田 10〜11
著名人家庭訪問記――堂本印象　記者 12〜13
朔望東西〔時事雑報〕 13
各地風光
唐山市　安地 14〜15
北京の白雲観　呉樾（文）／雷鳴（写真） 15
時人月旦――褚民誼　申 16
四十年来の日本文学者――広津和郎　許穎 17〜19
三国人物木刻選（二十一、二十二）　王青芳（刻）／紫荊花館（文） 17、18
咀華記――「夕暮れの家」を読む〔コラム〕　蕭菱 19
中国の文字と書法（中）　馮貫一 20〜21
北京の花（十八）〔小説〕　李薫風（作）／劉凌滄（絵） 22〜23
世界で唯一（二）〔グラビア〕 25
レンズなしの望遠カメラ〔グラビア〕 26〜27
帰国一カ月の感想〔随筆〕　雪蛍 29
中国の小説（下の一）　パール・バック（作）／一坤（訳） 31
息子の結婚式〔小説〕　菊池寛（作）／張蕾（訳） 30〜31
作家たちの座談会
于明仁（田瑯）／徐長吉／単庚生／仲賢礼／山田清三郎／久米正雄／横光利一／木村毅／大宅壮一／吉岡文六／楢崎観一／中保与作／井上松子（記録） 32〜35
名作家の「名」について〔随筆〕　散髪 34
雷ばかりで雨が降らない〔随筆〕　伯文 34
文名と原稿料〔随筆〕　江水平 34〜35
二つの話〔随筆〕　李漢 35
質問と答え〔随筆〕　張金寿 35
風〔小説〕　但娣 36
芝お姉さん〔小説〕　李無双 36〜40
砂漠の笛音〔詩〕　烏甘 36
趙さんの家の鶏小屋〔詩〕　楊野 36〜37
化石人〔詩〕　陌人 37
波が巌を洗う〔詩〕　李騎子 37
歳月のない歴史／憂鬱な構図、他〔詩〕　陳蕪 37〜39
旅心〔詩〕　戴天 39
蛍〔詩〕　微夫 39
東亜文芸消息〔コラム〕 40
王お姉ちゃん〔漫画〕　陳固 40
「奇装異服」談（下）〔コラム〕　王章也 40
個人漫画展（十）　陳固 41
映画『汚れた顔の天使』について　允中 42
映画『絶代佳人』を評す　琳 42〜43
毎期一星――王人美　弟弟 43
大地の波動（一）（本誌第一回長篇小説募集当選作）　田瑯（作）／王金錬（絵） 45〜49
毛三じいさん〔漫画〕　席与承 49
青年課題原稿募集　『華文大阪毎日』編輯処 50
珍聞集〔コラム〕 50
日本語講座 51
中国語講座　白廷賛 51

編輯後記　編者　52

第四巻第七期　第三五号　一九四〇年四月一日発行

表紙　桜の中の大阪城　表紙1
巻頭言　汪精衛宣言と米内声明　1
目次　1
平和建国宣言　汪兆銘　2
中国を支援する声明　米内光政　2
日中文化交流の回顧と展望（二）　楊鴻烈　3〜7
楊太真（三十三、三十四）〔絵物語〕　呉一舸（絵）　5、6
新中央政府の展望（三）――林柏生氏・傅式説氏・梅思平氏・葉蓬氏談　8〜10
朔望東西〔時事雑報〕　10
半月日暦〔時事〕　10〜11
伊米の中立と欧洲戦争の進展　11〜12
時人月旦――加藤外松　外史氏　13
満洲の特殊会社（一）――満洲中央銀行　池松勝　14〜15
各地風光――普陀山　渭水学人　16〜18
『無双譜』木刻版の序文　子荊　18〜19
東亜文芸消息〔コラム〕　19
「日中関係の基調」を読む〔コラム〕　孔賜安　19
著名人家庭訪問記　傅筱庵　申之　20
鄒泉蓀　秀華　20〜21
北京の花（十九）〔小説〕　李薫風（作）／劉凌滄（絵）　22〜23
世界で唯一（三）〔グラビア〕　25
国民政府還都の春〔グラビア〕　26〜27
雷雨の中での話（その一）〔随筆〕　游衍生　29
原稿料について〔随筆〕　許強　29
中国の小説（下の二）〔評論〕　パール・バック（作）／一坤（訳）　30〜31
台湾文学界の現状　中村地平（作）／紅筆（訳）　30
きれいな水神〔コラム〕　江寄萍　32
中国の文字と書法（下）　馮貫一　32〜33
行人〔詩〕　烏甘　34
揺り籠と棺〔詩〕　疆疋　34
月の三部曲〔詩〕　高深　34、37
感動・苦悩・憤激〔随筆〕　白樺　34〜35
燭火〔随筆〕　博奮　35
三国人物木刻選（二十三、二十四）　王青芳（刻）／紫荊花館（文）　35、36
雪の朝／駱駝〔随筆〕　微夫　36
灰雲〔随筆〕　小尹　36
夢の記〔随筆〕　藍汀　37
我、想う〔詩〕　羅錦圭　37
四十年来の日本文学者――宇野浩二　許穎　38〜40
「夜勤」を評す〔コラム〕　范紫　38〜39
「新文字」に対する熱情〔コラム〕　石稜　39
毛三じいさん〔漫画〕　席与承　41
映画『ブラザーラット』評　季風　41
映画『試練の少女』について　王雪橋　41〜42
映画『ザ・ウィメン』を評す　琳　42
言菊朋のレコードについて　凰芷　42〜43
毎期一星――袁美雲　琳　42
北京の評劇作家へ　凄其　43
個人漫画展（十一）　楊苓　44
感情の波〔随筆〕　張金寿　45
熱と力――友人からの手紙〔随筆〕　45
大地の波動（二）〔小説〕　疆疋　45
田瑯（作）／王金錬（絵）　46〜49
半月の映画界　大山　49
珍聞集〔コラム〕　50
中国語講座　白廷賛　51
日本語講座　51
編輯後記　52

第四巻第八期　第三六号
中華民国国民政府改組還都慶祝特大号
一九四〇年四月一五日

表紙　更生中華民国国旗下の汪主席　表紙1
新中国中央政府の成立を祝う　下田将美　2～3
目次　2～3
新中国建設特輯
新政府の成立経緯を語る　温宗堯　4～5
今後の中国の教育　傅式説　4～5
満洲と日本と中国　阮振鐸　5～6
「東亜新秩序建設」に対する私見　王蔭泰　5～6
華南をめぐる国際情勢の現在と将来　彭東原　6～7
大アジア主義の哲学的基礎　周化人　6～12
各国の中央政府に対する態度　上原虎重　7～10
興亜建国運動とはなにか？　費一方　10～12
新中央政府の誕生を祝う　厳軍光　12
国際漫画　加藤悦郎　9、10、11、12
昭和国民読本（十六）　徳富猪一郎（作）／張文華（訳）　13
新中国を背負う官吏たち　14～17
世界大戦と東亜　谷口吉彦　18～20
本社奥村社長と汪氏との会談　21
日中文化交流の回顧と展望（三）　楊鴻烈　22～25
日本雅楽の由来（上）〔コラム〕　水原琴窓　25
苔岑詩壇　梁衆異／岩渓裳川／溥心畬／仁賀保香城／陳寥士／川崎早月／丘逸庵／土屋竹雨　26
中国を憶う〔随筆〕　松井石根　27～28
臨時・維新両政府の発展的解消　28～29
半月日暦〔時事〕　29
陳璧君の印象　佐藤俊子　30～31
東亜文芸消息〔コラム〕　31
半月の映画界　31
各地風光――南京　馮貫一　32～33
北京の花（二十）〔小説〕　李薫風（作）／劉凌滄（絵）　34～35
中国文芸復興の意義　夏孟剛　36
本社「ニッポン」機、国民政府還都を祝う〔グラビア〕　37
新中国要人とその家庭〔グラビア〕　38～39
新政府の誕生――「中政会議」〔グラビア〕　40
新中国の戦力〔グラビア〕　40～41
悠久な中国〔グラビア〕　42～43
歴史の一瞬〔グラビア〕　44～45
更生の南京〔グラビア〕　46～47
日本各地も大喜び〔グラビア〕　48
世界で唯一（四）〔グラビア〕　49
春と桜〔グラビア〕　50～51
黒い月〔小説〕　王朱　53～55
病と病〔小説〕　李霊　55～56
雪〔小説〕　凰芷　56～58
呈〔小説〕　陸続　58～59
女人〔小説〕　李無双　59～60
人間〔小説〕　阿里　60～61
王お姉ちゃん〔漫画〕　陳固　61
個人漫画展（十二）　張仲人　62
画報漫談　拜石　63
大陸と日本文学界
中国文学と日本文学　村松梢風　64～65
中国作家との交遊　小田嶽夫　65
魯迅を憶う（上）　長与善郎　65～68
『無双譜』木刻版の序文（下）　子荊　67
対話〔詩〕　羅綺　68
炬火〔詩〕　傅莓　68～69
輪廓／鼠の気持ち〔詩〕　鼉疋　69～70
泣く〔詩〕　雷力普　70
夜記〔詩〕　烏甘　71
城と人〔随筆〕　戈壁　68
別れの言葉〔随筆〕　賀行　68～69
春の夢〔随筆〕　方滌　69～70
広々とした旅〔随筆〕　蕭菱　70～71

画〔随筆〕　李北川　71
漂流〔随筆〕　柯炬　71
霊魂の手〔詩〕　阿茨　68
口笛〔詩〕　微夫　68
蒲公英の夢／海と夢〔詩〕　謝人堡　69～71
名残りの跡〔詩〕　黄茶　71
満洲の特殊会社（二）――満洲映画協会　坤燈　72～73
戦時下の欧洲映画界（一）　記者　74～75
映画『ガリバー旅行記』を評す　荘雷　75
三国人物木刻選（二十五、二十六）
王青芳（刻）／紫荊花館（文）　75、76
一九四〇年ハリウッドの俳優賞（上）　紅宮　76～77
演劇における悲劇と喜劇　仙芥　77
毎期一星――高峰秀子　雪　77
「死」を評す〔コラム〕　季瘋　78
雷雨の中での話（二）〔随筆〕　游衍生　78～79
「最是」談〔随筆〕　石砮　79
ある作家への一言〔随筆〕　季瘋　79
大地の波動（三）〔小説〕
田瑯（作）／王金錬（絵）　80～83
毛三じいさん〔漫画〕　席与承　83
シェイクスピアの青春
島村抱月（作）／賀行（訳）　85
文学と人生
パール・バック（講演）／鉛刀（訳）　84～85
朝鮮の文学界
張赫宙（作）／紅筆（訳）　84
珍聞集〔コラム〕　86
日本語講座　洪子博　87
中国語講座　白廷蕡　87
編輯後記　88

第四巻第九期　第三七号
一九四〇年五月一日発行

表紙　乾隆時代の美人画陶器　表紙1
巻頭言　阿部大使の中国赴任を歓送　1
目次　1
華南の政治観と復興　欧大慶　2～3
広東の経済復興　許少栄　3～4
新中央政府の成立についての感想　林国恩　4
時人月旦――犬養健　外史氏　5
国際問題の解剖　北欧、欧洲の戦局　賈騰　6～8
半月日暦〔時事〕　7～8
新民会厚生活動の展望　張鉄緒　9
著名人家庭訪問記――阿部信行　10～11
日中平和のための注意点〔コラム〕　姜希瑜　12
天津綿糸産業の概況　沈家駒　12～13
中国建築の特徴（上）
村田治郎（作）／邱野（訳）　13
昭和国民読本（十七）
徳富猪一郎（作）／張文華（訳）　14
本誌主催座談会
（特輯一）広東訪問の女性使節、旅の感想を語る
矢田鈴江／高尾公子／八坂喜久子／末永寿美子／清藤泰子／阿部淑子／横尾美智子／長山義男。本誌：楢崎観一／吉岡文六／中保与作／三宅英一（記録）　15～17
（特輯二）華北記者団を歓迎する懇談会
訪日記者団：范劭陽／呉菊痴／宗威之／汪家祉／王以之／傅白雪／呉偉／崔笑我／劉南茁／周蔓琪／尹梅伯／宋上達／陳語天／王代昌／石英／房師俊／張文熙／関仲和／関伯章／王逸軒／邢幼傑／狄栄／関昨非／張孟雄／胡鉄珊／安尹静／李顕柔／楊宗慧／長崎（大尉）。本誌：原田（記録）／松本　18～19
上海街頭の不良たち　弟弟　17
血の物語／私たち〔詩〕　陳蕪　20
どじょう〔詩〕　雷厲　20
山東人の墓〔詩〕　何行　20
詩ではない詩〔詩〕　葛蕾　20
哭〔詩〕　噩疋　20
旅〔詩〕　林霊　20
十月の罪人〔詩〕　賀行　20

落葉〔詩〕　舍魚　20
路（一）（本誌第一回長篇小説募集当選作）
張金寿（作）／呂風（絵）　21〜23
「風」を評す〔コラム〕　黙夫　23
苔岑詩壇
王逸塘／江雲山／服部空谷／呂仲素／岩田鶯崖／江鷗伴／鄒子襄／土屋竹雨　24
世界で唯一（五）〔グラビア〕　25
本社主催「日本二千六百年歴史展覧会」〔グラビア〕　26〜27
本誌第一回青年課題原稿募集の当選発表
『華文大阪毎日』編輯処　29
東亜文芸消息〔コラム〕　29
魯迅を憶う（下）〔随筆〕
長与善郎（文）／紅筆（訳）　31
ベルリンにて〔小説〕
Mary Boyle O'Reilly（作）／星星（訳）　31
『或阿呆の一生』（抄訳）〔小説〕
芥川龍之介（作）／賀行（訳）　31
赤い旗（上）〔小説〕
ガルシン（作）／劉針（訳）　30
雷雨の中での話（三）〔随筆〕　游衍生　32
雷、雨と雹〔随筆〕　伯文　32
厭悪と困惑〔随筆〕　奚儲平　32
「渣」と「老」〔随筆〕　振尋　33
北京文壇の小話（一）　任福　33
書簡
友へ　傅莓　34
手紙　里雁　34
晶嫻へ　韓護　34
四十年来の日本文学者——横光利一　許穎　35〜37
三国人物木刻選（二十七、二十八）
王青芳（刻）／紫荊花館（文）　35、36
詩人と国際（上）　凌霄漢閣主　37
各地風光——哈爾濱　坤燈　38〜39
満洲の特殊会社（三）——満洲興業銀行　本社記者　40〜41
毛三じいさん〔漫画〕　席与承　41
戦時下の欧洲映画界（二）　記者　42〜43
毎期一星——アイリーン・ダン　納咸　43
一九四〇年ハリウッドの俳優賞（下）　紅宮　43〜44
映画『無法者の群』評　施礼　44
半月の映画界　大山　44
大地の波動（四）〔小説〕
田瑯（作）／王金錬（絵）　45〜49
日本雅楽の由来（中）〔コラム〕　水原琴窓　49
個人漫画展（十三）　秦啓風　50
東行漫記（一）〔随筆〕　林火　51
中国語講座　白廷贇　52
日本語講座　洪子博　52
編輯後記　53

第四巻第一〇期　第三八号　一九四〇年五月一五日発行

表紙　赴任船上の阿部大使　表紙1
巻頭言　日中提携の利益　1
目次　1
中華民国国民に告ぐ　周化人　3
孫文陵の参拝から大アジア主義まで　松本鎗吉　2〜3
今日の中国をどのように救うか？（本誌第一回青年課題原稿募集当選作）
林鴻翥／楊雨亭／金毓仙　4〜8
蘭領東インドをめぐる国際関係　中上雅夫　9〜11
漫画　江汀　10
半月日暦〔時事〕　11
各地風光——安徽省采石磯　白衣　12〜14
著名人家庭訪問記——温宗尭　本社記者　14〜15
中国建築の特徴（下）
村田治郎（作）／邱野（訳）　15
日本雅楽の由来（下の一）〔コラム〕　水原琴窓　16
満洲の特殊会社（四）——満洲拓殖会社　記者　16〜17

東亜文芸消息〔コラム〕 18
四十年来の日本文学者――川端康成　許穎 18～20
三国人物木刻選(二十九、三十)　王青芳(刻)/紫荊花館(文) 19、20
路(二)〔小説〕　張金寿(作)/呂風(絵) 21～23
時人月旦――林柏生　達 24
世界で唯一(六)〔グラビア〕 25
日中国交回復の第一幕〔グラビア〕 26～27
満日文学交流雑談(上)　王則 29
北京文壇の小話(二)　任福 29
赤い旗(下)〔小説〕　ガルシン(作)/劉針(訳) 31
北海道の文学界〔随筆〕　伊藤整(作)/紅筆(訳) 30～31
生活の触角(上)〔小説〕　和田誠一(作)/連雲(訳) 30
本誌主催満洲文化漫談会　佐藤胆斎/王光烈/陳承瀚/姚任/徐長吉/山口慎一/富彭年/顧承運/小沢柳之助/趙孟原/劉夷馳/弓文才/李冷歌/王秋蛍/張我権/杉村勇造/陳邦直/梁世錚/孫鵬飛/楊葉/季守仁/陳毛利/王則/宋世如/江草茂/劉多三。本社：柳龍光/小川潤八。記録：季守仁/王則 32～36
東行漫記(二)〔随筆〕　林火 36
「大地の波動」について〔随筆〕　季瘋 37
駆け落ちの前〔小説〕　舒柯 37～40
桃花水〔詩〕　李北川 38～39
北風南風〔小説〕　錦玉 40
個人漫画展(十四)　胡琳 41
戦時下の欧洲映画界(三) 42～43
映画『銀の靴』、好評を博す　李霊 43～44
半月の映画界　大山 43
チベットにおける映画　荘雷 44
毎期一星――陳燕燕　施礼 44
大地の波動(五)〔小説〕　田瑯(作)/王金錬(絵) 45～49
詩人と国際(下)　凌霄漢閣主 49
珍聞集〔コラム〕 50
日本語講座　洪子博 51
中国語講座　白廷蕡 51
編輯後記 52

第四巻第一一期　第三九号　一九四〇年六月一日発行

表紙　明朝万暦五彩陶器の水甕　表紙1
巻頭言　中華民国使節団を歓迎 1
目次 1
三民主義と王道　小柳司気太 2～3
中国女性はどの道に進むべき?(本誌第一回青年課題募集当選作)　時秀文/徐纓紋/范起華 4～7
半月日暦〔時事〕 7～8
北欧洲戦争と西欧洲戦争　上原虎重 8～9
欧洲戦線の拡大と伊米の動向　吾山 9～10
時人月旦――チャーチル　外史氏 11
新生中国縦横談　楢崎観一/橘善守/松本鎗吉/長岡克暁/馬場秀夫/吉岡文六/中保与作/緒方昇/松田庄一 12～15
彭東原市長へのインタビュー　楢崎観一 16～17
日本の文化・芸術賞について――附・鮮満文芸賞(上)　冉邕 17
著名人家庭訪問記――韓雲階　坤燈 18～19
詞における四季(一)　江寄萍 19
各地風光――山西運城の塩池　王仲明 20～21
路(三)〔小説〕　張金寿(作)/呂風(絵) 22～25
蟹の厄運〔詩〕　高深 25
灯火〔詩〕　陌人 25
夜の歌〔詩〕　烏甘 25
戦〔詩〕　履泰 25
苔岑詩壇
上村売剣/服部担風/松田学鷗/野間説堂/竹井星渓/加来聚軒/大滝静修/橋

本栗溪／佐藤錦城／内ヶ崎愛天／斎藤天城／若槻克堂／田辺松坡　26
世界で唯一（七）〔グラビア〕　27
一九四〇年初夏の欧洲戦線〔グラビア〕　28～29
本誌募集中篇小説
『華文大阪毎日』編輯処　31
東亜文芸消息〔コラム〕　31
生活の触角（下）
和田誠一（作）／連雲（訳）　32～33
九州文学界の現状〔随筆〕
劉寒吉（作）／紅筆（訳）　32
私の反対者〔小説〕
ツルゲーネフ（作）／玉珍（訳）　32
昭和国民読本（十八）
徳富猪一郎（作）／張文華（訳）　34
慶祝使節行　菊池寛　35～36
満日文学の雑談（下）　王則　37
平和文学と古董　趙大徳　37～38
北京文壇の小話（三）　任福　38
東行漫記（三）　林火　38
希望〔コラム〕　季瘋　39～43
思い出〔随筆〕　方之蕢　40
蝙蝠の死〔随筆〕　微夫　40～41
故人〔随筆〕　伯封　41
雨の中の人〔随筆〕　陳厳　41～42
落花〔随筆〕　白樺　42
窗〔随筆〕　蕭髯奴　42
養豚場〔随筆〕　戈壁　42～43
夜の唄〔随筆〕　小尹　43
路〔随筆〕　范瑩　43
満洲の特殊会社（五）――満洲電信電話株式会社　田井　44～45
個人漫画展（十五）　陌人　46
中国演劇の前途（上）　張允中　47～48
毎期一星――ジンジャー・ロジャース　彦　47
半月の映画界　大山　48
映画『スタンレー探検記』評　邢致　49
三国人物木刻選（三十一、三十二）
王青芳（刻）／紫荊花館（文）　48、49
毛三じいさん〔漫画〕　席与承　49
大地の波動（六）〔小説〕
田瑯（作）／王金錬（絵）　50～53
日本雅楽の由来（下の二）〔コラム〕
水原琴窓　53
珍聞集〔コラム〕　54
中国語講座　白廷贇　55
日本語講座　洪子博　55
編輯後記　56

第四巻第一二期　第四〇号

一九四〇年六月一五日発行

国府答礼使節歓迎特輯

表紙　南京の革命記念塔附近　表紙1
巻頭言「疑心暗鬼を生ず」　1
目次　1
東亜新秩序をいかに建設するか？　林柏生　2～3
林柏生氏への一問一答　4～5
半月日暦〔時事〕　5
時人月旦――陳公博　外史氏　6
昭和国民読本（十九）
徳富猪一郎（作）／張文華（訳）　7
本誌主催・林柏生氏と日本学生代表との対談会
林柏生／楊鴻烈／鍾任寿。日本学生：木寅隆二郎／武藤忠人／渡辺泰造／落合昇／高出馨／那須聖／大谷辰雄／緒方一男／新田谷透子／岡田敬江／伊賀正子。本誌方面：下田／原田／三池（司会）　8～9
独の英国打倒作戦　永戸政治　10～11
蔣介石への手紙　武者小路実篤　12～14
蔣介石君に告げる　徳富蘇峰　13
ボードレールについて　蕭菱　14
著名人家庭訪問記――陳群　記者　15～16
林鶴一小記

藤松原三郎(作)／翟希哲(訳)　16
日本の文化・芸術賞について――附・鮮満
文芸賞(下)　冉邕　17〜19
占〔詩〕　高深　18
年代〔詩〕　噩疋　18
木場の夢〔詩〕　駝子　18
永遠なる意識〔詩〕　傅莓　18〜19
春〔詩〕　郁李英　19
拓荒者〔詩〕　周章　19
私と文学(本誌第一回青年課題原稿募集当選
作)　紀蘋／范紫／羅文芳　20〜23
世界で唯一(八)〔グラビア〕　25
答礼使節団一行の足跡〔グラビア〕　26〜27
北京の「作家」〔随筆〕　趙天人　29
「文」と「人」〔随筆〕　季瘋　29
同人〔随筆〕　慶祥　29
台湾文学界補足〔随筆〕　余若林　29
土に帰る子〔小説〕
坪田譲治(作)／落人(訳)　31
関西文学界の現状〔随筆〕
藤沢桓夫(作)／紅筆(訳)　30〜31
パラーシャ／海上にて〔小説〕
ツルゲーネフ(作)／玉珍(訳)　30
各地風光――神戸　張蕾　32〜33
東亜文芸消息〔コラム〕　33
柴を刈る女〔小説〕　但娣　34〜35
低い庇〔小説〕　小松　35〜38
貞節の門〔小説〕　亜嵐　38〜39
三国人物木刻選(三十三、三十四)
王青芳(刻)／紫荊花館(文)　35、36
本誌募集中篇小説〔広告〕
『華文大阪毎日』編輯処　38
「五月の農村」について〔コラム〕　賀平　39
満洲の特殊会社(六)――満洲電業株式会社
田井　40〜41
詞の四季(二)　江寄萍　41
毛三じいさん〔漫画〕　席与承　42
中国演劇の前途(下)　張允中　42〜43
毎期一星――陸露明　雨巫　43
半月の映画界　大山　43
時代劇の撮影問題　納咸　43〜44
個人漫画展、読者の推薦を募集〔広告〕
『華文大阪毎日』編輯処　44
個人漫画展(十六)　譚沫子　45
大地の波動(七)〔小説〕
田瑯(作)／王金錬(絵)　46〜49
珍聞集〔コラム〕　50
中国語講座　白廷賛　51
日本語講座　洪子博　51
編輯後記　52

第五巻第一期　第四一号
一九四〇年七月一日発行
恭迎満洲帝国皇帝陛下特輯

表紙　満洲帝国国務院　表紙1
巻頭言　仏、抗戦を停止！　1
目次　1
新中央政府に対する認識　温宗尭　2〜4
大同主義とは(一)　銭今葛　2〜6
中国思想界の根本問題　井上哲次郎　4〜6
時人月旦――韋煥章　外史氏　7
満洲今昔談　遠藤柳作　8〜9
半月日暦〔時事〕　8〜9
本誌募集中篇小説〔広告〕
『華文大阪毎日』編輯処　9
イタリアの参戦と国際政局　吾山　10〜11
日中提携の問題について語ろう〔コラム〕
璋賢　12〜13
世界時事漫画(一・ドイツ)　12〜13
満洲の特殊会社(七)――満洲生活必需品株
式会社　小川　14〜15
『中美日報』の錯覚　原田稔　15
各地風光――奉天　雪蛍　16〜17
「黒い月」を読む〔コラム〕　黙夫　17
著名人家庭訪問記――張煥相　坤燈　18〜19
性機能障害〔コラム〕
伊礼斯(作)／鉛刀(訳)　19

路（四）〔小説〕　張金寿（作）／呂風（絵）　21～23
康徳七年満洲国皇帝訪日の感想と、同二年の扈従の思い出（上）　林出賢次郎　24
百合の花〔グラビア〕　25
東亜五族青年運動会〔グラビア〕　26～27
戦後文学について〔随筆〕　柳浪　29
随話二つ〔随筆〕　亜嵐　29
英雄と紙の斧〔随筆〕　蕭菱　29
父親〔小説〕　ビョルンソン（作）／劉針（訳）　31
内部生命論〔随筆〕　北村透谷（作）／賀行（訳）　30～31
犬／明日〔小説〕　ツルゲーネフ（作）／玉珍（訳）　30
現代日本文学の潮流（一）――農民文学・和田伝　安本　32～33
山中の一夜〔詩〕　唐達　34
跋渉〔詩〕　林霊　34
朝の旅人〔詩〕　穆華　34
我らの歴史〔詩〕　落人　34
子夜〔詩〕　林鳥　34
一人の女〔詩〕　問流　34～35
君を歓迎〔詩〕　杜白雨　35
北陵〔詩〕　金人　35
写真の物語――華毎誌上文筆人（一）〔随筆〕　但娣　34～35
もう一つの影〔随筆〕　也麗　36
偶感〔随筆〕　金音　36～37
雨後〔随筆〕　白芷　37
十年間〔随筆〕　氷壷　37
三国人物木刻選（三十五、三十六）　王青芳（刻）／紫荊花館（文）　38、41
中国の漆器　馮貫一　38～41
ナポレオンがベルリンに進入した時〔コラム〕　磊磊生　38～41
東亜運動大会に参加する中国・満洲選手　記者　42～45
東亜文芸消息〔コラム〕　44
老骨董（一）〔漫画〕　牛作周　45
「個人漫画展」読者推選を募集　『華文大阪毎日』編輯処　45
大地の波動（八）〔小説〕　田瑯（作）／王金錬（絵）　46～49
珍聞集〔コラム〕　50
日本語講座　洪子博　51
中国語講座　白廷賛　51
編輯後記　52

第五巻第二期　第四二号

一九四〇年七月一五日

「海外文学」選輯（一）

表紙　済南の黒虎泉　表紙1
巻頭言　世界の変局と日本の「不介入」　1
目次　1
孤立したイギリスと日本の立場　上原虎重　2
大同主義とは（二）　銭今葛　2～4
大亜細亜主義協会の縁起　彭東原　4
満洲国皇帝陛下訪日の賦　鈴木虎雄　5
半月日暦〔時事〕　5
趙士桓会見記　楢崎観一　6
ドイツはなぜ強い？　大原武夫　7
フランスはなぜ敗戦？　向後英一　8
時人月旦――ヴィシー　外史氏　9
「新生中国縦横談」を読む〔コラム〕　高原　10～11
世界時事漫画選（二・ドイツ）　10～11
本誌募集中篇小説〔広告〕　『華文大阪毎日』編輯処　11
丁黙邨氏、本社記者との会談　12～13
東亜文芸消息〔コラム〕　13
各地風光――タイ　記者　14～15
現代日本文学の潮流（二）――農民文学・伊藤永之介　安本　16～17
生活の反映――「柴を刈る女」を読む　邱野　17
著名人家庭訪問記――小磯国昭　本刊記者　18～19
昭和国民読本（二十）

徳富猪一郎(作)／張文華(訳)　20
路(五)〔小説〕
張金寿(作)／呂風(絵)　21～23
康徳七年満洲国皇帝訪日の感想、同二年扈従の思い出(下)　林出賢次郎　24
満洲国皇帝陛下、靖国神社を参拝〔グラビア〕　25
仏、独の電撃戦略に全面降伏〔グラビア〕　26～27
苔岑詩壇
王揖唐／傅増湘／楊鍾羲／仁賀保成人／神田喜一郎／陳道量／近藤杢／岡田元三郎／山田準／高坂駒／小室貞／土屋久泰　29
「海外文学」選輯(一)
アンドレ・ジッドと彼の作品〔随筆〕
雪蛍　30
芸術論〔随筆〕
ジッド(作)／白樺(訳)　30～31
一九一四年の大戦日記〔随筆〕
ジッド(作)／魯風(訳)　32～33
満洲文壇雑感(上)〔随筆〕　季瘋　34～35
木の人形の自白――華毎誌上文筆人(二)〔随筆〕　王青芳　34～35
「翻訳」の話〔随筆〕　振尋　35
拉致〔小説〕　伯仁　36～37
茶の村〔小説〕　江峯　37～38
老虎〔小説〕　夏莱　38～39
飛蛾と流蛍〔詩〕　烏甘　39
悪夢〔詩〕　青野　39
一匹の黒い蝿〔詩〕　噩疋　39
満洲の特殊会社(八)――満洲特産専管公社　小川　40
炎夏の漫談〔随筆〕　夏孟剛　41
三国人物木刻選(三十七、三十八)
王青芳(刻)／紫荊花館(文)　41、42
映画評論について――映画『ザ・ウィメン』評を読む　時秀文　42～44
毎期一星――オリヴィア・デ・ハヴィランド　雲　43
漫画の素材とは何？　季風　44
老骨董(二)〔漫画〕　牛作周　44
半月の映画界　44
書簡
手紙　高深　45
悲しみの笑い　王淳　45
訴　張金寿　45
大地の波動(九)〔小説〕
田瑯(作)／王金錬(絵)　46～49
落下傘部隊(一)　筑紫二郎　50
中国語講座　白廷賛　51
日本語講座　洪子博　51
編輯後記　52

第五巻第三期　第四三号
一九四〇年八月一日発行

表紙　大阪浜寺の本社海水浴場　表紙1
巻頭言　新日本の出発　1
目次　1
東亜計画経済における諸問題
目崎憲司　2～4
大同主義とは(完)　銭今葛　2～5
近衛公と日本国民体制の強化　董敬　6～7
国策を背負う新内閣の四人　8～11
近衛内閣の成立と目標　8
米内内閣、総辞職の経緯　10～11
時人月旦――原嘉道　外史氏　12
激動するバルカンと近東　上原虎重　13～17
半月日暦〔時事〕　17
世界時事漫画選(三・アメリカ)　18～19
日中の民族性について〔コラム〕　曄曄　18～19
本誌募集中篇小説〔広告〕
『華文大阪毎日』編輯処　19
書簡
夜風――高田英子へ　方之蕢　20
満洲の作家たちへ　茅野　20
熱情の弁――蘆蒂からの手紙　于揚　20
路(六)〔小説〕

張金寿(作)/呂風(絵) 21~24
「低いひさし」について〔コラム〕 文瑪 24
ひまわり〔グラビア〕 25
仏領ベトナムと蘭領東インド〔グラビア〕 26~27
文名、文利を重視する〔随筆〕 游衍生 29
再論「原稿料」〔随筆〕 許強 29
満洲文壇雑感(下)〔随筆〕 季瘋 29
紙だんご〔小説〕
ラヨシュ・ジラヒ(作)/趙文(訳) 31
帰来〔小説〕
タゴール(作)/劉針(訳) 30~31
祝福(ロシア民謡)〔歌詞〕 高原(訳) 30
現代日本文学の潮流(三)――戦争文学・
火野葦平 安本 32~33
穆時英君の死 菊池寛 33
木刻を語る 万板楼主 34~35
「漫画」と私――華毎誌上文筆人(三)〔随筆〕 呂風 34~35
二聖聯歓万歳図〔書画〕 穆春雷 36
各地風光
安新県 萩畦 36~37
海淀鎮 伯達 37~38
本誌主催北京芸術家座談会
熊唐守一/熊先蓬/蒋非同/陳慎言/徐
凌霄/王青芳/呉一舸/張我軍。本社:
石川順/蘇瑞麟/橘清志/鍾凌茹/林秀
華(記録) 39~41
満洲の演劇 季瘋 42~44
半月の映画界 大山 42
毎期一星――アニタ・ルイーズ 納咸 43
老骨董(三)〔漫画〕 牛作周 44
映画『チップス先生さようなら』評 林孖 44
大地の波動(十)〔小説〕
田瑯(作)/王金鍊(絵) 45~49
東亜文芸消息〔コラム〕 49
落下傘部隊(二) 筑紫二郎 50
編輯後記 編者 51

第五巻第四期　第四四号
一九四〇年八月一五日発行

表紙　蕪湖の片帆 表紙1
巻頭言　日中文化協会に期待すること 1
目次 1
中国青年はどこへ? 朱念庸 2~7
日中和平の回顧と展望(上) 汪向栄 2~7
新秩序下の欧洲経済についてフンク氏に聞
く 大原武夫 8~9
ドイツ圧勝後の世界 向後英一 9~11
世界時事漫画選(四・アメリカ) 10~11
本誌募集中篇小説〔広告〕
『華文大阪毎日』編輯処 11
現代日本文学の潮流(四)――戦争文学・上
田広 安本 12~13
三国人物木刻選(三十九、四十)
王青芳(刻)/紫荊花館(文) 13、14
東亜文芸消息〔コラム〕 14
新たな傷――燕児を悼む(一)〔随筆〕 張資平 14~15
満洲の特殊会社(九)――満洲炭礦株式会社
飛石 16~17
半月日暦〔時事〕 17
時人月旦――小林一三 外史氏 18
欧洲観察から得たもの 小林一三 19~20
著名人家庭訪問記――林柏生 Y・V 21
路(七)〔小説〕
張金寿(作)/呂風(絵) 22~24
第二次近衛内閣の記念撮影〔グラビア〕 25
国家新体制を担う近衛内閣の閣僚
〔グラビア〕 26~27
苔岑詩壇
湯爾和/小川平吉/康同璧/渡辺彰/方
洺/服部荘夫/土屋久泰 29
「海外文学」選輯(二)
詩人
ヘルマン・ヘッセ(作)/魯風(訳) 30~32

詩人ヘルマン・ヘッセの魂　紅筆　31
奇妙な物語
ヘルマン・ヘッセ(作)／梅娘(訳)　32〜33
「海文」展望〔海外文化情報〕　貢　33
本誌第一回「個人漫画展」読者推選の結果発表　34
第一回「個人漫画展」を評す　冉邕　34〜37
写真について――華毎誌上文筆人(四)〔随筆〕　亜嵐　36〜37
北京の文学界〔随筆〕　A・B　37〜38
文壇の筆戦を論じる〔随筆〕　李文湘　38
満洲文壇について(上)　季瘋　38
中年の一日〔随筆〕　果菴　39〜40
切符〔随筆〕　陌蘭　40〜42
日記に代えて〔随筆〕　蕭艾　42
平原〔詩〕　傅莓　39〜40
行倒れ／再嫁の前〔詩〕　亜嵐　40〜41
憂い〔詩〕　楊野　41
離れられない〔詩〕　鄧東遮　42
老人〔詩〕　黄茶　42
老骨董(四)〔漫画〕　牛作周　43
映画・演劇の表現について　王崙　43
半月の映画界　大山　43
毎期一星――バーバラ・スタンウィック　施礼　44
映画『ピグマリオン』評　張一鶴　44
演劇における脚本の重要性　施礼　44〜45
手紙一通〔随筆〕　火口　45
大地の波動(十一)〔小説〕
田瑯(作)／王金錬(絵)　46〜49
落下傘部隊(三)　筑紫二郎　50
日本語講座　洪子博　51
中国語講座　白廷賛　51
編輯後記　52

第五巻第五期　第四五号
一九四〇年九月一日発行

表紙　朝鮮金剛山三仙巌　表紙1
巻頭言　一葉落ちて天下の秋を知る　1
目次　1
租界回収を断行　植田捷雄　2〜3
日中和平の回顧と展望(中)　汪向栄　2〜5
日中文化の合作問題　傅式説　4〜5
世界新秩序に関する討論会
大原武夫／榎本桃太郎／寺村誠一／大島謙吉／若山淳四郎／森正蔵／小野七郎　6〜8
ソ連の欧洲戦争に対する動き　吾山　8〜9
半月日暦〔時事〕　9
満洲の特殊会社(十)――満洲重工業開発株式会社　飛石　10〜11
文豪と独裁者――戦乱下の欧洲文化人との会見　山本実彦(作)／中村貢(訳)　11
現代日本文学の潮流(五)――知性文学・阿部知二　安本　12〜13
三国人物木刻選(四十一、四十二)
王青芳(刻)／紫荆花館(文)　13、14
訪日感想〔コラム〕　修国瑛　14
新たな傷――燕児を悼む(二)〔随筆〕　張資平　14〜15
時人月旦――趙正平　Y・V　16
各地風光――金剛山　阿甦　17〜20
路(八)〔小説〕
張金寿(作)／呂風(絵)　21〜24
東亜文芸消息〔コラム〕　24
萩の花〔グラビア〕　25
東西南北集〔グラビア〕　26〜27
昭和国民読本(二十一)
徳富猪一郎(作)／張文華(訳)　29
鴉(上)〔小説〕
李俊泰(作)／羅懋(訳)　30〜31
混血女児〔小説〕
H・W・ロングフェロー(作)／光友(訳)　30
世界時事漫画選(五・イタリア)　32〜33
嘘の門〔詩〕　噩疋　32
煙〔詩〕　孫品三　32
我が歌〔詩〕　林蒼　32〜33
前奏曲〔詩〕　疚瘤　33
故宮〔詩〕　厳賦　33

病〔小説〕　韓護　34
霊魂を持たない人〔小説〕　磊々生　35～37
王さん〔小説〕　莫克　37～39
米を食う鼠〔小説〕　亜嵐　39
生活の一課――華毎誌上文筆人（五）〔随筆〕　季瘋　40～41
名士を論じる〔随筆〕　趙天人　40
書けないと書かない〔随筆〕　黙夫　40
満洲文壇について（中）　季瘋　40～41
毎期一星――ノーマ・シアラー　季風　42
映画『流れ者・さすらう二人』の評価　施礼　42
生活に恋愛関係の脚本が必要？　李霊　43
演劇「検察官」の上演について　呉郎　43
銀幕における「キス」（一）　紅宮　44
「笑う」と「泣く」の演じ方　允　44
老骨董（五）〔漫画〕　牛作周　44
半月の映画界　大山　44
犬――「老虎」を読む〔コラム〕　紀封　45
本誌個人漫画展第二回連続漫画・素描募集〔広告〕　『華文大阪毎日』編輯処　45
大地の波動（十二）〔小説〕　田瑯（作）／王金錬（絵）　46～50
中国語講座　白廷賓　51
日本語講座　洪子博　51
編輯後記　52

第五巻第六期　第四六号　一九四〇年九月一五日

表紙　青島海浜公園　表紙1
巻頭言　国交調整条約の成立　1
目次　1
動揺する旧経済と日本（上）　下田将美　2～6
「中国の青年はどこへ」を読む　竹内照夫　2～3
日中和平の回顧と展望（下）　汪向栄　3～6
欧洲戦争一年
　ドイツの圧勝、欧洲の変貌　7～8
　アメリカの参戦　楠山義太郎　8～11
世界時事漫画選（六・イギリス）　10～11
文化の阿片〔コラム〕　白峰　12
新たな傷――燕児を悼む（三）〔随筆〕　張資平　12～13
現代日本文学の潮流（六）社会文学・島木健作　安本　14～15
三国人物木刻選（四十三、四十四）　王青芳（刻）／紫荊花館（文）　15、16
本誌個人漫画展第二回募集〔広告〕　『華文大阪毎日』編輯処　16
中国歴代の皇帝陵（上）　馮貫一　16～18
路（九）〔小説〕　張金寿（作）／呂風（絵）　19～23
東亜文芸消息〔コラム〕　23
時人月旦――村田省蔵　外史氏　24
初秋の大陸〔グラビア〕　25
二十世紀の戦争寵児・落下傘部隊の訓練〔グラビア〕　26～27
苔岑詩壇
服部担風／若槻克堂／安広龍峯／古荘雅山／松田学鷗／近重物庵／川村亜洲／古沢北冥／岡野半畊／三好敬堂／斎藤天城／難波三空／高島米峯／山県香山／志水松厓／田辺松坡　29
「海外文学」選輯（三）
白い牙
　J・ロンドン（作）／張蕾（訳）　30～32
生活の探求――J・ロンドンについて　紅筆　31
『どん底の人びと』序
　J・ロンドン（作）／雪蛍（訳）　32
どん底の人びと
　J・ロンドン（作）／魯風（訳）　32～33
「海文」展望〔海外文化情報〕　30
新日本の科学圏（一）　34～35

半月日暦〔時事〕 35
火の微笑み〔詩〕 灕霏 36
手燭／送行吟〔詩〕 駝子 36、39
疲労〔詩〕 雷力普 39
猿の祈り〔詩〕 何行 39
年・月・日〔随筆〕 韓護 36～37
余日集〔随筆〕 蕭菱 37
職場雑筆〔随筆〕 呉瑛 38
悼〔随筆〕 小尹 38～39
満洲文壇について（下）〔随筆〕 季瘋 40
中国のユーモア〔随筆〕 路丁 40～41
文人と商人〔随筆〕 任情 41
北京出版界の一面〔随筆〕 柳浪 41～42
「あなた」へ――華毎誌上文筆人（六）〔随筆〕 張金寿 40～41
旅のスケッチ（一）〔絵と文〕 呂風 42
漫画と漫画家 黙夫 42
映画『肉体の道』評 龍翼 43～44
半月の映画界 大山 43
毎期一星――グレタ・ガルボ 施礼 44
銀幕における「キス」（二） 紅宮 44～45
老骨董（六）〔漫画〕 牛作周 45
大地の波動（十三）〔小説〕 田鄒（作）／王金錬（絵） 46～50
本誌募集中篇小説 『華文大阪毎日』編輯処 50
日本語講座 洪子博 51
中国語講座 白廷蕡 51
編輯後記 52

第五巻第七期　第四七号　一九四〇年一〇月一日発行

表紙　山西五台山 表紙1
巻頭言　九一八満洲事変記念日 1
目次 1
動揺する旧経済と日本（下） 下田将美 2～5
華中経済再建の目標 銭今葛 2～5
欧洲の新情勢とアメリカの軍拡 北川正夫 6～9
世界時事漫画選（七・イギリス） 8～9
半月日暦〔時事〕 8～9
新たな傷――燕児を悼む（四）〔随筆〕 張資平 10～11
本誌個人漫画展第二回募集〔広告〕 『華文大阪毎日』編輯処 11
時人月旦――星野直樹 外史氏 12
蔡培の家庭訪問記 D・N 13～14
中国歴代の皇帝陵（下） 馮貫一 14～17
大陸旅行の感想と期待（上） 石川興二 18
路（十）〔小説〕 張金寿（作）／呂風（絵） 19～22
豹の死〔詩〕 高深 23
心響〔詩〕 余治 23
急行列車〔詩〕 未名 23
「子夜・悪夢・老人」を読む〔コラム〕 𫐄疋 23
トケイソウ〔グラビア〕 25
現代の日本庭園〔グラビア〕 26～27
書簡
船倉にて 王則 29
小簡――満洲の作家たちへ 茅野 29
返信 傅莓 29
ファシズム統治下のイタリア文学〔随筆〕 パオロ・トレバス（作）／鉛刀（訳） 30～31
鴉（下）〔小説〕 李俊泰（作）／羅懋（訳） 31
新日本の科学圏（二） 32～33
大陸文化通信（一）――南京に「中央大学」誕生 33
現代日本文学の潮流（七）――風俗文学・石川達三 安本 34～35
本の物語〔小説〕 舒柯 36～39
暑〔小説〕 葆真 39～40
三国人物木刻選（四十五、四十六） 王青芳（刻）／紫荊花館（文） 37、38
旅のスケッチ（二）〔絵と文〕 呂風 40
東亜文芸消息〔コラム〕 40～41
雑感について〔随筆〕 季瘋 41～42

北京新聞紙における通俗小説〔随筆〕　柳浪　42
写真の附記——華毎誌上文筆人(七)〔随筆〕　方之菁　42
映画『琵琶記』評〔随筆〕　時秀文／司徒珂　43
半月の映画界　43
京劇について〔随筆〕　徐来　44
銀幕における「キス」(三)〔随筆〕　紅宮　44〜45
映画批評について〔随筆〕　張允中　45
老骨董(七)〔漫画〕　牛作周　45
大地の波動(十四)〔小説〕　田瑯(作)／王金錬(絵)　46〜50
木刻と世界語〔コラム〕　高深　50
中国語講座　白廷賛　51
日本語講座　洪子博　51
編輯後記　52

第五巻第八期　第四八号
一九四〇年一〇月一五日発行

表紙　北京天壇の秋　表紙1
巻頭言　時事小言　1
目次　1
日独伊三国同盟の根本精神　上原虎重　2〜3
日独伊三国同盟を論じる　吾山　2〜7
東亜共栄圏の目標　高田元三郎　4〜7
アメリカのイギリス援助〔コラム〕　王楚文　8〜9
世界時事漫画選(八・フランス)　8〜9
労山の印象〔随筆〕　呉乃礼　10
傅式説の家庭　Y・V　11〜12
魯北の徳州城　馬驪　12〜13
新日本の科学圏(三)　14〜15
大陸文化通信(二)——蹶起する北京の学生　小林　15
現代日本文学の潮流(八)
——風俗文学・丹羽文雄　安本　16〜17
三国人物木刻選(四十七、四十八)
王青芳(刻)／紫荊花館(文)　17、18
半月日暦〔時事〕　18〜19
「年・月・日」評〔コラム〕　鉄川／草　18
大陸旅行の感想と期待(下)　駒井卓　19
書簡
北極の辺縁　韓護　20
倪さんへ　高深　20
路(十一)〔小説〕　張金寿(作)／呂風(絵)　21〜23
本誌二周年記念号「日本新体制運動言論」特輯〔次号予告〕
『華文大阪毎日』編輯処　23
珍聞一束〔グラビア〕　25
日本の秋の収穫〔グラビア〕　26〜27
時人月旦——フンク　外史氏　29
「海外文学」選輯(四)
『現代の英雄』(抄訳)
レールモントフ(作)／白樺(訳)　30〜34
レールモントフの早逝　雪蛍　30〜31
抒情詩抄(帆／希望／故国)
レールモントフ(作)／糸己(訳)　32
「海文」展望〔海外文化情報〕　32
苔岑詩壇
王揖唐／楊犖／小川平吉／橋川時雄／高阪駒／納三治／呉景箕／長沢越／岡崎壮／土屋久泰　35
ドイツの木刻　万板楼主　36
大嶺を横切る〔随筆〕　柳寨　37〜38
匪賊〔随筆〕　亜嵐　38〜39
棗の木〔随筆〕　伯仁　39〜40
海〔随筆〕　冉邕　40
長い跋渉〔詩〕　蘇丹　38〜39
夜行／醒〔詩〕　雷力普　39
「恋愛小説」の過剰を憂慮せず〔随筆〕　博奮　41
再論・「作家」について〔随筆〕　趙天人　41
「写実主義」について〔随筆〕　赫更　41
旅のスケッチ(三)〔絵と文〕　呂風　42
芸人について〔随筆〕　蓼花　42

俳優修業論〔随筆〕　王崙　43
半月の映画界　43
文学と映画と『凡てこの世も天国も』　羅劢　44～45
毎期一星――ドン・アメチー　霊子　45
老骨董(八)〔漫画〕　牛作周　44
大地の波動(十五)〔小説〕　田瑯(作)／王金錬(絵)　46～50
嚶鳴――華毎誌上文筆人(八)〔随筆〕　王金錬　50
東亜文芸消息〔コラム〕　50
日本語講座　洪子博　51
中国語講座　白廷賁　51
編輯後記　52

第五巻第九期　第四九号

一九四〇年一一月一日発行

「日本新体制運動言論」特輯

表紙　豊作　呂風(絵)　表紙1
目次　1
巻頭言　私から見た「新体制」　1
大政翼賛会とその運動の意義　高石真五郎　2～3
私の分野における新体制　田中穂積／吉岡弥生／津田信吾　3、14、15
日本大政翼賛会の中枢人物　4～16
新体制組織図　4
大政翼賛会の成立経緯　山口　4
日本新体制の政治形態　吉村正　5～6
執筆者紹介　6
新体制と外交体制　原勝　7～9
新体制下の日本文化　室伏高信　9～10
新経済体制の理論と実際　猪谷善一　11～13
新体制運動に対する感想　林柏生　13
新体制と満洲協和会　曲秉善　14
路(十二)〔小説〕　張金寿(作)／呂風(絵)　17～19
昭和国民読本(二十二)　徳富猪一郎(作)／張文華(訳)　20
聖地曲阜参拝記　馮貫一　21～23
苔岑詩壇
梁鴻志／平井参／李宣倜／亀島憲／納三治／落合為誠／千葉郁治／岡田元三郎／井上雅二／柳井信治／土屋久泰　22～23
本誌第二回青年課題原稿募集　『華文大阪毎日』編輯処　24～25
世界時事漫画選(九・フランス)　24～25
時事備忘録〔コラム〕　24～25
日本現代の木刻(一)、(二)　平塚運一　25、63
金の将来の活路　吾山　26～27
新日本の科学圏(四)　28～31
三国人物木刻選(四十九、五十)　王青芳　29、30
大陸文化通信(二)――昂揚する留日ブーム　寺島　31
翻訳文芸
中国の見方　ヘッセ(作)／魯風(訳)　32
放浪の子　パピーニ(作)／劉針(訳)　32～33
フビライ汗　コールリッジ(作)／光友(訳)　34
指輪　ハムスン(作)／紀雲龍(訳)　34
善良な作為者　ワイルド(作)／龔爾(訳)　34
銀メッキの風車　ラヨシュ・ジラヒ(作)／趙文(訳)　35
本誌募集中篇小説結果発表　36
大政翼賛会発会式〔グラビア〕　37
菊〔グラビア〕　37
街頭の体制〔グラビア〕　38～39
今日の日本女性〔グラビア〕　40～41
日本外交の新発展〔グラビア〕　42
失なわれた歌声〔小説〕　方之蕢(作)／呂風(絵)　45～53
新体制とは何か？〔座談会〕　有馬頼寧／挟間茂／奥村喜和男／村瀬直養。本社：高田／西野入／阿部／川辺／高杉　54～61
現代日本文学の潮流(九)――風俗文学・石

坂洋次郎
日本現代詩の抄訳特輯（一）　安本　62〜63
抄訳特輯『日本現代詩』緒言　糸己　64
帰郷／少年時／心象Ⅰ、Ⅱ／秋／冬の日の記憶／冷たい夜／一つのメルヘン／月夜の浜辺
　中原中也（作）／白樺（訳）　64〜65
猛烈な天／富士山　作品第拾参／氷雨／石／秋／Bering-Fantasy
　草野心平（作）／魯風（訳）　65
誕生日、他〔詩〕　蘇丹　66
故宮行〔詩〕　舒望　66
一夜〔詩〕　伯封　66
微吟——華毎誌上文筆人（九）〔詩〕　田瑯　67
東亜文芸消息〔コラム〕　67
満洲文壇について〔随筆〕　季瘋　68
文学遺産、他〔随筆〕　青野　68〜69
「病」を読む〔随筆〕　黙夫／木可／噩疋　68
私の知る劉吶鴎先生〔随筆〕　随初　69
文学・映画と『凡てこの世も天国も』（下）　羅勃　70
美術講座——自画像の歴史に関する研究（二）　穆家麒　70〜73
木刻　李文琨　71
老骨董（九）〔漫画〕　牛作周　72
中国のミュージカル映画を論じる　雨柯　73
旅のスケッチ（四）〔絵と文〕　呂風　74
演劇脚本の題材選択　王水　74
大地の波動（十六）〔小説〕　田瑯（作）／王金錬（絵）　75〜78
中国語講座　白廷賛　79
日本語講座　洪子博　79
編輯会議　紅筆　80

第五巻第一〇期　第五〇号
一九四〇年一一月一五日発行

表紙　大阪箕面公園の紅葉　表紙1
目次　1
巻頭言　明治節と東亜維新　1
日本経済新体制の世界史的意義　時子山常三郎　2〜3
中国が日本との和平を選ぶ理由　朱華　4〜8
有馬頼寧の家庭訪問記　井上松子　9〜10
香港　怡悦　11〜12
世界時事漫画選（十・ロシア）　12〜13
時事備忘録〔コラム〕　12〜13
現代日本文学の潮流（十）——都会文学・高見順　安本　14〜15
上海新聞界の特殊勢力　陶然　16〜17
路（完）〔小説〕　張金寿（作）／呂風（絵）　18〜21
欧洲大戦はどのように発展するか？　城戸又一　22〜24
時人語録〔コラム〕　24
天皇陛下の英姿〔グラビア〕　25
世界を震撼させる日本陸海空軍〔グラビア〕　26〜27
夜流（一）
夜雨〔詩〕　雷力普　29
短歌——わが友へ〔詩〕　何行　29
私が帰ってきた／上海にて、他〔詩〕　蘇丹　30〜31
期待〔詩〕　但娣　31
遠方の友へ〔詩〕　陸望　31
もみじ〔詩〕　噩疋　31
蟋蟀／朝〔随筆〕　伯仁　29〜30
星〔随筆〕　沙林　30〜31
感情の力〔随筆〕　噩疋　31〜32
寂しい秋の夜〔随筆〕　江寄萍　32〜33
自画像——華毎誌上文筆人（十）〔随筆〕　舒柯　32〜33
日本の現代木刻（三）　前川千帆　33
新日本の科学圏（五）　34〜35
苔岑詩壇
　溥儒／郭則澐／服部荘夫／亀島憲／陳道量／田中房／大村司／小室貞／土屋久泰

日本の現代木刻(四)　永瀬義郎　34〜35
「海外文学」選輯(五)　35
バイロンの生涯　梅娘　36〜37
バイロンの詩――『チャイルド・ハロルドの巡礼』ほか(抄訳)
バイロン(作)/白樺(訳)　37〜39
「海文」展望〔海外文化情報〕　39
「満洲文学通信　新京文芸」
北村謙次郎(作)/駱駝生(訳)　40〜41
「本の物語」を読む　陳茵　40
いわゆる「批評」　鉄川　41
梅娘の創作について――『小姐集』から『第二代』へ　山丁　41
日本現代詩の抄訳特輯(二)
鴉/信号/チューリップ/鹿/遅刻/土/庭/燕/涙/湖水
三好達治(作)/但娣(訳)　42〜43
芥溜を漁る人/皮膚の経営/恋愛の結果/春/寒駅で眠ってしまった人/秋/高原の方/化石
北川冬彦(作)/雪蛍(訳)　43
本誌募集中篇小説当選作者紹介
感〔随筆〕　但娣　44
私と「教群」など〔随筆〕　金音　44〜45
「夢」〔随筆〕　馬還　45
「事変半年」当選の前後〔随筆〕亜嵐　45〜46
東亜文芸消息〔コラム〕　46
本誌第二回青年課題原稿募集〔広告〕
『華文大阪毎日』編輯処　46
紘索調について　佟晶心　47
映画『魔法の弾丸　エールリッヒ博士の生涯』印象記　石朋　47〜48
老骨董(十)〔漫画〕　牛作周　48
中国映画の人物・背景の検討　凌琳　48〜49
美術講座――自画像の歴史の研究(二)　穆家麒　49〜50
映画の空気を作る――映画監督たちへ　張哀鴻　50
旅のスケッチ(五)〔絵と文〕　呂風　51
編輯会議　魯風　51
日本語講座　洪子博　52
中国語講座　白廷蕢　52

第五巻第一一期　第五一号　一九四〇年一二月一日発行

表紙　松花江の雪ぞり　表紙1
目次　1
巻頭言　中国を承認する時期が迫る！　1
新体制の理論と実践　河田嗣郎　2〜3
日本が強い理由　方炳堃　4〜6
時局常識〔コラム〕　4、7、14
今日の人物――ウォルター・ジョージ/ヴャチェスラフ・モロトフ　5
時人語録〔コラム〕　6
ルーズヴェルトの三選とアメリカの外交の動き　小川恒　7〜9
ルーズヴェルト夫人とウィルキー夫人　9
日本財界のルーズヴェルト三選に対する予想　9
時事備忘録〔コラム〕　10〜11
世界時事漫画選(十一・ロシア)　10〜11
本誌第二回青年課題懸賞募集
『華文大阪毎日』編輯処　10〜11
木刻　王青芳　11、41
新日本の科学圏(六)　12〜13
苔岑詩壇
王揖唐/大倉祺/黄公渚/国分高胤　12〜13
日本現代の木刻(五)　平塚運一　13
赴日随感(一)――日本の仏教　鉄禅　14
赴日随感(二)――上海と東京　汪向栄　15
中国の絨毯　馮貫一　16〜18
東亜文芸消息〔コラム〕　18
感――「文壇随話」を読む(上)　石羽　19
老作家〔随筆〕　博奮　19
私の話――見慣れない友人へ〔随筆〕　韓護　19〜21
陳大悲の奮闘〔随筆〕　慧子　20〜21

現代日本文学の潮流（十一）――生産文学・間宮茂輔　安本　22〜23
本刊記者柳龍光、戦後の華南華北を視察　『華文大阪毎日』編輯処　24
孫総理の遺像を参謁する汪精衛〔グラビア〕　25
水仙〔グラビア〕　25
大和民族の祭典〔グラビア〕　26〜27
昭和国民読本（二十三）　徳富猪一郎（作）／張文華（訳）　29
日本現代詩の抄訳特輯（三）
鎔岩流／停留所にてスヰトンを喫す／異途への出発／原体剣舞連／もうはたらくな　宮澤賢治（作）／白樺（訳）　30〜31
浦島太郎／しらなみ／あかるい娘ら／眼のなかに／挿木をする／わかれ／水辺を去る／私は月をながめ　中野重治（作）／張蕾（訳）　31
夜流（二）
駅、他〔詩〕　蘇丹　32〜33
九月の遼陽〔詩〕　柳舒　33
無色の記憶〔詩〕　陳蕪　33
孤独者の言葉〔随筆〕　張金寿　34
運命に抗議〔随筆〕　韓護　34〜36
人類に必要な新型の鏡　陳大悲　34〜35
「情緒の体操」〔随筆〕　蕭菱　36
自白――華毎誌上文筆人（十一）〔随筆〕
張永福先生訪問記　馮貫一　33
美術講座――自画像の歴史に関する研究（三）　陳一峯　37〜38
老骨董（十一）〔漫画〕　穆家麒　38〜40
旅のスケッチ（六）〔絵と文〕　牛作周　39
木刻についての素人くさい話　呂風　40
満洲で上演する「原野」について　辛愷　40〜41
翻訳文芸　呉郎　41
ドイツ民族文学の特質　茅野蕭蕭（作）／姚遠（訳）　42〜43
戦後のフランス文学界　島木正三郎（作）／上官潔（訳）　42
使用人
セルゲイ・セミョーノフ（作）／方未人（訳）　44〜45
異邦人　ボードレール（作）／冉邕（訳）　44
老婦　ツルゲーネフ（作）／朽木（訳）　44
彭という男〔小説〕　高深　46〜48
帰郷〔小説〕　老翼　48〜50
中国語講座　白廷賛　51
日本語講座　洪子博　51
編輯会議　吾山　52

第五巻第一二期　第五二号
一九四〇年一二月一五日発行

表紙　北京の正月風景　表紙1
目次　1
巻頭言　「保衛東亜」　1
「保衛東亜」の歌大募集〔広告〕　2〜3
日中事変秘聞　周仏海　4〜6
木刻　王青芳　6
日中満共同宣言の現場を見る　紅筆　7
中国の新政治体制　何海鳴　8〜9
時局常識〔コラム〕　9、15
世界時事漫画選（十二・小さな国々）　10
一九四〇年国際情勢の回顧と展望　長野敏夫　11〜13
今日の人物――長谷川清　13
西園寺公を憶う　近衛文麿　14〜15
時事備忘録〔コラム〕　14〜15
陳公博院長訪問記　張雲史　16〜17
日本現代詩の抄訳特輯（完）
晩秋／家庭／花鳥／天景／軍隊／郵便局の窓口で　萩原朔太郎（作）／魯風（訳）　18
「海外文学」選輯（六）
ピランデルロについて　魯風　19
密友　ピランデルロ（作）／蕭然（訳）　19〜21

もう一度考えよう
ピランデルロ(作)／劉針(訳) 21〜23
「海文」展望〔海外文化情報〕 貢 19
第二回青年課題論文募集〔広告〕
『華文大阪毎日』編輯処 24
苔岑詩壇
清浦奎吾／王克敏／楊寿枏／木下彪／対馬機／山本昌一／服部荘夫／土屋久泰 24
東亜における恒久的平和の枢軸成立〔グラビア〕 25
恐怖に襲われるロンドン〔グラビア〕 26〜27
吉岡文六に聞く――汪政権と重慶政権 29〜31
時人語録〔コラム〕 30
現代日本文学の潮流(十二)――戯曲・真船豊 安本 32〜33
木刻 葉禾行 33
新日本の科学圏(七) 34
夜流(三)
荒野〔随筆〕 也麗 35
末世の雨〔小説〕 噩疋 35〜36
懐う〔随筆〕 李霊 37
「大地の波動」の作者へ〔詩〕 高深 35
ダムを作る人〔詩〕 巉巖 36
飢寒〔詩〕 青野 36〜37
遠くの人へ〔詩〕 烏甘 37
夜明け〔詩〕 噩疋 38
十一月の詩、他十篇 余蘇丹 38
盲人と豚／蝶の消滅〔童話〕 未名 36〜37
東亜文芸消息〔コラム〕 39
勿忘草と心――華毎誌上文筆人(十二)〔随筆〕 蕭菱 39
中国の音楽思想と近代音楽 江文也 40
「ニュース映画」雑談 施礼 40〜41
漫画家へ与える 侖火 41
老骨董(完)〔漫画〕 牛作周 41
漫画について 張一帆 42
木刻 葉禾行 42
文壇雑感 漠沙 43〜44
「失われた歌声」を読む 金若 43
詩について 噩疋 43〜44
感――「文壇随話」を読む(下) 石羽 44〜45
詩を読む――「蟹の厄運」と「送行吟」 芸鈞 45
妻と弟〔小説〕 励行建 46〜49
日本語講座 洪子博 50
中国語講座 白廷賛 50
旅のスケッチ(完)〔絵と文〕 呂風 51
編輯会議 雪蛍 51

第六巻第一期　第五三号

一九四一年一月一日発行

表紙　田舎の春の雪 表紙1

目次 1

巻頭言　「東亜の光明」 1
「保衛東亜」の歌募集〔広告〕
上海中華日報社／『華文大阪毎日』編輯処 2
私たちの文学の実体と方向――新中国の部 楊正宇 3〜4
孔子における音楽とその時代について 江文也 4〜7
新段階に進んだ日中関係 長岡克暁 8〜9
フランスの更生の路 榎本桃太郎 10〜11
時事備忘録〔コラム〕 10〜11
中国出版界の一年 蕭菱 12〜14
日本古典文学鑑賞(一)――古事記・日本書紀 許穎 15〜17
蝸牛の歩み――華毎誌上文筆人(十三)〔随筆〕 許穎 17
平和と祖国――大陸視察報告(一) 柳龍光 18〜24
時局常識〔コラム〕 23、24
藤谷操著『日本二千六百年史』〔紹介〕 24
日中合作映画『日記一頁』の紙上公開〔グラビア〕 25〜27
苔岑詩壇
王揖唐／李元暉／土屋久泰／服部荘夫 29
今日の人物――本多熊太郎／李紹庚 29
新南京の素描〔文と絵〕

小咪（作）／馬午（絵）　30〜31
一九四〇年の北京漫画界　季風　32
昨年度の北京演劇運動　李霊子　33
街頭（一）――北京〔絵と文〕　竇宗淦　33
冬のモスクワ生活　森正蔵　34〜35
新中国の地方政治と民生〔インタビュー〕　柳龍光　36〜37
「大地の波動」を読む　高深　38〜39
「路」について　汪灩　39
本誌第二回「個人漫画展」当選発表　40
東亜文芸消息〔コラム〕　40
第二回「個人漫画展」（一）　劉針　41
安荻と馬華（上）（本誌募集中篇小説当選作）
但娣（作）／陸望（絵）　42〜48
中国語講座　白廷賁　49
日本語講座　洪子博　49
編輯会議　呂風　50

第六巻第二期　第五四号

一九四一年一月一五日発行

表紙　九州宮崎の「八紘一宇の塔」　表紙1
目次　1
巻頭言　新中国建設の要点　1
日本文化再建の問題　宮沢明義　2〜3
私たちの文学の実体と方向――満洲国の部　呉郎　4〜5
文芸界に告げる　忠惠　5
日中は兄弟の邦　鵬搏　5
「宣伝」に関する座談会
馮節／湯郁文／劉紫風／沈志浩／高漢／倪弘毅／楊任遠／沈逸凡／呉琦／蔣灝。本社：原田稔／柳龍光（司会）／張蕾（記録）　6〜9
スターリンの陣営　森正蔵　10〜12
時人語録〔コラム〕　12
「東亜聯盟」に対する意見　周化人　13
日中親善の道　朱華　13
今日の人物――大島浩　13
歴史作品〔随筆〕　王素稔　14
戦争文学〔随筆〕　丁度　14〜15
読書拾零――梅娘著『第二代』序文　呉瑛　14
記憶は永遠に〔随筆〕　莎姍　15
東亜文芸消息〔コラム〕　15
翻訳文芸
海上〔小説〕
チェーホフ（作）／朱牧（訳）　17
飢餓〔小説〕
ジェイムズ・スティーヴンズ（作）／仲鴻（訳）　16〜17
二人の富豪／乞食〔小説〕
ツルゲーネフ（作）／趙文（訳）　16
「海文」展望〔海外文化情報〕　16
大陸視察報告（二）――平和と祖国　柳龍光　18〜24
演劇と民衆　傅惜華　24
平和な祖国の旅〔グラビア〕　柳龍光　25〜27
募集「保衛東亜」の歌〔広告〕
上海中華日報社／『華文大阪毎日』編輯処　29
日本古典文学鑑賞（二）――万葉集　許穎　30〜33
新日本の科学圏（八）　33〜34
昭和国民読本（二十四）
徳富猪一郎（作）／張文華（訳）　35
鳴〔詩〕　陳茵　36
無名詩人〔詩〕　疚瘤　36
憂鬱病の人〔小説〕　張金寿　36〜37
早朝〔小説〕　阿里　37
雑感〔随筆〕　烏甘　38
歩み――墓誌、日記〔随筆〕　鄧東遮　38
彼の命〔随筆〕　漫沙　38
第二回「個人漫画展」（二）　沈紅　39
漫画について　路平　40〜41
学生作品募集〔広告〕
『華文大阪毎日』編輯処　40
街頭（二）――北京〔文と絵〕　竇宗淦　41
超意識の造型美術　如宣　42
安荻と馬華（下）〔小説〕
但娣（作）／陸望（絵）　43〜50

日本語講座　洪子博　51
中国語講座　白廷賛　51
編輯会議　張蕾　52

第六巻第三期　第五五号
一九四一年二月一日発行

表紙　日本の穂高岳　表紙1
目次　1
巻頭言　アメリカ国務長官の暴言　1
日中提携の道　阿部信行　2〜3
国民政府の財政施設　陳之碩　3
日中経済提携の展望　梅思平　4
私たちの文学の実体と方向——台湾の部　漫沙　5〜7
時人語録〔コラム〕　7
二千六百年来の日本女性　李如蘋　8〜9
満洲新文化の発足　瀧川政次郎　10〜11
時事備忘録〔コラム〕　11〜13
中国の青幇と和平運動　君匋　12〜13
欧洲大戦の観測　上原虎重　14
日本古典文学鑑賞(三)——竹取物語・伊勢物語　許穎　15〜17
大陸視察報告(三)——平和と祖国　柳龍光　18〜24
東亜文芸消息〔コラム〕　23
訪日随感　何庭流　24
日本の冬のスポーツ〔グラビア〕　25〜27
第二回「個人漫画展」(三)　孫特哥　29
華北紙に見る文芸事情　張金寿　30〜31
感情の洗礼——「荒野」を読む　莎姍　31
私の本性——華毎誌上文筆人(十四)〔随筆〕　高深　30〜31
日射病〔小説〕　ブーニン(作)／方未人(訳)　32〜33
列車の中の一夜(上)〔小説〕　K・S・スミス(作)／蔣覚厂(訳)　32
闘ふ美術——大ドイツ展　ホルン・ヴァルタア(作)／冉邕(訳)　34〜35
連続漫画「王先生」の映画化と舞台化　楊用珊　35
写実主義絵画とクールベ(一)　穆家麒　36〜37
撮影現場について　王則　37
豆腐生涯〔小説〕　呉郎　38〜39
年〔小説〕　蕭菱　39〜40
金魚〔随筆〕　高深　40
沙漠の旅うた〔詩〕　芸筠　40
夜に歌う人〔詩〕　雷力普　40
野火の絵を見て〔詩〕　畺疋　40
昨夜〔詩〕　陳蕪　40
新日本の科学圏(九)　41〜42
街頭——北京(二)〔絵と文〕　竇宗淦　42
懸賞募集〔広告〕　『華文大阪毎日』編輯処　42
教群(上)(本誌募集中篇小説当選作)　金音(作)／穆家麒(絵)　43〜50
木刻　王青芳　50
中国語講座　白廷賛　51
日本語講座　洪子博　51
編輯会議　洪子博　52

第六巻第四期　第五六号
一九四一年二月一五日発行

表紙　大同雲崗の石仏　表紙1
目次　1
巻頭言　ヒトラーの対米警告　1
事変解決と東亜復興　近衛文麿　2〜3
日本外交の近況　松岡洋右　3〜4
時人語録〔コラム〕　4
「保衛東亜」の歌、予選が終る　5
アメリカ外交政策の予測　吾山　6〜8
昭和国民読本(二十五)　徳富猪一郎(作)／張文華(訳)　9
私たちの文学の実体と方向——朝鮮の部　張赫宙　10〜11
時事備忘録〔コラム〕　10〜11
著名人家庭訪問記——李聖五　YV　12〜13
学生作品募集〔広告〕

『華文大阪毎日』編輯処 13
列車の中の一夜(下)
K・S・スミス(作)／蔣覚厂(訳) 14〜15
オランダ領東インドの地方文化
宮武正道(作)／上官潔(抄訳) 14
新日本の科学圏(十) 16〜17
冬夜の雑談〔随筆〕 夏孟剛 17
大陸視察報告(四)――平和と祖国
柳龍光 18〜24
南京通信(一)〔随筆〕 恕平 19
東亜文芸消息〔コラム〕 21
木刻 陸拾陸億 24
軌道に乗った日中満外交〔グラビア〕 25
第七十六回「翼賛議会」〔グラビア〕 26〜27
「安荻と馬華」を読む〔随筆〕
黙夫／禾葩／処士 29〜31
ある「作家」〔随筆〕 趙天人 30
「大地の波動」について 蒙殊 31〜33
第二回「個人漫画展」(四) 葛藤 34
日本古典文学鑑賞(四)――源氏物語
許穎 35〜37
八月の罪人――わが母へ〔詩〕 高深 38〜39
いかに中国音楽を発展させるか
陳汝翼 40〜41
木刻 舒易誠 41
写実主義絵画とクールベ(二)
穆家麒 42〜43
木刻 韋休 42
街頭――北京(四)〔文と絵〕 竇宗淦 43
教群(下)〔小説〕
金音(作)／穆家麒(絵) 44〜50
日本語講座 洪子博 51
中国語講座 白廷蕡 51
苔岑詩壇
落合為誠／千葉郁／陳道量 52
編輯会議 袁天任 52

第六巻第五期　第五七号
一九四一年三月一日発行

表紙　春日 表紙1
目次 1
巻頭言　「極東危機説」 1
日本建国史 永井潜 2〜3
私たちの文学の実体と方向――中国の部
陸続 4〜6
周作人先生 白衣 6
本誌第二回青年課題当選発表
『華文大阪毎日』編輯処 7
「太平洋」座談会
上原虎重／永戸政治／吉岡文六／高田市太郎／栗原千代太郎／楠山義太郎／百々正雄／藤岡啓／馬場秀夫／鈴木三郎
8〜11
時事備忘録〔コラム〕 11
健全娯楽の問題 三宅英一 12〜13
日本古典文学鑑賞(五)――日記・随筆
許穎 14〜16
大陸視察報告(五)――平和と祖国
柳龍光 17〜23
東亜文芸消息〔コラム〕 19
時人語録〔コラム〕 22〜23
日本の国技〝大相撲〟〔グラビア〕 25〜27
南京文化人座談会――日中文化の交流
秦墨哂／張資平／湯孤芳／孟梓／朱右白／劉敏君／村上剛(司会)／上沼健吉／金子静雄／花香育(記録) 29〜32
再び燕児へ〔随筆〕 張資平 31
小さな花瓶〔小説〕 敏君 32〜35
冬夜の雑談(完)〔随筆〕 夏孟剛 35
木刻 中村清 35
文芸と功利主義〔随筆〕 高漢 36
台湾作家はどこへ行く?〔随筆〕
余若林 36
文壇雑感〔随筆〕 張金寿 36〜37
詩の鑑賞と批評について 莎姍 37
漫画家ジョージ・マクマナスとその『親爺教育』 季淮 38
木刻について二、三 止戈 38〜39
新しい新京の素描、その他(一)〔絵と文〕
王金錬 39

木刻　韋休　39
中国映画の当面問題を検討する　凌琳　40
街頭――北京（五）〔絵と文〕　竇宗淦　41
俳優の個性・個性的な俳優　李孔　41
第二回「個人漫画展」（五）　梁津　42
事変半年（上）（本誌募集中篇小説当選作）
亜嵐（作）／孫之雋（絵）　43～50
中国語講座　白廷萱　51
日本語講座　洪子博　51
編輯会議　紅筆　52

第六巻第六期　第五八号
一九四一年三月一五日発行

表紙　朝の上海　表紙1
目次　1
巻頭言　ブルガリアが三国同盟に加入　1
日中条約成立と日中満共同宣言後の中国　徐良　2
私たちの文学の実体と方向――中国の部　傅弼　3～4
中国文化の内容検討　劉延甫　5～11
欧洲新情勢の予測　林三郎　12～14
時事備忘録〔コラム〕　14
周作人先生訪問記　秀華　15～16
時人語録〔コラム〕　16
新しい新京の素描、その他（二）〔絵と文〕　王金錬　17
「教群」を読む　安郎　18
「心理の準備」と「文芸の感性」を論じる　楊文昌　18～19
「安荻と馬華」評　李文湘　19
大陸視察報告（六）――平和と祖国　柳龍光　20～24
東亜文芸消息〔コラム〕　24
映画『蘭印探訪記』〔グラビア〕　25～27
東亜共栄圏の確立と私の理想（本誌第二回青年課題募集当選作）
傅伯明／呂書軒　29～32
南京通信（二）〔随筆〕　恕平　32
第二回「個人漫画展」（六）　疊禹　33
日本古典文学鑑賞（六）――八代集　許穎　34～37
今後の新女性　華　37
街頭――北京（完）〔絵と文〕　竇宗淦　38
漫画を語る　葛藤　38～40
劇運動前進の妨げ　柏樸　40
印刷に見る漫画と絵画の違い　庚黄　40～41
芸術に関する言葉〔コラム〕
遐観室（抄）　41
事変半年（下）〔小説〕
亜嵐（作）／孫之雋（絵）　42～50
流浪者の言葉〔書簡〕　黄軍　51
別れ〔書簡〕　佴疋　51
編輯会議　呂風　51
日本語講座　洪子博　52
中国語講座　白廷萱　52

第六巻第七期　第五九号
一九四一年四月一日発行
「保衛東亜」の歌当選発表特輯

表紙　黎明の東亜　表紙1
目次　1
巻頭言　保衛東亜　1
「保衛東亜」の歌、当選発表　2～3
審査員の談話――樊仲雲氏・馮節氏　3
「保衛東亜」の歌に対する汪主席の関心　4
当選作者・高氏、和平運動の闘士　5
副賞当選者・楊くん、日本留学生　5
汪主席の題字　6
「保衛東亜」の歌の審査委員会議　6
審査経過　6～7
褚民誼の題字　7
林柏生の讃詞と題字　7
保衛東亜と「保衛東亜」の歌　高天棲　8～9
作曲家・柯政和、江文也の略歴と感想　8～9
音楽界の巨匠・山田耕筰が「保衛東亜」の
編曲を担当　9
『華毎』の「保衛東亜の歌」懸賞募集を讃える

〔詩〕
東亜民族進行曲〔楽譜〕　高原　9
楊寿聃（詞）／江文也（曲）　10〜11
第一回発表演奏会と授賞式　12
両曲のレコードが完成　12
旅のスケッチ〔随筆〕　魯風　13〜14
東亜新文化の創造　楊鴻烈　15〜18
日ソ国交調整の展望　吾山　19〜21
時人語録〔コラム〕　21
私たちの文学の実体と方向――満洲の部　韓護　22〜24
「保衛東亜」の歌〔楽譜〕
高天棲（詞）／柯政和（曲）／山田耕筰（編曲）　26〜28
中国の新文化とは何か？（本誌第二回青年課題募集当選作）　張玉暉／桑醉筠　29〜33
時事備忘録〔コラム〕　33
第二回「個人漫画展」（七）　黄龍　34
日本古典文学鑑賞（七）――平家物語・太平記　許穎　35〜37
東亜文芸消息〔コラム〕　38
新しい新京の素描、その他（三）〔絵と文〕　王金錬　39
近代中国絵画に関する理論　李孔　40
音楽常識――「奏鳴曲の研究」（上）　陳汝翼　40〜43
木刻講座（一）　王青芳　42〜43
中国映画産業の危機？　凌琳　43
夢（上）（本誌募集中篇小説当選作）　馬還（作）／陳固（絵）　44〜50
編輯会議　魯風　51

第六巻第八期　第六〇号　一九四一年四月一五日発行

表紙　杏の花　表紙1
目次　1
巻頭言　松岡外相の訪欧の意義　1
国民政府一年来の実績と今後の和平運動〔紙上座談会〕
温宗堯／梁鴻志／江亢虎／陳群／梅思平／林柏生／徐良／傅式説／丁默邨／諸青来／趙毓松／李士群／鮑文樾／任援道／周学昌　2〜6
現段階の教育　蘇醒　7
東地中海の新情勢　上原虎重　8〜9
日本古典文学鑑賞（八）――謡曲・狂言　許穎　10〜13
昭和国民読本（二十六）　徳富猪一郎（作）／張文華（訳）　13〜14
三十年前の日中親善の美談　秀華　15〜16
紅蓮寺の遺跡　小蛍　16
褚大使、天下の奇勝を訪ね、徐福の墓を訪問　洪子博　17〜24
熊野の旅の感想　褚民誼　22
国府還都一周年記念の盛況〔グラビア〕　25〜27
蜻蜓酒家――鄧演達将軍を憶う（上）　張資平　29〜34
葉蓬将軍の家庭　34〜35
時人語録〔コラム〕　35
科学と私（本誌第二回青年課題募集当選作）　馬雲龍／張康　36〜39
「印刷に見る漫画と絵画の違い」の再検討　龐曾瀛　40〜41
木刻講座（二）　王青芳　41
木刻　葉末行　41
第二回「個人漫画展」（八）　王瓔　42
音楽常識――「奏鳴曲の研究」（中）　陳汝翼　43
夢（中）〔小説〕　馬還（作）／陳固（絵）　44〜50
新しい新京の素描、その他（四）〔絵と文〕　王金錬　51
東亜文芸消息〔コラム〕　51
編輯会議　吾山　52

第六巻第九期　第六一号　一九四一年五月一日発行

表紙　保衛東亜の大行進（武漢の新中国軍）　表紙1

目次 1
巻頭言　ユーゴスラビア降伏後の戦局 1
音楽と文化　柯政和 2
文学における比喩的表現について　朱友白 3～6
時事備忘録〔コラム〕 7
日ソ中立条約と世界情勢　吾山 8～9
私の愛読書（第二回青年課題募集当選作）　楊文昌／趙月英 10～13
斉白石先生　白衣 14～15
昭和国民読本（二十七）　徳富猪一郎（作）／張文華（訳） 16～17
蜻蜓酒家――鄧演達将軍を回憶（下）　張資平 18～24
『華文大阪毎日』編輯処実習員を募集〔広告〕　『華文大阪毎日』編輯処 24
「保衛東亜」歌の発表大会――南京〔グラビア〕 25～27
第二回「個人漫画展」（九）　颯漠 29
音楽常識――「奏鳴曲の研究」（下）　陳汝翼 30
日本洋画壇の発展と現状　穆家麒 30～33
木刻　迎暁 32
木刻講座（三）　王青芳 33
小品
視野の狭い研修生　呉瑛 34
街の小景　王朱 35
詩
人生　冷歌 34～35
魂なき人々　高深 35～37
夢と古琴　但娣 37
私と彼女　西津島三 37
故郷を憶う　孤雁 37
聖らかな友　黙行 37
小説「小さな花瓶」の反響 36～37
東亜文芸消息〔コラム〕 36
日本古典文学鑑賞（九）――浮世草子　許穎 38～41
新しい新京の素描、その他（完）〔絵と文〕　王金錬 41
夢（下）〔小説〕　馬還（作）／陳固（絵） 42～49
中国語講座　白廷賛 50
日本語講座　洪子博 50
編輯会議　雪蛍 51

第六巻第一〇期　第六二号　一九四一年五月一五日発行

表紙　芍薬 表紙1
目次 1
巻頭言　アメリカに反省を促す 1
訪欧感想　松岡洋右 2～3
皇道、王道と王道政治　朱華 4～5
時人語録〔コラム〕 5
日中親善を深める　何海鳴 6～7
今後の留日教育　汪向栄 8～14
昭和国民読本（二十八・完）　徳富猪一郎（作）／張文華（訳） 15～16
杭州紫来洞の難民〔木刻・文〕　田川憲（刻）／止戈（文）／韋休（文） 16
中国の女性と文芸　夏孟剛 17～18
四月号の『北京漫画』を読む　斉容 18
霊感論　祝敬 19～20
第三回個人漫画展募集 20
日本古典文学鑑賞（十）――浄瑠璃　許穎 21～24
「保衛東亜」歌の発表大会――上海〔グラビア〕 25
訪欧中の松岡外相〔グラビア〕 26～27
新中国女性と第二代（第二回青年課題募集当選作）　徐纆汶／王汝楣 29～34
第二回「個人漫画展」（十）　季淮 35
日本美術の特徴（上）　滝精一（作）／宋培菡（訳） 36～37
半月間の来訪記録 37
芸術苦心談　尚小雲 38～39
木刻　F・M・楊賛 38
木刻講座（四）　王青芳 39
簡
華中漫画界で活躍する人たち　紫燕 40
唏嘘の書　雷力普 41

幽冥へ　成絃　41～43
涙と愛の告白　王金錬　43
本誌第一回特輯予告〔広告〕
『華文大阪毎日』編輯処　42
夏の夜〔小説〕　田瑯(作)／呂風(絵)　44～49
東亜文芸消息〔コラム〕　46～47
時事備忘録〔コラム〕　48～49
日本語講座　洪子博　50
中国語講座　白廷賛　50
編輯会議　張蕾(記録)　51

第六巻第一一期　第六三号
一九四一年六月一日発行
第一回特輯――短篇小説(上)

表紙　泰山中天門　表紙1
目次　1
巻頭言　時局と家庭主婦　1
国民政府強化の方策　本多熊太郎　2
社会教育の重要性　唐家楨　3～4
苔岑詩壇
汪兆銘／岡崎壮帰／杉渓言長／服部荘夫／松村春水／国分高胤　3～6
中国の三十年来の児童教育　希民　5～6
和平・反共・建国　高全生　7～8
本誌実習員募集
『華文大阪毎日』編輯処　8
海上作戦の新形態(上)〔座談会〕
海軍方面：伊藤賢三／平出英夫／松山五郎／三浦明／山田茂雄／高瀬五郎／白水亘／川添利男／青木武／大塚修／金子敬太郎／富永謙吾／田中勇。本社：高石真五郎／上原虎重、他　9～13
アラブ民族の動き　上原虎重　12～13
日本古典文学鑑賞(十一)――俳句
許穎　14～17
半月間の来訪記録　17
第二回「個人漫画展」(十一)　金子　18
今日の中国女性が持つべき覚悟
万孟婉　19～20
木刻講座(五)　王青芳　21～22
木刻　K・F・瓦林克　22
中国書道の系譜　曄　22～23
世界素描選(一)
ピカソ(絵)／韋休(文)　23
日本美術の特徴(下)
滝精一(作)／宋培菡(訳)　24
第三期「個人漫画展」募集　24
「保衛東亜」の歌の発表――漢口〔グラビア〕　25
体と力――集団体操〔グラビア〕　26～27
丁默邨先生訪問記　D・N　29～30
K・F・瓦林克の自刻像
K・F・瓦林克(刻)／韋休(文)　30
第一回特輯「短篇小説」(上)
玲瓏笛　牧人　31～33
酒楼にて　青野　33～34
血の報復　秋蛍　34～38
英雄の夢　金人　38～40
仲間　汀子　40～43
約束　伯仁　43～47
王海廷という男　田兵　47～48
パリの憂鬱　韓護　48～49
木刻　立璈　35、37
金言集　遐観室(編)　41
時事備忘録〔コラム〕　42～43
木刻　イルダ・トワク　44
東亜文芸消息〔コラム〕　45
タイ紀行(一、二)〔絵と文〕　川島理一郎　46、49
中国語講座　白廷賛　50
日本語講座　洪子博　50
編輯会議　子博　51

第六巻第一二期　第六四号
一九四一年六月一五日発行

表紙　日本の保津川　表紙1
目次　1
巻頭言　蔣政権を打倒せよ　1
日本の海戦精神　平出英夫　2～3

枢軸三国を離間させる　徳富蘇峰　3
孟子の民生思想と厚生主義　郝希宗　4～5
苔岑詩壇　王揖唐／土屋久泰　4～5
日本における中国語教育の問題について　倉石武四郎／竹内照夫　6～7
反英路線についての回想　奥村信太郎　8～10
半月間の来訪記録　10
海上作戦の新形態（中）〔座談会〕海軍方面：伊藤賢三／平出英夫／松山五郎／三浦明／山田茂雄／高瀬五郎／白水亘／川添利男／青木武／大塚修／金子敬太郎／富永謙吾／田中勇。本社：高石真五郎／上原虎重、他　11～14
英領マラヤについて　達三　15
日本古典文学鑑賞（十二）――洒落本など　許穎　16～19
時事備忘録〔コラム〕　20
竹久夢二を憶う　禾葩　20～21
木刻　斉容　20、46
世界素描選（二）　デュフィ（絵）／韋休（文）　21
木刻講座（六）　王青芳　22
全日本華僑総会第二回大会に参加　魯風　23～24
在日華僑の大集会〔グラビア〕　25
後方奉公を宣誓〔グラビア〕　26～27
第二回「個人漫画展」（十二）　邱揚　29
第一回本誌特輯――短篇小説（下）
匪徒　袁文　30～32
文化の米　知羊　32～34
一人の無名作家　蔚然　34～35
処世哲学　裴雲同　35～41
前科者　未名　41～42
里帰り　蕭菱　42～43
齟齬　白彿　43～48
牧場にて　磊磊生　48～49
木刻　韋休　31
タイ紀行（三、四、五）　川島理一郎　33、37、40
木刻　立璈　35、39
第二回本誌特輯予告　『華文大阪毎日』編輯処　38
東亜文芸消息〔コラム〕　47
日本語講座　洪子博　50
中国語講座　白廷賛　50
編輯会議　袁天　51

第七巻第一期　第六五号

一九四一年七月一日発行

歓迎汪主席訪日特輯

表紙　汪主席　表紙1
今日の日本工業（一）――帯鉄　1
目次　2～3
私たちの主張
汪主席の訪日を歓迎／日本の外交基調は不変／蒙古政府の機構改革／蘭領東インド当局の錯覚／ハル国務長官の無意味な提案　2～3
汪主席を歓迎　近衛文麿　4
歓迎汪主席　褚民誼　5
世界一流の政治家・汪主席　本多熊太郎　5
汪主席訪日の意義　6～8
日中国交と国民政府を強化する方策　高木陸郎　8～10
日中事変と欧洲大戦　大場弥平　11～14
汪精衛氏と中国革命　山田純三郎　13～14
汪主席の家庭と生活　陳篤言　15～16
東京に到着した汪主席〔グラビア〕　17
随員の紹介　18～19
汪先生に対する印象　奥村信太郎／高田元三郎／下田将美／長岡克暁／吉岡文六／桐原真二／村上剛／田中香苗／田知花信量／三池亥佐夫　20～22
汪主席の訪日記録　本刊記者　23～24
汪主席が東京に入る〔グラビア〕　25
汪主席、日本に着く〔グラビア〕　26～27
本誌学生作品募集当選作
私たちの大学（一）――北京輔仁大学

天使由里児（一）〔漫画〕　陳更　29～31
Frank Bergman（絵）／M・Peake（文）　32
日本文学案内（抄訳）
菊池寛（作）／以斎（訳）　33
半月間の来訪記録　33
海軍座談会――海上作戦の新形態（下）
海軍：伊藤賢三／平出英夫／松山五郎／
三浦明／山田茂雄／高瀬五郎／白水亘／
川添利男／青木武／大塚修／金子敬太郎
／富永謙吾／田中勇。本社：高石真五郎
／上原虎重、他　34～36
今後の漫画界の道筋　黄河　37～38
「第二回個人漫画展」優秀作品推薦について
『華文大阪毎日』編輯処　37
木刻講座（七）　王青芳　38～39
世界素描選（三）
マティス（絵）／韋休（文）　39
新詩
笛音／足跡、他　冉邕　40～41
埋葬／白雲　秦莽　41
夜汽車／恋い詩　楊野　41～42
雨音　蕭霏　42
三人の犯罪者／亡命者／旅人　青鳥　42～43
孤独な帰り　柳舒　43
マレーの海岸を離れる　白鷺　43
私の歌／哈爾濱の旅、他　雷力普　43～44
無題／一緒に行く　鉄川　44
弔　西韋　45
彷徨／矛盾する気持ち　黙行　45
笑い　芸筠　45
彼ら／雪の朝　陳茵　46
故郷の恋　何許人　46～47
雨夜の記憶／命の呪い　紫荊　47
霜の降る日／暗い巷の夕暮れ　白練　47
雑詩／生の回憶　疚瘤　47～48
話／酔い、他　噩疋　48～49
急雨の前／想　烏甘　49
世界文化消息　50
中国語講座　白廷賛　51
日本語講座　洪子博　51
編輯室　亥生　52

第七巻第二期　第六六号

一九四一年七月一五日発行

特輯：散文之巻

表紙　徐州　表紙1
今日の日本工業（二）――紡織　1
目次　2～3
私たちの主張
独伊など枢軸国が国民政府を承認／汪主席訪日の収穫／独ソ戦の勃発と日本の外交／対ソ援助とアメリカ　2～3
独ソの開戦と欧洲の動き　布施勝治　4～6
国際情勢と中国の前途　王誼　7～9
欧米の中国侵略の歴史　呉克峻　10～16
印刷あれこれ――新聞／用紙　拝石　16、18
日中に共通の地理的観念　何海鳴　17～18
木刻講座（八）　王青芳　19
天使由里児（二）〔漫画〕
Frank Bergman（絵）／M・Peake（文）　20～21
木刻の再振興について　張止戈　21～22
漫画と写生を論じる（上）　穆家麒　22
世界素描選（四）
脇田和（絵）／韋休（文）　22
二十世紀のグライダー　23～24
独伊などの八カ国、国民政府を承認〔グラビア〕　25
飛翔する女性たち〔グラビア〕　26～27
私たちの大学（二）――南京国立中央大学
費致全　29～31
日本文学案内（抄訳）
菊池寛（作）／以斎（訳）　32
世界文化消息　33
第三回本誌特輯――散文
船引き人夫　果夫　34
河の憂愁　韓護　34～37

漁船　藍苓　35
春の恋　穆華　37
断片　李烽　37～38
夜番　陶倩　38
寒夜　青野　38
エンジュの花　野翁　39
荒野の夢　冉邕　39～40
生命の点滴　沙林　39
三回目の訪問　未明　40～43
皓月の誘惑　王耑　41
風雪の夜　雷力普　42
雨後　蕭髯奴　43
野良猫　朱亨　43～44
青い野菊　蕭菱　44～46
笑い　噩疋　46～47
憤懣　功濤　46
晴天の風　蔓縉　47
夢　靳丙沙　47
哈爾濱の夜　季瘋　48～49
世界著名人の木刻像　立璈　36、40、45、48、49
日本語講座　洪子博　50
中国語講座　白廷賛　50
編輯室　吾山　51

第七巻第三期　第六七号

一九四一年八月一日発行

表紙　日本の舞子浜　表紙1
今日の日本工業(三)——製紙　1
目次　2～3
私たちの主張
第三次近衛内閣の成立／中日事変四周年／独ソ戦の近況／「イギリス・蒋の同盟」は驚くにならず／英ソ協定の効果　2～3
訪日感想　林柏生　4
和平運動の回顧と展望　周仏海　5～7
独ソ開戦後の国際情勢　吾山　6～7
清郷工作と和平運動　瘻公　8～9
苔岑詩壇　国分高胤／土屋久泰　8～9
南洋の華僑　袁鼎昌　10～11
南方の回想　達三　12～14
第三回個人漫画展(一)　馬午　15
江南の夏〔随筆〕　黄君旬　16～18
中国婦人運動の前途　鳳林　19
日本文学案内(抄訳)　菊池寛(作)／以斎(訳)　20
木刻の独立性　辛愷　21
木刻講座(九)　王青芳　21～22
木刻　葉未行　21
漫画と写生を論じる(下)　穆家麒　22～23
木刻　斉容　22、49
世界素描選(五)　水谷清(絵)／韋休(文)　23
世界文化消息　24
独ソ戦争の第一報〔グラビア〕　25
活躍する清郷工作〔グラビア〕　26～27
私たちの大学(三)——国立北京師範学院　黄仲揚　29～31
天使由里児(三)〔漫画〕　32
翻訳文芸特輯
家畜　島崎藤村(作)／賀行(訳)　33～35
山鳥　夏目漱石(作)／周欲鳴(訳)　35～36
マテオ・ファルコーネ　メリメ(作)／劉針(訳)　36～39
ひとでなしの猫　モーパッサン(作)／燕然(訳)　39～40
私の隣人　タゴール(作)／金戈(訳)　40～41
火夫の爪牙　G・ラルソン(作)／劉針(訳)　42～43
悪風　F・ブレット・ヤング(作)／劉嘉禄(訳)　43～45
賢者の贈り物　O・ヘンリー(作)／左洛(訳)　45～47
雪中行　プーシキン(作)／朽木(訳)　47～48
無題　チェーホフ(作)／朱牧(訳)　48～49

中国語講座　白廷賛　50
日本語講座　洪子博　50
編輯室　魯風　51

第七巻第四期　第六八号　一九四一年八月一五日発行
『女子作品の巻』特輯

表紙　青島海浜　表紙1
今日の日本工業(四)――炻器　1
目次　2～3
私たちの主張
　ベトナムに出兵を増やす意義／国民政府育成について／英米の妄動を排撃／国共合作と英米　2～3
近衛新内閣と対外政策　広瀬英太郎　4～7
新閣僚の素描
　豊田外相／左近司商相／田辺内相／小泉厚相／岩村法相　5～7
共産党政権を経たリトアニア・ラトビアの現状　8～10
アメリカからの現地報告　対馬好武　11～13
欧洲大戦見聞記　大原武夫　13～14
一人の華僑青年から日本青年への手紙　達三　15～17
苔岑詩壇
　国分高胤／岡田兼一／安倍留治　15～17
国民政府僑務委員会委員長・陳済成　D・N　18～19
世界素描選(六)
　ペヒシュタイン(絵)／韋休(文)　19
中国の音楽について　蔭朗　20～21
木刻講座(十)　王青芳　21～22
華中の漫画問題　劉子　22～23
第三回個人漫画展(二)　経羽　24
第三次近衛内閣の誕生〔グラビア〕　25
立ち上がったタイ〔グラビア〕　26～27
私たちの大学(四)――燕京大学　荻生　29～31
天使由里児(四)〔漫画〕
　Frank Bergman(絵)／M・Peake(文)　32
日本文学案内(抄訳)
　菊池寛(作)／以斎(訳)　33
女性作品特輯〔小説〕
　従弟　蔣果儒　34～36
　月欠け花残る　敏君　36～38
　琳姉ちゃんへの手紙　李烽　39
　小二子の妻と母　熊先蓬　39～41
　忽瑪河の夜　但娣　41
　幼い霊魂　白玲　41～42
　小さな犯人　呉瑛　42～45
　遭遇　冰壷　45～46
　隣人　東方雋　47～48
世界名人木刻像之(十、十一)　立璈　37、44
世界文化消息　49
日本語講座　洪子博　50
編輯室　雪蛍　50

第七巻第五期　第六九号　一九四一年九月一日発行

表紙　アンコールワット　表紙1
今日の日本工業(五)――鑄鉄　1
目次　2～3
私たちの主張
　国民政府の機構改革／英米共同宣言の野心／英米、不当にタイを圧迫／タイ、「満洲国」を承認　2～3
日越共同防衛の意義　渡瀬亮輔　4～6
東亜聯盟の神聖なる使命　瘻公　7～10
苔岑詩壇
　李元暉／溥叔明／陳道量／土屋久泰　9～10
自由貿易を論じる　竹生　11～13
印刷あれこれ――ニュース　拝石　13
ベトナム・タイ瞥見記　藤岡啓　14～15
林柏生先生の精神　于秋士　16～17
世界素描選(七)
　ロート(絵)／韋休(文)　17
第三回個人漫画展(三)　趙文　18
新紅A字(一)〔小説〕

世界文化消息　張資平（作）／曹涵美（絵）　19～23
日軍の南部仏印進駐〔グラビア〕　24
緑の楽園――ホーチミン市〔グラビア〕　25
チベットの一輪のジャスミン花〔随筆〕　26～27
フリッツ・ゼッカー（作）／秀華（訳）　29～30
心と心〔小説〕　陶清　30～31
日本文学案内（抄訳）
菊池寛（作）／以斎（訳）　32～33
私たちの大学（五）――天津工商学院　苗蒂　34～36
程心枌とユーモアを論じる　仲華　37～38
天使由里児（五）〔漫画〕
Frank Bergman（絵）／M・Peake（文）　39
漫画を語る　劉維枢　40～41
演劇雑感　張允　41～42
偉大なる芸術家ダ・ヴィンチ（上）　李光　43
木刻講座（十一）　王青芳　44
蟹（一）〔小説〕　梅娘（作）／呂風（絵）　45～49
中国語講座　白廷賛　50
日本語講座　洪子博　50
編輯室　呂風　51

第七巻第六期　第七〇号
一九四一年九月一五日発行

表紙　タイの大仏　表紙1
今日の日本工業（六）――レーヨン　1
私たちの主張
新情勢と独伊の巨頭の会見／アメリカ陸軍の重慶「進駐」／英ソ軍、イランに侵入／反日政策を放棄せよ／油槽船一隻の問題にあらず／笑うべきアメリカの言動　2～3
目次　2～3
「大西洋憲章」を評す　王誼　4～6
日本の在英米資産の凍結を論じる　吾山　7～8
大陸経営論　岸信介　9～12
白山黒水行（満洲紀行）　章学海　12～16
苔岑詩壇　橋川時雄　13
広東人研究の歴史　玨宜　17～19
新紅A字（二）〔小説〕
張資平（作）／曹涵美（絵）　20～24
著名人とその書斎（一）――樊仲雲〔グラビア〕　25
女子武道〔グラビア〕　26～27
方外な反感　傅彦長　29
文芸批評の重要性　夏孟剛　30～31
足音〔随筆〕　蘿茘　31
私たちの大学（五）――北京中国大学　棄崇　32～34
第三回個人漫画展（四）　王忠　35
現代日本画人伝（一）――横山大観　36～37
謹んで演劇界に与える（上）　聶提格　37
沈黙の北京演劇界　張一鶴　38
偉大なる芸術家ダ・ヴィンチ（下）　李光　39
木刻講座（十二）　王青芳　40
天使由里児（六）〔漫画〕
Frank Bergman（絵）／M・Peake（文）　41
日本文学案内（抄訳）
菊池寛（作）／以斎（訳）　42～43
世界文化消息　44
蟹（二）〔小説〕　梅娘（作）／呂風（絵）　45～49
日本語講座　洪子博　50
中国語講座　白廷賛　50
世界素描選（八）
ゴッホ（絵）／韋休（文）　51
編輯室　亥生　51

第七巻第七期　第七一号
一九四一年十月一日発行

表紙　葡萄と少女　表紙1
今日の日本工業（七）――汽車　1
私たちの主張

満洲国の経済建設／ドイツはアメリカを反撃すべき／湖南北部作戦の意義／仏印の日本特派大使／日本、南進を決意 2〜3
目次 2〜3
欧洲戦争二周年（現地報告）
独、最後の目標はイギリス　加藤特派員 4〜6
伊、長期戦を覚悟　小野特派員 6〜7
英、勝利の実力がない　工藤特派員 7〜8
米、ソ連を同盟国と見なす　高田特派員 8〜9
戦争が勃発した当時と開戦二周年との比較 5
東亜問題の一元化　何海鳴 10〜12
苔岑詩壇　汪兆銘／岡田兼一／陳道量 10〜12
日本青年への手紙　高漢 13〜14
外交部次長・周隆庠氏の家庭訪問記　柳黛 15〜16
世界素描選（九）　ゴッホ（絵）／韋休（文） 16
満洲文芸家協会の創立について　呉郎 17〜18
第三回個人漫画展（五）　陳金錕 19
新紅A字（三）〔小説〕　張資平（作）／曹涵美（絵） 20〜24
霏霏傘〔随筆〕　東方雋 24
著名人とその書斎（二）――周作人〔グラビア〕 25
再出発する新中国の女性〔グラビア〕 26〜27
本誌駐華事務所を南京に設置 29〜30
上海における和平陣営の新聞界の現状　江瑩 30
私たちの大学（六）――北京大学工学院　健心 31〜33
日本文学案内（抄訳）　菊池寛（作）／以斎（訳） 34〜35
本誌第二回「個人漫画展」の推薦結果　金錬／季風／楊苓／張仲人／秦風啓／胡琳 36〜37
第二回「個人漫画展」を語る（上）　援公 37〜38
木刻　葉未行 38
天使由里児（七）〔漫画〕　Frank Bergman（絵）／M・Peake（文） 39
木刻講座（十三）　王青芳 40
抒情漫画と私　王金錬 41
現代日本画人伝（二）――藤島武二 42〜43
演劇界に捧げる（下）　聶提格 43
世界文化消息 44
蟹（三）〔小説〕　梅娘（作）／呂風（絵） 45〜49
中国語講座　白廷賛 50
日本語講座　洪子博 50
編輯室　吾山 51

第七巻第八期　第七二号　一九四一年十月一五日発行

表紙　満洲ホロンバイル高原 表紙1
今日の日本工業（八）――新たなガラス 1
私たちの主張
枢軸同盟一周年／モスクワの三国会談／長沙占領の意義／今後の黒海争奪戦 2〜3
目次 2〜3
経済戦は武力戦　下田将美 4〜6
「抗日教育」と「親日教育」について　夔公／潘璿 7〜10
スターリン線破れたり（一）　布施勝治 11〜14
事変十周年の満洲　橘善守 15〜17
第三回個人漫画展（六）　宗羽 18
新紅A字（四）〔小説〕　張資平（作）／曹涵美（絵） 19〜23
世界文化消息 24
著名人とその書斎（三）――江亢虎〔グラビア〕 25
今日の満洲〔グラビア〕 26〜27
北満洲の密林物語　バイコフ 29〜31

バイコフ略歴 30
私たちの大学(七)――新京医科大学 秦莽 32～34
天使由里児(八)〔漫画〕 Frank Bergman(絵)/M・Peake(文) 35
桜島散記〔随筆〕 柳黛 36
訪日感想〔随筆〕 劉美君 36～37
弘法大師「灌頂記」跋 陳柱 37
現代日本画人伝(三)――竹内栖鳳 38～39
第二回「個人漫画展」を語る(下) 援公 39～40
第二回「個人漫画展」を読む(上) 季風 40～41
木刻講座(十四) 王青芳 42
日本文学案内(抄訳) 菊池寛(作)/以斎(訳) 43～44
蟹(四)〔小説〕 梅娘(作)/呂風(絵) 45～49
日本語講座 洪子博 50
中国語講座 白廷賛 50
世界素描選(完) ドラン(絵)/韋休(文) 51
編輯室 魯風 51

第七巻第九期　第七三号
一九四一年一一月一日発行
「太平洋問題」特輯

表紙　太平洋上の日本艦隊 表紙1
創刊三周年記念祝詞 汪兆銘/張景恵/王揖唐 1
私たちの主張
本誌三周年/政変を超えて/終焉に近い独ソ戦争 2～3
目次 2～3
太平洋問題特輯
太平洋に関する外交 上原虎重 4～6
太平洋の地理概観 林三郎 6～8
太平洋における列強の経済戦 穂積三雄 9～12
太平洋の資源と産業 上妻斉 13～16
太平洋の軍備 栗原千代太郎 16～20
太平洋の民族問題 武内辰治 20～22
太平洋の将来 楠山義太郎 22～24
緊迫する太平洋〔グラビア〕 25
太平洋の現勢図〔グラビア〕 26～27
創刊三周年記念論文募集〔広告〕 『華文大阪毎日』編輯処 29
北満洲の密林物語(二) バイコフ 30～31
スターリン線破れたり(二) 布施勝治 32～35
現代日本画人伝(四)――梅原龍三郎 36～37
中国演劇運動の過去と将来 陳大悲 37～40
木刻講座(十五) 王青芳 40
第三回個人漫画展(七) 胡音 41
現代文学の使命を論じる 陳柱 42～43
東方の偉大なる文豪逝く――タゴールを悼む 夏孟剛 43～45
第二回「個人漫画展」を読む(下) 季風 45
私たちの態度〔随筆〕 阿華 46
新紅A字(五)〔小説〕 張資平(作)/曹涵美(絵) 47～51
編輯室 呂 52

第七巻第一〇期　第七四号
一九四一年一一月一五日発行

表紙　古北口の長城 表紙1
今日の日本工業(九)――製鉄 1
私たちの主張
法幣の暴落とその対策/重慶、列国勢力の誘致に狂奔/米大統領の空しい声援/文化共栄を推進する計画 2～3
目次 2～3
東條新内閣と国際関係 永戸政治 4～6
苔岑詩壇 汪兆銘/土屋久泰 6
我々の作戦はこのように

クレッチマー 7～10
対僑工作の現状と計画 陳済成 11～13
中国の美意識教育 徐公美 13～16
印刷あれこれ——新聞(一) 拝石 16
私たちの大学(九)——新京南嶺建国大学 閻豎忱 17～19
新紅A字(六)〔小説〕 張資平(作)／曹涵美(絵) 20～24
私の本〔随筆〕 莫須 24
三笠宮殿下御成婚〔グラビア〕 25
東條内閣が成立〔グラビア〕 26～27
スターリン線破れたり(三) 布施勝治 29～32
第三回個人漫画展(八) 汪児 33
現代日本画人伝(五)——川合玉堂 34～35
華中漫画界について(上) 端木静 35
木刻講座(十六) 王青芳 36
天使由里児(九)〔漫画〕 Frank Bergman(絵)／M・Peake(文) 37
日本文学案内(抄訳) 菊池寛(作)／以斎(訳) 38～39
七十周年を迎える日本鉄道 胡家法 40～41
社会教育と娯楽 茂如 41
母親〔小説〕 柳黛 42～44
一人の女の道〔小説〕 禎 42～43
羅源という奥さん〔小説〕 游萍 43～44
蟹(五)〔小説〕 梅娘(作)／呂風(絵) 45～49
世界文化消息 50
日本語講座 洪子博 51
中国語講座 白廷賛 51
編輯室 亥生 52

第七巻第一一期　第七五号　一九四一年一一月一日発行

表紙　海州の塩田 表紙1
今日の日本工業(十)——人絹 1
私たちの主張
重慶政権を打倒せよ／日満華共同宣言一周年／同床異夢の米国とソ連 2～3
目次 2～3
旧法幣の破綻 仲鋏雄 4～6
戦時下の各国経済 竹生 7～9
留日中国人の教育問題(上)——松本亀次郎の功績 明石 10～14
教育の危機を救う方法 趙如珩 14～15
スターリン線破れたり(四) 布施勝治 16～19
新紅A字(七)〔小説〕 張資平(作)／曹涵美(絵) 20～24
華北の学生運動会〔グラビア〕 25
第十二回明治神宮国民体育大会〔グラビア〕 26～27
創刊三周年記念論文募集 『華文大阪毎日』編輯処 29
中国書道の源流 陸続 30～32
木刻 斉容 32
北満洲の密林物語(三) バイコフ 33～34
日本文学案内(抄訳) 菊池寛(作)／以斎(訳) 35～36
第三回個人漫画展(九) 青雲 37
現代日本画人伝(六)——石井柏亭 38～39
華中の漫画界について(下) 端木静 39～40
木刻講座(十七) 王青芳 40
天使由里児(十)〔漫画〕 Frank Bergman(絵)／M・Peake(文) 41
訪日の抱負 念華／恭藻 42～43
初回訪日の感想 季夷／鍾蓀 43～44
蟹(六)〔小説〕 梅娘(作)／呂風(絵) 45～49
世界文化消息 50
中国語講座 白廷賛 51
日本語講座 洪子博 51
編輯室 子博 52

第七巻第一二期　第七六号　一九四一年一二月一五日発行

表紙　仏領インドシナの新王 表紙1
今日の日本工業(完)——国産無線電機 1
日・米英が開戦に至る 2～3
目次 2～3

本年世界情勢の回顧
欧米の一年間　板倉進　4〜7
東亜の一年間　松本鎗吉　7〜11
分配の不公平な世界　王誼　11〜13
南洋華僑の重慶支持を撃砕する方法
達三　14〜16
スターリン線破れたり(五)
布施勝治　17〜19
新紅A字(完)〔小説〕
張資平(作)／曹涵美(絵)　20〜24
木刻　立璈　23
駐仏印大使・芳沢の就任式〔グラビア〕　25
新中国の海軍　26〜27
留日中国人の教育問題(下)――松本亀次郎
の功績　明石　29〜32
第三回個人漫画展(完)　蘇菲　33
北満洲の密林物語(完)　バイコフ　34〜35
現代日本画人伝(七)――橋本関雪　36〜37
木刻講座(十八)　王青芳　37
日本文学案内(抄訳)
菊池寛(作)／以斎(訳)　38〜39
紙芝居の脚本と演じ方　陳大悲　40〜41
偉大なる教訓　黄軍　41
華中の読者の声　42〜44
蟹(完)〔小説〕　梅娘(作)／呂風(絵)　45〜49
創刊三周年記念論文募集
『華文大阪毎日』編輯処　50
世界文化消息　51
編輯室　雪蛍　52

第八巻第一期　第七七号
一九四二年一月一日発行
「大東亜戦争」特輯

表紙　馬　表紙1
扉絵　陽春　福岡青嵐(絵)　1
目次　1
時事短評
新年の辞／海上権が日本の傘下に／独伊、
ついに米に宣戦　2〜3
大東亜戦争特輯
戦時下の東亜民族に告げる
松本忠雄　4〜7
大東亜戦争と国民の覚悟
下田将美　7〜9
大東亜戦争の総合的経過　記者　9〜14
アメリカの弱点と政府の内幕
福本福一　14〜15
新国民運動座談会
周学昌／郭秀峰／樊仲雲／王徳言／趙如
珩／楊鴻烈／徐公美／高天棲／丁丁／許
錫慶／張慎之／周雨人／何海鳴／徐亜生
／東野平／原田稔(司会)／鄭吾山(司会)
16〜20
東方文化の問題　管翼賢　21
中国の文芸運動をいかに展開するか　馬野　22〜24
大東亜共栄圏を強化、英米陣線を撃滅！
〔グラビア〕　25〜27
本社から月刊『HOME LIFE』を発行〔広告〕　29
スターリン線破れたり(六)
布施勝治　30〜32
寒風〔小説〕　夏孟剛　33〜35
日本美術紹介(一)――彫刻(上)　馮貫一　36〜38
唐詩解放論(一)　朱右白　39
日本文学案内(抄訳)
菊池寛(作)／以斎(訳)　40〜41
現代日本画人伝(八)――和田英作　42〜43
木刻講座(十九)　王青芳　43〜44
年輪(一)〔小説〕
蕭菱(作)／郭爽(絵)　45〜49
日本語講座　洪子博　50
中国語講座　白廷賛　50
編輯室　吾山　51

第八巻第二期　第七八号
一九四二年一月一五日発行

表紙　連峰の雲　表紙1

扉絵　天女　田村孝之介（絵）　1
目次　1
時事短評
日泰攻守同盟条約が成立／東亜侵略の牙城・香港陥落／窮地の米英会談／米艦隊全滅と中南米の動向／駐華大使の更迭　2～3
大詔捧読　徳富蘇峰　4～5
独伊の参戦と新世界秩序　永戸政治　6～8
大東亜戦争の総合的経過　本刊記者　9～11
東亜の決戦体制　何海鳴　12～13
国民政府の社会政策　江亢虎　14
新時代の文芸　関埜扈　15～17
木刻　葉未行　16
二つの解釈〔随筆〕　黄軍　17
唐詩解放論（二）　朱右白　18
東方美術座談会
原田尾山／江亢虎／陳群／今関天彭／上村松園／陳柱尊／三谷十糸子／見尾勝馬／程滑／鈴木吉祐／談月色／俞寄凡／胡国仁／渡辺公平／徐雲紃／荊位辰／管一得／唐栄愷／段拭／張伯鈞／龔維疆。本社：原田稔（司会）／王一言（記録）／江瑩（記録）／張銘（記録）　19～23
戦時国際法（一）　鄭吾山　24
東亜における英の主力戦艦を殲滅！〔グラビア〕　25
英米の進駐を阻止！〔グラビア〕　26～27
スターリン線破れたり（七）　布施勝治　29～32
日本美術紹介（二）——彫刻（下）　馮貫一　33～36
あなたと私〔随筆〕　東野平　37
影絵〔随筆〕　藍苓　37～38
墓地の風〔随筆〕　狂夢　38
日本文学案内（抄訳）　菊池寛（作）／以斎（訳）　39～40
文学の本質　片山敏彦　41～42
労働者の歌〔詩〕　剣南　42
天涯〔詩〕　石根　42
嵐山の旅〔詩〕　叶一　42
現代日本画人伝（九）——安田靫彦　43～44
木刻講座（二十）　王青芳　44～45
年輪〔小説〕（二）　蕭菱（作）／郭爽（絵）　46～50
中国語講座　白廷贇　51
日本語講座　洪子博　51
編輯室　魯風　52

第八巻第三期　第七九号
一九四二年二月一日発行

表紙　日本占領下の香港　表紙1
扉絵　紹興の酒船　矢野鉄山（絵）　1
目次　1
時事短評
大東亜戦争とソ連／マニラ陥落と比島の運命／米英敗戦会談の結論／南洋華僑の覚醒／作戦は蘭領インドまで　2～3
重慶、抗戦理念を喪失　田中香苗　4～7
米英打倒と大東亜経済の建設　阿部賢一　7～9
米英、どのように進攻するか　大場弥平　10～11
大東亜戦争の総合的経過（三）　本刊記者　12～15
青年工読制度と中国青年工読団　陳端志　16～20
華北実業の振興　王蔭泰　19
広東の仏教　謝為何　21
東亜児童と東亜建設　邵鳴九　22～23
目下最大の急務　林文龍　23
戦時国際法（二）　鄭吾山　24
真珠湾の大襲撃!!〔グラビア〕　25
東亜における米英の拠点を占領！〔グラビア〕　26～27
スターリン線破れたり（八）　布施勝治　29～31
日本美術紹介（三）——建築　馮貫一　32～35
桜が咲いた頃〔小説〕　胡光　36～38
南京の新春〔絵と文〕　馬午　39～40

近代中国の花鳥画　荊位辰　40
日本文学案内(抄訳)
菊池寛(作)／以斎(訳)　41
現代日本画人伝(十)――小杉放庵　42～43
木刻講座(二十一)　王青芳　43～44
年輪(三)〔小説〕
蕭菱(作)／郭爽(絵)　45～49
日本語講座　洪子博　50
中国語講座　白廷賛　50
編輯室　呂風　51

第八巻第四期　第八〇号
一九四二年二月一五日発行

表紙　汪精衛と重光駐華大使　表紙1
扉絵　故宮から景山を望む
福田惠一(絵)　1
目次　1
時事短評
雄大なる大東亜宣言／対重慶政策の新展開／枢軸の挟撃と米英の窮地／ビルマで新戦場を展開／チャーチルの悲鳴と錯覚　2～3
大東亜戦争の経済的展望　谷口吉彦　4～5
敗戦英米の内幕を暴露
四面楚歌のイギリス　城戸又一　6～8
負傷した巨獣アメリカ　百百正雄　8～10
ハワイ・マレー沖海戦の勝利の記録
アメリカ太平洋艦隊の全滅(〇〇中佐談)　11～12
プリンス・オブ・ウエールズ戦艦の末期
中山本社特派員　12～14
大東亜戦争は日本が勝つ　澄遠　15～17
苔岑詩壇　夏孫桐／陳道量　17
重慶の南洋志士に告げる　明達　18～20
中国文学はどこへ向かうか　龔持平　20～22
唐詩解放論(三)　朱右白　23
戦時国際法(三)　鄭吾山　24
ヤンゴンとシンガポールを目指す攻略戦
〔グラビア〕　25
青年の規律正しい生活〔グラビア〕　26～27
スターリン線破れたり(九)
布施勝治　29～31
復活祭の夜〔小説〕　威立　32～34
失題〔詩〕　柳黛　33
詩について　涵之　34
日本美術紹介――建築(続)　馮貫一　35～38
春の種蒔き〔小説〕
オフラハーティ(作)／劉針(訳)　39～40
牛〔小説〕
J・V・イェンセン(作)／趙文(訳)　40
日本文学案内(抄訳)
菊池寛(作)／以斎(訳)　41～42
現代日本画人伝(十一)――鏑木清方　43～44
木刻講座(二十二)　王青芳　44～45
年輪(四)〔小説〕
蕭菱(作)／郭爽(絵)　46～50
日本語講座　洪子博　51
中国語講座　白廷賛　51
編輯室　柳黛　52

第八巻第五期　第八一号
一九四二年三月一日発行

表紙　ビルマの仏塔　表紙1
扉絵　高千穂　青木大乗(絵)　1
目次　1
時事短評
シンガポール陥落が世界に与える影響／戦勝した日本の大理想／戦々兢々の澳洲／ジャワ戦の勝利／蔣介石のインド訪問／赤道以南の新戦果　2～3
大東亜の新構想　長岡克暁　4～6
戦後の世界経済はどうなるか　竹生　7～9
アメリカの東亜侵略史　湯良礼　10
苔岑詩壇　寄凡　10
シンガポールはついに陥落
本刊記者　11～13
大東亜戦争中の日本を視察　姚作賓　14～16
噴火口上のオーストラリア　林三郎　16～17
大東亜戦争と我ら南洋華僑　達三　17～18

スターリン線破れたり(完)
布施勝治(作)／魯風(訳) 19～21
日本文学案内(抄訳)
菊池寛(作)／以斎(訳) 22～23
戦時国際法(四) 鄭吾山 24
シンガポール陥落!〔グラビア〕 25
日軍と南方の風土・人物〔グラビア〕 26～27
本誌懸賞募集当選発表
『華文大阪毎日』編輯処 29
本誌三周年記念論文募集当選作
重慶の友に告げる 沐華 30～35
青年と新中国 田軍 33～35
日本美術紹介――書道(上) 馮貫一 36～39
抒情漫画の素材など 金錬 39
新臘八粥〔小説〕 顧静嫻 40～42
現代日本画人伝(完)――藤田嗣治 43～44
木刻講座(完) 王青芳 44～45
年輪(五)〔小説〕
蕭菱(作)／郭爽(絵) 46～50
日本語講座 洪子博 51
中国語講座 白廷賛 51
編輯室 苔蘇 52

第八巻第六期　第八二号

一九四二年三月一五日発行

表紙　日本の海軍落下傘部隊、メナドを奇襲 表紙1
扉絵　芍薬 林重義(絵) 1
目次 1
時事短評
国民政府還都二周年／大東亜戦争とインドの立場／満洲建国十周年／ポルトガル領ムーアの英蘭軍を駆逐／南方に戦果拡大 2～3
全面和平の時機を論じる 温宗堯 4
花甲同慶について 褚民誼 5～6
大東亜戦争の後方食糧問題 蔡培 6
日中教育の改造と提携 戴英夫 7～9
新国民運動と教育の改造 楊正宇 10～11
苔岑詩壇 楊寿枏 11
南洋の華僑運動をいかに推進するか
達三 12～13
新興南京 黄君甸 14～16
世界大戦の春季攻勢 楠山義太郎 17～18
大東亜海域の制圧戦 19～20
東亜文芸復興と復興東亜 関埜屋 21～22
国学家陳柱氏訪問記 鳳兮 23
戦時国際法(五) 鄭吾山 24
汪主席の軍服姿〔グラビア〕 25
国府還都二周年――復興の南京〔グラビア〕 26～27
本誌三周年記念論文募集当選作
中日文化をいかに交流させるのか
問陶 29～34
職業女性と家庭主婦 張瑾 32～34
鄭板橋思想の研究 許惕生 35～37
中国絵画の前途と実践法(上) 趙越 37
日本文学案内(抄訳)
菊池寛(作)／以斎(訳) 38～39
紙芝居雑談 青原 40
唐詩解放論(四) 朱右白 41
日本美術紹介――書道(下) 馮貫一 42～45
年輪(六)〔小説〕
蕭菱(作)／郭爽(絵) 46～50
中国語講座 白廷賛 51
日本語講座 洪子博 51
編輯室 藻 52

第八巻第七期　第八三号

一九四二年四月一日発行

表紙　復興する昭南島の華僑街 表紙1
扉絵　北京の中南海公園
伊藤慶之助(絵) 1
目次 1
時事短評
満洲国特派謝恩大使を歓迎／蘭領インドネシアの無条件降伏／オーストラリアの存続とインド再生への道／無敵日本軍、ヤンゴンを占領／南方諸民族に対する指

導方針／イギリスのいわゆるインド「危
機」 2～3
日本の実力を認識すべき　吉岡文六　4～6
建国十周年の満洲国　緒方昇　7～8
大東亜戦争の第二段階　9～11
新しい世界観の確立〔座談会〕
上原虎重／阿部賢一／渡瀬亮輔／近藤操
／久米正雄／木村毅／田中香苗　12～15
東亜解放運動における精神建設
関埜屋　16～17
決戦下の日本美術界　外人　18～19
救済を受ける〔小説〕　芒茇　20～23
木刻　迎暁／卓禔／葉未行　21、22、23
戦時国際法（六）　鄭吾山　24
満洲国特派謝恩大使・張総理が日本に到着
〔グラビア〕　25
歴史的勝利〔グラビア〕　26～27
本誌三周年記念論文募集当選作
自学生活　如水　29～33
重慶の友たちに告げる　東舒　33～36
手紙三通〔随筆〕　小野馬　36
唐詩解放論（五）　朱右白　37
漫話満洲　旱海　38～39
日本美術紹介――絵画（上）　馮貫一　40～43
中国絵画の前途と実践法（下）　趙越　44
年輪（七）〔小説〕
蕭菱（作）／郭爽（絵）　45～49
日本語講座　洪子博　50
中国語講座　白廷賛　50
編輯室　海　51

第八巻第八期　第八四号

一九四二年四月一五日発行

表紙　上海・龍華塔の春　表紙1
扉絵　六甲山　田崎広助（絵）　1
目次　1
時事短評
儲備券・旧法幣との等価流通を廃止／イ
ンド洋作戦の展開／アンダマン島の占領
とインド／混乱する西アジア／日ソ、漁
業協定を結ぶ　2～3
戦時下の日本経済政策　西谷弥兵衛　4～5
独立をめぐるインドの情勢
宮森喜久二　6～7
中国民心の転換と中日関係の発展
周毓英　8～10
苔岑詩壇　寄凡　9～10
南洋華僑の問題と在日華僑の使命
松本於菟男　11
神経戦とラジオ放送　12～14
大東亜戦争写真――英艦撃沈／ヤンゴン占
領　14
私と日本（一）　楊鴻烈　15～18
竹枝詞を論じる（上）　江寄萍　18
唐詩解放論（六）　朱右白　19
中国音楽界の回顧と展望　高天棲　20～23
戦時国際法（七）　鄭吾山　24
米英の戦闘機墜落〔グラビア〕　25
大東亜戦争壁画展覧会〔グラビア〕　26～27
本誌三周年記念論文募集当選作
女性と文化　白鷺　29～30
青年と新中国　金周　31～32
日本文学案内（抄訳）
菊池寛（作）／以斎（訳）　33～34
上海に向かう〔小説〕　柯雷　35～36
「易経」の基本観念　呉家煦　37～39
日本美術紹介――絵画（中）　馮貫一　40～44
年輪（八）〔小説〕
蕭菱（作）／郭爽（絵）　45～49
中国語講座　白廷賛　50
日本語講座　洪子博　50
編輯室　美君　51

第八巻第九期　第八五号

一九四二年五月一日発行

表紙　海軍軍装の汪主席　表紙1
扉絵　遣唐使を送る　生田花朝（絵）　1
目次　1
時事短評

バターン半島完全攻略／南方経営の基本方針／インドよ！ 立ち上がって日本軍に呼応せよ／インド・イギリス交渉は決裂／米英、イランを利用する謀略／独仏協力の進展 2～3
存亡の関頭に立つインド 永戸政治 4～5
インド洋における大戦果 6～7
なぜ新国民運動をおこなうのか 郭秀峰 8～10
苔岑詩壇 鵜沢総明／岡崎壮／杉渓言長 9～10
大東亜戦争と南洋華僑 陳耀祖 11
歴史的転換期における思想問題 関埜屋 12～14
大東亜戦争と中国(一)――著名人の感想 温宗堯／褚民誼／丁丁／陳群／何佩瑢／管翼賢／傅彦長／唐仰杜／江亢虎／許錫慶／銭慰宗／秦墨哂／斉燮元 15～17
東亜民族解放の呼声 高天棲 18
中国民衆の歌唱問題 劉邦興 18～20
私と日本(二) 楊鴻烈 21～24
竹枝詞を論じる(下) 江寄萍 23
バターン半島を制す〔グラビア〕 25
昭南島の熱帯植物園〔グラビア〕 26～27
本誌三周年記念論文募集当選作
職業女性と家庭主婦 時秀文 29～30
日中文化をいかに交流させるのか 組熙 31～33
戦時国際法(八) 鄭吾山 34
無住地帯(上)〔小説〕 石軍 35～36
唐詩解放論(七) 朱右白 37
日本美術紹介――絵画(下) 馮貫一 38～41
黄老思想と中国文学 許竹園 42
日本文学案内(抄訳) 菊池寛(作)／以斎(訳) 43～44
木刻 孫常非 44
年輪(九)〔小説〕 蕭菱(作)／郭爽(絵) 45～49
日本語講座 洪子博 50
中国語講座 白廷賛 50
編輯室 亥生 51

第八巻第一〇期　第八六号
一九四二年五月一五日発行

表紙 マレー避難民の帰郷 表紙1
扉絵 茶室 伊藤継郎(絵) 1
目次 1
時事短評
蒋介石抗戦陣営の分裂／東西呼応の米英撃滅作戦／日泰貨幣の等価交換成立／ソ連は米英の策謀に動揺せず／仏の新内閣と英米 2～3
三大中心問題に対する回顧と見通し 梅思平 4～6
中国はいかに対日協力するか？ 何海鳴 6～8
大東亜戦争と中国(続) 高天棲／東野平 8～10
僑胞に告ぐ 呉克峻 9～10
大東亜戦争と中国(二)――著名人の感想 任援道／劉熙暄／夏奇峰／朱右白／周隆庠／龔持平／李超／喩熙傑／陳君慧／辛陀／葛偉昶／顧継武／顔任衡／葛亮疇／邵鳴九／温世珍／袁殊 11～13
公羊学に見る大東亜戦争の意義 朱光溥 14～15
中国青年思想の新構築と新文化運動 劉清源 16～18
新中国の新聞人の性格 許錫慶 16～17
木刻 張止戈 18
中国新聞事業の進歩と傾向 趙慕儒 18～19
太平天国と南京 黄君匋 19～22
木刻 王桂生 22
唐詩解放論(八) 朱右白 23
戦時国際法(九) 鄭吾山 24
プラヤー・パホン(タイ)と徳王(蒙古聯合自治政府)の日本訪問〔グラビア〕 25
特報・南方戦線〔グラビア〕 26～27
本誌三周年記念論文募集当選作
自学生活 陳励生 29～31

女性と文化　施義　31〜33
苔岑詩壇　汪兆銘／服部荘夫　33
私と日本(三)　楊鴻烈　34〜36
無住地帯(下)〔小説〕　石軍　37〜39
恋の尻尾〔小説〕　顔潔　40〜41
木刻　葉禾行　40
原稿執筆を語る〔随筆〕　江上風　41
日本美術紹介――庭園(上)　馮貫一　42〜45
年輪(十)〔小説〕　蕭菱(作)／郭爽(絵)　46〜49
中国語講座　白廷蕡　50
日本語講座　洪子博　50
編輯室　保禄　51

第八巻第一一期　第八七号
一九四二年六月一日発行

表紙　ジャワの収穫風景　表紙1
扉絵　初夏　中村貞以(絵)　1
目次　1
時事短評
　汪主席、満洲国訪問／高松宮殿下、満洲国に渡る／珊瑚海海戦の大勝／日本軍が雲南に進攻／全フィリピンを戡定／ドイツ軍勝利の前哨戦　2〜3
全体主義と三民主義　鄭吾山　4〜5
雑感一束　周化人　6
ビルマ戦線の崩壊と重慶・米英・インド・濠洲　谷萩那華雄　7〜9
大東亜戦争と東亜民族解放　銭仲華　9〜12
仏教と華僑　謝為何　10〜11
中日文化の交流と東亜新文化の創造　関塑扈　13〜14
重慶政権の病理と治療　澄遠　15〜18
大東亜戦争と中国(三)――著名人の感想
　蘇体仁／陸光杰／万孟婉／王敏中／華漢光／張仁蠡／趙尊嶽／陳寥士／胡寄凡　19〜20
私と日本(四)　楊鴻烈　21〜23
戦時国際法(十)　鄭吾山　24
特輯・汪主席の訪満〔グラビア〕　25〜27
秋の果物〔随筆〕　公孫嬿　29〜31
暴風雨の前奏〔随筆〕　辛愷　30
車内小記〔随筆〕　黄軍　31〜32
春の花〔小説〕　朱毅　32
祈禱〔小説〕　禎　33
彷徨する心情〔詩〕　冰旅　33
夜泊〔詩〕　原犁　33
南京に赴いた俳優たち　小咪　34〜35
中央陸軍軍官学校の学生生活紹介　公孫惲　36〜38
唐詩解放論(完)　朱右白　39〜40
蘇東坡の詩を論じる　陳寥士　40〜41
日本美術紹介――庭園(下)　馮貫一　42〜45
年輪(完)〔小説〕　蕭菱(作)／郭爽(絵)　46〜49
編輯室　旅人　50

第八巻第一二期　第八八号
一九四二年六月一五日発行

表紙　タイ・アユタヤ附近の浮家　表紙1
扉絵　清山捕漁　矢野橋村(絵)　1
目次　1
時事短評
　東條首相の議会演説／肉搏する独ソ軍／フランスの最悪の敵／浙江東部における作戦意義／敗戦英国の動揺　2〜3
今日の青年と今後の教育　王敏中　4〜6
中日文化交流についての私見　沈綋　6〜8
東亜教育が持つべき革新　呉家煦　8〜10
珊瑚海海戦とその意義　10〜11
大東亜戦争と小劇場運動　徐公美　12〜15
仏教芸術の溯源　李超　13〜17
巡回図書館の理論と実際　楊敬遠　17〜19
大東亜戦争と中国(四)――著名人の感想
　周化人／沈綋／楊昔川／何心／蘇成徳／王夏材／王逸軒　20〜21
私と日本(五)　楊鴻烈　22〜24
高松宮殿下、満洲国に到着〔グラビア〕　25
珊瑚海大勝利の記録〔グラビア〕　26〜27

戦時国際法(十一)　鄭吾山　29
街の風景〔小説〕　青鳥　30～31
父の死〔小説〕　如水　31～35
木刻　葉末行　33、36
曼君という男〔小説〕　汪家祉　35～37
答える言葉〔詩〕　范泛　37
静かな遼河〔詩〕　冰旅　37～40
求めと逃げ〔独幕劇〕　劉蕚　38～40
女は全て〔随筆〕　路鵑　41～42
決定〔小説〕　陸白人　42～44
たばこ〔随筆〕　漁作　44
生活の感想〔随筆〕　紀梅　44～45
日本美術紹介——漆工(上)　馮貫一　46～49
日本語講座　洪子博　50
中国語講座　白廷賛　50
編輯室　魯風　51

第九巻第一期　第八九号
一九四二年七月一日発行

表紙　ジャワの踊り　表紙1
目次　1
扉絵　昭南港　1
大東亜戦争の倫理性　阿部賢一　2～4
旧法幣の駆逐と儲備券の使命　5～6
共存共栄主義論　関筌厓　7～9
新中国の新聞と記者　竹邨　10～11
東亜文芸復興運動についての私見　雷宏張　12～13
宋教仁先生暗殺事件始末　逃名　13～16
私と日本(六)　楊鴻烈　17～19
現代女性の社会的使命と責任〔座談会〕
万孟婉(司会)／原田稔／江瑩／張銘／王一言／郭敏／譚伊先／李蘊冰／張亭／顔任衡／蔣果儒／沈錦／花貞彬／李超／金問蘭／時秀文／顔潔／沈茵／王英／張瑾　20～24
褚特派大使の訪日と張総理の訪中〔グラビア〕　25
新聞より〔グラビア〕　26～27
三十年来の中国絵画　鄭秉珊　29～32
五四の虎〔小説〕　樊爾(作)／龔意平(訳)　33～35
絶島〔随筆〕　シンドバッド(作)／宗翔(訳)　36
黄昏〔随筆〕　ステファン・スロンスキー(作)／楊産(訳)　37～38
木刻　葉末行　34、44
風の日〔詩〕　張抒　38
春芽／生を求める人／巷にて〔詩〕　空飄　39～40
嘉嘉という女〔小説〕　東野平　39～45
日本美術紹介——漆工(下)　馮貫一　46～49
編輯室　雪蛍　50

第九巻第二期　第九〇号
一九四二年七月一五日発行

表紙　厦門の夏　表紙1
目次　1
扉絵　樹海の機影　1
英米の財政と戦争能力　高木寿一　2～4
日本海軍、東太平洋を制圧——平出英夫大佐談　5～7
惟神の道　白文会　8～11
儒家の学説と中国文化(上)　呉家煦　11～13
中国史における理想の母親像　美娟　14～17
中国西北を研究する必要性　馬念祖　14～17
汪主席、広東にて閲兵〔写真〕　17
大砲一声で黄金一万両　劉勤　18～20
銀錠橋〔随筆〕　張江裁　18～19
私と日本(七)　楊鴻烈　21～23
本誌創刊四周年記念作品募集　『華文大阪毎日』編輯処　24
アリューシャン群島に強襲上陸！〔グラビア〕　25～27
新中国二年来の演劇運動　魏建新　29～32
抒情漫画を語る　王金錬　32
短篇小説
正月前　周正　33～34

血を売る者　但娣　34～38
復讐　王玉　38～40
灰色の運命　舒放　40～45
書簡
秋の夜　左洛　34～35
友へ――近況　黄軍　35～37
幽冥へ　寒沙　38～41
一通の返信　痕　41～42
詩
娼婦　柳黛　43～44
私の供述　陸拾　44
詩三篇　虞克忠　45
無題　何行　45
木刻
王迎暁／孫常非／王青芳／徐振之　33、37、41、42、44、45
日本美術紹介――金工(上)　馮貫一　46～49
中国語講座　白廷賛　50
日本語講座　洪子博　50
編輯室　翡翠　51

第九巻第三期　第九一号

一九四二年八月一日発行

表紙　塞外の駱駝隊　表紙1
目次　1
扉絵　ジャワの榕樹に登る子供たち　1
インド独立の第一歩　城戸又一　2～4
大英国の崩壊と岐路に立つエジプト　横山正幸　5～7
中国全体主義の基礎　周毓英　8～10
中国問題の解決　何海鳴　10～12
儒家の学説と中国文化(下)　呉家煦　13～14
清郷区の回顧と展望(上)　魏建新　15～17
東亜文芸復興の基本問題(上)　陳貞　18～20
私と日本(八)　楊鴻烈　21～23
戦時国際法(十二)　鄭吾山　24
インドの独立大会〔グラビア〕　25
再建中の華北〔グラビア〕　26～27
本誌創刊四周年記念作品募集　『華文大阪毎日』編輯処　29
日本歌舞伎の源流　張弢　30～32
随筆
最初の試み　芒茭　33～36
林の中　狂夢　33～34
秋の鷹の歌　麗凡　34～35
ベッドの上にて　如水　36～37
木刻　王迎暁　34、36、44
詩
深夜／激情の詩／贈／朝／静けさ　冰旅　37
景山を哀しむ　靳辛流　38
雑詩片片　羅霊　38～39
前路　四幸　39
夢　一颯　39
緑色の影〔小説〕　沙青　40～45
日本美術紹介――金工(下)　馮貫一　46～49
日本語講座　洪子博　50
中国語講座　白廷賛　50
編輯室　海　51

第九巻第四期　第九二号

一九四二年八月一五日発行

表紙　夏の海　表紙1
目次　1
扉絵　ジャワの海を行く日本の哨戒艦艇　1
東亜共栄圏の法的性格　前原光雄　2～4
私の中国文人交遊記　谷崎潤一郎　5～8
重慶の文化界同胞に告げる　光甫　9～10
日中の文化交流〔座談会〕
来賓：奥平定世／有馬健之助／山本修二／金子二郎／張源祥／角田敬三／深山杲／木谷千種／佐藤邦夫。本社：石川欣一／三池亥佐夫／鄭吾山／李景新／陳漪堃／蘇瑞麟　11～13
東亜文芸復興の基本問題(下)　陳貞　14～15
清郷区の回顧と展望(下)　魏建新　16～17
食糧増産の理論と実際　陸廸康　18～19
私と日本(完)　楊鴻烈　20～23
戦時国際法(十三)　鄭吾山　24

東亜における新しい経済協力〔グラビア〕 25
盛んな造船業〔グラビア〕 26〜27
本誌創刊四周年記念作品募集
『華文大阪毎日』編輯処 29
釣り雑談（一） 裴明 30〜33
読書小記 支援 34〜35
「嘉嘉という女」を読む 至剛 34〜35
童話三篇——蓄音機の悲しみ／ふくろう／
狐と驢馬 葛筆 36〜38
木刻 王迎暁 38、43
木刻 王青芳 39
随筆
路／海の吟 紀水 39
夾竹桃の花簪 蓀瑛（訳） 40
透かし百合 王金錬 40
嫩江河畔〔小説〕 穆穆 41〜45
木刻 徐成 45
日本美術紹介——窯工（上） 馮貫一 46〜49
日本語講座 洪子博 50
編輯室 明夷 51

第九巻第五期　第九三号
一九四二年九月一日発行

表紙　フィリピン島の田植え風景 表紙1
目次 1
扉絵　立ち上がった！　アジアの青年たち
英帝国必滅論 1
楠山義太郎（作）／保禄（訳） 2〜5
大東亜文化をいかに建設するか
呉家煦 6〜10
バタヴィヤ街中の日本語学習〔写真〕 10
大東亜戦争における英米の宣伝 何非 11〜12
上海の文化界 野丁 13〜16
事変前の中国新聞事業 朱明 17〜20
釣り雑談（二） 裴明 21〜23
戦時国際法（十四） 鄭吾山 24
野村・来栖両大使が昭南島に〔グラビア〕 25
大東亜の黎明〔グラビア〕 26〜27
駐日大使・徐良氏会見記 柳黛 30
童話二篇——トコジラミとその亡霊／蝿と
蛆 潘中一蛀 31〜33
落花／別れの刹那〔詩〕 陸白人 33
「緑色の影」を評す 葛筆 34
二篇の読書感想文——「父の死」と「静かな遼
河」を読む 風人 34〜35
感想二題——満洲の雑誌はどこに向かう
か？／北京文壇 黎笳 35
懐かしむ〔随筆〕 芳田 36〜37
病・星・雨〔随筆〕 姜千里 37
銅の指環〔小説〕 緑萍 38〜40
慈善者〔小説〕 椿 40〜41
邂逅〔小説〕 稷客 42
木刻 張武 39
「上海漫画学会」と華中漫画界 劉子 43〜45
日本美術紹介——窯工（中） 馮貫一 46〜49
編輯室 50

第九巻第六期　第九四号
一九四二年九月一五日発行

表紙　吉林の鵜飼船 表紙1
目次 1
扉絵　バリ島の舞踊 1
新国民運動の意義とその性格〔座談会〕
国府方面：林柏生／李聖五／丁黙邨／葉
蓬／任援道／李士群／陳之碩／鍾任寿。
日本方面：松井／寺岡／好富正臣／清水
董三／永井／朝比奈策太郎 2〜6
独ソ戦の動向 馬場秀夫 7〜9
和平教育理論体系の樹立 孫育才 10〜11
苔岑詩壇
王揖唐／楊圻／岡田兼一／江洪杰／庄司
乙／土屋久泰 10〜11
重慶軍内幕の一斑 太玄 12〜17
杜甫の詩の新検討 陳寥士 18〜20
釣り雑談（三） 裴明 21〜23
戦時国際法（十五） 鄭吾山 24
日本全国体育大会〔グラビア〕 25〜27

北京万柳堂の小誌　張江裁　29～30
今後の新女性　張瑾　30～31
馬の年に「馬」を論じる　辛生　31～32
北京伶人の今昔　恨吾　29～31
中国文化の新たな発源地　孫祖惠　32
恥知らずのコーラ〔小説〕
L・ヒューズ(作)/劉針(訳)　33～35
田舎便り〔随筆〕　丁卜人　36～37
死の苦痛〔随筆〕　華透　37～38
残された人の言葉〔随筆〕　黄軍　38
人〔小説〕　王往　39～41
木刻　孫常非　40
生の鞭〔小説〕　鉄漢　42～43
梅雨〔小説〕　王崇仁　43～45
日本美術紹介――窯工(下)　馮貫一　46～49
日本語講座　洪子博　50
編輯室　51

第九巻第七期　第九五号
一九四二年一〇月一日発行

表紙　日本の稲刈り風景　表紙1
目次　1
扉絵　満洲南嶺の戦跡記念碑　1
欧洲第二戦線の動向　永戸政治　2～4
ソロモン海戦の教訓　本誌記者　5～7
苔岑詩壇
汪兆銘/鵜沢総明/夏敬観/陳道量/富永礼/岩渓晋　6～7
政治的戦略を論じる　周毓英　8～9
なぜソ連は破れたか　陸元懽　10～12
ラジオ教育の理論と実際　劉邦興　13～15
南洋華僑移住の歴史　暁星　15～16
南洋華僑の教育をいかに発展させるか　昭明　17
木刻　王迎暁　17
老子の文学的研究　王弢　18～19
釣り雑談(四)　裴明　20～23
戦時国際法(十六)　鄭吾山　24
スターリングラード攻防戦〔グラビア〕　25
南方の舞踊〔グラビア〕　26～27
本誌の駐華総事務所を上海に設置
大阪毎日新聞社/東京日日新聞社　29
小品
七月十五日　蕭強　30
中秋節の時　呂公眉　30～31
霧雨　魯丁　31
燈　藍苓　31～32
晩夏の雑感　鄭蕪　32
小さな部屋　辛愷　32～33
詩
祈雨　凌文　30
鉄窓　王徳亭　30～31
私の歌声　氷旅　32
枯れた槐を讃える　何行　32～33
書簡
血書に当たらず　寒沙　34～35
心の訴え　如水　35
「緑色の影」を読む　田野　36
「嫩江河畔」を評す　陳述　36
希み〔小説〕　張砥　37～46
木刻
靳錚/王青芳/張岑/葉未行　41、42、44、46
日本美術紹介――染織と衣裳(上)　馮貫一　47～49
日本語講座　洪子博　50
編輯室　51

第九巻第八期　第九六号
一九四二年一〇月一五日発行

表紙　柿　表紙1
目次　1
扉絵　マニラの秋　1
孔子の教えと中日国交　陳彬龢　2～4
将来の世界における国家聯合　張雲笙　4～8
国民政府の強化　周毓英　8～10
晋南文化の第一線　王厂　11～12
日本家族制度の特徴　致遠　13～14
桂林に来た欧陽予倩　鳳平　14

日本美術紹介――染織と衣裳（下）　馮貫一　15～18
有名画家・金拱北先生評伝　鄭秉珊　19～20
釣り雑談（完）　裴明　21～22
素描と筆使いを語る　王金錬　22
戦時国際法（十七）　鄭吾山　23
平沼特使らの訪中〔グラビア〕　25
時事特輯〔グラビア〕　26～27
華北文芸特輯
熱と冷〔小説〕　蕭艾　29～31
槐の花〔小説〕　呉明世　31～35
燕〔詩〕　白林　33
霜〔小説〕　璇玲　35～37
未完の傑作〔小説〕　共鳴　37～39
赤心の涙〔小説〕　欧陽斐亜　39～42
韋駄という菩薩の物語〔小説〕　司空彦　42～43
唐吉という男〔小説〕　沙里　43～45
蝸牛〔随筆〕　蕭菱　46
夢〔随筆〕　艾玲　46～47
過客が語る〔随筆〕　宇文古易　47～48
朝〔随筆〕　揚子江　48～49
田舎の風景〔小説〕　王真夫　49～50
感想〔書評〕　東方雋　50～51
結婚後〔随筆〕　張金寿　51～52
編輯室　魯風　52

第九巻第九期　第九七号
一九四二年一一月一日発行
創刊四周年記念号

表紙　新京の秋　表紙1
目次　1
扉絵　日本の造船工場　1
大東亜戦争に関する所見　林柏生　2～3
全体主義と東方文化精神　関塑屋　4～6
四年来の体験と教訓　趙如珩　7～8
元曲作家・喬吉の生涯と作品　仲玉　9～13
木刻　張淑蘭／張淑華／王青芳　10、11、13
夜航（本誌創刊四周年記念作品募集当選作）〔小説〕　藍苓（作）／比亜（絵）　14～21
幻〔小説〕　劉萼　22～23
戦時国際法（十八）　鄭吾山　24
軍刀を磨ぐ女性たち〔グラビア〕　25
戦時下の日本科学陣〔グラビア〕　26～27
本誌創刊四周年記念作品募集発表　29
大上海の珍文献を見る――松太十県の地方史　陳端志　30～33
日本文学史要（上）　俞寄凡　34～36
苔岑詩壇
梁鴻志／李宣倜／松林篤／対馬機／傅子余／古沢幸吉／土屋久泰　35～36
我が国と我が民（本誌創刊四周年記念作品募集当選作）〔漫画〕　竇宗淦　37
随筆
瓜の棚の雑談　陳学稼　38～39
登高　南薫　39～41
孔聖の誕生日前夜の月　龔意平　40～42
酒と文学を語る　陳柱　42～43
棄てられた女の訴え〔詩〕　克幻　43
日本美術紹介――人形　馮貫一　44～46
揖愛記（一）〔小説〕　黄君匋（作）／南宮吉（絵）　47～50
編輯室　51

第九巻第一〇期　第九八号
一九四二年一一月一五日発行

表紙　日本女子の錬成　表紙1
目次　1
扉絵　ジャカルタのイスラム教徒の礼拝　1
大東亜文化の展開　周毓英　2～5
中国の新青少年運動〔対談〕　陳漪塑／林柏生　6～7
新しい新疆と盛世才　陳彬龢　8～9
十年後の大東亜（本誌創刊四周年記念作品募集当選作）　石瑩　10～14
木刻　王迎暁　12、14
舞台生活四十年　梅蘭芳　15～18
南方の構想（一～三）〔絵と文〕　橋本関雪　16、17、18

文化短信 19
遊民〔小説〕 伊班涅茲(作)／山葉(訳) 20～21
踊る熊〔小説〕 愛甲尼・巴遜尼(作)／秀士(訳) 21～23
木刻 徐青之 22
文壇随感 博奮 23
戦時国際法(十九) 鄭吾山 24
新民会全体聯合協議会の盛況〔グラビア〕 25
南方絵巻〔グラビア〕 26～27
鉄窓生活の記録(一) 楊光政(作)／李是聞(絵) 29～32
欧米派について 亢徳 33
裾を絶つ〔劇脚本〕 仲文 34～35
木刻 舒以 35
尊敬と親愛から語る 傅彦長 36
日本文学史要(中) 俞寄凡 37～40
漫談随筆 五十嵐力(作)／潔茜(訳) 40
我が国と我が民(二)〔漫画〕 竇宗淦 41
新文学運動について 龔持平 42
日本美術紹介――朝鮮の美術(上) 馮貫一 43～45
現代中国絵画の傾向 陳心禾 46
揖愛記(二)〔小説〕 黄君匋(作)／南宮吉(絵) 47～50
編輯室 暁森 51

第九巻第一一期 第九九号
一九四二年一一月一日

表紙 熱河 伊藤慶之助(絵) 表紙1
目次 1
扉絵 冬の桜 1
大東亜戦争下の映画政策とその創造 徐公美 2～10
南方の構想(四～八)〔絵と文〕 橋本関雪 4、6、7、8、10
本誌募集「報告文学」、「青年の声」、「読者意見」 『華文大阪毎日』編輯部 11
トルコの中立問題 方済 12～13
学芸知識〔コラム〕 13、38
黄金色の貝殻(四周年記念作品募集当選作)〔小説〕 呉山青(作)／陳一萍(絵) 14～20
生と死〔随筆〕 狂夢 20
日本文学史要(下) 俞寄凡 21～23
「希み」を読む 陳時／白文／風人 24
北方護衛〔グラビア〕 25
第十三回明治神宮国民錬成大会〔グラビア〕 26～27
文化短信 29
和平文化の指標(本誌四周年記念募集当選作) 沐華 30～34
募集作品選評 楊光政 30～31
茶話〔コラム〕 薄田泣菫 34
近代中国国家元首の印象記(一) 江亢虎 35
鉄窓生活の記録(二) 楊光政(作)／李是聞(絵) 36～38
漫画・木刻・素描 北燕／隴零／葉末行 39
伊藤慶之助先生訪問記 呂風 40
我が国と我が民(三)〔漫画〕 竇宗淦 41
日本美術紹介――朝鮮の美術(中) 馮貫一 42～44
揖愛記(三)〔小説〕 黄君匋(作)／南宮吉(絵) 45～49
編輯室 大蓼 50

第九巻第一二期 第一〇〇号
一九四二年一二月一五日発行
大東亜戦争一周年 本誌百号記念号

表紙 満洲の冬 表紙1
目次 1
扉絵 ハワイ攻撃の日本機を送る 1
大東亜戦争一周年・本誌百号記念〔巻頭言〕 1
大東亜戦争一周年〔地図〕 2
一年の回顧〔写真特輯〕 3
マレー作戦／比島作戦／ビルマ作戦／蘭領東インド攻略作戦／アリューシャン作

戦／珊瑚海海戦／ソロモン海戦 4〜6
冬の欧洲戦線 楠山義太郎 7〜9
近代中国国家元首の印象記（二） 江亢虎 10
文化短信 12
散文
秋窗集——廟／墓 林子 13
笛 公孫嫵 13〜14
風雨抄 蘇鳳羽 14〜15
雨 荷山 15
白髪吟 張止戈 15
茶話〔コラム〕 薄田泣菫 15、50
当選小説三篇を読む 傅彦長 16
星光（四周年記念募集当選小説）
王静（作）／松見（絵） 16〜22
戦時国際法（二十） 鄭吾山 23
学芸知識〔コラム〕 23
大東亜戦争一周年〔グラビア〕 25
南方建設の一年〔グラビア〕 26〜27
光の子〔童話〕 郷吟 29
苦茶庵・周作人を語る 掲彭 30
静かな家〔小説〕
ゴールズワージー（作）／劉嘉禄（訳） 31〜32
詩
黄昏 紀水 32
枕 査顕琳 32
白描 楊濤 32
我が国と我が民（四）〔漫画〕 竇宗淦 33
鉄窓生活の記録（三） 楊光政 34〜36
舞台生活四十年（二） 梅蘭芳 37〜39
南方の構想（九、十）〔絵と文〕 橋本関雪 38、39
漫画・木刻・素描
馬午／金風／楊孚舜／王青芳／梁津／呉学礼／陳応／李桂英／高炳華／平凡 40〜41
日本美術紹介——朝鮮の美術（下） 馮貫一 42〜45
揖愛記（完）〔小説〕
黄君匋（作）／南宮吉（絵） 46〜50
編輯室 魯風 51

第一〇巻第一期 第一〇一号

一九四三年一月一日発行

満洲文芸特輯

表紙 女 呂風（絵） 表紙1
天下事〔コラム〕 1
目次 1
汪国民政府主席に捧げる 吉岡文六 2〜4
三つの地中海戦争 長岡克暁 5
一年間の文化界総検討（一）
華北文芸界 羅特 6〜8
華中文芸界 徐衡 9〜11
中国映画界 白心 11〜13
上海の漫画界 亦庵 13
華北の漫画界（上） 呉宇 14〜16
鉄窓生活の記録（四） 楊光政 17
近代中国国家元首の印象記（三） 江亢虎 18
文化短信 19
舞台生活四十年（三） 梅蘭芳 20
我が国と我が民（五）〔漫画〕 竇宗淦 21
漫画・木刻・素描
孫常非／葉末行／江棟良／季瀾／友言 22
時代の誕生（一）（本誌創刊四周年記念募集
当選漫画） 藍読 23
戦時国際法（二十一） 鄭吾山 24
黙黙挺身〔グラビア〕 25〜27
満洲文芸特輯
白藤〔小説〕 支援 29〜33
紅葉〔随筆〕 公眉 32
故郷の家〔小説〕 藍苓 34〜38
帰ってくる日〔随筆〕 里雁 36
憂鬱な月夜〔小説〕 孫呉 38〜39
棉花〔小説〕 任陶 40〜44
鉢植えの竹〔随筆〕 孟復 43
兄〔小説〕 石青 44〜50
阿里堀という男〔小説〕 磷映 47
古城〔詩〕 石鳴 49

小川〔詩〕　暁津　49
学芸知識〔コラム〕　33
茶話〔コラム〕　薄田泣菫　50
編輯後記　51

第一〇巻第二期　第一〇二号
一九四三年一月一五日発行
華北文芸特輯

表紙　講武　生田花朝女(絵)　表紙1
天下事〔コラム〕　1
目次　1
新国民運動と新民会　橘清志　2〜3
大東亜の基礎　原一郎　4〜6
敗勢を挽回する反枢軸国陣営〔地図〕　7
一年間の文化界総検討(二)
　中国の出版界　馬司亜　8〜12
　華北の演劇界(上)　王則　13〜17
　華北の漫画界(下)　呉宇　18〜20
学芸知識〔コラム〕　12、14、21
新年偶感　林柏生　17
芸術についての感想　陳抱一　20
近代中国国家元首の印象記(四)　江亢虎　21
漫画・木刻・素描
　董天野／楊孚舜／佚名／済時／張子信／家瑛　22
我が国と我が民(六)〔漫画〕　竇宗淦　23
戦時国際法(二十二)　鄭吾山　24
汪主席の訪日〔グラビア〕　25
満洲国陸軍軍官学校〔グラビア〕　26〜27
青年の声〔投稿〕　茁丁／海波／潤心　29
鉄窓生活の記録(五)　楊光政　30〜31
毛沢東と藍蘋　司馬史　32〜33
顧蘭君訪問記　柳黛　34
文化短信　35
時代の誕生(二)〔漫画〕　藍読　36
華北文芸特輯第二回(上)
　特輯の前書き　張鉄笙／編者　37
　銀渓渡〔小説〕　雷妍　37〜42
　海の旅〔随筆〕　郝慶松　38〜39
　父と娘〔小説〕　聞国新　42〜50
　旅行小感〔随筆〕　王石子　44
　不帰〔詩〕　聞青　47
　華北の旅〔随筆〕　陳松齢　48
　広済寺を通る／秋の扇／秋の愁い〔詩〕　査顕琳　50
学芸知識〔コラム〕　42
編輯後記　魯風　51

第一〇巻第三期　第一〇三号
一九四三年二月一日発行
華北文芸特輯

表紙　早春　福岡青嵐(絵)　表紙1
天下事〔コラム〕　1
目次　1
国民政府、米英に宣戦　2〜3
国民政府宣戦布告　2
現時の中国民衆の生活問題　張魯山　4〜6
一年間の文化界総検討(三)
　満洲の演劇界　安犀　7〜11
　華北の演劇界(下)　王則　11〜12
「尤訳『吾輩は猫である』について」を談ずる　東胡　12〜14
青年の声〔投稿〕　唐毅風／柏緑／莎　13
小学校教師の三カ月間〔報告文学〕　劉蒼　15〜16
学芸知識〔コラム〕　16、36
我が国と我が民(七)〔漫画〕　竇宗淦　17
延安の風貌　沈田夫　18〜20
日本陸軍少年航空兵〔グラビア〕　21〜23
文化短信　25
時代の誕生(三)〔漫画〕　藍読　26
漫画・木刻・素描
　江棟良／思心／郭爽／若草／黄龍　27
華北文芸特輯　第二回(下)

北京へ向かう〔小説〕　鮮魚羊　28～34
視察日誌　張金寿　30～31
天宿鎮〔小説〕　程心枌　34～36
隣人〔小説〕　陳逸飛　37～42
宿〔随筆〕　馬秋英　39～40
冀東視察の感想　李羽沉　41
本誌募集「報告文学」、「青年の声」　42
編輯後記　43

第一〇巻第四期　第一〇四号

一九四三年二月一五日発行

満洲文芸特輯

表紙　北の海　青木大乗（絵）　表紙1
天下事〔コラム〕　1
目次　1
大東亜戦争の世界的意義　陳彬龢　2～3
大東亜戦争と中国財政　中蘭生　3～6
愛国漢詩百人一首　6～9
重慶の補給路〔地図〕　10
一年間の文化界総検討（四）――満洲文芸界　呉郎　11～17
宣伝に対する再認識　元懽　16～17
我が国と我が民（八）〔漫画〕　竇宗淦　18
青年の声〔投稿〕　徐慶魁／白葦／墨元　19
学芸知識〔コラム〕　19、42
戦時国際法（二十三）　鄭吾山　20
南の女性〔グラビア〕　21～23
可以という茶屋〔随筆〕　内山完造（作）／呂蘊玉（訳）　25
二種類の「中国通」　太田宇之助（作）／丙阜（訳）　25
鉄窓生活の記録（六）　楊光政　26～27
時代の誕生（四）〔漫画〕　藍読　28
漫画・木刻・素描　聞青／江常／経羽／張季／張祥生／王冊　29
食糧〔報告文学〕　桑薪　30～31
『満洲文芸特輯』評　辛歌　32
「銀渓渡」を評す　常春藤　32
満洲文芸特輯　第二回（上）
香妃〔小説〕　爵青　33～38
執筆者紹介　呉郎　35
待ち遠しい春〔詩〕　外文　37
沈溺〔小説〕　秋蛍　38～40
白頭山にて〔小説〕　励行建　40～42
翁草〔詩〕　成紘　41
文化短信　43
編輯後記　44

第一〇巻第五期　第一〇五号

一九四三年三月一日発行

満洲文芸特輯

表紙　北京のお嬢さん　田村孝之介（絵）　表紙1
天下事〔コラム〕　1
目次　1
世界戦争の帰趨　劉希平　2～4
欧洲共栄圏中枢の生産力〔地図〕　4
生活革新の基本理論　陸元懽　5～9
日本に対する空襲の宣伝〔図解〕　吉　10
ドイツの「国内戦線」　作者　11
国際問題と文化　陳紹裴　12～14
日本女性の簡素美（一、二）
無線電機工場で働く女性　田村孝之介（絵・文）　14
本屋で働く女性　中西利雄（絵・文）　27
アジアの影絵芝居について　馮貫一　15～17
学芸知識〔コラム〕　17、20、26、43
我が国と我が民（九）〔漫画〕　竇宗淦　18
報告文学を語る　孟毅　19～20
『游刃集』序　安犀　20
新中国の生産力〔グラビア〕　21～23
戦時国際法（二十四）　鄭吾山　25
俳句紹介　晶孫　26～27

文化短信　28
青年の声〔投稿〕
　裴聞／朱媞／陳鍾育　29
時代の誕生（五）〔漫画〕　藍読　30
漫画・木刻・素描
　莫斯科夫／何紹君／石偉／馬午／張淑華／巴炎　31
鉄窓生活の記録（七）　楊光政　32～34
満洲文芸特輯　第二回（下）
　残欠者〔小説〕　山丁　35～37
　褚魁、陳遠と小珍珠〔小説〕　小松　37～39
　長い煙〔小説〕　疑遅　39～41
　旅燕詩艸〔詩〕　金音　40
　執筆者紹介　呉郎　41
　永生なる霊〔小説〕　呉瑛　42～43
編輯後記　44

第一〇巻第六期　第一〇六号
一九四三年三月一五日発行
翻訳文芸特輯

表紙　梅香　矢野橋村（絵）　表紙1
天下事〔コラム〕　1
目次　1
最近の世界情勢　2～4
通商破壊戦の経過／汪精衛政権の参戦陣容〔図解〕　4、5
ガンジー断食、イギリスに抵抗　賀蘭　6～7
華北文芸座談会
　陳綿／柳龍光／聞国新／李景慈／梅娘／徐白林／陳松齢／郝慶松／陳邦直。本誌‥石川／陳漪堃／鍾凌茹　8～13
学芸知識〔コラム〕　13、27、31
点・線・面の関係〔評論〕　張深切　14～16
ビルマ・インド国境について〔図解〕　16
戦闘機の話　南宮吉　17～18
ソ連の映画と文学　不文（訳）　19～20
海南島の建設〔グラビア〕　21～23
戦時国際法（二十五）　鄭吾山　25
当代日本女流作家の紹介　冉邕　26～27
街頭の蜘蛛〔報告文学〕　呉如倫　28～30
詩を語る　趙玄武　30～31
漫画・木刻・素描
　何紹君／東亮／任信／劉済時／楊鮑／王仲　32
時代の誕生（完）〔漫画〕　藍読　33
文化短信　34
翻訳文芸特輯
　親と子〔小説〕
　　国木田独歩（作）／秉琪（訳）　35～37
　一生の事業〔小説〕
　　亥丁歇納（作）／石林（訳）　38～40
　雨〔小説〕
　　吉田紘二郎（作）／東美（訳）　39
　私が危篤の時〔小説〕
　　ゾーシチェンコ（作）／劉振強（訳）　40～41
　蠶〔小説〕
　　小泉八雲（作）／白夢異（訳）　42～43
　蚤〔詩〕
　　G・アポリネール（作）／魯迅（訳）　43
名著紹介――『八旗芸文編目』　37
編輯後記　44

第一〇巻第七期　第一〇七号
一九四三年四月一日発行
散文特輯

表紙　琉璃鳥　山口華楊（絵）　表紙1
天下事〔コラム〕　1
目次　1
ソ連実力の再認識　布施勝治　2～4
モスクワの様相〔コラム〕　4
ソ連重工業の中心〔地図〕　5
スターリングラードの悲劇　渡辺善一郎　6～8
春の独ソ戦局　江東　7～8
東亜共栄圏の人口密度と民族構成〔図表〕　9
インドの絵画　馮貫一　10～14
文化短信　15

漫画・木刻・素描
李真／江常／王成／王冊／青雲／平凡 16
中国農村便り(一)〔素描〕 朱少華 17
重爆撃機の色々 南宮吉 18〜19
戦時国際法(二十六) 鄭吾山 20
学芸知識〔コラム〕 20
東條首相、汪政府を訪問〔グラビア〕 21
敗将の顔々〔グラビア〕 22〜23
唐詩の助詞について
豊田穣(作)／梅波(訳) 25〜27
歴史小説を論じる 左洛 27〜28
辻小説
国際ホテル
大下宇陀児(作)／魯風(訳) 28
誰の戦争
石川達三(作)／魯風(訳) 28
青年の声〔投稿〕
陳超塵／陳介／徒蕾／斐麗／若梅 29
散文特輯
痩馬とぼろ車 田野 30〜31
私たちの先生 荷山 31〜32
紫色の憂鬱 沉遅 32〜33
海 山葉 32〜33
凧 眉郎 33〜34
遠い星群 孟嘉 33〜35
荻の夜 常春藤 34〜35
橋 林子 35〜36
私が知っている子供 英哥 35〜36
頭の大きい子 狂夢 36〜37
寒村抄 張止戈 36〜37
阿什河のほとり 支羊 37〜38
路 依稀 37〜39
曙光 朝熹 38〜39
蟻 九郎 39〜40
冷たい月 乙梅 39〜40
雀 辛歌 40
友人 姜千里 40〜41
夢 藍苓 41
夢と青春 朱媞 42〜43
島崎藤村語録
島崎藤村(作)／魯迅(訳) 41
編輯後記 44

第一〇巻第八期　第一〇八号　一九四三年四月一五日発行
童話・民間伝説特輯

表紙　桜 麻田弁次(絵) 表紙1
天下事〔コラム〕 1
目次 1
戦争はどのように勃発したか
F・狄維斯／A・K・林徳蘭 2〜7
大東亜(トルコの新聞論説) 7
アメリカの軍事生産力／ソロモン諸島
〔図解〕 8、9
辻小説
座席 吉屋信子(作)／魯風(訳) 10
期待 白井喬二(作)／魯風(訳) 10
戦史 火野葦平(作)／魯風(訳) 11
海にささぐ
葉山嘉樹(作)／魯風(訳) 11
宣伝文字について 陸元權 10〜11
鉄窓生活の記録(八) 楊光政 12〜14
中国農村便り(二)〔素描〕 朱少華 15
動乱の記憶〔報告文学〕 仰正 16〜17
学芸知識〔コラム〕 17
華北の木刻界について 穆羊 18〜19
文壇随感 博奮 19
文壇の新人 馬不烈 19〜20
国府還都三周年〔グラビア〕 21
ジャワの植物〔グラビア〕 22〜23
神戸理事府(上) 汪向栄 25〜27
日本の舞踊
小寺融吉(作)／冉邕(訳) 28〜32
漫画・木刻・素描
瓦須黎・瑪修丁／孫常非／朱古 33
童話・民間伝説特輯
池畔の春 郷吟 34〜35
『ロシヤ童話』第十四篇
ゴーリキー(作)／魯迅(訳) 35
科学者と彼の人形 椰子 36〜37

ねずみの物語　秦旡度　38～39
満洲伝説抄　張蕾　40～42
文化短信　43
編輯後記　44

第一〇巻第九期　第一〇九号

一九四三年五月一日発行

新生ビルマ特輯・詩歌書簡特輯

表紙　牡丹　黒田重太郎(絵)　表紙1
天下事〔コラム〕　1
目次　1
新生ビルマ特輯
新生ビルマと東亜民族の興隆　平野義太郎　2～3
ビルマ民族宣言　達金奴　3～4
ビルマの行政長官バー・モウ　江東　5
ビルマの面積と人種〔地図〕　6
ビルマ仏跡巡礼　7～10
独ソ新戦局の展望　前芝確三　11～13
北アフリカ戦線〔地図〕　12
国体千字文　高津寅次郎　13
各国赤字公債の累積〔図表〕　14
青年の声〔投稿〕　曼軍／艾磊／紫哨　15
中国農村便り(三)〔素描〕　朱少華　16
ガダルカナル島血戦記　森川賢司　17～20
特使・陳公博の訪日　21
還都三周年の江南の春〔グラビア〕　22～23
神戸理事府(下)　汪向栄　25～28
辻小説
船長　豊田三郎(作)／暁森(訳)　28
光遠の妹　菊池寛(作)／暁森(訳)　28
漫画・木刻・素描
漢斯・巴比／江棟樑／趙始昂／張経羽／
一士　29
航空母艦　南宮吉　30～31
詩歌書簡特輯・詩
古い歌／飢える新年　宋泛　32～34、40
沙漠の旅　藍苓　34～35
南営の夜／つばめ　柳金　35～36
白屋廃詩　登漠　36
布の配給　蒼影　36～37
葦の花　聞青　37
湖上　楊濤　37
雪の便り　桑薪　37
雲／鹿　曲晩　37～38
野良の子　端木麗文　38
瀋陽の詩　林火　38～39
七月の黄昏　常春藤　39
歌った人／黎明の前進　氷旅　39
辺境の古城　華青　39～40
石炭を届ける人　沈遅　40
少年工　于雁　40～41
老馬　何一鴻　41
重苦しいラクダの鈴　夏寧　41
太廟　査顕琳　41
思い　王證　41
詩歌書簡特輯・簡
松江の筏　余治　32～33
蕪雑の書　辛愷　33～36
罪と罰　三弟　37
寄す　高亢　38～40
失題　范一民　40～41
文化短信　42
編輯後記　43

第一〇巻第一〇期　第一一〇号

一九四三年五月一五日発行

雑文特輯

表紙　女形　三宅凰白(絵)　表紙1
天下事〔コラム〕　1
目次　1
全体主義の民族観念　呉一琴　2～10
汪政府の参戦と東亜民族の興隆　平野義太郎　8～9
反枢軸国の欧洲上陸作戦〔地図解説〕　11
都市の風景線〔報告文学〕　盧斯　12～14
中国の陶磁器(上)　冉邕　14
鉄窓生活の記録(九)　楊光政　15～17

文化短信 18
同光大勲章を敬贈〔グラビア〕 19
春の訓練〔グラビア〕 20〜21
神戸と大阪の華僑 李逵生 23〜25
辻小説
太陽の子
野口米次郎（作）／不文（訳） 25
新秩序
薄田泣菫（作）／安東亀太郎（訳） 39
孤島夜曲〔詩〕 夏穆天 26〜29
中国農村便り（四）〔素描〕 朱少華 30
漫画・木刻・素描
馬午／王冊／劉済時／季瀾 31
雑文特輯
「京派」と「海派」のこと 呉公汗 32〜35
食人について 蕭森 33〜36
作家と批評家 司空彦 35〜36
文章雑談 張章 36〜38
文芸批評に関して 鮑風 37〜39
素描と抒情漫画の血縁 王金錬 39
編輯後記 40

第一〇巻第一一期 第一一一号
一九四三年六月一日発行

表紙 安芸厳島 池田遙邨（絵） 表紙1
天下事〔コラム〕 1
目次 1
対中新政策と華北 橘善守 2〜4
世界第一――世界最大の花ラフレシア 4
欧洲の決戦形態 岩井良太郎 5〜7
復興中華と保衛東亜 樊仲雲 6
共栄圏内の宗教〔地図解説〕 8
星空（一）（大東亜民族小説当選作）
小畑柿三（作）／丁佐久（訳） 9〜13
中国の陶磁器（下） 冉邕 14〜17
文化短信 18
東條首相、フィリピンを訪問〔グラビア〕 19
ラマ寺院〔グラビア〕 20〜21
留日華僑座談会
政府方面：戴策／馬玉生／汪向栄。僑務団体方面：朱華。僑胞代表方面：何芍筵／陳洞庭／唐化南／詹延英／任傅伯／呉振東／易彝伯／杜雨樵／梁永恩／李電英／鮑金鉅／簡達明／林金次／丁聴●／林慶英／楊家達／司子明／鄭維芬／孫景三／崔善徳／楊牟民。本誌：引田哲一郎／編集員 23〜27
青年の声〔投稿〕 周騒 27
漫画・木刻・素描
馬午／逹姆留・亢姆背爾替／芝娜／王寧 28
中国農村便り（五）〔素描〕 朱少華 29
仲人から語る〔評論〕 趙玄武 30〜31
学芸知識〔コラム〕 31
影絵芝居 黄軍 32〜37
母親の異訓〔小説〕 那居 32〜35
夜沈々〔小説〕 炉火 36〜38
南方のラブソング――マレーの恋歌〔歌詞〕 38
編輯後記 39

第一〇巻第一二期 第一一二号
一九四三年六月一五日発行

表紙 耕作 中野草雲（絵） 表紙1
天下事〔コラム〕 1
目次 1
総力参戦の理念と実際 林柏生 2
西北問題 陳済成 3〜6
辻小説――湖畔の娘
上田広（作）／暁旅（訳） 6
大東亜自給圏の構想 石原広一郎 7
世界第一――最大の金剛石 7
南方共栄圏の資源図〔図解〕 8
星空（二）〔小説〕
小畑柿三（作）／丁佐久（訳） 9〜13
理性と批判 張深切 14〜17
上海の副刊と雑誌 羅雅子 17〜18
南海前線〔グラビア〕 19
バリ島の生活〔グラビア〕 20〜21

鉄窓生活の記録(十・完)　楊光政　23～27
魯迅書簡抄　人(訳)　27
漫画・木刻・素描
影肖／李見／江常／戈文・拉凡拉脱／劉済時　28
中国農村便り(完)〔素描〕　朱少華　29
ビルマの美術　馮貫一　30～32
黎明の挿入曲〔小説〕　宋泛　33～35
沙漠での物語〔小説〕　丹梠　35～38
服装雑談　冷夜　36～37
森林の誘惑〔詩〕　阮江(作)／鉄漢(訳)　38
文化短信　39
編輯後記　40

第一一巻第一期　第一一三号

一九四三年七月一日発行

華北文芸特輯

表紙　お嬢さん　中村貞以(絵)　表紙1
『存華挫狄論』について　楢崎観一　1～3
目次　1
不平等条約の撤廃と中国国民　劉興　4～5
孔子精神猶存論　川村宗嗣　6～8
世界第一――最も深い海溝　8
戦争の世界〔図解〕　9
星空(三)〔小説〕　小畑柿三(作)／丁佐久(訳)　10～14
学芸知識〔コラム〕　14
南方美術紹介――インドの建築　馮貫一　15～18
ジャワの風景〔グラビア〕　19
山本元帥の国葬〔グラビア〕　20～21
優美な中国芸術　王異　23～24
本誌創刊五周年記念原稿募集〔広告〕　『華文毎日』編輯処　24
漫画・木刻・素描
若草／池田三郎／高炳華／白光　25
華北文芸特輯(上)――華北作家協会推薦作
郷土文学の旗を掲げる〔論文〕　上官箏　26～32
大蓮という少女〔小説〕　楊鮑　32～34
桃入りのチマキ〔小説〕　呈分　35～37
山本元帥を悼む〔漢詩〕　鵜沢総明　36
文化短信　38
編輯後記　39

第一一巻第二期　第一一四号

一九四三年七月一五日発行

華北文芸特輯

表紙　お嬢さん　秋野不矩(絵)　表紙1
中国の友へ　松本鎗吉　1～3
目次　1
中日経済の新展開に対する意見
呉震修／殷汝耕／木村増太郎／津島寿一　4～6
東亜民族精神論　丁元普　7～8
星空(四)〔小説〕
小畑柿三(作)／丁佐久(訳)　9～13
インドの咆哮〔評論〕　匡時　14～16
『中日事変解決の根本策』について〔書評〕　任重　16～17
表紙絵作者紹介　17
文化短信　18
独立の声と実現〔グラビア〕　19
スマトラ島の北部から〔グラビア〕　20～21
漫画・木刻・素描
劉済時／王愓／王成／李公啓／王冊　23
南方紹介
ベトナムの女性　松尾邦蔵　24～25
南方の結婚習俗　井出季和太　26～27
世界第一――飛行機の最高上昇記録　27
華北文芸特輯(下)――華北作家協会推薦作
一心〔小説〕　蕭艾　28～33
紫色の部屋〔小説〕　蕭菱　30～31
蜀道にて〔詩〕　顧視　34
博徒〔小説〕　張金寿　35～38
編輯後記　39

第一一巻第三期　第一一五号

一九四三年八月一日発行

表紙　富獄　西山翠嶂（絵）　表紙1
中華民国参戦の三大急務――汪精衛主席と
　下田将美主幹との会談　1～2
目次　1
新中国経済を強化する方法――周仏海財政
　部長と下田将美主幹との会談　2～3
イギリスの悲劇　徳富蘇峰　4～6
「第三国際」の解散と「中共」の激変
　蔣中俊　7～8
日中文化関係の展開　藤沢親雄　9
五百万人に代わって不平を鳴らす――無意
　義な重慶抗戦政策　10
躍進の満洲〔図解〕　11
南方都市の人口〔図解〕　11
創造社について(上)　史蟫　12～13
苔岑詩壇
　王揖唐／今関寿／土屋久泰　13
星空(五)〔小説〕
　小畑柿三(作)／丁佐久(訳)　14～18
インド独立国民軍〔グラビア〕　19
東條首相南行録〔グラビア〕　20～21
文化短信　23
南国風土写真集〔写真と文〕
　松尾邦蔵　24～25
人形劇について　馮貫一　26～27
母子〔小説〕　王丹　28～34
カラチンの六月〔詩〕　高嵩　31～36
静土庵〔随筆〕　畹人　32～34
深夜〔随筆〕　如水　34～35
上海雑誌聯合会、待望の誕生　雅子　34～35
「仲人から語る」と北方文芸界　張止戈　36
二つの長篇を読む――「貝殻」と「生の回帰
　線」　寒蹤　37～38
好運〔随筆〕　丁丁　38
世界第一――最年少の王　38
編輯後記　39

第一一巻第四期　第一一六号

一九四三年八月一五日発行

満洲文芸特輯

表紙　桔梗　金島桂華（絵）　表紙1
中国の姉妹に寄す　阿部静枝　1～4
目次　1
世界第一――世界最高の山　4
ドイツのソ連「再評価」　馬場秀夫　5～7
反枢軸国の食糧問題　詹姆士・派登　7～8
国際新語――アメリカ海事委員会　8
優秀な日本環境〔図解〕　9
アメリカの黒人〔図解〕　9
南方美術紹介――タイの美術
　馮貫一　10～12
グライダー〔解説〕　弓早　13～14
岐路(一)〔小説〕　福徳勝　15～18
空の神兵〔グラビア〕　19～21
漫画・木刻・素描
　喬治・布代／栢江／白光／馬午　23
南国風土写真集〔写真と文〕
　松尾邦蔵　24～25
創造社について(下)　史蟫　26～28
苔岑詩壇
　国分高胤／仁賀保成人／黄孝紓／陳道量
　／佐藤知恭／森太郎人／服部荘／土屋久
　泰　27
陳雲裳訪問記　劉美君　29
喫煙の科学　柳黛(訳)　30
満洲文芸特輯(上)
　草原の風雨〔小説〕　田兵　31～34
　執筆者紹介　呉郎　32
　子供の頃の夢〔詩〕　冷歌　33
　烏龍背という丘〔小説〕　戈禾　34～36
　船廠への旅〔詩〕　冷歌　36
　旅館に住んでいた六年間〔随筆〕
　　呉郎　37
文化短信　38
編輯後記　39

第一一巻第五期　第一一七号
一九四三年九月一日発行
満洲文芸特輯

表紙　くわい　方洛（絵）　表紙1
「武事有る者は必ず文備有り」　塩谷温　1～4
目次　1
苔岑詩壇
　汪兆銘／川田瑞穂／土屋久泰　4
宮島大八先生伝　平貞蔵　5～7
新ビルマ史の誕生　長岡来造　8
租界接収後の中国経済　李権時　9
世界三大決戦場〔図解〕　10
岐路（二）〔小説〕　福徳勝　11～14
南国風土写真集〔写真と文〕　松尾邦蔵　15～16
ビルマ建国の日〔グラビア〕　17～19
第二回大東亜文学者大会を前にして――代表者を歓迎　羅雅子　21
船（一）〔解説〕
　和辻春樹（作）／皓帆（訳）　22～24
語絲社について　史蟫　25～27
世界第一――世界最速の飛行機　27
漫画・木刻・素描
　王冊／江棟樑／何紹君／王仲／郁鵬程／王禹　28
満洲文芸特輯（下）
　荒野の物語〔小説〕　但娣　29～30
　聖女篇〔詩〕　魔女　31
　執筆者紹介　呉郎　31
　黄騏という少年　劉漢　32～33
文化短信　34
編輯後記　35

第一一巻第六期　第一一八号
一九四三年九月一五日発行

表紙　孔子像　矢野鉄山（絵）　表紙1
大東亜共栄圏の建設　孟金　1～4
目次　1
苔岑詩壇　岩渓晋／曹樹声／陳道量　4
「大東亜文学者決戦大会」記録　5
大東亜戦争下の中日女性の責任　徐啓文　6～7
苔岑詩壇
　王揖唐／国分高胤／土屋久泰　7
明代の日本研究（上）　汪向栄　8～11
岐路（三）〔小説〕　福徳勝　12～15
文学報国会第二回大会の華満蒙代表に呈す
　〔詩〕　塩谷温　15
文化短信　16
ニュース〔グラビア〕　17
ビルマの結婚式〔グラビア〕　18～19
「合羽版」雑談　屠鞭　21
「創造社について」の補足　倉父　21
宝塚歌劇　徐為　22～23
船（二）〔解説〕
　和辻春樹（作）／皓帆（訳）　24～25
世界第一――世界で一番小さい国モナコ／世界一人口が少ない国アンドラ／欧洲で最も古い国サンマリノ　秋　25
南国風土写真集〔写真と文〕　松尾邦蔵　26～27
漫画・木刻・素描
　王禹／楊棣／張経羽／向啓／李桂英／王冊　28
杏の実る頃〔小説〕　劉蕚　29～32
新都／古塔〔詩〕　蕭歌　31
古刹〔詩〕　荷山　31
小さな部屋にて〔小説〕　穀梁異　32～33
喜劇漫談（上）　呉覇霄　33～34
緑雲便り〔随筆〕　魯丁　34
編輯後記　35

第一一巻第七期　第一一九号
一九四三年一〇月一日発行
大東亜文学者決戦大会特輯

表紙　湖畔晴日　寀本一洋（絵）　表紙1
目次　1

「大東亜文学者決戦大会」特輯
大会第一日目を見て　林鐘　1〜3
文学者大会の前奏曲　田誌　2〜3
言華（第二回大東亜文学者大会各地代表の感想）
「言華」の序　雅子　4
所感少々　陶亢徳　4
本年度大会の収穫　河上徹太郎　4
誠をこめて　呉郎　5
大会開会後の感想　柳龍光　5
鮮明な自覚　王承琰　5〜6
思想戦と必勝の信念　陳寥士　6
「二心」と「両意」　魯風　6〜7
満洲青年　田兵　7
人の和と大会の実践　火野葦平　7
中日文化の交流問題　章克標　7
文学者大会の印象　吉屋信子　8
互識　周越然　8
偉大なるかな日本文学者の精神　陳綿　9
合作と思想錬成　大内隆雄　9
新人の出現を期待　草野心平　9
共栄圏内の文学路線　謝希平　10
大会後の感想　陳璞　10
感想　楊雲萍　10
曙光へ前進（日本大東亜省大臣賞）　阿魯茲羅・M・托林基諾　11
アジアの光栄（毎日新聞社賞当選）　M・R・蓓蕾拉　12〜13
中国共産党の組織〔図解〕　13
重慶国民政府と共産党の抗争　赤谷　14〜16
フィリピン独立準備委員会委員長ヴァルガスの印象　16
フィリピン憲法草案が完成〔グラビア〕　17
戦時下の満洲〔グラビア〕　18〜19
ビルマ独立秘聞
バー・モウ博士の脱獄記　藤田福平（作）／秋（訳）　21〜22
三つの物語　中野喜一（作）／秋（訳）　22〜23
明代の日本研究（下）　汪向栄　24〜25
世界第一——世界で一番深い湖・バイカル湖　秋　25
船（三）〔解説〕　和辻春樹（作）／皓帆（訳）　26〜27
俳句二首　田村木国　27
喜劇漫談（下）　呉覇霄　28〜29
辻小説——ある少女の話　芹澤光治良（作）／暁旅（訳）　29
岐路（四）〔小説〕　福徳勝　30〜33
少見多怪（一）〔コラム〕　省白　33
文化短信　34
編輯後記　35

第一一巻第八期　第一二〇号　一九四三年一〇月一五日発行

表紙　蘇州　福田惠一（絵）　表紙1
中国の友へ　中山優　1〜4
目次　1
双十節の展望　丁元普　5〜6
国慶と国家　陳彬龢　6
東方の大同思想　墨僧　6
復興の曙光　馮節　7
中国文化再建論　呉鳴堂　8〜10
日中両国の女性対談　窪川稲子／関露　10〜11
岐路（五）〔小説〕　福徳勝　12〜15
静寂から生まれた『青年文化』（上）〔書評〕　呉杜　15
文化短信　16
世界大事件〔グラビア〕　17
女性戦線〔グラビア〕　18〜19
南国風土写真集〔写真と文〕　松尾邦蔵　21〜22
船（四）〔解説〕　和辻春樹（作）／皓帆（訳）　23〜24
成層圏飛行とその将来　松浦四郎（作）／燕子（訳）　25〜27
世界第一——世界第一の殲滅戦・タンネンベルクの戦い　27

前路〔小説〕　劉詠蓮　28〜31
ヴォルガの流れ〔詩〕　廃丁　30
学芸知識〔コラム〕　31
幕を開く〔随筆〕　東皐　32
苔岑詩壇
国分高胤／井上哲次郎／杉渓言長／陳道量／土屋久泰　32
今日の散文界　魯植　33〜34
頑固〔随筆〕　林冷　33〜34
編輯後記　35
華北の京劇映画　李郡捷　36

第一一巻第九期　第一二一号

一九四三年一一月一日発行

本誌創刊五周年記念号

表紙　北京玉泉山　矢野鉄山（絵）　表紙1
五周年記念原稿募集当選発表　1
選後の感想　編者　1
目次　1
中国革新の基本理論（五周年記念原稿募集当選作）　矢真　2〜6
著名人の題辞
張景惠／周仏海／林柏生／蔡培／王克敏　3、4、5、6、10
フィリピン独立秘史〔座談会〕
木村惇／井沢実／木村毅／本社記者　7〜10
岐路（六）〔小説〕　福徳勝　11〜14
世界第一――世界最大の捕鯨船　秋　14
万葉集抄（巻一）　張文華（訳）　15〜16
静寂から生まれた『青年文化』（下）〔書評〕　呉杜　16
コンパスと進化〔コラム〕　鄭奠　16
フィリピン初の大統領ラウレル〔グラビア〕　17
ニューギニア東南の住民〔グラビア〕　18〜19
本誌五周年記念当選時事漫画
北野／陸少青／送玉男／可木／雨林　21
船（五・完）〔解説〕
和辻春樹（作）／皓帆（訳）　22〜23
五周年記念原稿募集当選作
透視〔小説〕　楊雲　24〜26
新太陽〔小説〕　王羊　27〜31
編輯同人の感想
編集者の言葉　白　31
新文化の創造　引田哲一郎　32〜33
五周年の雑感　洛夫　32
創刊以来の文芸欄　暁旅　32〜33
五周年の感想　波良多　33
文化短信　34
編輯後記　35

第一一巻第一〇期　第一二二号

一九四三年一一月一五日発行

表紙　晴天　小野竹喬（絵）　表紙1
大東亜共栄圏の建設理論（五周年記念原稿募集当選作）　林鼎　1〜5
目次　1
独ソ戦線について　馬場秀夫　5〜6
漢訳西洋文化の日本への伝播（上）　汪向栄　7〜9
胡適之を憶う　禅声　10〜11
空中爆撃問題の検討　厳懋徳　12〜13
世界第一――世界最大の動物クジラ　13
古都奈良一日の旅　呂宝田　14〜16
記憶せよ！　壮烈な「南太平洋海戦」〔グラビア〕　17
スマトラの産業〔グラビア〕　18〜19
漫画・木刻・素描
長城／楊鲍／丙昭／王成　21
南国風土写真集〔写真と文〕　松尾邦蔵　22〜23
万葉集抄（巻二）　張文華（訳）　24
五周年記念原稿募集当選作
廖鳳梧という少女〔小説〕　江権　25〜27
童心〔小説〕　張蘿　28〜31
狂熱の歌〔詩〕　黄軍　32〜33
日本印象記〔随筆〕　顧鳳城　34

文化短信 35
編輯後記 36

第一一巻第一一期　第一二三号
一九四三年一一月一日発行

表紙　決戦下の女性　寺島紫明（絵）　表紙1
大東亜戦争二周年の感想　引田哲一郎 1
目次 1
イギリスの将来 2～3
民族精神と民族性　張深切 4～6
漢訳西洋文化の日本への伝播（下）　汪向栄 7～9
中国文学報国会に対する期待〔コラム〕　羅雅子 9
イスラム教問題と教育　何欽明 10
租界接収と文化の再生　陳端志 11～12
濠洲に近い西南太平洋諸島　厳懋徳 13～14
南方美術紹介――南方の民芸（上）　馮貫一 15～16
大東亜民族の祭典〔グラビア〕 17
大東亜民族の黎明〔グラビア〕 18～19
木刻
何天雷／徐承振／張止戈／白光／艾果 21
南国風土写真集〔写真と文〕　松尾邦蔵 22～23
万葉集抄（巻三）　張文華（訳） 24
学芸知識〔コラム〕 24
罪悪と懲罰〔小説〕　田軍 25～27
旅愁〔詩〕　徐白林 27
随筆
情致を論じる　傅彦長 28
清談　顧鑣 28～29
世事　何其外 29
忙と閑　危月燕 29～30
朋輩　一颿 30
三つの詩――海の歌／九月の黄色い花／羊飼いの女　魯丁 31
心の重荷〔随筆〕　黄軍 32～33
文化短信 34
編輯後記 35

第一一巻第一二期　第一二四号
一九四三年一二月一五日発行

表紙　赤かぶ　板倉星光（絵）　表紙1
中日の締盟と大東亜会議　管翼賢 1～3
目次 1
大東亜建設の五大原則（上）
平野義太郎／神川彦松／杉森孝次郎 4～7
世界第一――ユトランド沖海戦 7
出版文化の質的改善　方済 8～10
苔岑詩壇
蔡培／謝祖元／国分高胤／土屋久泰 10
大東亜新聞記者大会各国代表の大阪旅行　田誌 11
私の知っている陳独秀　周越然 12～13
上海スケッチ〔絵と文〕　竇宗淦 14～15
南方美術紹介――南方の民芸（下）　馮貫一 16
大東亜新聞大会の開幕〔グラビア〕 17
新生ジャワ〔グラビア〕 18～19
漫画・木刻・素描
李明／武錫新／平凡／劉済時／可木 21
南国風土写真集〔写真と文〕　松尾邦蔵 22～23
万葉集抄（巻四）　張文華（訳） 24～25
航海〔詩〕　朱媞 25
康徳十年の満洲文芸　呉郎 26～28
一年来の漫画界　呉倫 29～30
文士精神　爻瑪 30
『京西集』を評す〔書評〕　張夫邁 31
写真の物語〔小説〕　羅蜜爾 32～33
日本人の礼節　平方 34
文化短信 35
編輯後記 36

第一二巻第一期　第一二五号　一九四四年一月一日発行　蒙疆文芸特輯

表紙　お嬢さん　中村貞以(絵)　表紙1
目次　1
新年の言葉　引田哲一郎　1
中国の新国民運動　戴英夫　2〜3
大東亜建設の五大原則(下)　宮沢俊義／杉村広蔵　4〜5
苔岑詩壇
　蔡培／千葉郁治／玉木懿夫／陳道量　5
英米の大東亜西部戦線における企図　田中香苗　6〜8
世界第一――世界最小の生物・微生物(完)　8
インド国民軍　大久保憲美　9
音楽美を論じる(一)　張源祥　10〜11
棲霞の日帰り旅〔絵と文〕　馬午　12〜13
大鐘の歌〔詩〕　胡波　13
鄧将軍の墓を訪ねる　何心　14
日本で活躍している人々　阪南生　15〜16
無敵の日本海軍の雷撃機〔グラビア〕　17
活気あふれるフィリピン〔グラビア〕　18〜19
文化短信　21
南国風土写真集(完)〔写真と文〕　松尾邦蔵　22〜23
一年来の北京演劇の総評　落雨　24〜25
学芸知識〔コラム〕　25
満洲出版界の一年間　宋毅　26〜27
万葉集抄(巻五)　張文華(訳)　28、11
蒙疆文芸特輯(上)
　壮烈な心情〔小説〕　呉彦　29〜30
　特輯について　王承琰　30
　驢馬〔小説〕　王令　30〜31
　哈巴嘎の夜〔小説〕　司空鹿　31〜32
　バラ色の夢〔小説〕　品清　32〜33
　夜の記〔小説〕　穀梁異　33〜34
　影／希望／燕〔詩〕　杜若　34
三十年後の新世界〔コラム〕　34
編輯後記　35

第一二六号　一九四四年二月一日発行　蒙疆文芸特輯

（※本号より巻・期数を表記せず）

表紙　童舞　生田花朝女(絵)　表紙1
目次　1
大事小記〔コラム〕　風　1
中国参戦二年目　陳彬龢　2
汪主席語録　2〜3
世界決戦の年　高石真五郎　3
道義東亜の顕現　吉岡文六　4〜6
苔岑詩壇
　蔡培／小室貞／国分高胤／陳道量　6
大陸の有識者と文化人に期する　松本鎗吉　7〜8
本誌啓事〔広告〕　8
テヘラン会談後の世界の動向
　平岡敏男(作)／龔之(訳)　9
新生ビルマ国防軍　藤田福平　10
アジアの女性作家へ　呉瑛　11〜12
いくつかの希望〔コラム〕　羅雅子　12
一年間の華北文壇(上)　黎建青　13〜15
音楽美を論じる(二)　張源祥　16〜17
漫画・素描
　李亮／南光／柳操／酈零／葉未行　18
最新鋭の日本陸軍機〔グラビア〕　19
吼える自由インド臨時政府〔グラビア〕　20〜21
万葉集抄(巻六)　張文華(訳)　23〜24
夜の鶯の誓い／黄昏の曲〔詩〕　魯丁　24
日本映画の回顧と展望(上)　平井忠夫　25〜27
熱風
　「新作家論」の補足〔評論〕　牛蒡　28
　食糧文学と個性〔評論〕　巴客　28
蒙疆文芸特輯(下)
　灯の影〔小説〕　張波　29〜30
　九弟という男〔小説〕　盧蘊　30〜31
　黙禱〔小説〕　沐華　31〜32

拘束された生命〔小説〕　朝熹　32～33
ある日〔小説〕　乙文　33～34
烏梅茶／海上の月〔詩〕　乃帆　34
三十年後の新世界〔コラム〕　34
華北文芸一夕談〔座談会〕
袁犀／上官箏／馬驪／山丁／魯風／王真
夫／梅娘／雷妍／呂奇。本誌側：和田進
／上野／呂風(司会)　35～37
木刻　思心　37
文化城〔コラム〕　38
即景艸(一)〔随筆〕
慶公(文)／里予(絵)　38
編輯後記　鳳　39

第一二七号　一九四四年三月一日発行

表紙　早春　赤松雲嶺(絵)　表紙1
目次　1
大事小記〔コラム〕　愚　1
新春の希望　王克敏　2～3
中国の新統一問題を談ずる　陳彬龢　2～3
汪主席語録　3
日本人の中国文学研究の重要性
塩谷温　4～5
日本精神　小松堅太郎　6
日本の神社〔コラム〕　予且　6
ニューギニアの有害な動物　龔(訳)　7～8
大西洋要塞について〔図解〕　8
忠義救国軍の正体　子江　9
航空界の今年の課題　糸川英夫　10～11
「漢詩」から語る　横光利一　12
苔岑詩壇　土屋久泰　12
音楽美を論じる(三)　張源祥　13～14
留日を志す青年へ　李翔　15～17
漫画・素描
王成／王冊／汰藍／劉済時／柳操　18
空の勝利〔グラビア〕　19
肉の献納運動〔グラビア〕　20～21
万葉集抄(巻七)　張文華(訳)　23～24
即景艸(二)〔随筆〕
慶公(文)／里予(絵)　24
一年間の華北文壇(下)　黎建青　25～27
木刻鑑賞――村屋
ユンカース(刻)／楊馳(文)　27
熱風
仮名〔評論〕　辛人　28
証拠〔評論〕　袁敬　28
文壇における回想記〔評論〕　孝舜　28
「不」と題する小文〔評論〕　馬不走　29
文化城〔コラム〕　28～29
現段階の木刻　穆于　30～31
日本映画の回顧と展望(下)
平井忠夫　32～33
中国文学瑣談
大内隆雄(作)／袁意(訳)　33
五周年募集当選小説評　魯植　34～35
日本散文抄訳
宿帳　福田清人(作)／凌霊(訳)　36～37
熊野の街道
山本和夫(作)／龔之(訳)　36～37
最初の海
坪田譲治(作)／吉沢(訳)　37
現代日本従軍画家スケッチ(一)
宮本三郎　38
編集後記　鳳　39

第一二八号　一九四四年四月一日発行

表紙　桜　池田遙村(絵)　表紙1
目次　1
大事小記〔コラム〕　1
中国の参戦と東亜解放　喩熙傑　2～3
儒教における指導者
宇野哲人／龔之(訳)　3
求是〔コラム〕　亜民　3
インドの曙光　上原虎重　4～5
重慶経済一瞥　克之　6～7
重慶の学校風景　卿商　8～9
ドイツの今年の新目標　平岡敏男　10
大河内輝声と清代の文人(上)
実藤惠秀(作)／龔之(訳)　11～12

黒潮の国〔評論〕
室伏高信（作）／金堅（訳） 13～14
音楽美を論じる（四） 張源祥 15
万葉集抄（巻八） 張文華（訳） 16
自由インド旗の下〔グラビア〕 17
マレーの民家〔グラビア〕 18～19
蘋果園〔随筆〕
読書散記 郭雲濤 21
随想 辛人 21
筆名の話 路丁 22～23
いまだ「死」について 孟隼 22
中毒せず 龐清 23
高深を悼む 蘆村 22～23
死んだら完結 鮑穉 23
未識者を悼む 康成 23
木刻
杜留・康姆背爾諦／約翰・法雷／季瀾／
白光／魏醒 24
幽霊〔小説〕
モーパッサン（作）／王衍繹（訳）／韋休
（絵） 25～28
懐かしい北京 吉屋信子 25
文化城〔コラム〕 26～27
兄弟〔小説〕
徳富蘆花（作）／検貝（訳） 28
清明〔詩〕 姜千里 28
憂鬱なる友人〔詩〕 宮頁川 28～29
故郷を去る〔詩〕 蒼影 29
発酵する夢〔小説〕
予岂（作）／楊永（絵） 29～31
寂しい城〔随筆〕 穆阿鹿 30
夕方の風景〔随筆〕 朱媞 31
長江の旅〔随筆〕
張章（作）／牛陽（絵） 32～35
江山／醜い笑い〔随筆〕 韋烽 32
思索の指標〔随筆〕 穀梁異 33～34
一月三日〔随筆〕 祝他 34
編集後記 35

第一二九号　一九四四年五月一日発行

表紙　鷹 福田翠光（絵） 表紙1
目次 1
大事小記〔コラム〕 巌 1
中日文化交流と東亜文芸復興
管翼賢 2～4
南方華僑の覚悟 楢崎観一 4～5
ビルマ・インド国境〔図解〕 江 5
日中合作の前途に関する管見
常盤大定 6～8
ラテン民族の厄運 検貝 8
インド縦横談 厳懋徳 9～11
聖地メッカ巡礼記（抄訳）
鈴木剛（作）／鄭奠（訳） 12～13
大河内輝声と清代の文人（下）
実藤恵秀（作）／奠之（訳） 14～15
現代日本従軍画家スケッチ（二）
猪熊弦一郎 16
国府還都四周年〔グラビア〕 17
海軍節〔グラビア〕 17
インド国民軍、祖国に進攻〔グラビア〕 18～19
万葉集抄（巻九） 張文華（訳） 21～22
音楽美を論じる（五・完） 張源祥 23～24
蘋果園〔随筆〕
地理・生活・文学の進路――「蒙疆文芸特
輯」評 張文華 25～27
即興の感 鮑風 25
思索をめぐって 葉伯巨 26
随感録（上） 紀梅 26～27
随感・随筆 牛膝 27
題名のない短篇〔小説〕 張蔭萱 28～29
変幻〔随筆〕 葉桜 29
手紙〔随筆〕 九郎 29～33
山中の風波〔小説〕 劉詠蓮 30～35
木刻鑑賞
農家　漢斯・巴背（作）／馳（文） 28
鉱山技師
F・ミュラー（作）／楊馳（文） 34
文化城〔コラム〕 33
編集後記 35

第一三〇号　一九四四年六月一日発行

表紙　廬山の滝　矢野鉄山（絵）　表紙1
目次　1
大事小記〔コラム〕　施　1
中国の有識者に告げる　和田清　2〜6
中国文化と世界使命　江亢虎　2〜4
インド国民軍、祖国に攻め入る
今村得之（作）／奠之（訳）　6〜7
一欄課題〔コラム〕
文化と民族精神　趙丁一　6〜8
もっと進化すべき　辛暮　8
井上博士の「易哲学の疑義について」に答える　呉鳴堂　8〜10
万葉集抄（巻十）　張文華（訳）　10〜11
知識メモ――梅雨　康成　11
苔岑詩壇
仁賀保成人／玉木懿夫／松林篤　12
学業を終えた中国孤児が帰国　12
祖国解放のために戦う〔グラビア〕　13〜15
日本陸軍美術展〔グラビア〕　16〜19
現代日本従軍画家スケッチ（三）　吉岡堅二　17〜18
山川・風土・人物（一）――崔承喜　陳乃勇　17〜19
漫画・素描
高棲／炳華／若草／梁津　18〜19
蘋果園〔随筆〕
物語、そのほか　董直　21〜22
評〔書評〕　崔雄／沙蘭／麦波　21〜22
料理人と客の問題　孟隼　22
即興の感　鮑風　22
批評と悪口　首陀　22〜23
随感録（下）　紀梅　23
剪〔文化情報〕　23
海の向こうの声――中国の姉妹へ一言
〔随筆〕　村岡花子　24
驟雨〔随筆〕
馬場孤蝶（作）／李翔（訳）　25
山居〔詩〕　田蕪　24
帰郷〔詩〕　畢励　24
感覚〔詩〕　王埣　24
失題〔詩〕　楊濤　24〜25
前夜〔詩〕　呉春草　25
洮児河〔詩〕　沈氷魚　25
秦の始皇帝〔詩〕　華青　25
親父の手紙〔随筆〕　姚宝　26〜31
文学散歩――病に支配されたモーパッサン　海揚波　26〜27
哲学散歩――実践に熱心なフィヒテ　修伯　27〜28
木刻鑑賞――風車／泊
維利・弗庫斯（作）／楊馳（文）　29
文化城〔コラム〕　30
編集後記　31

第一三一号　一九四四年七月一日発行

表紙　朝風　福岡青嵐（絵）　表紙1
目次　1
大事小記〔コラム〕　1
中日文化交流の前提　許力求　2〜3
中国の女性知識人に与える
井上秀（作）／奠之（訳）　3〜5
一欄課題〔コラム〕
抗戦と全面和平　索之　4
自己を認識せよ　梁篤　4〜5
学芸知識〔コラム〕　5
現段階の中国文学の進路
柳龍光／島田政雄（作）・伯恩（訳）　6〜8
知識メモ――椰子　華夏　8
選挙前夜の米国の政治情勢
高田市太郎　9〜10
内地文化の動静脈（上）
徐恒芝（作）／唐静（抄訳）　10〜12
黎明の昭南島〔グラビア〕　13
第二戦線、ようやく独軍の迎撃を受ける〔グラビア〕　14〜15
漫画・素描・木刻〔グラビア〕
牛鼎／林白影／趙浩／高炳華／葉行寅／平凡／穆羊　16〜18

山川・風土・人物(二)――原始舞踊〔グラビア〕 16～17
現代日本従軍画家スケッチ(四) 清水登之 18～19
敵機を撃滅しよう！ 18～19
万葉集抄(巻十二) 張文華(訳) 21～22
美術散歩――一頭の最古の牛 江葉梁 21～22
文学散歩――晩年のハウプトマン 馬奇 22～23
東西美術の性格 李衍 22～25
木刻鑑賞――雪後 藤牧義夫(刻)／馬夫(文) 25
蘋果園〔随筆〕
感 阮幸生 26
「棺を蓋いて事定まる」を論ずる 矢真 26～27
悪評について 孟隼 26
個性と技巧 浅原六朗(作)／祝他(訳) 27
文化城〔コラム〕 27
日本童話選
島崎藤村(作)／揚波(訳)／荘煦(訳) 28
ドイツ寓話
G．レッシング(作)／鄭奠(訳) 28～30
市街の騒擾から遠ざかる〔随筆〕
野口米次郎(作)／新玲(訳) 28
訴えたい〔随筆〕 司馬琯 28～29
病床記〔随筆〕 朱媞 29～31
学芸知識〔コラム〕 30
編集後記 31

第一三二号　一九四四年八月一日発行

表紙　葡萄 斉白石(絵) 表紙1
日本帝国政府声明 1
大事小記〔コラム〕 1
目次 1
七七事変記念日の感想 尹天哲 2
いい加減にできない〔コラム〕 朱佩 2
日中提携と大東亜建設 岩垂憲徳 3～4
本誌創刊六周年〔広告〕 4
第二戦線とソ連 馬場秀夫 5～6
激戦中の北フランス〔図解〕 6
現段階の中国文学の進路 呉自厳 7
関西留学生座談会――決戦下の日本学生に対する印象
張源祥／黄頌徳／徐朝宗／張知夫／孫廷璋／何広尚／凌皓帆／鄭孝舜。引田編輯長／本誌編輯同人 8～9
知識メモ――地図の読み方 高芳 9～10
熱と誠の呼応〔投稿〕
山崎良三／笹川儀三郎／大谷晃一 10
内地文化の動静脈(下)
徐恒芝(作)／唐静(抄訳) 11～12
文化城〔コラム〕 12
磐石不動の日本海軍〔グラビア〕 13～15
無人機の解剖〔グラビア〕 唐道尚 16
時局常識〔コラム〕 羽衣 17
ドイツの戦争壁画〔グラビア〕 17
山川・風土・人物(三)――暗黒大陸〔グラビア〕 賢之 18
漫画・素描・木刻
郭任遠／曹幸／経羽／劉済時／李培昌／葉末行 19
美術――墓室の中の壁画 丁静 19
万葉集抄(巻十二、十三) 張文華(訳) 21
中国の日記(上) 玉井幸助 22～23
哲学散歩――ハイデッガー 修伯 22～23
蘋果園〔随筆〕
通俗小説について 艾岩 24
訳文雑談 阿関 24～25
「親父の手紙」を評す 超塵 24
批評随感 莫須有 25
断想 力兵 25
雲影〔随筆〕
阿部静枝(作)／麦浪(訳) 26
新居雑記 蘇夫 26
夜／車／憂鬱な夢〔詩〕 紫荊 26～27
滄州〔詩〕 荷山 27

鄴城の祭典〔小説〕 張蔭萱 27〜31
半頁小説
霧 陶望 28
慈愛の心 滕大翼 28〜29
ある夜〔随筆〕 王者幹 30
編輯後記 31

第一三三号 一九四四年九月一日発行

表紙「女」 田村孝之介（絵） 表紙1
目次 1
大事小記〔コラム〕 1
日本新内閣の性格と陣容 永戸政治 2〜3
決戦期に我々が持つべき認識 管翼賢 4〜5
ドイツ軍の三面作戦
寺村誠一（作）／伯恩（抄訳） 6〜7
時局常識〔コラム〕 7
日中学界提携の方法 石田幹之助 8〜10
現段階の中国文学の進路 引田春海 8〜9
中国映画に対する印象――『万世流芳』をめぐって〔座談会〕
金子二郎／張源祥／伊藤慶之助／角田敬三／深山杲／村上忠久／清水光／小倉浩一郎／徳光文美。本社：開田靖一／引田編輯長 10〜12
文化城〔コラム〕 12
日本新内閣の成立〔グラビア〕 13
セレベス素描〔グラビア〕 14〜15
飛行機の設計と製作〔グラビア〕 16
自走砲〔グラビア〕 王嘉 17
知識メモ――切手 山峭 17〜19
山川・風土・人物（四）――ニューギニアの芸術 高芳 18
漫画・素描
喬留生／白厨川／平凡／王成 19
美術散歩――ラムセス二世の彫像 静 19
万葉集抄（巻十四、十五）
張文華（訳） 21
中国の日記（下）
玉井幸助（作）／龔之（訳） 22〜23
木刻鑑賞――牛と空
平塚運一（刻）／田進（文） 22
文学散歩――七十九歳の老やもめ 李衍 23
蘋果園〔随筆〕
論争二、三 斉楚斗 24
訳文について 常良 24
舵を切る人と二股をかける人 莫須有 24〜25
王先生が「即景の感」を読む 鮑風 25
遁世するタイプ 司空痴 25
仰ぐ 胡彦 25
訳叢
波の音
武者小路実篤（作）／金森（訳） 26〜27
武者小路実篤について
川端康成（作）／馬奇（訳） 26
偶感
武者小路実篤（作）／謝青（訳） 27
その絵を讃える
武者小路実篤（作）／崔雄（訳） 27
うぬぼれ
武者小路実篤（作）／魯莱（訳） 27
神よ／ドストエフスキーの瞼／喜悦〔詩〕
武者小路実篤（作）／魯莱（訳） 27
中国画をみる〔詩〕
武者小路実篤（作）／祝他（訳） 27
学芸知識〔コラム〕 27
監督ハリファックスの挿話〔小説〕 姜彦 28
お腹が痛い〔半頁小説〕 荘哲 28
終わった旅〔随筆〕 朱媞 29
友人に寄せる〔随筆〕 丁静 29〜30
静かな思索〔随筆〕 姜千里 30
唖然とする悲哀〔随筆〕 安光 30〜31
古都〔詩〕 田蕪 30
猫の遊び〔詩〕 白荊 30
荒村の夜〔詩〕 東方鴻 30
木刻 馮世達 30

編輯後記 31

第一三四号　一九四四年一〇月一日発行

表紙　秋風　伊藤慶之助(絵)　表紙1
目次 1
大事小記〔コラム〕 1
大東亜経済建設の原則　公理 2～3
日本人の中国語研究　実藤恵秀 3～5
時局常識〔コラム〕 4、6
中国の服装
　小田嶽夫(作)／龔之(訳) 5～6
米国の人性とその理想
　高田市太郎(作)／凡節(訳) 7～8
ヒトラー総統暗殺未遂の経緯
　寺村誠一 8～10
ジークフリート線〔図解〕 9
大東亜共益社会論　程公俊 10
戦時下の流行性感冒　王洛 11
文化城〔コラム〕 12
必勝決戦議会〔グラビア〕 13
昭南博物館一瞥〔グラビア〕 14～15
ロケット式飛行機〔グラビア〕　王嘉 16
世界最初の市内電車〔グラビア〕
　維静 16
知識メモ――グラビアの製版と印刷
　満福 17
素描
　高炳華／阿処・康夫／王益軒／若草／王
　成 18
万葉集抄(巻十六、十七)　張文華(訳) 19
蘋果園〔随筆〕
　筆調・性霊・閑適　莫須有 21
　「一筆作」とは　魏野平 21
　読書小記　姜千里 21～22
　何其芳と彼の散文　魯植 22～23
学芸知識〔コラム〕 22
木刻鑑賞
　人像　K・ハニー(刻)／平凡(文) 23
　人像
　　F・マシリール(刻)／田進(文) 23
訳叢
　蝿〔小説〕
　　横光利一(作)／張葆(訳) 24～26
　横光利一論
　　浅見淵(作)／幸人(訳) 25
　いわゆる実験者(『覚書』抄訳)
　　横光利一(作)／金森(訳) 26
　小説と時間
　　横光利一(作)／路光(訳) 26
哲学散歩――ニーチェのこと　修伯 27
苦い涙〔随筆〕　韋中蘭 27
散文
　献祭　蘇夫 28
　別れ　馮冷 28
　星光　西葦 29
　随感随筆　孫路伊 29～30
　黄昏　翟君聖 30～31
半頁小説
　老李の一年間　修佩 28
　皮膚の色　淀姫 29
　実験　李希廸 30
編輯後記 31

第一三五号　一九四四年一一月一日発行

表紙　長江万里　矢野鉄山(絵)　表紙1
目次 1
大事小記〔コラム〕 1
本誌六周年記念原稿募集当選発表 1
本誌六周年記念感想　引田哲一郎 2～3
本誌六周年原稿募集当選作
　大東亜戦争必勝の信念　秋蒿 2～3
　中国民族意識の発揚　呉南緯 3～4
時局常識〔コラム〕 4
大東亜文学者大会へ　管翼賢 5～6
中国文芸復興の私見　河上徹太郎 6～8
西南太平洋略図〔図解〕 8
理解と愛〔随筆〕
　阿部知二(作)／龔之(訳) 9～10
黒い潮〔評論〕　梁桑 10～11

第三回大東亜文学者大会日本代表紹介 11
文化城〔コラム〕 12
フィリピン、英米に宣戦〔グラビア〕 13
海鷲――日本海軍航空隊〔グラビア〕 14～15
世界木刻選〔グラビア〕 R. Gibbings／E. Schlangennausen／B. Osimo／V. Favorsky／P. Pavlinoff／C. Leightou／E. F. Daglish／石井鶴三／F. M. Janfen／F. Byangwyn／HansPape／W. K. 16～17
知識メモ――編輯事情〔グラビア〕 曹幸 18
訳叢(三)
遺言〔随筆〕 ロダン(作)／大辛(訳) 20～22
ロダン A. バスラー(作)／丁静(訳) 21
断片的な手記 ロダン(作)／郭傑(訳) 22
万葉集抄(巻十八、十九) 張文華(訳) 23
雨の感想〔随筆〕 周作人 24～25
私の感想と日本〔随筆〕 梅娘 25～26
半頁小説
志願兵 労力 27
一箱の煙草 邦容 27
本誌六周年原稿募集当選作
二つの部族〔民間伝説〕 長白 28
石湖〔民間伝説〕 盧華 28～29
霜花〔詩〕 韋長明 29
橋上〔詩〕 姜千里 29
黄昏の雨〔詩〕 前人 29
帰来〔詩〕 南宮絜 29
蘋果園〔随筆〕
悪凶 莫須有 30
雑感 休敬 30
民間文学について 若言 30
編輯室談話 31

第一三六号 一九四四年一二月一日発行

表紙 武蔵野の秋 福田惠一(絵) 表紙1
目次 1
大事小記〔コラム〕 1
汪主席を悼む
偉大なる人の死 2～3
日本帝国政府の声明 2
陳公博氏、主席を代理 3
最後まで徹する火の信念 3～4
大東亜戦争三周年を迎えて 引田哲一郎 4～6
敵陣展望 上原虎重 5～7
文化城〔コラム〕 7
本誌六周年原稿募集当選作
大東亜戦争必勝の信念 玉璋 8～9
中国民族意識の発揚 李欣 9～10
中国青年学生との談話 伊藤貴麿 10～12
万般〔コラム〕 眞之 12
永遠なる偉人〔グラビア〕 13
汪主席の霊柩が帰国〔グラビア〕 14
回想・汪主席〔グラビア〕 15
独立条約に歓喜する東インド民族〔グラビア〕 16～17
最近の欧亜戦況〔図解〕 18
日本で流行している空気電池 張葆(訳) 19
万葉集抄(巻二十) 張文華(訳) 21
訳叢(四)――世界作家の日記抄訳
渋民日記 石川啄木(作)／何畏(訳) 22
感想日記 アミエル(作)／祝他(訳) 22～23
十千万堂日録 尾崎紅葉(作)／之淳(訳) 23
ルーマニア日記 カロッサ(作)／柴柯(訳) 23～24
勝利の日記 ゲッベルス(作)／金堅(訳) 24
トルストイ日記 トルストイ(作)／高慈(訳) 24
ジッドの日記

ジッド（作）／何畏（訳）　24
本誌六周年原稿募集当選作
「痧薬」はこのように発明された〔民間伝説〕　莫誼　25
寂しい葦〔民間伝説〕　精競　26～27
半頁小説
祝寿　希穆　26
銭先生　佳田　26～27
蘋果園〔随筆〕
正しい文学　孟隼　28
文章の感想　荷山　28
三つの感想　後旗　28
詩選
贈　楊悌　29
離郷　王羊　29
荒れた邸　劉肇霖　29
霧の海　韋長明　29
脳　柏緑　29
戻ってきた一通の手紙〔随筆〕　姜煥　30
窓辺の草〔随筆〕　張蔭萱　30
某夜〔随筆〕　鄭蕪　30
君たちから離れる〔随筆〕　朱佩　30～31
編輯後記　31

第一三七号　一九四五年一月一日発行

表紙　小鳥　板倉星光（絵）　表紙1
大事小記〔コラム〕　1
目次　1
新春の感　引田哲一郎　2～3
大東亜戦争第四年目を迎えて　王克敏　2～3
汪主席の逝去と華北民衆の持つべき認識　喩熙傑　3～5
中国の覚悟　管翼賢　5
中国知識界に与える　高坂正顕　6
中国文学者に寄せる　横光利一　7～8
知識メモ――葡萄閑話　麦浪　8
戦時下米国の治安　大森洪太（作）／杜偉（抄訳）　9～10
時局常識〔コラム〕　10、21
日本の教育問題について　汪向栄　10～11
文化城〔コラム〕　12
戦機熟成、レイテ沖決戦！〔グラビア〕　13～15
飛行機生産に挺身する日本女性〔グラビア〕　16～17
ロケットの噴射推進装置〔グラビア〕　王嘉　18～19
ドイツの二つの有力な兵器〔グラビア〕　岩濤　19
三十三年前の回憶〔随筆〕　鴻山俊雄　21
万般〔コラム〕　奠之　22
訳叢（五）
子供の世界　有島武郎（作）／高芳（訳）　23
児童文学の精神　古谷綱武（作）／後先（訳）　23～24
童話文学　坪田譲治（作）／光軍（訳）　24～25
児童文学の芸術性と非芸術性について　百田宗治（作）／祝他（訳）　25
学芸知識〔コラム〕　25
君と臣の物語〔小説〕　孔烈　26～27
壮行〔小説〕　蔣芳洲　27～30
半頁小説
自分の責任　樹屏　28～29
父と子　李希廸　29
荘周の死〔小説〕　楚眉　30～31
編輯後記　31

第一三八号　一九四五年二月一日発行

表紙　雪の後　中野草雲（絵）　表紙1
大事小記〔コラム〕　1
目次　1
アジアの命運　永戸政治　2～3
解剖――ルーズベルトの教令／火薬庫の中のギリシャ　3
一年間の日本文化の回顧と展望　吉屋信子　4～5

江蘇の旅　那波利貞　6～8
解剖――アメリカ軍のホラ話／英米悩みの
　ポーランド問題　7
清郷工作考察記　張源祥　8～10
雲南の回想　島田俊雄　10～11
渦中のバルカン〔図解〕　11～12
轟沈〔グラビア〕　13
比島、激烈な戦況〔グラビア〕　14～15
空から敵陣に奇襲〔グラビア〕　16～17
素描
　郁鵬程／捷克／姜肇雨／秋山／周羽　18～19
航空用地上認識機〔グラビア〕　鉄夫　19
知識メモ――銀の世界　谷霊　21～22
万般〔コラム〕　奠之　22
友を懐う〔随筆〕　蕭艾　23～25
達仁という和尚〔小説〕　之淳　25～26
半頁小説――気が小さい　馬崑　26
愚かな子〔随筆〕　朱媞　27
残されたロウソク四本〔小説〕　穀梁異　27～28
紅低廊詩抄〔詩〕　荷山　28
酩酊の涙〔詩〕　王羊　28
鐘〔詩〕　汪琪　28
偶成〔詩〕　柳寂　28
宮本武蔵（上）〔小説〕
　吉川英治（作）／徳仁（訳）／石井鶴三（絵）　29～31
文化城〔コラム〕　30
編輯後記　31

第一三九号　一九四五年三月一日発行

表紙　春と鶯　福田翠光（絵）　表紙1
大事小記〔コラム〕　1
目次　1
自己実践を忘れず　管翼賢　2
解剖――ソ連とスエズ運河　2
決戦下の青年の進路　陳宰平　3
新中国青年に告げる　尾崎卓郎　4～5
医学界における日中提携　布施信良　5
イギリスの命運　金堅　6～7
解剖――米英ソ三国会談　7
国際文化生活の動静脈　鄭奠　8～9
戦後の科学
　莎渥徳・泰納（作）／劉振強（訳）　10～11
噴射推進式飛行機〔コラム〕　11
文化城〔コラム〕　12
日本の新精鋭飛行機〔グラビア〕　13～15
楽しい前線生活〔グラビア〕　16～17
東アジアの戦線〔図解〕　18～19
日本のペニシリン研究〔グラビア〕　18～19
知識メモ――ダイヤモンド　徳恵　21
万般〔コラム〕　麦浪　22
ビルマ、インド辺境の旅
　ヘルベルト・ティヒー（作）／七紅（訳）　23
学芸知識〔コラム〕　23
吉夢雑談　村上知行　24～25
雑文の新方向　胡秉　25
李太白の作品について　卓功　26～27
南行の夢〔随筆〕　胡宗慤　27
湖畔手記〔随筆〕
　葛西善蔵（作）／新玲（訳）　28
譫語〔詩〕　竹渓（作）／鉄漢（訳）　28
宮本武蔵（中）〔小説〕
　吉川英治（作）／徳仁（訳）／石井鶴三（絵）　29～31
幸福の船〔詩〕　蘇夫　30
編輯後記　31

第一四〇号　一九四五年四月一日発行

表紙　雲雀　板倉星光（絵）　表紙1
大事小記〔コラム〕　1
目次　1
日中の反省と自覚　加藤繁　2
解剖――欧洲通貨のインフレーションの惨
　状／曖昧なチャーチルの言葉　2、3
「三国会談」を評す　林三郎　3～4
特攻隊　横光利一　4
米国人の残虐性　小泉信三　5

米国黒人兵の問題　程公俊　6〜7
私の期待　鴻山俊雄　7
神経戦　林齇(作)／杜偉(訳)　8〜9
ドイツ文化の起源・ライン川　谷霊　9
華北における棉花増産の現段階　10〜11
解剖――アメリカの西アジア操縦　11
文化城〔コラム〕　12
世界切手文化展〔グラビア〕　山峭　13
決戦下日本の尼僧の生活〔グラビア〕　14〜15
万般〔コラム〕　麦浪　17
中国哲学の路線(上)　張深切　18〜19
自然と人為　内山完造　19〜20
現代ドイツの文芸思潮(上)　高橋健二(作)／冉邕(訳)　21〜22
アメリカ文学の或一面　片岡鉄兵(作)／伯恩(訳)　22〜23
宮本武蔵(下)〔小説〕　吉川英治(作)／徳仁(訳)／石井鶴三(絵)　24〜26
哲兄を憶う　鳴潔　26〜27
編輯後記　27

第一四一号　一九四五年五月一日発行

表紙　春宵　中野草雲(絵)　表紙1
反枢軸国の平和保障案を論ずる　神崎驥一　1〜3
目次　1
政府と人民　王蔭泰　2
戦争と料理　下田吉人　3〜4
本刊七周年記念原稿募集〔広告〕　4
日中合作映画論　筈見恒夫　5〜6
中国哲学の路線(中)　張深切　7〜8
万般〔コラム〕　麦浪　8
鈴木内閣成立〔グラビア〕　9
「文楽」紹介〔グラビア〕　山口広一　10〜11
上村松園女史を訪ねる　白神喜美子　12〜13
文化城〔コラム〕　13
現代ドイツの文芸思潮(中)　高橋健二(作)／冉邕(訳)　15〜17
最短の物語〔小説〕　山口秋風(作)／蕭詢(訳)　17〜19
感想録　念金華　19
幽冥の友へ〔随筆〕　金森　20
鼬〔寓話〕　恒虹　20
車窓吟〔詩〕　柳寂　20
生の歌〔詩〕　沉氷魚　20
詩人の恋〔小説〕　姚宝　21〜23
編輯後記　23

※以下、〈上海版〉

創刊号　第九巻第九期　第九七号　一九四二年一一月一日発行

表紙　少女　陳抱一(絵)　表紙1
目次　1
風聞言事〔時事〕　捕風　1
夜航(本誌創刊四周年記念作品募集当選作)〔小説〕　藍苓(作)／一萍(絵)　2〜9
「夜航」読後の私見　傅彦長　2
十年後の大東亜(本誌創刊四周年記念作品募集当選作)　石瑩　10〜14
「十年後の大東亜」審査意見　楊光政　10
我が国と我が民(本誌創刊四周年記念作品募集当選作)〔漫画〕　竇宗淦　15
大東亜戦争に関する所見　林柏生　16〜17
華文論　何海鳴　17〜18
新しい新疆と盛世才　陳彬龢　19〜20
ウィルキー、無駄に駆けずり回る　姜天航　21〜23
大東亜文化の展開　周毓英　24〜27
孔子の遺教で共栄圏の基礎を完成させる　呉家煦　28〜30
四年来の体験と教訓　趙如珩　31〜32
木刻　王迎暁　32
新中国の軍備の威容〔グラビア〕　33

上海の新状況〔グラビア〕 34〜35
深秋〔グラビア〕 36
本誌創刊四周年記念作品募集当選発表
大阪毎日・東京日日新聞社『華文毎日』 37
近代中国国家元首の印象記（一） 江亢虎 38
戦時国際法（十八） 鄭吾山 39
袁中郎を論ずる 克展 40〜42
東方大港の話（一） 達愚 42〜45
「蜀中七記」を弁ずる 離石 44〜45
新文学運動について 龔持平 46
尊敬と親愛から語る〔評論〕 傅彦長 47
酒と文学を語る 陳柱 48〜49
登高〔随筆〕 南薫 49〜51
木刻 顧芸華 51
欧米派について 亢徳 52
舞台生活四十年 梅蘭芳 53〜54
孔聖の誕生日前夜の月〔随筆〕 龔意平 55〜56
瓜の棚の雑談 陳学稼 56〜57
『博愛』〔映画評〕 鋼人 58〜59
「大馬戯団」〔劇評〕 魯卒 59
孟姜女考略など 南容 60〜61
馬弔牌を談ずる 静生 61〜63
著名画家・陳抱一氏――本誌表紙作者紹介 63
鉄窓生活の記録（一） 楊光政（作）／李是聞（絵） 64〜67
編輯後記 編者 68

第二号　第九巻第一〇期　第九八号　一九四二年一一月一五日発行

表紙　玫瑰 陳抱一（絵） 表紙1
目次 1
風聞言事〔時事〕 捕風 1
黄金色の貝殻（四周年記念作品募集当選作）
〔小説〕 呉山青（作）／陳一萍（絵） 2〜8
「黄金色の貝殻」読後の私見 傅彦長 2
和平文化の指標（本誌四周年記念懸賞募集
当選作） 沐華 9〜13
「和平文化の指標」審査意見 楊光政 10
二十四番風歌用壬午高考典襄監委姓字 康瓠 12
大東亜戦争下の映画政策とその創造 徐公美 14〜19
日本美術紹介――人形 馮貫一 20〜23
戦時国際法（十九） 鄭吾山 24
大東亜戦争博覧会〔グラビア〕 25
新生南洋巡礼〔グラビア〕 26〜27
近代中国国家元首の印象記（二） 江亢虎 29
トルコの中立問題 方済 30〜31
我が国と我が民〔漫画〕 竇宗淦 32〜36
「詩経」における東亜民族精神 張江裁 33〜37
清代の駐日大使・黎庶昌 楊鴻烈 38〜39
裾を絶つ〔劇脚本〕 仲文 40〜41
新京三日〔随筆〕 楊敬遠 42〜43
棄てられた女の訴え〔詩〕 克幻 43
夢を織る者〔詩〕 白濤 44
岩山に登る〔詩〕 楊即墨 45
喨々たる声〔詩〕 克幻 45
幻〔小説〕 劉蕚 46〜47
鉄窓生活の記録（二） 楊光政（作）／李是聞（絵） 48〜50
編輯後記 編者 51

第三号　第九巻第一一期　第九九号　一九四二年一二月一日発行

表紙　犬 関紫蘭（絵） 表紙1
目次 1
星光（四周年記念募集当選小説） 王静（作）／江濤（絵） 2〜8
「星光」読後の私見 傅彦長 2
東亜軸心の強化と大東亜建設の前途 銭仲華 9〜11
全体主義と東方文化精神 関堃屋 12〜14
中国の新青少年運動――林柏生・陳漪堃談 15〜16

青年運動の回顧　江克　16
漫画　江棟良／S・K　17
大上海の珍文献を見る――松太十県の地方史　陳端志　18〜22
弘一法師の入寂　彼鷗　22
戦時国際法（二十）　鄭吾山　23
近代中国国家元首の印象記（二）　江亢虎　24
国父・孫中山誕生記念日〔グラビア〕　25
大東亜親善体育大会〔グラビア〕　26〜27
秣陵竹枝詞〔詩〕　十翁　29〜30
私が官吏になったら　周毓英　31〜32
舞台生活四十年（二）　梅蘭芳　33〜34
上海雑談　柳黛　34
文壇閑話　方衛　35〜36
木刻　三江　37
桃色の牢屋〔小説〕　江上風　37〜41
失恋〔小説〕　剛克　42〜43
木刻　陳応　44
生活〔随筆〕　路鵲　44〜45
洋画家・関紫蘭女史――本誌表紙作者紹介　記者　45
鉄窓生活の記録（三）　楊光政／李是聞（絵）　46〜50
編輯後記　編者　51

（作成：牛 耕耘／ぎゅう こううん）

復刻版　華文大阪毎日　別冊
第4回配本・全3巻・別冊1
解　説　岡田英樹・関智英・羽田朝子
総目次
索　引　牛耕耘
2023年7月25日　初版第一刷発行
発行者　小林淳子
発行所　不二出版　株式会社
〒112-0005
東京都文京区水道2-10-10
電話　03（5981）6704
http://www.fujishuppan.co.jp
組版／昴印刷・修学舎　印刷・製本／昴印刷

第4回配本・全3巻・別冊1セット　揃定価85,800円（揃本体78,000円＋税10％）
（分売不可）ISBN978-4-8350-8395-7
別冊　ISBN978-4-8350-8389-6

2023 Printed in Japan

監修・解説

岡田英樹（おかだ・ひでき）

一九四四年生まれ。立命館大学名誉教授

主な編著書等　『文学にみる「満洲国」の位相』（研文出版、２０００年）、『文学にみる「満洲国」の位相 続』（研文出版、２０１３年）、『「満洲国」の文学とその周辺』（東方書店、２０１９年）、『血の報復「在満」中国人作家短篇集』（王秋蛍ほか著、訳編、ゆまに書房、２０１６年）ほか

解説

関智英（せき・ともひで）

一九七七年生まれ。津田塾大学学芸学部国際関係学科准教授

主な編著書等　『対日協力者の政治構想 日中戦争とその前後』（名古屋大学出版会、２０１９年）、『グレーゾーンと帝国 歴史修正主義を乗り越える生の営み』（高綱博文・門間卓也共編、勉誠出版、２０２３年）、『概説 中華圏の戦後史』（東京大学出版会、２０２２年）ほか

羽田朝子（はねだ・あさこ）

一九七八年生まれ。秋田大学教育文化学部地域文化学科准教授

主な編著書等　『ペストの古今東西 感染の恐怖、終息への祈り』（佐藤猛・佐々木千佳編、秋田文化出版、２０２２年）、『離散と回帰「満洲国」の台湾人の記録』（許雪姫著、共訳、東方書店、２０２１年）、『偽満洲国文学研究在日本』（大久保明男・岡田英樹・代珂編、北方文藝出版社、２０１７年）ほか

総目次・索引

牛耕耘（ぎゅう・こううん）

一九八六年生まれ。東京都立大学人文社会学部助教

主な編著書等　『山丁作品集』（編、北方文藝出版社、２０１７年）、『偽満洲国日本作家作品集』（共編、北方文藝出版社、２０１７年）、『「満洲国」時期の中国人作家・作品に関する資料調査および関係者へのインタビュー 作家山丁の「満洲国」時代を中心に』（富士ゼロックス株式会社小林基金編・発行、２０１７年）ほか

Ⅳ

作者名索引

牛　耕耘（編）

作者名索引・凡例

1）本作者名索引輯録了大阪毎日新聞社・東京日日新聞社編輯・発行的《華文大阪毎日》（従第101号起改称《華文毎日》）的作者名。始於第1巻第1期（1938年11月1日），終於第141号（1945年5月1日），即通巻第1号到第141号。同時輯録了該刊〈上海版〉第1号至第3号（1942年11月1日—1942年12月1日）的作者名。

2）按照拼音排序。標注順序為：作者、通巻号数—頁数。無法判読的作者名収録在最後的“其他”項目。

3）原則上按照原文録入，明顯的錯別字和漏字的地方由編者做了糾正和補充。

4）因原本頁面模糊無法辨認的文字，用“●”代替。如：丁聴●。

5）署名為“本刊記者”“記者”“編者”“主幹”的作者、従略。

6）不標注作者的筆名或原名。

『華文大阪毎日』作者名索引

A

阿　　部　49-54
阿部靜枝　116-1, 132-26
阿部淑子　37-15
阿部賢一　3-33, 79-7, 83-12, 89-2
阿部信行　55-2
阿部眞之助　8-6
阿部知二　135-9
阿處・康夫　134-18
阿　　茨　36-68
阿　　大　20-8, 21-10, 28-32, 30-30
阿　　闞　132-24
阿　　虎　31-45
阿　　華　21-16, 73-46
阿　　金　31-50, 32-45
阿　　里　36-60, 54-37
阿魯茲羅・M・托林基諾　119-11
阿　　犨　7-38
阿　　甦　18-23, 21-11, 45-17
阿　　燕　1-39
艾　　果　123-21
艾　　磊　109-15
艾　　玲　96-46
艾　　岩　132-24
愛甲尼・巴遜尼　98-21
愛 彌 爾　136-22
愛因支希　32-8
愛　　子　14-27
安倍留治　68-17
安　　本　41-32, 42-16, 43-32, 44-12, 45-12, 46-14, 47-34, 48-16, 49-62, 50-14, 51-22, 52-32
安部溟鵬　19-24
安　　地　34-14
安東亀太郎　110-39
安東重紀　21-5
安岡瓠堂　2-15
安　　光　133-30
安 廣 伴　12-22, 16-29
安廣龍峯　46-29
安　　郎　58-18
安　　犀　103-7, 105-20
安 尹 靜　37-18
安宅彌吉　4-7
岸 信 介　70-9
奥村喜和男　49-54
奥村信太郎　5-15, 64-8, 65-20
奥 亨 利　67-45
奥平定世　92-11
奥 無 聲　19-24

B

八坂喜久子　37-15
八野井實　4-33
巴比尼，G　49-32
巴　　客　126-28
巴　　炎　105-31
白　121-31
白 寶 媛　33-46
白 厨 川　133-19
白 放 翁　17-38
白　　峰　46-12

白　鋒　18-30, 27-40
白　彿　12-23, 19-42, 29-58, 33-40, 64-43
白　光　7-17, 8-25, 113-25, 116-23, 123-21, 128-24
白　樺　22-44, 35-34, 39-42, 42-30, 48-30, 49-64, 50-37, 51-30
白今愚　7-17, 8-25
白　荊　133-30
白井喬二　108-10
白　練　65-47
白　林　96-33
白　玲　68-41
白　鷺　65-43
白夢異　106-42
白水亘　63-9, 64-11, 65-34
白　濤　(上海版)98-44
白廷賛　7-47, 8-47, 9-47, 10-47, 11-47, 12-47, 13-47, 14-47, 15-47, 16-47, 17-51, 18-51, 20-51, 21-51, 22-51, 23-51, 24-51, 25-79, 26-51, 27-51, 28-51, 29-71, 31-55, 32-51, 33-51, 34-51, 35-51, 36-87, 37-52, 38-51, 39-55, 40-51, 41-51, 42-51, 44-51, 45-51, 46-51, 47-51, 48-51, 49-79, 50-52, 51-51, 52-50, 53-49, 54-51, 55-51, 56-51, 57-51, 58-52, 61-50, 62-50, 63-50, 64-50, 65-51, 66-50, 67-50, 69-50, 70-50, 71-50, 72-50, 74-51, 75-51, 77-50, 78-51, 79-50, 80-51, 81-51, 82-51, 83-50, 84-50, 85-50, 86-50, 88-50, 90-50, 91-50
白　葦　104-19
白　文　99-24
白文會　90-8
白　鶩　84-29
白　心　101-11
白　衣　22-11, 26-19, 27-31, 28-11, 38-12, 57-6, 61-14
白　芷　10-29, 23-13, 41-37
白神喜美子　141-12
白　羽　6-36, 8-34, 9-38, 10-32, 11-34, 12-30, 13-28, 14-30, 15-32, 16-32, 17-44, 18-46, 20-48, 22-19, 23-22, 24-22, 25-34, 26-22, 27-22, 28-20, 29-30
百々正雄　57-8, 80-8
百田宗治　137-25
柏　綠　103-13, 136-29
柏　樸　58-40
栢　江　116-23
拜克夫, H　72-29, 73-30, 75-33, 76-34
拜　倫　50-37
拜　石　6-21, 14-24, 15-21, 19-45, 20-6, 22-37, 23-19, 36-63, 66-16・18, 69-13, 74-16
班書閣　29-29, 30-20, 31-11
阪南生　125-15
坂野大龍　14-18
板倉進　76-4
板倉星光　124-封面, 137-封面, 140-封面
板垣征四郎　9-3
邦　容　135-27
包姆加敦　32-8
薄恕一　18-29, 24-29
薄田泣菫　99-34, 100-15・50, 101-50, 110-39
保　祿　86-51, 93-2
葆　廉　14-28, 16-41
葆　眞　47-39
鮑　風　110-37, 129-25, 130-22, 133-25
鮑金鉅　111-23

鮑　犂　128-23
鮑文樾　60-2
北川冬彦　50-43
北川正夫　47-6
北村謙次郎　50-40
北村透谷　41-30
北村小松　19-14
北條清一　20-6
北　燕　99-39
北　野　121-21
孛　力　21-40
蓓蕾拉，M. R.　119-12
本多熊太郎　63-2, 65-5
本位田祥男　6-3, 23-2
比　亞　97-14
彼　鷗　(上海版)99-22
畢伽索　63-23
畢　勵　130-24
氷　壺　41-37
氷　旅　95-32, 109-39
冰　壺　68-45
冰　旅　87-33, 88-37, 91-37
冰　人　4-22
丙　阜　104-25
丙　昭　122-21
秉　慈　24-17
秉　琪　106-35
炳　華　130-18
波良多　121-33
伯　達　25-69, 28-31, 30-35, 31-45, 43-37
伯　恩　131-7, 133-6, 140-22
伯　封　39-41, 49-66
伯　光　15-39
伯　仁　42-36, 48-39, 50-29, 63-43
伯　文　31-44, 34-34, 37-32
博　奮　35-35, 48-41, 51-19, 98-23, 108-19
捕　風　(上海版)97-1, (上海版)98-1
不　爲　5-23
不　文　106-19, 110-25
布施勝治　16-9, 30-8, 66-4, 72-11, 73-32, 74-29, 75-16, 76-17, 77-30, 78-29, 79-29, 80-29, 81-19, 107-2
布施信良　139-5

C

蔡　培　82-6, 121-6, 124-10, 125-5, 126-6
蔡　權　11-17
倉石武四郎　64-6
蒼　影　109-36, 128-29
曹涵美　69-19, 70-20, 71-20, 72-19, 73-47, 74-20, 75-20, 76-20
曹金港　27-18
曹來的　24-44
曹樹聲　118-4
曹熙宇　32-10
曹　幸　132-19, 135-18
曹永裕　7-17, 8-25
草　48-18
草野心平　49-65, 119-9
柴霍甫　54-17, 67-48
柴　柯　136-23
禪　聲　122-10
巉　巖　22-14, 29-45, 52-36
長　白　135-28
長　城　122-21
長岡克曉　2-7, 33-2, 39-12, 53-8, 65-21, 81-4, 101-5
長岡來造　117-8
長瀨巴山　3-13
長瀨誠　10-17, 11-13, 12-15
長　崎　37-18

長山義男 37-15
長 東 保 24-29
長潭赤埭 19-24
長野敏夫 52-11
長與善郎 36-65, 37-31
長 澤 越 48-35
常 春 藤 104-32, 107-34, 109-39
常 良 133-24
常盤大定 129-6
超 塵 132-24
朝比奈策太郎 94-2
朝 熹 107-38, 126-32
琛 15-27, 19-20, 21-14, 24-41, 25-61, 27-21
沉 氷 魚 141-20
沉 遅 107-32
陳 邦 直 38-32, 106-8
陳 抱 一 102-20, (上海版)97-封面, (上海版)98-封面
陳 彬 龢 96-2, 98-8, 104-2, 120-6, 126-2, 127-2, (上海版)97-19
陳 超 塵 107-29
陳 承 瀚 38-32
陳 從 善 30-36
陳 大 悲 51-34, 73-37, 76-40
陳 道 量 31-33, 42-29, 50-35, 56-52, 69-10, 71-12, 80-17, 95-7, 116-27, 118-4, 120-32, 125-5, 126-6
陳 蝶 生 8-19
陳 洞 庭 111-23
陳 篤 言 65-15
陳 端 志 79-16, 97-30, 123-11, (上海版)99-18
陳 更 65-29
陳 固 2-36, 3-19, 5-42, 6-23・33, 8-38, 18-32, 19-51, 20-46, 21-39・41, 22-39, 23-45, 25-70・72, 26-41・45, 27-42, 28-48, 30-45, 32-43, 34-40・41, 36-61, 59-44, 60-44, 61-42
陳 灝 11-31, 18-30, 22-33
陳 濟 成 74-11, 112-3
陳 介 107-29
陳 金 錕 71-19
陳 君 慧 86-12
陳 笠 27-18
陳 勵 生 86-29
陳 寥 士 20-20, 25-60, 32-10, 36-26, 87-20・40, 94-18, 119-6
陳 曼 24-10
陳 毛 利 38-32
陳 綿 106-8, 119-9
陳 乃 豐 24-37
陳 乃 勇 130-17
陳 年 5-書首
陳 璞 119-10
陳 羣 60-2, 78-19, 85-16
陳 汝 翼 56-40, 59-40, 60-43, 61-30
陳 紹 裴 105-12
陳 愼 言 1-43, 2-43, 3-43, 4-43, 5-43, 6-43, 7-43, 8-43, 10-43, 11-43, 12-43, 13-42, 18-34, 20-34, 21-32, 31-17, 43-39
陳 時 99-24
陳 述 95-36
陳 松 齡 102-48, 106-8
陳 蕪 28-34, 29-45, 31-38・39, 34-37・38, 37-20, 51-33, 55-40
陳 心 禾 98-46
陳 學 稼 97-38, (上海版)97-56
陳 巖 39-41
陳 耀 祖 85-11
陳 一 峯 51-37
陳 一 萍 99-14, (上海版)98-2
陳 漪 塱 15-27, 28-29, 29-14, 92-11, 98-6, 106-8

陳　異　23-16
陳　茵　50-40, 54-36, 65-46
陳　應　100-41, (上海版)99-44
陳語天　37-18
陳宰平　139-3
陳増安　29-14
陳　貞　91-18, 92-14
陳之碩　55-3, 94-2
陳鍾育　105-29
陳　柱　72-37, 73-42, 97-42, (上海版)97-48
陳柱尊　78-19
陳逸飛　103-37
傖　父　118-21
成瀬無極　6-18
成　皿　17-9
成　紘　62-41, 104-41
呈　分　113-35
承　骸　24-43
城戸又一　50-22, 80-6, 91-2
程大鈞　9-18
程公俊　134-10, 140-6
程巨川　9-34・37, 16-36, 24-39
程希賢　31-21
程心枌　103-34
程　湇　78-19
澄　遠　80-15, 87-15
池部鈞　5-41
池松勝　35-14
池田超爾　24-29
池田成彬　7-5
池田三郎　113-25
池田遙邨　111-封面
池田遙村　128-封面
馳　129-28
馳　父　29-60
赤坂清七　2-32, 29-42
赤　谷　119-14
赤松雲嶺　127-封面
崇　東　24-41
楚　眉　137-30
褚民誼　25-7, 60-22, 65-5, 82-5, 85-15
處　士　56-31
川　邊　49-54
川村文鼎　14-18, 24-29
川村亞洲　46-29
川村宗嗣　113-6
川島理一郎　63-46・49, 64-33・37・40
川端康成　133-26
川崎榮藏　22-13
川崎早月　20-20, 36-26
川添利男　63-9, 64-11, 65-34
川田瑞穂　117-4
川俣篤　7-23, 10-24, 16-29
春　柳　14-42
椿　93-40
崔幻虹　14-41
崔善德　111-23
崔笑我　37-18
崔　雄　130-21, 133-27
村岡花子　9-20, 130-24
村瀬直養　49-54
村上剛　57-29, 65-21
村上五郎　29-14
村上知行　5-35, 29-25, 139-24
村上忠久　133-10
村松梢風　4-20, 36-64
村田治郎　37-13, 38-15

D

達姆留・亢姆背爾替　111-28
達　三　64-15, 67-12, 68-15, 76-14, 81-17, 82-12
達　21-35, 38-24

達金奴　109-3
達　愚　(上海版)97-42
大阪毎日新聞社・東京日日新聞社　25-62, 95-29, (上海版)97-37
大倉祺　51-12
大曾根源助　29-14
大場彌平　65-11, 79-10
大成榮子　18-18, 21-32
大川誠　18-29
大村司　50-35
大島謙吉　45-6
大島蘇谷　25-60
大佛次郎　18-38
大谷辰雄　40-8
大谷光瑞　10-3
大谷晃一　132-10
大久保憲美　125-9
大　可　27-18
大瀧金吉　21-37
大瀧靜修　39-26
大内隆雄　119-9, 127-33
大森繁　12-22
大森洪太　137-9
大　山　3-21, 24-44, 26-42, 27-44, 29-64, 30-44, 32-43, 33-45, 35-49, 37-44, 38-43, 39-48, 40-43, 43-42, 44-43, 45-44, 46-43
大山峯　13-40, 22-41, 23-43
大　蓼　99-50
大矢要　10-24, 30-29
大下宇陀兒　107-28
大　辛　135-20
大　由　1-38
大原武夫　22-21, 42-7, 44-8, 45-6, 68-13
大宅壯一　11-17, 33-46, 34-32
大塚修　63-9, 64-11, 65-34
戴　策　111-23
戴　泉　5-47
戴若愚　29-14
戴　天　34-39
戴英夫　82-7, 125-2
丹　梠　112-35
單雲詩客　11-16
但　娣　26-34, 30-38, 31-39, 33-38, 34-36, 40-34, 41-34, 50-31・42・44, 53-42, 54-43, 61-37, 68-41, 90-34, 117-29
島村抱月　36-85
島木正三郎　51-42
島崎藤村　67-33, 107-41, 131-28
島田俊雄　138-10
島田政雄　131-7
德富蘆花　128-28
德富蘇峰　40-13, 64-3, 78-4, 115-4
德富猪一郎　1-4, 11-21, 12-19, 13-17, 14-14, 15-29, 16-24, 17-24, 18-12, 20-11, 21-21, 22-18, 24-42, 26-2, 27-11, 29-32, 31-15, 36-13, 37-14, 39-34, 40-7, 42-20, 45-29, 49-20, 51-29, 54-35, 56-9, 60-13, 61-16, 62-15
德光文美　133-10
德　惠　139-21
德　鄰　23-42, 33-45
德　仁　138-29, 139-29, 140-24
德　王　25-45
登　漢　109-36
鄧東遮　44-42, 54-38
鄧祖禹　17-7
狄　榮　37-18
狄維斯，F　108-2
荻　生　68-29
翟君聖　134-30
翟希哲　40-16
弟　弟　32-41, 34-43, 37-17

淀　姫　134-29
奠　127-7
奠　之　126-9, 127-36, 128-3・11, 129-14, 130-6, 131-3, 133-22, 134-5, 135-9, 136-12, 137-22, 138-22
丁卜人　94-36
丁　策　12-6
丁　丁　77-16, 85-16, 115-38
丁　度　54-14
丁　靜　132-19, 133-29, 135-21
丁默邨　60-2, 94-2
丁士源　31-11
丁聴●　111-23
丁元普　114-7, 120-5
丁佐久　111-9, 112-9, 113-10, 114-9, 115-14
定井香厓　26-24
定井貞　10-24, 14-18, 30-29
丟　菲　64-21
冬　春　3-20, 8-42, 20-13, 24-20
東方鴻　133-30
東方隽　96-50
東方雋　68-47, 71-24
東　阜　120-32
東　胡　103-12
東　亮　106-32
東　美　106-39
東　舒　83-33
東　野　26-13
東野平　77-16, 88-37, 96-9, 89-39
董　敬　15-8, 17-17, 18-11, 19-38, 20-2, 22-5, 43-6
董天野　102-22
董　直　130-21
竇宗淦　29-56, 53-33, 54-41, 55-42, 56-43, 57-41, 58-38, 97-37, 98-41, 99-41, 100-33, 101-21, 102-23, 103-17, 104-18, 105-18, 124-14, (上海版)97-15, (上海版)98-32
杜白雨　41-35
杜和聲　29-14
杜留・康姆背爾諦　128-24
杜　若　125-34
杜　偉　137-9, 140-8
杜雨樵　111-23
渡邊公平　78-19
渡邊湖畔　2-15, 11-16
渡邊清　11-17
渡邊善一郎　107-6
渡邊泰造　40-8
渡邊彰　44-29
渡瀬亮輔　69-4, 83-12
端木靜　74-35, 75-39
端木麗文　109-38
段　拭　78-19
對馬好武　68-11
對馬機　52-24, 97-36
奪山緑館　7-35, 16-20

E

鼉　疋　32-15, 35-34・45, 36-69, 37-20, 40-18, 42-39, 45-32, 47-23, 49-68, 50-31, 52-35・38・43, 55-40, 58-51, 65-48, 66-46

F

凡　之　23-42
凡　節　134-7
樊　爾　89-33
樊友實　22-2, 29-69
樊仲雲　77-16, 111-6
范　泛　88-37
范起華　39-6

范 榕 子 24-35
范 劭 陽 37-18
范 一 民 109-40
范 瑩 39-43
范 紫 35-38, 40-21
範 21-29
方 炳 堃 51-4
方 滌 36-69
方 濟 99-12, 124-8, (上海版)98-30
方 洺 25-封面, 44-29, 117-封面
方 木 3-38
方 式 風 33-35
方 未 人 51-44, 55-32
方 衛 (上海版)99-35
方 昭 芸 22-36
方 之 蕢 21-41, 25-72, 26-45, 29-48・58, 33-38, 39-40, 43-20, 47-42, 49-45
芳 田 93-36
芳澤謙吉 2-6
芳 之 蕢 16-25
房 師 俊 37-18
飛 13-23
飛 石 44-16, 45-10
斐 麗 107-29
翡 翠 90-51
廃 丁 120-30
費 一 方 36-10
費 致 全 66-29
風 126-1
風 人 93-34, 99-24
峰 波 7-36
豐 田 穰 107-25
豐田三郎 109-28
馮 貫 一 14-15, 17-32, 19-18, 20-16, 22-11・34, 23-36, 25-50, 27-34, 28-36, 30-32, 31-36, 32-32, 33-36, 34-20, 35-32, 36-32, 41-38, 46-16, 47-14, 49-21, 51-16・33, 77-36, 78-33, 79-32, 80-35, 81-36, 82-42, 83-40, 84-40, 85-38, 86-42, 87-42, 88-46, 89-46, 90-46, 91-46, 92-46, 93-46, 94-46, 95-47, 96-15, 97-44, 98-43, 99-42, 100-42, 105-15, 107-10, 112-30, 113-15, 115-26, 116-10, 123-15, 124-16, (上海版)98-20
馮 曠 4-22
馮 冷 134-28
馮 乃 駿 32-10
馮 世 達 133-30
馮 節 54-6, 120-7
鳳 126-39, 127-39
鳳 林 67-19
鳳 平 96-14
鳳 兮 82-23
鳳 芷 25-51
佛利克斯米雷爾 129-34
茀 郎 18-8
服部擔風 26-24, 39-26, 46-29
服部空谷 3-13, 37-24
服 部 轍 7-23, 10-24, 12-22, 14-18, 16-29, 18-29, 24-29
服部莊夫 31-33, 44-29, 50-34, 52-24, 53-29, 63-5, 86-33
蜉 蝣 3-38
福島松濤 26-24
福 島 停 19-46, 20-30
福島英雄 7-23
福本特派員 8-33
福本福一 77-14
福 德 勝 116-15, 117-11, 118-12, 119-30, 120-12, 121-11
福岡青嵐 77-1, 103-封面, 131-封面
福田翠光 129-封面, 139-封面
福田惠一 80-1, 120-封面, 136-封面

福田清人　127-36
福山天蔭　19-24
傅白雪　37-18
傅　弼　58-3
傅伯明　58-29
傅　莓　36-68, 37-34, 40-18, 44-39, 47-29
傅式説　36-4, 45-4, 60-2
傅雙姝　24-18, 25-52
傅惜華　54-24
傅彦長　70-29, 85-16, 98-36, 100-16, 123-28, (上海版)97-2・47, (上海版)98-2, (上海版)99-2
傅増湘　42-29
傅子餘　97-36
富岡生　22-29
富岡羊一　32-10
富彭年　38-32
富永禮　95-7
富永謙吾　63-9, 64-11, 65-34
富塚黙成庵　1-42

G

岡村育次郎　29-14
岡崎春石　25-60
岡崎壯　48-35, 85-9
岡崎壯歸　63-4
岡田兼一　68-17, 71-12, 94-11
岡田敬江　40-8
岡田愚山　26-24
岡田元三郎　42-29, 49-23
岡野半畊　46-29
剛　克　(上海版)99-42
鋼　人　(上海版)97-58
高阪駒　48-35
高阪夜雨　20-20
高坂駒　42-29
高坂正顯　137-6
高炳華　100-41, 113-25, 131-17, 134-18
高出馨　40-8
高　慈　136-24
高島米峯　30-29, 46-29
高爾基　108-35
高爾滋華綏　100-31
高　芳　132-9, 133-18, 137-23
高見之忠　11-17
高津寅次郎　109-13
高　亢　109-38
高瀬五郎　63-9, 64-11, 65-34
高凌霨　1-3
高夢槐　11-17
高木陸郎　9-9, 26-4, 65-8
高木壽一　90-2
高　棲　130-18
高橋健二　140-21, 141-15
高橋宗雄　14-18
高全生　63-7
高　杉　49-54
高　深　35-34・37, 39-25, 40-18, 42-45, 47-23・50, 48-20, 51-46, 52-35, 53-38, 55-30・40, 56-38, 61-35
高石眞五郎　4-14, 49-2, 63-9, 64-11, 65-34, 126-3
高　嵩　115-31
高天棲　59-8・26, 77-16, 84-20, 85-18, 86-8
高　田　49-54
高田市太郎　6-14, 57-8, 131-9, 134-7
高田特派員　71-8
高田元三郎　48-4, 65-20
高尾公子　37-15
高文淵　8-48
高　原　42-10, 43-30, 59-9

高　漢　54-6, 57-36, 71-13
高島圓　7-23
戈　壁　36-68, 39-42
戈　禾　116-34
戈文・拉凡拉脱　112-28
葛　筆　92-36, 93-34
葛　今　18-13, 25-48
葛　蕾　37-20
葛亮疇　86-13
葛　藤　56-34, 58-38
葛偉昶　86-13
葛西善藏　139-28
庚　黄　58-40
工藤特派員　8-32, 71-7
弓文才　28-29, 38-32
弓　早　116-13
公　理　134-2
公　眉　101-32
公孫嬿　87-29, 100-13
公孫惲　87-36
功　濤　66-46
恭　藻　75-42
宮本三郎　127-38
宮崎武夫　29-14
宮森喜久二　84-6
宮武正道　56-14
宮頁川　128-28
宮澤俊義　125-4
宮澤明義　54-2
宮澤賢治　51-30
龔持平　80-20, 86-12, 98-42, (上海版)97-46
龔　爾　49-34
龔維疆　78-19
龔意平　89-33, 97-40, (上海版)97-55
共　鳴　96-37
貢　44-33, 52-19
孤　雁　61-37
古谷綱武　137-23
古怪兒　8-29
古澤北冥　46-29
古澤幸吉　21-37, 97-36
古莊雅山　46-29
谷　訶　70-51
谷口吉彦　25-8, 36-18, 80-4
谷　靈　138-21, 140-9
谷崎潤一郎　92-5
谷萩那華雄　87-7
穀梁異　118-32, 125-33, 128-33, 138-27
顧　鑣　123-28
顧承運　38-32
顧鳳城　122-34
顧繼武　86-13
顧靜嫻　81-40
顧藝華　(上海版)97-51
顧　瞻　7-39
顧　視　114-34
關伯章　37-18
關口保　23-24
關埜扂　78-15, 82-21, 83-16, 85-12, 87-13, 89-7, 97-4, (上海版)99-12
關　露　120-10
關　樞　33-46
關仲和　37-18
關紫蘭　(上海版)99-封面
關昨非　37-18
管一得　78-19
管翼賢　77-21, 85-16, 124-1, 129-2, 133-4, 135-5, 137-5, 139-2
貫　奇　9-35, 25-66
光　甫　92-9
光　軍　137-24
光　友　45-30, 49-34
廣瀨英太郎　68-4
龜島春江　11-16

龜 島 憲　49-22, 50-34
郭 崇 階　32-10
郭 鳳 鳴　33-46
郭　傑　135-22
郭　敏　89-20
郭 培 爾　136-24
郭 任 遠　132-19
郭　爽　77-45, 78-46, 79-45, 80-46, 81-46, 82-46, 83-45, 84-45, 85-45, 86-46, 87-46, 103-27
郭 秀 峰　77-16, 85-8
郭 雲 濤　128-21
郭 則 澐　50-34
郭 宗 賢　7-17, 8-25
國分高胤　51-12, 63-6, 67-8, 68-15, 116-27, 118-7, 120-32, 124-10, 126-6
國分青厓　1-42, 3-13, 4-17, 11-16
國木田独歩　106-35
果　夫　66-34
果　菴　30-10, 44-39

H

哈姆生，K.　49-34
海　83-51, 91-51
海　波　102-29
海塞，H.　44-30・32, 49-32
海 揚 波　130-26
亥丁歇納　106-38
亥　生　65-52, 70-51, 74-52, 85-51
涵　之　80-34
寒　沙　90-38, 95-34
寒　水　18-20, 19-23, 20-23
寒　蹤　115-37
旱　海　83-38
韓　護　37-34, 45-34, 46-36, 48-20, 51-19・34, 59-22, 63-48, 66-34
韓 雲 階　8-5
罕內，K.　134-23
漢斯・巴昔　129-28
漢斯・巴比　109-29
好富正臣　94-2
郝 慶 松　102-38, 106-8
郝 希 宗　64-4
皓　帆　117-22, 118-24, 119-26, 120-23, 121-22,
禾　葩　56-30, 64-20
何　非　93-11
何 廣 尚　132-8
何 海 鳴　52-8, 62-6, 66-17, 71-10, 77-16, 78-12, 86-6, 91-10, (上海版) 97-17
何 許 人　65-46
何 佩 瑢　85-16
何 其 外　123-29
何 芍 筳　111-23
何 紹 君　5-42, 6-33, 8-38, 10-36, 11-33, 12-34, 13-39, 16-36, 24-32, 105-31, 106-32, 117-28
何 天 雷　123-21
何 庭 流　55-24
何　畏　136-22・24
何　心　88-21, 125-14
何　行　37-20, 46-39, 50-29, 90-45, 95-32
何 一 鴻　109-41
何 欽 明　123-10
和辻春樹　117-22, 118-24, 119-26, 120-23, 121-22,
和田誠一　38-30, 39-32
和 田 進　126-35
和 田 清　130-2
河上徹太郎　119-4, 135-6
河 上 清　13-6, 14-7, 15-5

河田嗣郎 51-2
河相達夫 3-7
河 野 密 25-16
荷 山 100-15, 107-31, 118-31, 132-27, 136-28, 138-28
賀 蘭 106-6
賀 平 40-39
賀 行 36-68・85 , 37-20・31, 41-30, 67-33
赫 更 48-41
黑田重太郎 109-封面
痕 90-41
恨 吾 94-29
恒 虹 141-20
横溝光暉 9-6
横光利一 34-32, 127-12, 134-24・26, 137-7, 140-4
横山黄木 5-20
横山吾市 3-9
横山又吉 10-24, 14-18, 24-29
横山正幸 91-5
横尾美智子 37-15
虹 雯 23-18
洪 光 洲 28-29
洪 子 博 36-87, 37-52, 38-51, 39-55, 40-51, 41-51, 42-51, 44-51, 45-51, 46-51, 47-51, 48-51, 49-79, 50-52, 51-51, 52-50, 53-49, 54-51, 55-51・52, 56-51, 57-51, 58-52, 60-17, 61-50, 62-50, 63-50, 64-50, 65-51, 66-50, 67-50, 68-50, 69-50, 70-50, 71-50, 72-50, 74-51, 75-51, 77-50, 78-51, 79-50, 80-51, 81-51, 82-51, 83-50, 84-50, 85-50, 86-50, 88-50, 90-50, 91-50, 92-50, 94-50, 95-50
紅 筆 14-28, 16-37, 20-39, 22-35, 26-33, 33-33, 35-30, 36-84, 37-31, 38-30, 39-32, 40-30, 44-31, 46-31, 49-80, 52-7, 57-52
紅 宮 36-76, 37-43, 45-44, 46-44, 47-44
鴻山俊雄 137-21, 140-7
侯 少 君 33-29
後 旗 136-28
後 先 137-23
胡 秉 139-25
胡 波 125-13
胡 光 79-36
胡 國 仁 78-19
胡 家 法 74-40
胡 建 球 29-14
胡 琳 38-41, 71-37
胡 鐵 珊 37-18
胡 彦 133-25
胡 音 73-41
胡 宗 懋 139-27
戸 田 34-10
花 朝 生 17-22
花 香 育 57-29
花 貞 彬 89-20
華 30-46, 32-44, 58-37
華 青 109-39, 130-25
華 透 94-37
華 夏 131-8
華 章 16-22
華 漢 光 87-20
『華文大阪毎日』編輯處(『華文毎日』編輯處) 7-42, 8-8, 9-34, 10-12, 11-29, 12-24, 13-43, 17-20, 22-17, 25-15, 29-54, 31-51, 32-17, 37-29, 39-31, 40-38・44, 51-24, 53-2, 54-29・40, 57-7, 61-24・49, 64-38, 65-36・37・38, 68-48, 73-29, 75-29, 81-29, 90-24, 113-24

煥　宇　26-30
荒津啓一郎　11-17
荒木貞夫　1-3
凰　芷　21-38, 26-40, 32-42, 35-42, 36-56
黄　茶　36-71, 44-42
黄　達　5-42, 7-38, 10-36, 11-33
黄公渚　51-12
黄　河　65-37
黄君甸　67-16, 82-14, 86-19, 97-47, 98-47, 99-45, 100-46
黄　軍　58-51, 76-41, 78-17, 87-31, 90-35, 94-38, 111-32, 122-32, 123-32
黄　龍　59-34, 103-27, 116-23
黄　沙　30-30
黄　審　20-29
黄書年　7-17, 8-25
黄頌德　132-8
黄孝紓　116-27
黄仲揚　67-29
惠　清　23-34
慧　子　51-20
蕙　農　7-22
火　口　44-45
火野葦平　7-20, 8-22, 28-32, 30-30, 108-11, 119-7

J

緝熙　85-31
及川英　21-37
吉　105-10
吉川英治　18-38, 138-29, 139-29, 140-24
吉村正　49-5
吉岡初　18-29
吉岡堅二　130-17
吉岡彌生　9-20, 49-14
吉岡文六　1-11, 18-2, 30-3, 34-32, 37-15, 39-12, 57-8, 65-21, 83-4, 101-2, 126-4
吉田紘二郎　106-39
吉田熊槌　10-24
吉田學軒　17-34
吉屋信子　19-15, 25-49, 108-10, 119-8, 128-25, 138-4
吉　澤　127-37
急　覺　7-48
季　風　28-49, 35-41, 42-44, 45-42, 53-32, 71-36, 72-40, 73-45
季　瘋　36-78・79, 38-37, 39-39, 40-29, 42-34, 43-29・42, 44-38, 45-40, 46-40, 47-41, 49-68, 66-48
季　淮　57-38, 62-35
季　灡　101-22, 110-31, 128-24
季守仁　38-32
季　夷　75-43
季準平　29-14
紀　19-14・15
紀德，A.　42-30・32 , 136-24
紀　封　45-45
紀拉虚，L.　49-35
紀　梅　88-44, 129-26, 130-23
紀　蘋　40-20
紀　水　92-39, 100-32
紀雲龍　49-34
紀　者　13-31, 18-8
寄　凡　81-10, 84-9
寄生草　1-39
稷　客　93-42
濟　時　102-22
加來復翁　14-18, 30-29
加來聚軒　39-26
加羅薩　136-23

加藤繁　140-2
加藤特派員　71-4
加藤悦郎　13-7・11・13, 14-7・11・12・13, 15-8・10・12, 16-7・8・10・11, 17-14・15・16, 18-9・10・11, 19-29, 20-40・42, 21-17・18・19, 22-7, 23-5・6・10, 24-5, 25-26, 26-7, 27-8, 28-5, 36-9・10・11・12
加藤正雄　7-24
加田哲二　10-11
佳田　136-26
家瑛　102-22
家祉　15-24
賈培元　11-17
賈騰　11-12, 12-12, 13-12, 17-15, 20-40, 22-3, 23-4, 24-4, 25-24, 26-6, 27-8, 37-6
榎本桃太郎　45-6, 53-10
菅野和太郎　29-14
間野庫太　14-18
檢貝　128-28, 129-8
簡達明　111-23
見尾勝馬　78-19
健心　71-31
劍南　78-42
江　129-5
江草茂　38-32
江常　104-29, 107-16, 112-28
江朝宗　25-60
江東　107-7, 109-5
江棟良　101-22, 103-27, (上海版)99-17
江棟樑　109-29, 117-28
江峯　42-37
江洪杰　94-11
江寄萍　8-21, 10-28, 14-29, 19-51, 20-45, 23-16, 26-15, 33-41, 35-32, 39-19, 40-41, 50-32, 84-18, 85-23
江權　122-25
江亢虎　60-2, 78-14・19, 85-17, 99-35, 100-10, 101-18, 102-21, 130-2, (上海版)97-38, (上海版)98-29, (上海版)99-24
江克　(上海版)99-16
江馬務　5-17
江鷗伴　25-60, 37-24
江秋蓼　2-47
江上風　86-41, (上海版)99-37
江水平　34-34
江濤　(上海版)99-2
江汀　30-9, 38-10
江文也　52-40, 53-4, 59-11
江葉梁　131-21
江瑩　71-30, 78-19, 89-20
江雲山　37-24
姜煥　136-30
姜千里　93-37, 107-40, 128-28, 133-30, 134-21, 135-29
姜天航　(上海版)97-21
姜希瑜　37-12
姜彦　133-28
姜肇爾　138-18
彊三　24-44
蔣芳洲　137-27
蔣非同　43-39
蔣果儒　68-34, 89-20
蔣灝　54-6
蔣覺厂　55-32, 56-14
蔣山青　24-16, 28-30
蔣中俊　115-7
焦定遠　26-8
角田敬三　92-11, 133-10
捷克　138-18
潔茜　98-40
芥川龍之介　37-31

K

開田靖一 133-10
康　成 128-23, 130-11
康　瓠 (上海版)98-12
康同璧 44-29
亢　德 98-33, (上海版)97-52
柯　炬 36-71
柯　雷 84-35
柯雷支，S・T 49-34
柯政和 30-14, 59-26, 61-2
可　木 121-21, 124-21
克　幻 97-43, (上海版)98-43・45
克烈基麥爾 74-7
克　展 (上海版)97-40
克　之 128-6
空谷服部 8-18
空　飄 89-39
孔賜安 35-19
孔　飛 5-42, 23-42, 24-30
孔　烈 137-26
口　良 32-35
匡　時 114-14
狂　夢 78-38, 91-33, 99-20, 107-36
坤　燈 33-18, 36-72, 37-38, 39-18, 41-18
筈見恒夫 141-5

L

萊蒙托夫，M・Y 48-30・32
藍　讀 101-23, 102-36, 103-26, 104-28, 105-30, 106-33
藍　苓 29-46, 31-41, 66-35, 78-37, 95-31, 97-14, 101-34, 107-41, 109-34, (上海版)97-2
藍　汀 35-37
蘭　客 11-28
勞　力 135-27
老　翼 51-48
雷宏張 89-12
雷力普 36-70, 46-39, 48-39, 50-29, 55-40, 62-41, 65-43, 66-42
雷　厲 37-20
雷　鳴 34-15
雷　辛 131-28
雷　妍 102-37, 126-35
磊磊生 41-38, 45-35, 64-48
壘　禹 58-33
冷　歌 29-46, 61-34, 116-33・36
冷廷暘 7-17, 8-25
冷　夜 112-36
黎　笳 93-35
黎建青 126-13, 127-25
黎　明 3-18
離　石 (上海版)97-44
李拔可 17-34
李北川 33-38, 36-71, 38-38
李冰人 1-40
李伯勤 17-7
李　超 86-12, 88-13, 89-20
李達生 110-23
李電英 111-23
李殿閣 4-28
李　烽 66-37, 68-39
李公啓 114-23
李　光 3-19, 69-43, 70-39
李桂英 100-41, 118-28
李　漢 34-35
李鴻勳 29-14
李　見 112-28
李　嬌 30-42
李經邦 7-17, 8-25
李景慈 106-8
李景新 28-29, 92-11

李 俊 泰　45-30, 47-31
李 郡 捷　120-36
李　 孔　57-41, 59-40
李 冷 歌　38-32
李　 亮　126-18
李 駘 子　24-38, 34-37
李　 靈　36-55, 38-43, 45-43, 52-37
李 靈 子　53-33
李　 明　124-21
李 培 昌　132-19
李　 平　29-14
李 權 時　117-9
李　 榮　29-64
李 如 蘋　55-8
李 尚 志　7-17, 8-25
李 聖 五　94-2
李 士 群　60-2, 94-2
李 士 榮　28-29
李 是 聞　98-29, 99-36,（上海版）97-64,（上海版）98-48,（上海版）99-46
李 釋 戡　5-20, 22-38
李 書 香　7-17, 8-25
李 樹 藩　11-17
李 文 琨　49-71
李 文 湘　44-38, 58-19
李 無 雙　32-19, 34-36, 36-59
李 希 廸　134-30, 137-29
李 顯 柔　37-18
李　 憲　29-8
李　 翔　127-15, 130-25
李　 欣　136-9
李 宣 倜　31-33, 49-22, 97-35
李 薰 風　14-43, 15-43, 16-43, 17-35, 18-21, 19-21, 20-21, 21-22, 23-20, 25-32, 26-20, 27-20, 28-22, 30-22, 31-22, 32-22, 33-20, 34-22, 35-22, 36-34
李　 衍　131-22, 133-23
李　 彥　7-20, 8-22, 21-13
李 羽 沉　103-41
李 元 暉　53-29, 69-9
李 蘊 冰　89-20
李　 眞　107-16
里　 雁　37-34, 101-36
里　 予　126-38, 127-24
力　 兵　132-25
立　 璈　63-35・37, 64-35・39, 66-36・40・45・48・49, 68-37・44, 76-23
立　 日　24-36
立作太郎　28-4
栗本勇之助　5-7
栗原千代太郎　57-8, 73-16
勵 行 建　52-46, 104-40
麗　 凡　91-34
酈　 零　126-18
連　 雲　38-30, 39-32
梁　 篤　131-4
梁 鴻 志　1-3, 31-33, 49-22, 60-2, 97-35
梁　 津　57-42, 100-41, 130-19
梁　 桑　135-10
梁 世 錚　38-32
梁 永 恩　111-23
梁 衆 異　5-20, 11-16, 15-18, 36-26
蓼　 花　48-42
林 白 影　131-16
林 柏 生　40-2・8, 49-13, 60-2, 67-4, 94-2, 97-2, 98-6, 102-17, 112-2, 121-5,（上海版）97-16
林　 蒼　45-32
林出賢次郎　41-24, 42-24
林德蘭，Ａ・Ｋ　108-2
林　 鼎　122-1
林　 凡　23-46, 24-47

林　　風　30-47, 32-38
林芙美子　29-23
林 國 恩　37-4
林 鴻 翥　38-4
林　　緩　24-32, 27-38
林　　火　23-46・47, 24-47・48, 27-29, 33-40, 37-51, 38-36, 39-38, 109-38
林 金 次　111-23
林　　冷　120-33
林　　靈　37-20, 41-34
林　　鳥　41-34
林 慶 英　111-23
林 三 郎　58-12, 73-6, 81-16, 140-3
林　　鱢　140-8
林 文 龍　79-23
林 秀 華　43-39
林　　鐘　119-1
林 重 義　82-1
林　　孖　2-21, 18-33, 24-38, 29-65, 43-44
林　　子　100-13, 107-35
琳　24-43, 28-40, 30-20, 33-45, 34-42, 35-42
磷　　映　101-47
苓　　泉　6-17
凌 皓 帆　132-8
凌　　琳　29-63, 50-48, 57-40, 59-43
凌　　靈　127-36
凌　　文　95-30
凌霄漢閣　1-37, 2-20, 3-22, 4-35, 5-36, 6-41, 8-39, 12-35
凌霄漢閣主　18-42, 22-39, 25-50, 33-17, 37-37, 38-49
淩　　氷　13-27
零　　餘　1-15
鈴 木 剛　129-12
鈴木虎雄　42-5
鈴木吉祐　78-19
鈴木三郎　57-8
駖　　子　14-26
靈　　子　48-45
劉 邦 興　85-18, 95-13
劉　　蒼　103-15
劉 多 三　38-32
劉　　蕚　88-38, 97-22, 118-29, (上海版)98-46
劉 鳳 雲　33-46
劉　　漢　117-32
劉 寒 吉　39-32
劉 濟 時　106-32, 110-31, 112-28, 114-23, 124-21, 127-18, 132-19
劉 嘉 祿　67-43, 100-31
劉 凌 滄　14-43, 15-43, 16-43, 17-35, 18-21, 19-21, 20-21, 21-22, 23-20, 25-32, 26-20, 27-20, 28-22, 30-22, 31-22, 32-22, 33-20, 34-22, 35-22, 36-34
劉 美 君　72-36, 116-29
劉 敏 君　57-29
劉 南 茁　37-18
劉　　樸　1-47
劉　　勤　90-18
劉 清 源　86-16
劉 土 忱　28-29
劉 維 樞　69-40
劉 希 平　105-2
劉 熙 暄　86-11
劉　　興　113-4
劉 延 甫　58-5
劉 夷 馳　38-32
劉 詠 蓮　120-28, 129-30
劉 玉 凾　21-15
劉 肇 霖　136-29
劉　　針　37-30, 38-31, 41-31, 43-

31, 49-32, 52-21, 53-41, 67-36・42, 80-39, 94-33
劉振強 106-40, 139-10
劉　子 68-22, 93-43
劉紫風 54-6
柳　操 126-18, 127-18
柳　黛 71-15, 72-36, 74-42, 80-33・52, 90-43, 93-30, 102-34, 116-30, (上海版)99-34
柳　寂 138-28, 141-20
柳　金 109-35
柳井信治 49-23
柳　浪 28-44, 41-29, 46-41, 47-42
柳龍光 28-29, 38-32, 53-18・36, 54-6・18・25, 55-18, 56-18, 57-17, 58-20, 106-8, 119-5, 131-6
柳　舒 51-33, 65-43
柳舜年 29-14
柳原燁子 9-20
柳　雲 20-15
柳　寨 48-37
柳重徳 18-6
六橋杉溪 8-18
龍川森 8-18
龍　翼 24-36, 27-42, 46-43
瀧川政次郎 55-10
瀧精一 62-36, 63-24
蔞　緡 66-47
樓亨茂 7-17, 8-25
芦田均 5-11
炉　火 111-36
盧　華 135-28
盧　斯 110-12
盧　蘊 126-30
蘆　村 128-22
魯　丁 95-31, 118-34, 123-31, 126-24
魯　風 21-35, 23-40, 25-61, 27-36, 28-17, 31-34, 32-30, 42-32, 44-30, 46-32, 49-32・65, 50-51, 52-18・19, 59-13・51, 64-23, 67-51, 72-51, 78-52, 81-19, 88-51, 96-52, 100-51, 102-51, 107-28, 108-10・11, 119-6, 126-35
魯　萊 133-27
魯　迅 106-43, 107-41, 108-35
魯　植 120-33, 127-34, 134-22
魯　卒 (上海版)97-59
陸白人 88-42, 93-33
陸廸康 92-18
陸光杰 87-19
陸夢熊 26-5
陸少青 121-21
陸　拾 90-44
陸拾陸億 56-24
陸　望 50-31, 53-42, 54-43
陸　續 31-19, 36-58, 57-4, 75-30
陸元懽 95-10, 105-5, 108-10
鹿島孝二 20-8, 21-10
路　丁 46-40, 128-22
路　光 134-26
路　平 54-40
路　鵲 88-41, (上海版)99-44
侖　火 52-41
倫敦，J. 46-30・32
羅　勃 48-44, 49-70
羅丹，A. 135-20・22
羅　鳳 24-36
羅錦圭 32-10, 35-37
羅　靈 91-38
羅　懋 45-31, 47-31
羅蜜爾 124-32
羅　綺 36-68
羅　特 101-6
羅文芳 40-22
羅雅子 112-17, 117-21, 123-9, 126-

12
蘿　茘　70-31
蘿　茜　15-36
洛　夫　121-32
洛　托　69-17
駱駝生　50-40
落　楓　12-26
落合東郭　11-16, 25-60
落合昇　40-8
落合爲誠　49-23, 56-52
落落齋主人　1-41, 2-33
落　人　40-31, 41-34
落　雨　125-24
呂　73-52
呂寶田　122-14
呂　風　26-43, 37-21, 38-21, 39-22, 41-21, 42-21, 43-21・34, 44-22, 45-21, 46-19・42, 47-19・40, 48-21・42, 49-封面・17・45・74, 50-18・51, 51-40, 52-51, 53-50, 58-51, 62-44, 69-45・51, 70-45, 71-45, 72-45, 74-45, 75-45, 76-45, 79-51, 99-40, 101--封面, 126-35
呂公眉　95-30
呂寒碧　22-38
呂　奇　126-35
呂榮寰　5-14
呂書軒　58-31
呂蘊玉　104-25
呂仲素　15-18, 17-34, 37-24
旅　人　87-50
履　泰　39-25
緑　萍　93-38

M

麻田辨次　108-封面
馬不烈　108-19
馬不走　127-29
馬場孤蝶　130-25
馬場秀夫　39-12, 57-8, 94-7, 116-5, 122-5, 132-5
馬　遅　16-27
馬諦斯　65-39
馬　夫　131-25
馬　還　50-45, 59-44, 60-44, 61-42
馬　崑　138-26
馬　驪　48-12, 126-35
馬念祖　90-14
馬　奇　131-22, 133-26
馬秋英　103-39
馬司亞　102-8
馬　午　6-33, 7-38, 10-36, 32-10, 53-30, 67-15, 79-39, 100-40, 105-31, 110-31, 111-28, , 116-23, 125-12
馬　野　77-22
馬玉生　111-23
馬雲龍　60-36
馬茲義　15-30
麥　波　130-22
麥　浪　132-26, 137-8, 139-22, 140-17, 141-8
麥綏萊勒　134-23
滿　福　134-17
曼　軍　109-15
曼　英　16-39, 23-44, 24-44
漫　沙　4-32, 17-31, 54-38, 55-5
芒　芠　83-20, 91-33
茅　野　43-20, 47-29
茅野蕭蕭　51-43
茂　如　74-41
眉　郎　107-33
梅　21-38

梅　　波　107-25
梅花居士　10-41, 16-42
梅　　華　16-37, 19-39, 20-46
梅 蘭 芳　98-15, 100-37, 101-20,（上海版）97-53,（上海版）99-33
梅 禮 美　67-36
梅　　靈　17-12, 23-24, 26-4
梅　　娘　13-22, 25-49, 44-32, 50-36, 69-45, 70-45, 71-45, 72-45, 74-45, 75-45, 76-45, 106-8, 126-35, 135-25
梅 思 平　55-4, 60-2, 86-4
美　　娟　90-14
美　　君　84-51
蒙　　殊　56-31
孟　　復　101-43
孟　　剛　5-22, 23-11, 30-16
孟　　嘉　107-33
孟　　金　118-1
孟　　秋　14-33, 15-45
孟　　隼　128-22, 130-22, 131-26, 136-28
孟　　毅　105-19
孟 仲 輝　6-47
孟　　梓　57-29
夢　　芳　6-23
夢　　殊　25-55
米内光政　35-2
米 山 元　10-24
糸川英夫　127-10
糸　　己　11-30, 21-36, 23-39, 25-58, 26-36, 27-32, 28-38, 48-32, 49-64
苗　　蒂　69-34
繆　　斌　11-3, 24-2
敏　　君　57-32, 68-36
名和幸丸　6-28
明　　達　80-18
明　　石　75-10, 76-29
明　　軒　25-69
明　　夷　92-51
冥　　鴻　10-23, 15-30
鳴　　潔　140-26
魔　　女　117-31
末永壽美子　37-15
陌　　蘭　44-40
陌　　人　30-39, 34-37, 39-25・46
莫　　克　45-37
莫 泊 桑　67-39, 128-25
莫斯科夫　105-31
莫　　須　12-28, 74-24
莫 須 有　132-25, 134-21, 135-30
莫　　誼　136-25
漠　　沙　52-43
黙　　夫　27-18, 33-5, 37-23, 41-17, 45-40, 46-42, 49-68, 56-29
黙　　行　61-37, 65-45
墨　　元　104-19
墨　　僧　120-6
木 村 惇　121-7
木村斯光　5-19
木 村 毅　6-22, 34-32, 83-12, 121-7
木村増太郎　114-5
木谷千種　5-23, 92-11
木　　可　49-68
木 南 保　7-23, 10-24, 12-22, 21-37, 24-29
木内淇堂　19-24
木 下 彪　52-24
木下周南　4-17, 20-20
木寅隆二郎　40-8
木　　子　2-36
目崎憲司　43-2
沐　　華　81-30, 99-30, 126-31,（上海版）98-9
牧　　人　63-31

牧 野 肇 24-12
慕 容 玉 22-33, 23-15
穆 阿 鹿 128-30
穆 春 雷 43-36
穆 華 41-34, 66-37
穆 家 麒 49-70, 50-49, 51-38, 55-36・43, 56-42・44, 61-30, 66-22, 67-22
穆 穆 92-41
穆 羊 108-18, 131-18
穆 于 127-30

N

那波利貞 138-6
那 健 庭 12-38
那 居 111-32
那 須 聖 40-8
納 明 浦 19-24
納 三 治 28-24, 48-35, 49-22
納 咸 27-43, 37-43, 40-43, 43-43
乃 帆 126-34
南 宮 吉 97-47, 98-47, 99-45, 100-46, 106-17, 107-18, 109-30
南 宮 絜 135-29
南 光 126-18
南 容 (上海版)97-60
南 薫 97-39, (上海版)97-49
楠山義太郎 33-6, 46-8, 57-8, 73-22, 82-17, 93-2, 100-7
難波三空 46-29
内ヶ崎愛天 26-24, 39-26
内ヶ崎作三郎 12-18
内山完造 29-48, 104-25, 140-19
内田娯老 29-14
能澤信二 29-14
倪 弘 毅 54-6
念 華 75-42
念 金 華 141-19
聶 提 格 70-37, 71-43
牛 蒡 126-28
牛 鼎 131-16
牛 何 之 18-15
牛 膝 129-27
牛 陽 128-32
牛 作 周 24-31, 41-45, 42-44, 43-44, 44-43, 45-44, 46-45, 47-45, 48-44, 49-72, 50-48, 51-39, 52-41
鈕 先 錚 25-15

O

歐 大 慶 37-2
歐 季 撫 29-14
歐陽斐亞 96-39

P

潘 璿 72-7
潘中一蛀 93-31
龐 曾 瀛 60-40
龐 淸 128-23
裴 闇 105-29
裴 明 92-30, 93-21, 94-21, 95-20, 96-21
裴 雲 同 64-35
配許太因 68-19
彭 東 原 15-4, 36-6, 42-4
蓬 隱 20-45
鵬 搏 54-5
皮藍代羅, L 52-19・21
片岡鐵兵 140-22
片山敏彦 78-41
品 淸 125-32
平出英夫 63-9, 64-2・11, 65-34

平川清風　25-2, 29-2
平　凡　6-40, 9-44, 17-11, 20-38, 100-41, 107-16, 124-21, 131-17, 133-19, 134-23
平　方　124-34
平岡敏男　126-9, 128-10
平　公　14-34
平井參　49-22
平井忠夫　25-63, 126-25, 127-32
平野義太郎　109-2, 110-8, 124-4
平沼騏一郎　15-3
平貞藏　117-5
平塚運一　49-25・63, 51-13, 133-22
坪田譲治　40-31, 127-37, 137-24
萍　泊　1-24
蘋　末　29-26
泊　言　1-13
蒲和基　7-17, 8-25
蒲　寧　55-33
普式庚　67-47
溥　儒　50-34
溥叔明　69-10
溥心畬　5-16, 36-26

Q

七　紅　139-23
凄　其　35-43
琪　英　29-63, 31-48
齊白石　5-書首, 132-封面
齊楚斗　133-24
齊　容　62-18, 64-20・46, 67-22・49, 75-32
齊燮元　85-17
棄　崇　70-32
千葉所南　19-24
千葉郁　56-52
千葉郁治　7-23, 21-37, 49-23, 125-5
鉛　刀　36-85, 41-19, 47-31
前川千帆　50-33
前　人　135-29
前原光雄　92-2
前芝確三　109-11
錢稲孫　2-19
錢今葛　41-2, 42-2, 43-2, 47-2
錢慰宗　85-17
錢仲華　87-9, (上海版)99-9
淺見淵　134-25
淺原六朗　131-27
喬留生　133-19
喬治・布代　116-23
橋本關雪　98-16・17, 18, 99-4・6・7・8・10, 100-38・39
橋本好藏　14-18
橋本栗谿　39-26
橋川時雄　48-35, 70-13
橋川醉軒　20-20
橋詰益榮　11-17
芹澤光治良　119-29
秦風啓　71-37
秦淮碧　4-19・23, 12-25, 13-27, 14-28
秦旡度　108-38
秦　鈞　11-7
秦　莽　65-41, 72-32
秦墨哂　57-29, 85-17
秦啓風　37-50
青木大乘　81-1, 104-封面
青木武　63-9, 64-11, 65-34
青　鳥　65-42, 88-30
青　野　42-39, 49-68, 52-36, 63-33, 66-38
青　原　82-40
青　雲　75-37, 107-16
卿　商　128-8
清浦奎堂　15-18

清浦奎吾 52-24
清水登之 131-18
清水董三 94-2
清 水 光 133-10
清水龍山 21-37
清藤泰子 37-15
慶　　公 126-38, 127-24
慶　　祥 40-29
丘 逸 庵 36-26
邱　　揚 64-29
邱　　野 37-13, 38-15, 42-17
秋 118-25, 119-21・22・25, 121-14
秋　　庚 1-38, 7-36, 14-39
秋　　蒿 135-2
秋　　山 138-18
秋野不矩 114-封面
秋　　螢 63-34, 104-38
秋雲館主 11-16, 12-22, 20-20
萩原錦江 26-24
萩原朔太郎 52-18
萩 原 彰 7-23, 12-22, 18-29, 21-37, 24-29, 30-29
曲 秉 善 49-14
曲　　晚 109-37

R

冉　　邕 33-15, 39-17, 40-17, 44-34, 48-40, 51-44, 55-34, 65-40, 66-39, 106-26, 108-28, 110-14, 111-14, 140-21, 141-15
人 112-27
仁賀保成人 42-29, 116-27, 130-12
仁賀保香城 1-42, 36-26
忍　　庵 6-20
任 傅 伯 111-23
任　　情 46-41
任 世 祺 11-38, 17-42
任　　陶 101-40
任　　信 106-32
任 援 道 60-2, 86-11, 94-2
任　　重 114-16
任 重 遠 7-17, 8-25
任　　福 37-33, 38-29, 39-38
日本内務省 13-12
日　　叟 7-34
如　　水 83-29, 88-31, 91-36, 95-35, 115-34
如　　宣 54-42
阮　　江 112-38
阮 幸 生 131-26
阮 振 鐸 36-5
潤　　心 102-29
若　　草 103-27, 113-25, 130-18, 134-18
若槻克堂 39-26, 46-29
若 槻 禮 12-22, 13-32, 16-29, 18-29, 24-29
若　　梅 107-29
若山淳四郎 45-6
若　　言 135-30
若　　愚 30-44, 31-47

S

颯　　漠 61-29
賽 珍 珠 32-31, 33-33, 34-31, 35-31, 36-85
三　　池 40-8
三池亥佐夫 65-22, 92-11
三　　弟 109-37
三谷十糸子 78-19
三好達治 50-42
三 好 機 7-23
三好敬堂 46-29

34, 73-4, 83-12, 128-4, 136-5
上沼健吉 57-29
尚 小 雲 62-38
邵 鳴 九 79-22, 86-13
舍　魚 37-20
申 34-16
申 蘭 生 104-3
申　之 33-15, 35-20
深 山 杲 92-11, 133-10
什公王揖 6-17
沈 氷 魚 130-25
沈　遲 109-40
沈　紱 88-6・20
沈 亨 澤 28-29
沈　紅 54-39
沈 家 駒 19-34, 23-37, 30-15, 31-14, 37-12
沈 家 琦 7-17, 8-25
沈　錦 89-20
沈 田 夫 103-18
沈 逸 凡 54-6
沈　茵 89-20
沈 志 浩 54-6
神川彦松 2-9, 5-9, 124-5
神崎驥一 141-1
神田喜一郎 42-29
生方一哉 21-37
生田花朝 85-1, 102-封面, 126-封面
省　白 119-33
盛 宣 明 15-28, 17-13, 23-17
施 130-1
施　禮 25-65, 37-44, 38-44, 44-44, 45-42, 46-44, 52-40
施　義 86-31
十　翁 (上海版)99-29
石　川 106-8
石川達三 107-28
石 川 順 43-39
石川爲藏 29-14
石川欣一 92-11
石川興二 47-18
石川啄木 136-22
石　根 78-42
石 井 彬 14-18, 21-37
石井成器 26-24
石井定一 22-9
石井鶴三 135-17, 138-29, 139-29, 140-24
石井忠利 14-18, 16-29
石　軍 85-35, 86-37
石　稜 35-39
石　林 106-38
石　鳴 101-49
石　砮 36-79
石　朋 50-47
石　青 101-44
石田幹之助 133-8
石　偉 105-31
石　菴 4-40, 5-25, 8-37, 9-23
石　英 37-18
石　瑩 98-10, (上海版)97-10
石 應 蓮 21-15
石原廣一郎 112-7
石　芸 23-43
石 塚 參 12-22, 18-29, 24-29
石　羽 51-19, 52-44
時 秀 文 39-4, 42-42, 47-43, 85-29, 89-20
時　英 4-37, 11-40
時子山常三郎 50-2
實藤恵秀 128-11, 129-14, 134-3
史　策 18-40, 19-45, 21-35
史　蟫 115-12, 116-26, 117-25
史 之 風 26-39
矢田鈴江 37-15
矢野橋村 88-1, 106-封面

矢野鐵山　79-1, 118-封面, 121-封面, 130-封面, 135-封面
矢原禮三郎　15-38, 17-40, 19-49
矢　眞　121-2, 131-26
市川房枝　32-19
市川五郎　32-12
市村瓚　28-24
式　風　30-35
室伏高信　25-13, 49-9, 128-13
笹川儀三郎　132-10
守谷碧江　19-24
守谷富　30-29
守屋東　9-20
首　陀　130-22
壽　農　9-42, 18-44
萩　畦　43-36
舒　放　90-40
舒　柯　13-26, 16-26, 38-37, 47-36, 50-32
舒　望　49-66
舒　以　98-35
舒易誠　56-41
恕　平　56-19, 58-32
樹　屏　137-28
雙燕樓主　6-20, 17-34
水谷清　67-23
水　淇　3-16
水原琴窗　18-34, 36-25, 37-49, 38-16, 39-53
舜　九　15-39
司空痴　133-25
司空鹿　125-31
司空彥　96-42, 110-35
司馬琯　131-28
司馬史　102-32
司徒珂　47-43
司子明　111-23
思　心　103-27, 126-37
斯蒂凡・瑟隆斯基　89-37
四　幸　91-39
寺村誠一　45-6, 133-6, 134-8
寺村特派員　8-30
寺　島　49-31
寺島紫明　123-封面
寺　岡　94-2
松　本　37-18
松本鎗吉　28-29, 38-2, 39-12, 76-7, 114-1, 126-7
松本一馬　11-17
松本於菟男　84-11
松本忠雄　28-3, 77-4
松村春水　63-6
松岡洋右　56-3, 62-2
松　見　100-16
松　井　94-2
松井石根　3-3, 36-27
松井彰　5-28, 7-17, 8-25, 15-14, 16-13, 17-18
松林篤　97-35, 130-12
松平俊子　9-20
松平天行　22-38
松浦四郎　120-25
松山五郎　63-9, 64-11, 65-34
松田甲　7-23, 18-29, 21-37, 30-29
松田學鷗　39-26, 46-29
松田庄一　39-12
松尾邦藏　114-24, 115-24, 116-24, 117-15, 118-26, 120-21, 122-22, 123-22, 124-22, 125-22
窪本一洋　119-封面
宋　泛　109-32・40, 112-33
宋　介　1-22, 30-2
宋培菡　62-36, 63-24
宋上達　37-18
宋世如　38-32
宋以仁　29-57

宋　　毅　125-26
送 玉 男　121-21
蘇 成 德　88-21
蘇　　丹　48-38, 49-66, 50-30, 51-32
蘇　　菲　76-33
蘇 鳳 羽　100-14
蘇　　夫　132-26, 134-28, 139-30
蘇 瑞 麟　43-39, 92-11
蘇 樹 德　29-14
蘇 體 仁　87-19
蘇　　醒　60-7
隨　　初　49-69
穂積三雄　73-9
孫 常 非　85-44, 90-42, 94-40, 101-22, 108-33
孫 鞏 圻　32-2
孫 簡 庵　5-20
孫 景 三　111-23
孫 路 伊　134-29
孫 夢 花　32-10
孫 鵬 飛　38-32
孫 品 三　45-32
孫 其 昌　29-43
孫　　湜　2-34, 9-4
孫 特 哥　4-38, 55-29
孫 廷 璋　132-8
孫　　呉　101-38
孫 秀 文　17-48, 22-16
孫 燕 南　15-18
孫 育 才　94-10
孫 悦 信　29-14
孫 之 雋　57-43, 58-42
孫 祖 惠　94-32
蓀　　瑛　92-40
所 倉 藏　26-16
索 冠 軍　28-29
索　　之　131-4

T

苔　　蘚　81-52
太 戈 爾　43-31
太 史 公　9-28, 11-20, 13-18, 15-19, 18-5, 21-4, 23-18, 24-19, 28-8, 32-6
太田宇之助　104-25
太　　玄　94-12
太　　原　1-39, 3-21
汰　　藍　127-18
泰 戈 爾　67-40
談 月 色　78-19
檀野數雄　24-13
譚 覺 眞　7-17, 8-25, 9-5
譚 沫 子　1-24, 3-19, 4-38, 6-33, 7-38, 10-36, 11-33, 12-34, 13-39, 16-36, 24-34, 40-45
譚 鐵 錚　28-29
譚 伊 先　89-20
湯 爾 和　1-3, 44-29
湯 孤 芳　57-29
湯 良 禮　81-10
湯 郁 文　54-6
唐　　達　41-34
唐 道 尚　132-16
唐 化 南　111-23
唐 家 楨　63-3
唐　　靜　131-10, 132-11
唐 榮 愷　78-19
唐 仰 杜　85-16
唐 毅 風　103-13
堂本印象　29-封面
燾　　27-49, 28-14
逃　　名　89-13
陶 亢 德　119-4
陶　　倩　66-38
陶　　清　69-30

陶　　然　50-16
陶　　望　132-28
特　　朗　72-51
滕大翼　132-28
藤岡啓　57-8, 69-14
藤牧義夫　131-25
藤松原三郎　40-16
藤田信勝　18-16, 23-29
藤田福乎　119-21, 126-10
藤原義江　19-15
藤原銀次郎　16-3
藤澤桓夫　40-30
藤澤親雄　4-5, 115-9
鵜澤偆湫　2-15
鵜澤總明　85-9, 95-6, 113-6
田邊松坡　26-24, 39-26, 46-29
田邊新　7-23, 10-24, 12-22, 14-18, 16-29, 18-29, 21-37, 24-29, 30-29
田邊忠男　6-8
田　　兵　63-47, 116-31, 119-7
田　　昌　12-22
田川憲　62-16
田村木國　119-27
田村孝之介　78-1, 105-封面・14, 133-封面
田付德三　29-14
田　　進　133-22, 134-23
田　　井　39-44, 40-40
田　　軍　81-33, 123-25
田　　瑯　19-17, 23-14, 26-35, 28-32, 29-44, 33-31, 34-32・45, 35-46, 36-80, 37-45, 38-45, 39-50, 40-46, 41-46, 42-46, 43-45, 44-46, 45-46, 46-46, 47-46, 48-46, 49-67・75, 62-44
田　　林　20-19
田木國　2-17
田崎廣助　84-1
田崎仁義　30-11
田　　青　8-20
田　　蕪　130-24, 133-30
田　　野　95-36, 107-30
田　　誌　119-2, 124-11
田知花信量　24-8, 65-22
田中邦彥　29-14
田中芳雄　6-6
田中房　50-35
田中穗積　49-3
田中香苗　7-17, 8-25, 65-22, 79-4, 83-12, 125-6
田中寅一　29-14
田中勇　63-9, 64-11, 65-34
鐵　　禪　51-14
鐵　　川　48-18, 50-41, 65-44
鐵　　夫　138-19
鐵　　漢　94-42, 112-38, 139-28
汀　　子　63-40
佟晶心　50-47
桐原眞二　65-21
屠　　韃　118-21
屠格涅夫　39-32, 40-30, 41-30, 51-44, 54-16
土肥原賢二　2-11, 21-2
土屋久泰　13-32, 19-24, 28-24, 31-33, 42-29, 44-29, 48-35, 49-23, 50-35, 52-24, 53-29, 64-5, 67-9, 69-10, 74-6, 94-11, 97-36, 115-13, 116-27, 117-4, 118-7, 120-32, 124-10, 127-12
土屋竹雨　1-42, 2-15, 3-13, 4-17, 5-20, 15-18, 20-20, 22-38, 36-26, 37-24
托爾斯泰　136-24
駝　　子　40-18, 46-36・39

W

窪川稲子　120-10
瓦爾他・荷侖　55-34
瓦林克 , K・F　63-22・30
瓦須黎・瑪修丁　108-33
外　人　83-18
外史氏　10-21, 12-14, 14-25, 20-5, 23-8, 27-14, 29-6, 30-7, 31-9, 33--14, 35-13, 37-5, 39-11, 40-6, 41-7, 42-9, 43-12, 44-18, 46-24, 47-12, 48-29
外　文　104-37
丸山弘　10-24
萬板樓主　25-55・56, 26-31・32, 27-39・40, 43-34, 48-36
萬孟婉　63-19, 87-19, 89-20
汪家祉　37-18, 88-35
汪介夫　22-41
汪　琪　138-28
汪特璋　29-14
汪向榮　44-2, 45-2, 46-3, 51-15, 62-8, 108-25, 109-25, 111-23, 118-8, 119-24, 122-7, 123-7, 137-10
汪　灩　53-39
汪兆銘　29-4, 35-2, 63-3, 71-10, 73-1, 74-6, 86-33, 95-6, 117-4
汪精衞　23-9
王白水　10-42
王柏榮　11-17
王　册　104-29, 107-16, 110-31, 114-23, 117-28, 118-28, 127-18
王　厂　96-11
王　成　107-16, 114-23, 122-21, 127-18, 133-19, 134-18
王承琰　119-5, 125-30
王崇仁　94-43
王楚文　48-8
王　淳　42-45
王代昌　1-19, 5-24, 37-18
王　丹　115-28
王德亭　95-30
王德言　77-16
王　度　21-8
王　耑　44-43, 48-43, 66-41
王爾德 , O　49-34
王光烈　38-32
王桂生　86-22
王浩然　29-14
王　嘉　133-17, 134-16, 137-18
王金鍊　27-45, 30-19, 34-45, 35-46, 36-80, 37-45, 38-45, 39-50, 40-46, 41-46, 42-46, 43-45, 44-46, 45-46, 46-46, 47-46, 48-46・50, 49-75, 57-39, 58-17, 59-39, 60-51, 61-41, 62-43, 71-41, 90-32, 92-40, 96-22, 110-39
王　靜　100-16, (上海版)99-2
王克敏　1-3, 17-34, 25-36, 52-24, 121-10, 127-2, 137-2
王　蘭　19-17
王　令　125-30
王　洛　134-11
王敏中　87-20, 88-4
王　寧　111-28
王　彷　14-26
王　鵬　18-49
王　强　3-47
王青芳　28-45・46, 29-51・52, 30-47・48, 31-13・14, 32-39・40, 33-35・36, 34-17・18, 35-35・36, 36-75・76, 37-35・36, 38-19・20, 39-48・49, 40-35・36, 41-38・41, 42-34・41・42, 43-39, 44-13・14, 45-13・14, 46-15・16, 47-37・38, 48-17・18, 49-

29・30, 51-11・41, 52-6, 55-50, 59-42, 60-41, 61-33, 62-39, 63-21, 64-22, 65-38, 66-19, 67-21, 68-21, 69-44, 70-40, 71-40, 72-42, 73-40, 74-36, 75-40, 76-37, 77-43, 78-44, 79-43, 80-44, 81-44, 90-44, 92-39, 95-42, 97-13, 100-40
王 秋 螢 38-32
王 汝 楣 62-33
王 厦 材 88-21
王 石 子 102-44
王 水 49-74
王 素 稔 54-14
王 弢 95-18
王 惕 114-23
王 往 94-39
王 西 神 32-10
王 錫 賓 29-14
王 埣 130-24
王 熊 17-7
王 修 17-7
王 雪 橋 20-43, 23-44, 26-42, 27-43, 28-40, 30-45, 31-49, 32-42, 33-44, 35-41
王 衍 繹 128-25
王 羊 121-27, 136-29, 138-28
王 一 言 78-19, 89-20
王 揖 唐 13-32, 28-24, 42-29, 48-35, 51-12, 53-29, 64-4, 73-1, 94-10, 115-13, 118-7
王 以 之 37-18
王 異 113-23
王 逸 樵 3-14
王 逸 塘 20-20, 22-38, 37-24
王 逸 軒 37-18, 88-21
王 誼 66-7, 70-4, 76-11
王 蔭 泰 2-34, 25-36, 36-5, 79-19, 141-2
王 英 89-20
王 瓔 60-42
王 迎 曉 90-33・37・41, 91-33・36・44, 92-38・43, 95-17, 98-12・14, (上海版)97-32
王 永 言 25-70
王 宇 澄 29-14
王 禹 117-28, 118-28
王 玉 90-38
王 雲 孫 2-16, 6-19
王 則 38-29・32, 39-37, 47-29, 55-37, 102-13, 103-11
王 章 也 32-49, 33-49, 34-40
王 者 幹 132-30
王 眞 夫 96-49, 126-35
王 證 109-41
王 質 庵 29-14
王 忠 70-35
王 仲 106-32, 117-28
王 仲 明 5-37, 39-20
王 朱 10-25, 36-53, 61-35
王 子 恵 4-3
王 益 軒 134-18
迋 兒 74-33
危 月 燕 123-29
威 立 80-32
微 9-31
微 塵 5-34, 7-41, 8-41, 9-43, 11-19・32, 13-20, 16-17, 17-14
微 夫 31-39, 34-39, 35-36, 36-68, 39-40
韋 長 明 135-29, 136-29
韋 烽 128-32
韋 休 56-42, 57-39, 62-16, 63-23・30, 64-21・31, 65-39, 66-22, 67-23, 68-19, 69-17, 70-51, 71-16, 72-51, 128-25

韋中蘭 134-27
維爾達・陶瓦屈 63-44
維　靜 134-16
維利・弗庫斯 130-29
尾崎紅葉 136-23
尾崎卓郎 139-4
尾形慶 16-29
尾中鶴洲 26-24
尾中郁太 7-23, 21-37
未　名 47-23, 52-36, 64-41
未　明 66-40
渭水學人 35-16
蔚　然 64-34
魏建新 90-29, 91-15, 92-16
魏　名 14-36
魏　醒 128-24
魏野平 134-21
溫世珍 86-13
溫宗堯 29-7, 30-4, 36-4, 41-2, 60-2, 82-4, 85-15
文　芳 29-55
文　彦 1-36, 6-39, 7-37
聞國新 102-42, 106-8
聞　青 102-47, 104-29, 109-37
聞旭東 4-21
問　流 41-34
問　陶 82-29
烏　甘 32-15, 34-36, 35-34, 36-71, 39-25, 42-39, 52-37, 54-38, 65-49
吾　山 39-9, 41-10, 45-8, 48-2, 49-26, 51-52, 56-6, 59-19, 60-52, 61-8, 66-51, 67-6, 70-7, 71-51, 77-51
呉覇霄 118-33, 119-28
呉春草 130-25
呉　杜 120-15, 121-16
呉公汗 110-32
呉　光 17-21
呉家煦 84-37, 88-8, 90-11, 91-13, 93-6, (上海版)97-28
呉經伯 32-10
呉景箕 48-35
呉菊痴 37-18
呉克峻 66-10, 86-9
呉　郎 22-35, 24-16, 29-46, 45-43, 51-41, 54-4, 55-38, 71-17, 104-11・35, 105-41, 116-32・37, 117-31, 119-5, 124-26
呉　倫 124-29
呉明世 96-31
呉鳴堂 120-8, 130-8
呉乃禮 4-19, 23-34, 30-18, 48-10
呉南緯 135-3
呉　琦 54-6
呉如倫 106-28
呉山青 99-14, (上海版)98-2
呉梯芳 29-14, 32-10
呉　偉 37-18
呉學禮 100-41
呉　彦 125-29
呉業盛 7-20, 8-22
呉一舸 1-33, 2-22, 3-23, 4-29, 5-30, 6-36, 8-34, 9-38, 10-32, 11-34, 12-30, 13-28, 14-30, 15-32, 16-32, 17-40・41・44, 18-14・15・46, 19-18・19, 20-18・19・48, 21-8・9, 22-19, 23-22・48・49, 24-22・48・49, 25-34・48・49, 26-22・38・39, 27-22・47・48, 28-18・19・20, 29-30・68・69, 31-52・53, 32-47・48, 33-47・48, 34-4・5, 35-5・6, 43-39
呉一琴 110-2
呉　瑛 19-43, 31-38, 46-38, 54-14, 61-34, 68-42, 105-42, 126-11

呉應墀 25-45
呉　宇 101-14, 102-18
呉　樾 2-18, 34-15
呉振東 111-23
呉震修 114-4
呉自嚴 132-7
五　知 31-4
伍澄宇 25-60
武岡鶴代 9-20
武内辰治 73-20
武藤忠人 40-8
武田熙 3-35, 4-16
武錫新 124-21
武者小路實篤 40-12, 133-26・27

X

西本曙光 21-10
西村聰 15-40
西格達夫 51-45
西谷彌兵衛 84-4
西津島三 61-37
西山翠嶂 115-封面
西塔子郎 29-17
西　韋 65-45
西　葦 134-29
西野入 49-54
希　民 63-5
希　穆 136-26
奚儲平 37-32
席與承 1-43, 2-43, 3-43, 4-43, 5-43, 6-43, 7-43, 8-43, 10-43, 11-43, 12-43, 13-39・42, 18-45, 19-44, 20-33, 21-36, 23-44, 24-45, 25-67, 26-40, 28-42, 29-65, 30-46, 31-49, 32-42, 33-44, 34-49, 35-41, 36-83, 37-41, 39-49, 40-42
洗　心 15-26, 20-13
葸　蕾 107-29
系　子 28-34
細貝泉 13-32, 31-33
遐觀室 58-41, 63-41
下　田 40-8
下田吉人 141-3
下田將美 33-5, 36-2, 46-2, 47-2, 65-20, 72-4, 77-7
夏敬觀 95-6
夏　萊 42-38
夏孟剛 36-36, 42-41, 56-17, 57-35, 62-17, 70-30, 73-43, 77-33
夏目漱石 67-35
夏穆天 110-26
夏　寧 109-41
夏奇峰 86-11
夏孫桐 80-17
仙　芥 36-77
鮮魚羊 103-28
賢　之 132-18
相羽清次 14-18
香川鍊彌 16-29
鄉　吟 100-29, 108-34
向後英一 42-8, 44-9
向　啓 118-28
蕭　艾 44-42, 96-29, 114-28, 138-23
蕭　霏 65-42
蕭　歌 118-31
蕭　菱 29-54・60, 32-34, 34-19, 36-70, 40-14, 41-29, 46-37, 51-36, 52-39, 53-12, 55-39, 64-42, 66-44, 77-45, 78-46, 79-45, 80-46, 81-46, 82-46, 83-45, 84-45, 85-45, 86-46, 87-46, 96-46, 114-30
蕭　强 95-30

蕭　　然　52-19
蕭 髯 奴　39-42, 66-43
蕭　　森　110-33
蕭 世 毓　26-16
蕭　　詢　141-17
瀟　　霏　46-36
小倉浩一郎　133-10
小　　川　41-14, 42-40
小 川 恒　51-7
小川平吉　28-24, 44-29, 48-35
小川潤八　38-32
小川射山　17-34
小川通義　16-29, 30-29
小川五江　26-24
小 川 郷　12-22, 16-29, 18-29
小豆澤義光　29-14
小　　乖　24-33
小 吉 子　14-38
小　　林　48-15
小林幾次郎　4-12
小林隆助　7-17, 8-25
小林一三　44-19
小柳司氣太　3-4, 30-4, 39-2
小　　咪　53-30, 87-34
小　　蒨　17-31
小泉八雲　106-42
小泉信三　140-5
小森俊一　29-14
小室翠雲　2-15
小 室 貞　31-33, 42-29, 50-35, 126-6
小寺好一　29-14
小寺融吉　108-28
小　　松　22-14, 40-35, 105-37
小松堅太郎　127-6
小田嶽夫　36-65, 134-5
小畑柿三　111-9, 112-9, 113-10, 114-9, 115-14
小西謙三　20-8, 21-10
小 野 馬　83-36
小野七郎　45-6
小野特派員　8-31, 71-6
小野竹喬　122-封面
小　　尹　32-29, 35-36, 39-43, 46-38
小　　螢　60-16
小　　雲　13-36
小澤柳之助　38-32
曉　　岑　13-24
曉　　堤　4-23
曉　　津　101-49
曉　　旅　112-6, 119-29, 121-32
曉　　森　98-51, 109-28
曉　　星　95-15
篠田勝也　10-24
孝　　舜　127-28
挾 間 茂　49-54
脇 田 和　66-22
謝　　超　29-14
謝　　青　133-27
謝 人 堡　20-12, 29-46・47, 32-37, 36-69
謝 爲 何　79-21, 87-10
謝 希 平　119-10
謝　　園　17-29, 20-15
謝 祖 元　124-10
辛德巴德　89-36
辛　　歌　104-32, 107-40
辛　　愷　51-40, 67-21, 87-30, 95-32, 109-33
辛　　暮　130-8
辛　　人　127-28, 128-21
辛　　生　94-31
辛　　陀　86-12
新谷幸次郎　29-14
新　　玲　131-28, 139-28
新田谷透子　40-8

星　　星 37-31
邢 妨 傑 16-5, 37-18
邢　　致 39-49
幸　　人 134-25
興建月刊社 33-22
熊谷翠軒 26-24
熊 谷 諭 14-18
熊 士 林 17-7
熊唐守一 43-39
熊 先 蓬 43-39, 68-39
休　　敬 135-30
修　　伯 130-27, 132-22, 134-27
修 國 瑛 45-14
修　　佩 134-28
修　　士 94-33
朽　　木 51-44, 67-47
秀　　華 1-16, 2-28, 3-31, 4-24, 6-24, 8-28, 10-37, 12-20, 13-37, 15-20, -20-34, 24-20, 25-30, 27-30, 30-16, 32-18, 35-20, 43-39, 58-15, 60-15, 69-29
秀　　霖 16-15
秀　　士 98-21
須古特派員 13-16
徐 白 林 106-8, 123-27
徐 長 吉 34-32, 38-32
徐 朝 宗 132-8
徐　　成 92-45
徐 承 振 123-21
緒 方 昇 39-12, 83-7
緒方一男 40-8
徐 公 美 12-18, 32-3, 74-13, 77-16, 88-12, 99-2, (上海版)98-14
徐 國 韶 29-14
徐 恒 芝 131-10, 132-11
徐　　衡 101-9
徐　　健 25-54
徐 劍 膽 1-13
徐　　來 47-44
徐　　良 58-2, 60-2
徐 凌 霄 43-39
徐 纓 紋 39-5
徐 纓 汶 62-29
徐 啓 文 118-6
徐 青 之 98-22
徐 慶 魁 104-19
徐　　爲 118-22
徐　　新 32-34
徐 亞 生 77-16
徐 雲 紦 78-19
徐 振 渭 33-46
徐 振 之 90-45
許　　可 12-36, 14-26, 16-28, 20-18, 22-14
許 力 求 131-2
許　　强 35-29, 43-29
許 少 榮 37-3
許 惕 生 82-35
許 錫 慶 77-16, 85-17, 86-16
許　　穎 3-15, 4-18, 9-32, 19-43, 20-36, 21-30, 22-15・22, 23-29, 24-10・30, 25-19, 26-29, 27-15, 28-17, 29-50, 30-34, 31-37, 32-14, 33-10, 34-17, 35-38, 37-35, 38-18, 53-15・17, 54-30, 55-15, 56-35, 57-14, 58-34, 59-35, 60-10, 61-38, 62-21, 63-14, 64-16
許 竹 園 85-42
滸 茂 嘉 4-47
璇　　玲 96-35
雪 3-18, 36-77
學軒吉田 8-18
雪　　螢 34-29, 41-16, 42-30, 46-32, 48-30, 50-43, 52-51, 61-51, 68-50, 76-52, 89-50

Y

雅　　子　115-34, 119-4
亞波裡奈爾，G　106-43
亞　　嵐　32-37, 40-38, 41-29, 44-36・40, 45-39, 48-38, 50-45, 57-43, 58-42
亞　　民　128-3
岩垂憲德　132-3
岩村成允　17-2
岩井良太郎　111-5
岩 崎 昶　9-45
岩　　濤　137-19
岩田鶯崖　15-18, 37-24
岩 溪 晋　13-32, 31-33, 95-7, 118-4
岩溪裳川　4-17, 15-18, 36-26
岩下輝夫　28-29
閻 豎 忱　74-17
顔　　潔　86-40, 89-20
顔 任 衡　86-13, 89-20
嚴　129-1
嚴　　賦　45-33
嚴 軍 光　36-12
嚴 懋 德　122-12, 123-13, 129-9
鹽出孝潤　21-37, 24-29
鹽 谷 溫　117-1, 118-15, 127-4
鹽見孝雄　21-17
彦　39-47
雁　　氷　12-27
燕　　然　67-39
燕　　子　120-25
揚　　波　131-28
揚　　馬　17-44
揚 子 江　96-48
楊　　鮑　106-32, 113-32, 122-21
楊　　產　89-37
楊　　馳　127-27, 129-34, 130-29
楊　　棣　15-42, 29-66, 31-46, 118-28
楊 孚 舜　100-40, 102-22
楊 光 政　98-29, 99-30・36, 100-34, 101-17, 102-30, 104-26, 105-32, 108-12, 110-15, 112-23, (上海版)97-10・64, (上海版)98-10・48, (上海版)99-46
楊 鴻 烈　34-2, 35-3, 36-22, 40-8, 59-15, 77-16, 84-15, 85-21, 86-34, 87-21, 88-22, 89-17, 90-21, 91-21, 92-20, (上海版)98-38
楊　　花　16-31
楊 卽 墨　(上海版)98-45
楊 家 達　111-23
楊 敬 遠　88-17, (上海版)98-42
楊　　苓　14-42, 16-36, 23-40, 35-44, 71-37
楊　　犖　48-35
楊 牟 民　111-23
楊　　圻　94-10
楊 任 遠　54-6
楊 壽 聃　59-11
楊 壽 枏　31-33, 52-24, 82-11
楊　　濤　100-32, 109-37, 130-24
楊　　悌　136-29
楊 文 昌　58-18, 61-10
楊 昔 川　88-20
楊　　野　34-36, 44-41, 65-41
楊　　葉　38-32
楊　　永　128-29
楊 用 珊　55-35
楊 雨 亭　38-5
楊　　雲　121-24
楊 雲 萍　119-10
楊贊，F・M　62-38
楊 正 宇　53-3, 82-10
楊 鍾 義　42-29
楊 宗 慧　37-18

仰　正　108-16
爻　瑪　43-24, 124-30
姚　寶　130-26, 141-21
姚　紅　30-43
姚人龍　29-14
姚　任　38-32
姚　遠　51-42
姚作賓　81-14
椰　子　108-36
也　麗　31-42, 41-36, 52-35
野村吉三郎　7-3, 28-2
野村玩古　19-24
野村毅　7-23
野　丁　93-13
野間説堂　39-26
野間政　10-24, 12-22, 14-18, 16-29, 21-37, 24-29, 30-29
野口米次郎　110-25, 131-28
野　翁　66-39
野中修　33-33
叶　一　78-42
夜　楓　15-26
葉伯巨　129-26
葉　風　10-27
葉　蓬　94-2
葉山嘉樹　108-11
葉未行　52-33・42, 60-41, 67-21, 71-38, 78-16, 83-23, 86-40, 88-33・36, 89-34・44, 95-46, 99-39, 101-22, 126-18, 132-19
葉行寅　131-17
葉　櫻　129-29
曄　63-22
曄　曄　43-18
一　颿　123-30
一　泓　7-42
一　坤　32-31, 33-33, 34-31, 35-31
一　萍　(上海版)97-2
一　颯　91-39
一　士　109-29
伊班涅茲　98-20
伊倉恭藏　10-24
伊賀正子　40-8
伊禮斯　41-19
伊藤貴麿　136-10
伊藤繼郎　86-1
伊藤盤南　26-24
伊藤慶之助　83-1, 99-封面, 133-10, 134-封面
伊藤賢三　63-9, 64-11, 65-34
伊藤義彦　18-29
伊藤整　38-30
伊佐壽　7-23
依　稀　107-37
漪　堃　10-22, 16-30
怡　悦　50-11
疑　遲　105-39
乙　梅　107-39
乙　文　126-33
以　齋　65-33, 66-32, 67-20, 68-33, 69-32, 70-42, 71-34, 72-43, 74-38, 75-35, 76-38, 77-40, 78-39, 79-41, 80-41, 81-22, 82-38, 84-33, 85-43
亦　庵　101-13
佚　名　102-22
易彝伯　111-23
挹　彭　100-30
懌　園　8-18
憶　蘭　27-44
藝　筠　52-45, 55-40, 65-45
殷汝耕　114-4
殷　同　5-5, 29-18
蔭　朗　68-20
尹梅伯　37-18
尹天哲　132-2

引田春海 133-8
引田哲一郎 111-23, 121-32, 123-1, 125-1, 135-2, 136-4, 137-2
英　　哥 107-35
英　　子 9-29, 11-26
櫻 井 兵 18-29, 21-37, 24-29
迎　　曉 61-32, 83-21
影山佳雄 14-18
影　　肖 112-28
癭　　公 67-8, 69-7, 72-7
雍 克 斯 127-27
永戸政治 40-10, 57-8, 74-4, 78-6, 85-4, 95-2, 133-2, 138-2
永　　井 94-2
永井千山 15-18
永 井 潛 57-2
永瀬義郎 50-35
幽　　靈 17-30
尤 半 狂 32-10
游　　萍 74-43
游 衍 生 27-37, 31-44, 35-29, 36-78, 37-32, 43-29
楢崎觀一 7-17, 8-25, 9-20, 17-7, 34-32, 37-15, 39-12・16, 42-6, 113-1, 129-4
友　　言 101-22
有島武郎 137-23
有馬健之助 92-11
有馬頼寧 49-54
有田八郎 5-4
于 寶 軒 17-7
于 經 武 29-14
于 明 仁 34-32
于 秋 士 69-16
于 韶 華 33-46
于　　雁 109-40
于　　揚 30-39, 43-20
余 晋 龢 25-45
余 若 林 40-29, 57-36
余 蘇 丹 52-38
余　　冶 109-32
余　　治 47-23
余 祥 森 17-7
兪 寄 凡 78-19, 97-34, 98-37, 99-21
兪 義 範 29-14
虞 克 忠 90-45
愚 127-1
漁　　作 88-44
予　　岂 128-29
予　　且 127-6
宇文古易 96-47
宇野哲人 128-3
宇治田直義 4-10, 25-18
羽仁もと子 28-47
羽　　衣 132-17
雨　　辰 8-38
雨　　柯 49-73
雨　　林 121-21
雨　　巫 40-43
與　　承 14-42
玉井幸助 132-22, 133-22
玉木椿園 15-18
玉木懿夫 125-5, 130-12
玉　　璋 136-8
玉　　珍 39-32, 40-30, 41-30
玉置德三 6-26
郁 李 英 40-19
郁 鵬 程 117-28, 138-18
喩 熙 傑 86-12, 128-2, 137-3
元　　懽 104-16
袁 鼎 昌 67-10
袁 家 珍 7-17, 8-25
袁　　敬 127-28
袁 峻 德 29-14
袁　　殊 86-13
袁　　天 64-51

袁天任 56-52
袁天瀋 17-43, 18-43, 19-50, 26-42
袁　文 64-30
袁　犀 126-35
袁　意 127-33
原　犁 87-33
原　勝 49-7
原田 / 原田稔 17-7, 28-29, 29-14, 32-10・16, 33-12, 37-18, 40-8, 41-15, 54-6, 77-16, 78-19, 89-20
原田仁 9-25
原田尾山 78-19
原一郎 102-4
援　公 71-37, 72-39
園部綠 31-16
遠藤柳作 41-8
苑淑芳 10-46, 11-37, 12-33
約翰・法雷 128-24
月　光 12-39, 14-35
岳繼先 29-14
雲 42-43
允 26-41, 45-44
允　中 34-42

Z

早川朝雄 13-14
藻 82-52
澤開進 11-17
澤田東皐 20-20
澤田勇 8-16
子　博 63-51, 75-52
查顯琳 100-32, 102-50, 109-41
齋藤天城 39-26, 46-29
詹姆士・派登 116-7
詹延英 111-23
章克標 119-7
章學海 70-12
張哀鴻 50-50
張　葆 134-24, 136-19
張　波 126-29
張伯鈞 78-19
張　岑 95-44
張次溪 32-10
張　砥 95-37
張夫邁 124-31
張　公 18-35
張國新 11-17
張赫宙 36-84, 56-10
張　季 104-29
張季行 7-17, 8-25
張家祺 7-17, 8-25
張江裁 90-18, 94-29, (上海版)98-33
張金壽 24-40, 25-56, 26-38, 27-36, 29-24, 30-37, 33-31・34, 34-35, 35-45, 37-21, 38-21, 39-22, 41-21, 42-21・45, 43-21, 44-22, 45-21, 46-19・40, 47-19, 48-21, 49-17, 50-18, 51-34, 54-36, 55-30, 57-36, 96-51, 103-30, 114-35
張　瑾 82-32, 89-20, 94-30
張景恵 25-45, 73-1, 121-3
張經羽 109-29, 118-28
張　康 60-38
張　蕾 13-33, 18-41, 20-7, 22-32, 34-30, 40-32, 46-30, 51-31, 54-6・52, 62-51
張魯山 103-4
張　蘿 122-28
張孟雄 37-18
張迷生 25-70
張　銘 78-19, 89-20
張乃霖 7-17, 8-25
張　薔 108-40
張仁蠡 25-45, 87-20
張深切 106-14, 112-14, 123-4, 140-

18, 141-7
張愼之 77-16
張師倹 7-17, 8-25
張　抒 89-38
張淑華 97-11, 105-31
張淑蘭 97-10
張舜九 10-10
張松老 14-3
張　弢 91-30
張鐵笙 102-37
張　亭 89-20
張　瑋 25-68
張文華 11-21, 12-19, 13-17, 14-14, 15-29, 16-24, 17-24, 18-12, 20-11, 21-21, 22-18, 24-42, 27-11, 29-32, 31-15, 36-13, 37-14, 39-34, 40-7, 42-20, 45-29, 49-20, 51-29, 54-35, 56-9, 60-13, 61-16, 62-15, 121-15, 122-24, 123-24, 124-24, 125-28・11, 126-23, 127-23, 128-16, 129-21・25, 130-10, 131-21, 132-21, 133-21, 134-19, 135-23, 136-21
張文熙 37-18
張我軍 43-39
張我權 38-32
張　武 93-39
張秀霖 28-29
張一帆 52-42
張一鶴 44-44, 70-38
張蔭萱 129-28, 132-27, 136-30
張鍈緒 37-9
張玉暉 59-29
張源祥 92-11, 125-10, 126-16, 127-13, 128-15, 129-23, 132-8, 133-10, 138-8
張雲笙 96-4
張雲史 52-16
張　允 69-41
張允中 20-43, 39-47, 40-42, 47-45
張　章 110-36, 128-32
張　喆 11-41
張振仕 32-36
張知夫 132-8
張止戈 66-21, 86-18, 100-15, 107-36, 115-36, 123-21
張忠禹 29-14
張仲人 36-62, 71-37
張竹軒 29-14
張資平 44-14, 45-14, 46-12, 47-10, 57-29・31, 60-29, 61-18, 69-19, 70-20, 71-20, 72-19, 73-47, 74-20, 75-20, 76-20
張子信 102-22
張宗源 33-46
張醉丐 1-14
張祥生 104-29
瑋　賢 41-12
昭　明 95-17
昭　芸 14-34, 21-38, 24-16, 26-34
趙大德 39-37
趙丁一 130-6
趙　浩 131-16
趙恆勤 29-14
趙靜言 33-46
趙孟原 27-46, 38-32
趙鳴岐 1-33, 2-22, 3-23, 4-29, 5-30
趙慕儒 86-18
趙如珩 75-14, 77-16, 97-7, (上海版) 97-31
趙始昂 109-29
趙天人 40-29, 45-40, 48-41, 56-30
趙　文 43-31, 49-35, 54-16, 69-18, 80-40
趙秀芳 33-46

趙玄武　106-30, 111-30
趙　英　9-37
趙毓松　60-2
趙月英　61-12
趙　越　82-37, 83-44
趙尊嶽　87-20
眞鍋竹州　26-24
振　尋　37-33, 42-35
正　一　2-36
鄭秉珊　89-29, 96-19
鄭　奠　121-16, 129-12, 131-28, 139-8
鄭錦瑗　32-10
鄭菊瘦　4-36, 12-29
鄭維芬　111-23
鄭吾山　28-29, 77-16, 78-24, 79-24, 80-24, 81-24, 82-24, 83-24, 84-24, 85-34, 86-24, 87-4・24, 88-29, 91-24, 92-11・24, 93-24, 94-24, 95-24, 96-23, 97-24, 98-24, 100-23, 101-24, 102-24, 104-20, 105-25, 106-25, 107-20, (上海版)97-39, (上海版)98-24, (上海版)99-23
鄭　蕪　95-32, 136-30
鄭孝舜　132-8
之　淳　136-23, 138-25
支　羊　107-37
支　援　92-34, 101-29
芝　娜　111-28
知　羊　64-32
織　情　11-27
植村俊　22-44
植田捷雄　45-2
植田善藏　29-14
止　戈　57-38, 62-16
至　剛　92-34
志村常平　29-17
志方益三　12-3
志水松　12-22
志水松厓　46-29
致　遠　96-13
中保與作　7-17, 8-25, 9-20, 33-46, 34-32, 37-15, 39-12
中川俊思　20-29
中村地平　35-30
中村篤九　29-17
中村貢　45-11
中村好　29-14
中村亮平　30-30
中村清　57-35
中村貞以　87-1, 113-封面, 125-封面
中山善三郎　5-26
中山特派員　80-12
中山優　120-1
中上雅夫　38-9
中尾純利　22-23
中西利雄　105-27
中西檀成　24-29
中野草雲　112-封面, 138-封面, 141-封面
中野喜一　119-22
中野正剛　27-5
中野重治　51-31
中原中也　49-64
中正夫　19-30
忠　惠　54-5
鍾任壽　94-2
鍾禮山　30-20, 32-10
鍾凌茹　43-39, 106-8
鍾任壽　40-8
鍾　蓀　75-44
仲　鴻　54-17
仲　華　69-37
仲田光綠　5-封面
仲　文　98-34, (上海版)98-40
仲賢禮　34-32
仲銕雄　75-4

仲　玉　97-9
重　綠　29-52
周定影　29-14
周佛海　52-4, 67-5, 121-4
周鴻緒　13-3
周化人　36-6, 38-3, 54-13, 87-6, 88-20
周隆庠　86-12
周蔓琪　37-18
周南木下　6-17
周　騷　111-27
周思靖　11-6
周學昌　60-2, 77-16
周雨人　77-16
周欲鳴　67-35
周毓英　84-8, 91-8, 95-8, 96-8, 98-2, (上海版)97-24, (上海版)99-31
周越然　119-8, 124-12
周　章　40-19
周　正　90-33
周宗貴　29-14
周作人　135-24
周　羽　138-18
朱　古　108-33
朱光溥　86-14
朱　亨　66-43
朱　華　2-10, 25-12, 50-4, 54-13, 62-4, 111-23
朱令彝　29-14
朱　明　93-17
朱　牧　54-17, 67-48
朱念庸　44-2
朱　佩　132-2, 136-30
朱尚忠　29-14
朱少華　107-17, 108-15, 109-16, 110-30, 111-29, 112-29
朱　媞　105-29, 107-42, 124-25, 128-31, 131-29, 133-29, 138-27
朱錫瑋　29-16
朱　毅　87-32
朱友白　61-3
朱右白　57-29, 77-39, 78-18, 80-23, 82-41, 83-37, 84-19, 85-37, 86-11・23, 87-39
朱雲程　29-14
朱重錄　32-10
猪谷善一　49-11
猪熊弦一郎　129-16
諸青來　60-2
竹　邨　89-10
竹村爲　21-37
竹井星溪　39-26
竹内茂代　9-20
竹内照夫　46-2, 64-7
竹　生　69-11, 75-7, 81-7
竹　溪　139-28
竹雨土屋　6-17, 8-18
竹越與三郎　8-3
筑紫二郎　42-50, 43-50, 44-50
庄司杜峯　22-38
庄司杜峰　2-15
庄司乙　94-11
庄子勇之助　32-10
莊　雷　36-75, 38-44
莊　煦　131-28
莊　嚴　7-38
莊　哲　133-28
茁　丁　102-29
卓　功　139-26
卓理格圖　11-17
卓　褆　83-22
子　建　5-21
子　江　127-9
子　荊　35-18, 36-67
紫安新　18-29
紫　荊　65-47, 132-26

紫荊花館　25-55・56, 26-31・32, 27-39・40, 28-45・46, 29-51・52, 30-47・48, 31-13・14, 32-39・40, 33-35・36, 34-17・18, 35-35・36, 36-75・76, 37-35・36, 38-19・20, 39-48・49, 40-35・36, 41-38・41, 42-41・42, 44-13・14, 45-13・14, 46-15・16, 47-37・38, 48-17・18, 49-29・30
紫　哨　109-15
紫　燕　62-40
紫雲樹　19-16
宗威之　37-18
宗　翔　89-36
宗　羽　72-18
鄒光明　32-20
鄒子襄　37-24
左　洛　67-45, 90-34, 107-27
左琴科　106-40
佐多愛彦　4-8
佐藤邦夫　92-11
佐藤春夫　29-53
佐藤膽斎　38-32
佐藤道　12-22
佐藤錦城　39-26
佐藤俊子　36-30
佐藤知恭　116-27
佐藤祖道　30-29
祝　他　128-34, 131-27, 133-27, 136-22, 137-25
祝　敔　62-19
禎　74-42, 87-33

其他

畹　人　115-32
灑　零　99-39
A・B　44-37
Basler, Adolphe　135-21
Baudelaire, C.　51-44
Bergman, Frank　65-32, 66-20, 67-32, 68-32, 69-39, 70-41, 71-39, 72-35, 74-37, 75-41
Bjornson, Bjornstjerne　41-31
Byangwyn, F.　135-17
D・N　47-13, 63-29, 68-18
Daglish, E.F.　135-16
Favorsky, V.　135-16
Flaherty, O.　80-39
Garshin, V. sevolod.M.　37-30, 38-31
Gibbings, R.　135-16
Graves, Rovert　31-34, 32-30
H記者　7-27
I記者　7-29
Janfen, F.M.　135-17
Jensen, J.V.　80-40
Lamartine　29-47
Larson, Gosta　67-42
Leightou, C.　135-16
Longfellow, H.W.　45-30
MC生　13-19
M生　12-37
Nicholas　29-46
Osimo, B.　135-16
O記者　7-31
O'keilley, Mary Boyle　37-31
Pape, Hans　135-17
Pavlinoff, P.　135-16
Peake, M.　65-32, 66-20, 67-32, 68-32, 69-39, 70-41, 71-39, 72-35, 74-37, 75-41
Schlangennausen, E.　135-16
Secker, Fritz　69-29
Smith, K.S.　55-32, 56-15
Stephens, James　54-17
Tennyson　29-46

Tichy, Herbert 139-23
Treves, Paolo 47-31
W. K. 135-17
Y ・ V 44-21, 45-16, 48-11
Young, F.Brett 67-43
Y　V 56-12
Zilahy, Lajos 43-31

（作成：牛 耕耘／ぎゅう こううん）

V

執筆者索引（日訳）

牛耕耘（編）

執筆者索引（日訳）・凡例

1）本執筆者索引は、大阪毎日新聞社・東京日日新聞社編・発行『華文大阪毎日』創刊号（1938年11月）～第141号（1945年5月）の全141冊（第101号より『華文毎日』と改題）と、同誌「上海版」（第1号～第3号、1942年11月～1942年12月）の執筆者名より作成した。

2）人名は五十音順に配列した。判読不能な人名は、最後尾の「その他」にまとめた。

3）数字は、通巻号数・ページ数を示している。例えば「24-15」は「第24号15頁」の意味である。

4）原本において判読が困難な文字は、●印で示した。

5）旧漢字は新漢字に改めた。固有名詞については、その限りではない

『華文大阪毎日』執筆者索引

《あ》

艾　　岩　132-24
愛　　子　14-27
相羽清次　14-18
艾　　磊　109-15
艾　　玲　96-46
阿　　燕　1-39
青木大乗　81-1, 104-表紙
青 木 武　63-9, 64-11, 65-34
阿　　華　21-16, 73-46
赤坂清七　2-32, 29-42
赤松雲嶺　127-表紙
阿　　関　132-24
秋野不矩　114-表紙
阿　　金　31-50, 32-45
芥川龍之介　37-31
阿　　虎　31-45
麻田弁次　108-表紙
浅原六朗　131-27
朝比奈策太郎　94-2
浅 見 淵　134-25
阿　　茨　36-68
芦 田 均　5-11
小豆沢義光　29-14
阿　　甦　18-23, 21-11, 45-17
阿　　大　20-8, 21-10, 28-32, 30-30
安宅彌吉　4-7
阿　　韡　7-38
阿　　部　49-54
阿部賢一　3-33, 79-7, 83-12, 89-2
阿部静枝　116-1, 132-26
阿部真之助　8-6
安倍留治　68-17
阿部知二　135-9
阿部信行　55-2
安部溟鵬　19-24
阿部淑子　37-15
アポリネール, G.　106-43
アミエル　136-22
亜　　民　128-3
荒木貞夫　1-3
荒津啓一郎　11-17
亜　　嵐　32-37, 40-38, 41-29, 44-36・40, 45-39, 48-38, 50-45, 57-43, 58-42
阿　　里　36-60, 54-37
有島武郎　137-23
有田八郎　5-4
有馬健之助　92-11
有馬頼寧　49-54
安 尹 静　37-18
安　　光　133-30
安　　犀　103-7, 105-20
安　　地　34-14
安東亀太郎　110-39
安東重紀　21-5
安　　郎　58-18

《い》

易 彝 伯　111-23
怡　　悦　50-11
イェンセン, J. V.　80-40

伊賀正子 40-8
依　稀 107-37
韋　休 56-42, 57-39, 62-16, 63-23・30, 64-21・31, 65-39, 66-22, 67-23, 68-19, 69-17, 70-51, 71-16, 72-51, 128-25
生田花朝 85-1, 102-表紙, 126-表紙
郁鵬程 117-28, 138-18
伊倉恭藏 10-24
郁李英 40-19
池田三郎 113-25
池田成彬 7-5
池田超爾 24-29
池田遙村 128-表紙
池田遙邨 111-表紙
池部鈞 5-41
池松勝 35-14
漪　堃 10-22, 16-30
以　斎 65-33, 66-32, 67-20, 68-33, 69-32, 70-42, 71-34, 72-43, 74-38, 75-35, 76-38, 77-40, 78-39, 79-41, 80-41, 81-22, 82-38, 84-33, 85-43
伊佐寿 7-23
井沢真太郎 6-30, 9-20
井沢実 121-7
石井彬 14-18, 21-37
石井定一 22-9
石井成器 26-24
石井忠利 14-18, 16-29
石井鶴三 135-17, 138-29, 139-29, 140-24
石　川 106-8
石川欣一 92-11
石川興二 47-18
石川順 43-39
石川啄木 136-22
石川達三 107-28
石川為藏 29-14
石塚参 12-22, 18-29, 24-29
石田幹之助 133-8
石原広一郎 112-7
渭水学人 35-16
維　静 134-16
蔚　然 64-34
板垣征四郎 9-3
板倉進 76-4
板倉星光 124-表紙, 137-表紙, 140-表紙
猪谷善一 49-11
市川五郎 32-12
市川房枝 32-19
一　飄 123-30
一　萍 (上海版)97-2
市村瓚 28-24
韋中蘭 134-27
韋長明 135-29, 136-29
一　泓 7-42
一　坤 32-31, 33-33, 34-31, 35-31
一　颯 91-39
一　士 109-29
佚　名 102-22
井出季和太 114-26
伊藤慶之助 83-1, 99-表紙, 133-10, 134-表紙
伊藤賢三 63-9, 64-11, 65-34
伊藤整 38-30
伊藤貴麿 136-10
伊藤継郎 86-1
伊藤盤南 26-24
伊藤義彦 18-29
糸川英夫 127-10
井上瑛青 27-37, 30-45
井上巽軒 25-60
井上哲次郎 1-12, 27-2, 41-4, 120-32
井上秀 131-3
井上秀子 9-20

井上雅二 49-23
井上松子 4-26, 11-23, 14-22, 16-18, 19-32, 34-32, 50-9
猪熊弦一郎 129-16
尹 梅 伯 37-18
韋　烽 128-32
今関天彭 78-19
今村得之 130-6
威　立 80-32
イルダ・トワク 63-44
岩井良太郎 111-5
岩 崎 昶 9-45
岩下輝夫 28-29
岩田鶯崖 15-18, 37-24
岩渓裳川 4-17, 15-18, 36-26
岩 渓 晋 13-32, 31-33, 95-7, 118-4
岩垂憲徳 132-3
岩村成允 17-2
允 26-41, 45-44
殷 汝 耕 114-4
允　中 34-42
尹 天 哲 132-2
殷　同 5-5, 29-18
蔭　朗 68-20

《う》

ヴァルタア，ホルン 55-34
羽　衣 132-17
植田善藏 29-14
植田捷雄 45-2
上 田 広 112-6
上　野 126-35
上原虎重 1-8, 7-7, 29-11, 31-6, 36-7, 39-8, 42-2, 43-13, 48-2, 55-14, 57-8, 60-8, 63-9・12, 64-11, 65-34, 73-4, 83-12, 128-4, 136-5
上村松園 78-19
植 村 俊 22-44
雨　柯 49-73
烏　甘 32-15, 34-36, 35-34, 36-71, 39-25, 42-39, 52-37, 54-38, 65-49
于　雁 109-40
于 経 武 29-14
鵜沢倭湫 2-15
鵜沢総明 85-9, 95-6, 113-6
宇治田直義 4-10, 25-18
于 秋 士 69-16
于 韶 華 33-46
雨　辰 8-38
内ヶ崎作三郎 12-18
内ヶ崎愛天 26-24, 39-26
内田娯老 29-14
内山完造 29-48, 104-25, 140-19
宇野哲人 128-3
雨　巫 40-43
生方一哉 21-37
宇文古易 96-47
于 宝 軒 17-7
于 明 仁 34-32
于　揚 30-39, 43-20
雨　林 121-21
雲 42-43

《え》

英　哥 107-35
癭　公 67-8, 69-7, 72-7
英　子 9-29, 11-26
影　肖 112-28
亦　庵 101-13
江 草 茂 38-32
榎本桃太郎 45-6, 53-10
江 馬 務 5-17
袁　意 127-33

袁家珍 7-17, 8-25
袁　敬 127-28
援　公 71-37, 72-39
袁　犀 126-35
燕　子 120-25
袁　殊 86-13
苑淑芳 10-46, 11-37, 12-33
閻豎忱 74-17
袁峻徳 29-14
燕　然 67-39
袁鼎昌 67-10
袁　天 64-51
袁天瀋 17-43, 18-43, 19-50, 26-42
袁天任 56-52
鉛　刀 36-85, 41-19, 47-31
遠藤柳作 41-8
袁　文 64-30

《お》

及川英 21-37
王克敏 1-3, 17-34, 25-36, 52-24, 121-10, 127-2, 137-2
王　異 113-23
王以之 37-18
王一言 78-19, 89-20
王逸軒 37-18, 88-21
王逸樵 3-14
王逸塘 20-20, 22-38, 37-24
王蔭泰 2-34, 25-36, 36-5, 79-19, 141-2
王　禹 117-28, 118-28
王宇澄 29-14
王雲孫 2-16, 6-19
王　瓔 60-42
王　英 89-20
王永言 25-70
王益軒 134-18
汪　灩 53-39
王衍繹 128-25
王　往 94-39
王　嘉 133-17, 134-16, 137-18
汪介夫 22-41
王厦材 88-21
汪家祉 37-18, 88-35
王　厂 96-11
汪　琪 138-28
王　誼 66-7, 70-4, 76-11
欧季撫 29-14
王　強 3-47
王　玉 90-38
王金錬 27-45, 30-19, 34-45, 35-46, 36-80, 37-45, 38-45, 39-50, 40-46, 41-46, 42-46, 43-45, 44-46, 45-46, 46-46, 47-46, 48-46・50, 49-75, 57-39, 58-17, 59-39, 60-51, 61-41, 62-43, 71-41, 90-32, 92-40, 96-22, 110-39
王桂生 86-22
王迎暁 90-33・37・41, 91-33・36・44, 92-38・43, 95-17, 98-12・14, (上海版)97-32
汪向栄 44-2, 45-2, 46-3, 51-15, 62-8, 108-25, 109-25, 111-23, 118-8, 119-24, 122-7, 123-7, 137-10
王浩然 29-14
王光烈 38-32
王　冊 104-29, 107-16, 110-31, 114-23, 117-28, 118-28, 127-18
凰　芷 21-38, 26-40, 32-42, 35-42, 36-56
迋　児 74-33
王子恵 4-3
王質庵 29-14
王者幹 132-30
王錫賓 29-14

王　朱　10-25, 36-53, 61-35
王　修　17-7
王秋蛍　38-32
王揖唐　13-32, 28-24, 42-29, 48-35, 51-12, 53-29, 64-4, 73-1, 94-10, 115-13, 118-7
王　淳　42-45
王　証　109-41
王承琰　119-5, 125-30
王章也　32-49, 33-49, 34-40
王汝楣　62-33
王真夫　96-49, 126-35
王　水　49-74
王崇仁　94-43
王　静　100-16,（上海版）99-2
王　成　107-16, 114-23, 122-21, 127-18, 133-19, 134-18
王　埣　130-24
汪精衞　23-9
王西神　32-10
王青芳　28-45・46, 29-51・52, 30-47・48, 31-13・14, 32-39・40, 33-35・36, 34-17・18, 35-35・36, 36-75・76, 37-35・36, 38-19・20, 39-48・49, 40-35・36, 41-38・41, 42-34・41・42, 43-39, 44-13・14, 45-13・14, 46-15・16, 47-37・38, 48-17・18, 49-29・30, 51-11・41, 52-6, 55-50, 59-42, 60-41, 61-33, 62-39, 63-21, 64-22, 65-38, 66-19, 67-21, 68-21, 69-44, 70-40, 71-40, 72-42, 73-40, 74-36, 75-40, 76-37, 77-43, 78-44, 79-43, 80-44, 81-44, 90-44, 92-39, 95-42, 97-13, 100-40
王石子　102-44
王雪橋　20-43, 23-44, 26-42, 27-43, 28-40, 30-45, 31-49, 32-42, 33-44, 35-41
王素稔　54-14
王　則　38-29・32, 39-37, 47-29, 55-37, 102-13, 103-11
王楚文　48-8
欧大慶　37-2
王代昌　1-19, 5-24, 37-18
王　耑　44-43, 48-43, 66-41
王　丹　115-28
王　忠　70-35
王　仲　106-32, 117-28
王仲明　5-37, 39-20
汪兆銘　29-4, 35-2, 63-3, 71-10, 73-1, 74-6, 86-33, 95-6, 117-4
王　惕　114-23
王　度　21-8
王　弢　95-18
王徳言　77-16
汪特璋　29-14
王徳亭　95-30
王　寗　111-28
王柏栄　11-17
王白水　10-42
王敏中　87-20, 88-4
王　彷　14-26
王　鵬　18-49
王　熊　17-7
王　羊　121-27, 136-29, 138-28
欧陽斐亜　96-39
王　洛　134-11
王　蘭　19-17
王　令　125-30
大内隆雄　119-9, 127-33
大川誠　18-29
大久保憲美　125-9
大倉祺　51-12
大阪毎日新聞社／東京日日新聞社　25-

62, 95-29, (上海版)97-37
大成栄子 18-18, 21-32
大下宇陀児 107-28
大島謙吉 45-6
大島蘇谷 25-60
大曾根源助 29-14
太田宇之助 104-25
大滝金吉 21-37
大滝静修 39-26
大谷晃一 132-10
大谷光瑞 10-3
大谷辰雄 40-8
大 塚 修 63-9, 64-11, 65-34
大場彌平 65-11, 79-10
大原武夫 22-21, 42-7, 44-8, 45-6, 68-13
大 村 司 50-35
大森洪太 137-9
大 森 繁 12-22
大 矢 要 10-24, 30-29
大宅壮一 11-17, 33-46, 34-32
大 山 峯 13-40, 22-41, 23-43
丘 逸 庵 36-26
岡崎春石 25-60
岡 崎 壮 48-35, 85-9
岡崎壮帰 63-4
緒方一男 40-8
岡田愚山 26-24
尾 形 慶 16-29
岡田兼一 68-17, 71-12, 94-11
岡田敬江 40-8
緒 方 昇 39-12, 83-7
岡田元三郎 42-29, 49-23
岡野半畊 46-29
岡村育次郎 29-14
小 川 41-14, 42-40
小 川 郷 12-22, 16-29, 18-29
小川五江 26-24
小川射山 17-34
小川潤八 38-32
小 川 恒 51-7
小川平吉 28-24, 44-29, 48-35
小川通義 16-29, 30-29
萩 原 彰 7-23, 12-22, 18-29, 21-37, 24-29, 30-29
萩原錦江 26-24
奥平定世 92-11
奥 無 声 19-24
奥村喜和男 49-54
奥村信太郎 5-15, 64-8, 65-20
小倉浩一郎 133-10
憶 蘭 27-44
尾崎紅葉 136-23
尾崎卓郎 139-4
納 明 浦 19-24
納 三 治 28-24, 48-35, 49-22
大佛次郎 18-38
小沢柳之助 38-32
小田嶽夫 36-65, 134-5
落合為誠 49-23, 56-52
落合東郭 11-16, 25-60
落 合 昇 40-8
乙 梅 107-39
乙 文 126-33
尾中郁太 7-23, 21-37
尾中鶴洲 26-24
小野竹喬 122-表紙
小野七郎 45-6
小野特派員 8-31, 71-6
小畑柿三 111-9, 112-9, 113-10, 114-9, 115-14
オフラハーティ 80-39
小柳司気太 3-4, 30-4, 39-2
温 世 珍 86-13
温 宗 尭 29-7, 30-4, 36-4, 60-2, 82-4, 85-15

《か》

華　30-46, 32-44, 58-37
果　菴　30-10, 44-39
海　83-51, 91-51
何　畏　136-22・24
外史氏　10-21, 12-14, 14-25, 20-5, 23-8, 27-14, 29-6, 30-7, 31-9, 33--14, 35-13, 37-5, 39-11, 40-6, 41-7, 42-9, 43-12, 44-18, 46-24, 47-12, 48-29
外　人　83-18
亥　生　65-52, 70-51, 74-52, 85-51
開田靖一　133-10
何一鴻　109-41
何庭流　55-24
海　波　102-29
外　文　104-37
海揚波　130-26
家　瑛　102-22
艾　果　123-21
華　夏　131-8
戈　禾　116-34
何海鳴　52-8, 62-6, 66-17, 71-10, 77-16, 78-12, 86-6, 91-10, (上海版) 97-17
香川鍊彌　16-29
華漢光　87-20
遐觀室　58-41, 63-41
何其外　123-29
夏奇峰　86-11
柯　炬　36-71
何許人　65-46
何欽明　123-10
郭雲濤　128-21
玨　宜　70-17
郝希宗　64-4
郝慶松　102-38, 106-8
岳継先　29-14
郭　傑　135-22
赫　更　48-41
加来聚軒　39-26
郭秀峰　77-16, 85-8
郭崇階　32-10
郭　爽　77-45, 78-46, 79-45, 80-46, 81-46, 82-46, 83-45, 84-45, 85-45, 86-46, 87-46, 103-27
郭宗賢　7-17, 8-25
郭則澐　50-34
郭任遠　132-19
噩　疋　32-15, 35-34・45, 36-69, 37-20, 40-18, 42-39, 45-32, 47-23, 49-68, 50-31, 52-35・38・43, 55-40, 58-51, 65-48, 66-46
郭　敏　89-20
加来復翁　14-18, 30-29
郭鳳鳴　33-46
夏敬觀　95-6
影山佳雄　14-18
賀　行　36-68・85 , 37-20・31, 41-30, 67-33
何　行　37-20, 46-39, 50-29, 90-45, 95-32
火　口　44-45
花香育　57-29
何広尚　132-8
葛西善藏　139-28
荷　山　100-15, 107-31, 118-31, 132-27, 136-28, 138-28
家　祉　15-24
雅　子　115-34, 119-4
鹿島孝二　20-8, 21-10
何芍筵　111-23
華　章　16-22
何紹君　5-42, 6-33, 8-38, 11-33, 12-34, 13-39, 16-36, 24-32, 105-31,

106-32, 117-28
何　　心　88-21, 125-14
華　　青　109-39, 130-25
柯政和　30-14, 59-26, 61-2
夏孫桐　80-17
片岡鉄兵　140-22
加田哲二　10-11
片山敏彦　78-41
花朝生　17-22
葛偉昶　86-13
葛　　今　18-13, 25-48
葛　　藤　56-34, 58-38
葛　　筆　92-37, 93-34
葛　　蕾　37-20
葛亮疇　86-13
花貞彬　89-20
佳　　田　136-26
何天雷　123-21
賈　　騰　11-12, 12-12, 13-12, 17-15, 20-40, 22-3, 23-4, 24-4, 25-24, 26-6, 27-8, 37-6
華　　透　94-37
加藤悦郎　13-7・11・13, 14-7・11・12・13, 15-8・10・12, 16-7・8・10・11, 17-14・15・16, 18-9・10・11, 19-29, 20-40・42, 21-17・18・19, 22-7, 23-5・6・10, 24-5, 25-26, 26-7, 27-8, 28-5, 36-9・10・11・12
加藤繁　140-2
加藤特派員　71-4
加藤正雄　7-24
金島桂華　116-表紙
夏　　寧　109-41
金　　子　63-18
金子敬太郎　63-9, 64-11, 65-34
金子静雄　32-10, 57-29
金子二郎　92-11, 133-10
金田政一　29-14
禾　　葩　56-30, 64-20
賈培元　11-17
何佩瑢　85-16
何　　非　93-11
果　　夫　66-34
『華文大阪毎日』編輯処　7-42, 8-8, 9-34, 11-29, 13-43, 17-20, 20-39, 21-29, 22-17, 23-41, 25-15, 27-16, 28-16, 29-54, 30-37, 31-51, 32-17, 33-13, 34-50, 37-29, 39-31, 40-38・44, 41-9・45, 42-11, 43-19, 44-11, 45-45, 46-16・50, 47-11, 48-23, 49-24, 50-46, 51-10・24, 52-24, 53-2, 54-29・40, 55-42, 56-13, 57-7, 61-24, 62-42, 63-8, 64-38, 65-37, 73-29, 75-29, 76-50, 81-29, 91-29, 92-29, 113-24
賀　　平　40-39
戈　　壁　36-68, 39-42
可　　木　121-21, 124-21
夏穆天　110-26
神川彦松　2-9, 5-9, 124-5
上妻斉　73-13
上沼健吉　57-29
上村才六　7-23, 10-24, 12-22, 14-18, 16-29, 18-29, 21-37, 24-29
上村売剣　26-24, 39-26
亀島憲　49-22, 50-34
亀島春江　11-16
夏孟剛　36-36, 42-41, 56-17, 57-35, 62-17, 70-30, 73-43, 77-33
夏　　莱　42-38
柯　　雷　84-35
賀　　蘭　106-6
ガルシン　37-30, 38-31
カロッサ　136-23

河相達夫 3-7
河上徹太郎 119-4, 135-6
河 上 清 13-6, 14-7, 15-5
川崎栄藏 22-13
川崎早月 20-20, 36-26
川島理一郎 63-46・49, 64-33・37・40
川添利男 63-9, 64-11, 65-34
川田瑞穂 117-4
河田嗣郎 51-2
川端康成 133-26
川　辺 49-54
川 俣 篤 7-23, 10-24, 16-29
川村亜洲 46-29
川村文鼎 14-18, 24-29
川村宗嗣 113-6
管 一 得 78-19
煥　宇 26-30
韓 雲 階 8-5
旱　海 83-38
貫　奇 9-35, 25-66
顔　潔 86-40, 89-20
韓　護 37-34, 45-34, 46-36, 48-20, 51-19・34, 59-22, 63-48, 66-34
阮 幸 生 131-26
寒　沙 90-38, 95-34
神崎驥一 141-1
関 昨 非 37-18
涵　之 80-34
寒　蹤 115-37
関 紫 蘭 (上海版)99-表紙
寒　水 18-20, 19-23, 20-23
関　枢 33-46
神田喜一郎 42-29
簡 達 明 111-23
関 仲 和 37-18
岩　濤 137-19
顔 任 衡 86-13, 89-20
菅野和太郎 29-14
関 伯 章 37-18
雁　氷 12-27
管 翼 賢 77-21, 85-16, 124-1, 129-2, 133-4, 135-5, 137-5, 139-2
関　露 120-10

《き》

紀 19-14・15
季　夷 75-43
木内淇堂 19-24
紀 雲 龍 49-34
琪　英 29-63, 31-48
菊沖徳平 29-14
菊 池 寛 18-38, 25-48, 29-23, 34-30, 39-35, 43-33, 65-33, 66-32, 67-20, 68-33, 69-32, 70-42, 71-34, 72-43, 74-38, 75-35, 76-38, 77-40, 78-39, 79-41, 80-41, 81-22, 82-38, 84-33, 85-43, 109-28
季　淮 57-38, 62-35
危 月 燕 123-29
魏 建 新 90-29, 91-15, 92-16
岸 信 介 70-9
紀　者 13-31, 18-8
季 守 仁 38-32
季 準 平 29-14
棄　崇 70-32
紀　水 92-39, 100-32
魏　醒 128-24
寄 生 草 1-39
北川冬彦 50-43
北川正夫 47-6
木谷千種 5-23, 92-11
北村謙次郎 50-40
北村透谷 41-30
北村小松 19-14

疑　遅　105-39
吉　沢　127-37
吉　105-10
城戸又一　50-22, 80-6, 91-2
木寅隆二郎　40-8
木南保　7-23, 10-24, 12-22, 21-37, 24-29
木下周南　4-17, 20-20
木下彪　52-24
紀　梅　88-44, 129-26, 130-23
紀　蘋　40-20
季　風　28-49, 35-41, 42-44, 45-42, 53-32, 71-36, 72-40, 73-45
季　瘋　36-78・79, 38-37, 39-39, 40-29, 42-34, 43-29・42, 44-38, 45-40, 46-40, 47-41, 49-68, 66-48
紀　封　45-45
希　穆　136-26
寄　凡　81-10, 84-9
希　民　63-5
木村惇　121-7
木村毅　6-22, 34-32, 83-12, 121-7
木村斯光　5-19
木村増太郎　114-5
魏　名　14-36
魏野平　134-21
急　覚　7-48
牛何之　18-15
休　敬　135-30
宮頁川　128-28
牛作周　24-31, 41-45, 42-44, 43-44, 44-43, 45-44, 46-45, 47-45, 48-44, 49-72, 50-48, 51-39, 52-41
牛　膝　129-27
弓　早　116-13
牛　鼎　131-16
弓文才　28-29, 38-32
牛　蒡　126-28
朽　木　51-44, 67-47
邱　野　37-13, 38-15, 42-17
邱　揚　64-29
牛　陽　128-32
疚　瘤　45-33, 54-36, 65-47
九　郎　107-39, 129-29
龔維疆　78-19
龔意平　89-33, 97-40, (上海版)97-55
姜　煥　136-30
姜希瑜　37-12
郷　吟　100-29, 108-34
姜　彦　133-28
彊　三　24-44
龔　爾　49-34
匡　時　114-14
龔持平　80-20, 86-12, 98-42, (上海版)97-46
卿　商　128-8
暁　岑　13-24
暁　森　98-51, 109-28
暁　津　101-49
暁　星　95-15
仰　正　108-16
姜千里　93-37, 107-40, 128-28, 133-30, 134-21, 135-29
恭　藻　75-42
姜肇爾　138-18
暁　堤　4-23
姜天航　(上海版)97-21
狂　夢　78-38, 91-33, 99-20, 107-36
共　鳴　96-37
清浦奎吾　52-24
清浦奎堂　15-18
喬留生　133-19
暁　旅　112-6, 119-29, 121-32
許　穎　3-15, 4-18, 9-32, 19-43,

20-36, 21-30, 22-15・22, 23-29, 24-10・30, 25-19, 26-29, 27-15, 28-17, 29-50, 30-34, 31-37, 32-14, 33-10, 34-17, 35-38, 37-35, 38-18, 53-15・17, 54-30, 55-15, 56-35, 57-14, 58-34, 59-35, 60-10, 61-38, 62-21, 63-14, 64-16
許　可　12-36, 14-26, 16-28, 20-18, 22-14
許　強　35-29, 43-29
玉　璋　136-8
玉　珍　39-32, 40-30, 41-30
曲　晩　109-37
曲秉善　49-14
漁　作　88-44
許錫慶　77-16, 85-17, 86-16
許少栄　37-3
許竹園　85-42
許惕生　82-35
清藤泰子　37-15
滸茂嘉　4-47
許力求　131-2
季　瀾　101-22, 110-31, 128-24
桐原真二　65-21
金毓仙　38-7
金永昌　11-5
金　音　17-10, 20-38, 21-7, 22-15, 23-12, 24-17, 27-29, 30-41, 32-29, 41-36, 50-44, 55-43, 56-44, 105-40
錦　玉　38-40
金　堅　128-13, 136-24, 139-6
金　若　52-43
金　周　84-31
金　森　133-26, 134-26, 141-20
金　人　41-35, 63-38
靳辛流　91-38
靳　錚　95-41
金　風　100-40
靳丙沙　66-47
金問蘭　89-20
金　錬　71-36, 81-39

《く》

愚　127-1
空　飄　89-39
虞克忠　90-45
草野心平　49-65, 119-9
楠山義太郎　33-6, 46-8, 57-8, 73-22, 82-17, 93-2, 100-7
工藤特派員　8-32, 71-7
国木田独歩　106-35
窪川稲子　120-10
熊谷諭　14-18
熊谷翠軒　26-24
熊唐守一　43-39
久米正雄　11-17, 18-38, 34-32, 83-12
倉石武四郎　64-6
栗原千代太郎　57-8, 73-16
栗本勇之助　5-7
グレイヴス，ロバート　31-34, 32-30
クレッチマー　74-7
黒田重太郎　109-表紙
君　匋　55-12

《け》

景　16-40, 18-42・44, 20-44, 23-44, 24-44
荊位辰　78-19, 79-40
経　羽　68-24, 104-29, 132-19
景　輝　10-39, 22-40
迎　暁　61-32, 83-21
芸　筠　52-45, 55-40, 65-45
慶　公　126-38, 127-24

倪 弘 毅 54-6
系　子 28-34
慧　子 51-20
慶　祥 40-29
惠　清 23-34
邢　致 39-49
奚 儲 平 37-32
蕙　農 7-22
邢 幼 傑 16-5, 37-18
月　光 12-39, 14-35
潔　茜 98-40
ゲッベルス 136-24
彦 39-47
厳 129-1
元　懽 104-16
厳 軍 光 36-12
阮　江 112-38
賢　之 132-18
健　心 71-31
阮 振 鐸 36-5
剣　南 78-42
検　貝 128-28, 129-8
厳　賦 45-33
厳 懋 徳 122-12, 123-13, 129-9
原　犁 87-33

《こ》

呉　偉 37-18
小泉信三 140-5
小泉八雲 106-42
呉 一 舸 1-33, 2-22, 3-23, 4-29, 5-30, 6-36, 8-34, 9-38, 10-32, 11-34, 12-30, 13-28, 14-30, 15-32, 16-32, 17-40・41・44, 18-14・15・46, 19-18・19, 20-18・19・48, 21-8・9, 22-19, 23-22・48・49, 24-22・48・49, 25-34・48・49, 26-22・38・39, 27-22・47・48, 28-18・19・20, 29-30・68・69, 31-52・53, 32-47・48, 33-47・48, 34-4・5, 35-5・6, 43-39
呉 一 琴 110-2
貢 44-33, 52-19
江 129-5
呉　宇 101-14, 102-18
江 雲 山 37-24
江　瑩 71-30, 78-19, 89-20
江 鷗 伴 25-60, 37-24
黄　河 65-37
高　漢 54-6, 57-36, 71-13
後　旗 136-28
江 寄 萍 8-21, 10-28, 14-29, 19-51, 20-45, 23-16, 26-15, 33-41, 35-32, 39-19, 40-41, 50-32, 84-18, 85-23
紅　宮 36-76, 37-43, 45-44, 46-44, 47-44
江　権 122-25
黄　軍 58-51, 76-41, 78-17, 87-31, 90-35, 94-38, 111-32, 122-32, 123-32
光　軍 137-24
黄 君 匋 67-16, 82-14, 86-19, 97-47, 98-47, 99-45, 100-46
向　啓 118-28
顧 芸 華 (上海版)97-51
高　原 42-10, 43-30, 59-9
胡 建 球 29-14
興建月刊社 33-22
康　瓠 (上海版)98-12
庚　黄 58-40
高　亢 109-38
恒　虹 141-20
江 洪 杰 94-11
洪 光 洲 28-29

黄 公 渚 51-12
黄 孝 紓 116-27
江 亢 虎 60-2, 78-14・19, 85-17, 99-35, 100-10, 101-18, 102-21, 130-2, (上海版)97-38, (上海版)98-29, (上海版)99-24
向後英一 42-8, 44-9
江 克 (上海版)99-16
剛 克 (上海版)99-42
呉 克 峻 66-10, 86-9
黄 沙 30-30
高 坂 駒 42-29
高坂正顕 137-6
高 慈 136-24
孔 賜 安 35-19
洪 子 博 36-87, 37-52, 38-51, 39-55, 40-51, 41-51, 42-51, 44-51, 45-51, 46-51, 47-51, 48-51, 49-79, 50-52, 51-51, 52-50, 53-49, 54-51, 55-51・52, 56-51, 57-51, 58-52, 60-17, 61-50, 62-50, 63-50・51, 64-50, 65-51, 66-50, 67-50, 68-50, 69-50, 70-50, 71-50, 72-50, 74-51, 75-51・52, 77-50, 78-51, 79-50, 80-51, 81-51, 82-51, 83-50, 84-50, 85-50, 86-50, 88-50, 90-50, 91-50, 92-50, 94-50, 95-50
江 秋 蓼 2-47
孝 舜 127-28
江 常 104-29, 107-16, 112-28
侯 少 君 33-29
黄 頌 徳 132-8
江 上 風 86-41, (上海版)99-37
黄 書 年 7-17, 8-25
黄 審 20-29
高 深 35-34・37, 39-25, 40-18, 42-45, 47-23・50, 48-20, 51-46, 52-35, 53-38, 55-30・40, 56-38, 61-35
幸 人 134-25
鋼 人 (上海版)97-58
江 水 平 34-34
高 嵩 115-31
康 成 128-23, 130-11
高 棲 130-18
後 先 137-23
高 全 生 63-7
公 孫 惲 87-36
公 孫 嬿 87-29, 100-13
黄 達 5-42, 7-38, 10-36, 11-33
黄 茶 36-71, 44-42
黄 仲 揚 67-29
江 朝 宗 25-60
江 汀 30-9, 38-10
高 天 棲 59-8・26, 77-16, 84-20, 85-18, 86-8
功 濤 66-46
江 東 107-7, 109-5
江 濤 (上海版)99-2
康 同 璧 44-29
江 楝 良 101-22, 103-27, (上海版)99-17
江 楝 樑 109-29, 117-28
亢 徳 98-33, (上海版)97-52
河 野 密 25-16
皓 帆 117-22, 118-24, 119-26, 120-23, 121-22,
孔 飛 5-42, 23-42, 24-30
公 眉 101-32
紅 筆 14-28, 16-37, 20-39, 22-35, 26-33, 33-33, 35-30, 36-84, 37-31, 38-30, 39-32, 40-30, 44-31, 46-31, 49-80, 52-7, 57-52
虹 雯 23-18
高 文 淵 8-48
江 文 也 52-40, 53-4, 59-11

高 炳 華　100-41, 113-25, 131-17, 134-18
光　甫　92-9
江　峯　42-37
高　芳　132-9, 133-18, 137-23
高 夢 槐　11-17
爻　瑪　43-24, 124-30
鴻山俊雄　137-21, 140-7
光　友　45-30, 49-34
江 葉 梁　131-21
公　理　134-2
黄　龍　59-34, 103-27, 116-23
口　良　32-35
高 凌 霨　1-3
孔　烈　137-26
呉　瑛　19-43, 31-38, 46-38, 54-14, 61-34, 68-42, 105-42, 126-11
呉　樾　2-18, 34-15
呉 応 墀　25-45
ゴーリキー　108-35
郡 龍 彦　19-6
ゴールズワージー　100-31
コールリッジ　49-34
胡　音　73-41
古 怪 児　8-29
呉 家 煦　84-37, 88-8, 90-11, 91-13, 93-6, (上海版)97-28
呉 学 礼　100-41
胡 家 法　74-40
孤　雁　61-37
呉　琦　54-6
呉 菊 痴　37-18
呉 業 盛　7-20, 8-22
克　幻　97-43, (上海版)98-43・45
克　之　128-6
克　展　(上海版)97-40
国分高胤　51-12, 63-6, 67-8, 68-15, 116-27, 118-7, 120-32, 124-10, 126-6
国分青厓　1-42, 3-13, 4-17, 11-16
穀 梁 異　118-32, 125-33, 128-33, 138-27
谷　霊　138-21, 140-9
呉 景 箕　48-35
呉 経 伯　32-10
顧 継 武　86-13
胡　彦　133-25
呉　彦　125-29
胡　光　79-36
呉　光　17-21
呉 公 汗　110-32
胡 国 仁　78-19
高阪夜雨　20-20
吾　山　39-9, 41-10, 45-8, 48-2, 49-26, 51-52, 56-6, 59-19, 60-52, 61-8, 66-51, 67-6, 70-7, 71-51, 77-51
呉 山 青　99-14, (上海版)98-2
顧　視　114-34
呉 自 厳　132-7
胡 宗 愨　139-27
呉 春 草　130-25
顧 承 運　38-32
古荘雅山　46-29
呉 如 倫　106-28
呉 震 修　114-4
呉 振 東　111-23
顧 静 嫻　81-40
呉 乃 礼　4-19, 23-34, 30-18, 48-10
顧　瞻　7-39
五　知　31-4
伍 澄 宇　25-60
ゴ ッ ホ　70-51
呉 梯 芳　29-14, 32-10
胡 鉄 珊　37-18
小寺融吉　108-28

小寺好一 29-14
呉　杜 120-15, 121-16
呉南緯 135-3
小西謙三 20-8, 21-10
近衛文麿 1-3, 25-4・36, 52-14, 56-2, 65-4
胡　波 125-13

呉覇霄 118-33, 119-28
小林幾次郎 4-12
小林一三 44-19
小林隆助 7-17, 8-25
顧　鑣 123-28
胡　秉 139-25
顧鳳城 122-34
駒井卓 48-19
小松堅太郎 127-6
小室貞 31-33, 42-29, 50-35, 126-6
小室翠雲 2-15
呉明世 96-31
呉鳴堂 120-8, 130-8
小森俊一 29-14
胡　琳 38-41, 71-37
呉　倫 124-29
呉　郎 22-35, 24-16, 29-46, 45-43, 51-41, 54-4, 55-38, 71-17, 104-11・35, 105-41, 116-32・37, 117-31, 119-5, 124-26
痕 90-41
今関寿 115-13
恨　吾 94-29
坤　燈 33-18, 36-72, 37-38, 39-18, 41-18
近藤慶 12-22
近藤日出造 29-13, 30-8
近藤操 83-12
近藤杢 42-29

《さ》

莎 103-13
柴　柯 136-23
蔡　権 11-17
崔幻虹 14-41
済　時 102-22
崔笑我 37-18
崔善徳 111-23
西塔子郎 29-17
斎藤天城 39-26, 46-29
蔡　培 82-6, 121-6, 124-10, 125-5, 126-6
崔　雄 130-21, 133-27
坂野大龍 14-18
索冠軍 28-29
索　之 131-4
桜井兵 18-29, 21-37, 24-29
査顕琳 100-32, 102-50, 109-41
笹川儀三郎 132-10
莎　姍 54-15, 55-31, 57-37
沙　青 91-40
佐多愛彦 4-8
定井香厓 26-24
定井貞 10-24, 14-18, 30-29
茁　丁 102-29
颯　漠 61-29
佐藤錦城 39-26
佐藤邦夫 92-11
佐藤祖道 30-29
佐藤胆斎 38-32
佐藤俊子 36-30
佐藤知恭 116-27
佐藤春夫 29-53
佐藤道 12-22
実藤恵秀 128-11, 129-14, 134-3
莎　比 28-41
左　洛 67-45, 90-34, 107-27

沙　　蘭　130-21
沙　　里　96-43
沙　　林　50-30, 66-39
沢 開 進　11-17
沢 田 勇　8-16
澤田東皐　20-20
山　25-25, 28-3
杉　26-12
巉　　巖　22-14, 29-45, 52-36
三　　江　（上海版）99-37
山　　峭　133-17, 140-13
山　　青　27-17
山　　丁　24-15, 29-45, 33-35, 50-41, 105-35, 126-35
三　　弟　109-37
散　　髪　32-35, 34-34
山　　葉　98-20, 107-32

《し》

施　130-1
史　　蟫　115-12, 116-26, 117-25
紫 雲 樹　19-16
時　　英　4-37, 11-40
紫　　燕　62-40
支　　援　92-34, 101-29
塩出孝潤　21-37, 24-29
塩 谷 温　117-1, 118-15, 127-4
塩見孝雄　21-17
止　　戈　57-38, 62-16
志方益三　12-3
糸　　己　11-30, 21-36, 23-39, 25-58, 26-36, 27-32, 28-38, 48-32, 49-64
施　　義　86-31
式　　風　30-35
司 空 彦　96-42, 110-35
司 空 痴　133-25
司 空 鹿　125-31
子　　荊　35-18, 36-67
紫　　荊　65-47, 132-26
紫荊花館　25-55・56, 26-31・32, 27-39・40, 28-45・46, 29-51・52, 30-47・48, 31-13・14, 32-39・40, 33-35・36, 34-17・18, 35-35・36, 36-75・76, 37-35・36, 38-19・20, 39-48・49, 40-35・36, 41-38・41, 42-41・42, 44-13・14, 45-13・14, 46-15・16, 47-37・38, 48-17・18, 49-29・30
子　　建　5-21
四　　幸　91-39
子　　江　127-9
至　　剛　92-34
史　　策　18-40, 19-45, 21-35
史 之 風　26-39
司 子 明　111-23
時 秀 文　39-4, 42-42, 47-43, 85-29, 89-20
之　　淳　136-23, 138-25
紫　　哨　109-15
思　　心　103-27, 126-37
七　　紅　139-23
日　　叟　7-34
ジ ッ ド　42-30・32 , 136-24
司 徒 珂　47-43
芝　　娜　111-28
篠田勝也　10-24
司 馬 琯　131-28
島木正三郎　51-42
島崎藤村　67-33, 107-41, 131-28
司 馬 史　102-32
島田俊雄　138-10
島田政雄　131-7
島村抱月　36-85
志 水 松　12-22

志水松厓　46-29
清水董三　94-2
清水登之　131-18
清 水 光　133-10
清水龍山　21-37
志村常平　29-17
下　　田　40-8
下田將美　33-5, 36-2, 46-2, 47-2, 65-20, 72-4, 77-7
下田吉人　141-3
謝 為 何　79-21, 87-10
謝　　園　17-29, 20-15
謝 希 平　119-10
舎　　魚　37-20
若　　愚　30-44, 31-47
若　　言　135-30
爵　　青　104-33
若　　草　103-27, 113-25, 130-18, 134-18
若　　梅　107-29
謝 人 堡　20-12, 29-46・47, 32-37, 36-69
謝　　青　133-27
謝 祖 元　124-10
謝　　超　29-14
上海中華日報社　53-2, 54-29
秋　118-25, 119-21・22・25, 121-14
周 毓 英　84-8, 91-8, 95-8, 96-8, 98-2, (上海版)97-24, (上海版)99-31
宗 威 之　37-18
宗　　羽　72-18
周　　羽　138-18
周 雨 人　77-16
秋雲館主　11-16, 12-22, 20-20
周 越 然　119-8, 124-12
十　　翁　(上海版)99-29
秀　　華　1-16, 2-28, 3-31, 4-24, 6-24, 8-28, 10-37, 12-20, 13-37, 15-20, -20-34, 24-20, 25-30, 27-30, 30-16, 32-18, 35-20, 43-39, 58-15, 60-15, 69-29
周 学 昌　60-2, 77-16
周 化 人　36-6, 38-3, 54-13, 87-6, 88-20
緝　　熙　85-31
秋　　蛍　63-34, 104-38
秋　　庚　1-38, 7-36, 14-39
秋　　蒿　135-2
什公王揖　6-17
周 鴻 緒　13-3
修 国 瑛　45-14
周 作 人　135-24
秋　　山　138-18
修　　士　94-33
秀　　士　98-21
周 思 靖　11-6
周 宗 貴　29-14
周　　章　40-19
宗　　翔　89-36
周　　正　90-33
周　　騒　111-27
周 定 影　29-14
周南木下　6-17
修　　佩　134-28
朱 右 白　57-29, 77-39, 78-18, 80-23, 82-41, 83-37, 84-19, 85-37, 86-11・23, 87-39
修　　伯　130-27, 132-22, 134-27
周 佛 海　52-4, 67-5, 121-4
周 蔓 琪　37-18
周 欲 鳴　67-35
周 隆 庠　86-12
重　　緑　29-52
秀　　霖　16-15
朱 雲 程　29-14
朱　　華　2-10, 25-12, 50-4, 54-13,

62-4, 111-23
朱　毅　87-32
祝　敌　62-19
菽　畦　43-36
祝　他　128-34, 131-27, 133-27, 136-22, 137-25
朱　古　108-33
朱　亨　66-43
朱光溥　86-14
朱錫瑋　29-16
朱重録　32-10
朱少華　107-17, 108-15, 109-16, 110-30, 111-29, 112-29
朱尚忠　29-14
首　陀　130-22
朱　媞　105-29, 107-42, 124-25, 128-31, 131-29, 133-29, 138-27
朱念庸　44-2
寿　農　9-42, 18-44
朱　佩　132-2, 136-30
樹　屏　137-28
朱　牧　54-17, 67-48
朱　明　93-17
朱友白　61-3
朱令彝　29-14
舜　九　15-39
潤　心　102-29
春　柳　14-42
徐亜生　77-16
舒　以　98-35
徐　為　118-22
舒易誠　56-41
支　羊　107-37
正　一　2-36
小　尹　32-29, 35-36, 39-43, 46-38
小　雲　13-36
昭　芸　14-34, 21-38, 24-16, 26-34
蕭　歌　118-31
小　乖　24-33
承　骸　24-43
蕭　艾　44-42, 96-29, 114-28, 138-23
章学海　70-12
蔣覚厂　55-32, 56-14
蔣果儒　68-34, 89-20
上官潔　51-42, 56-14
上官箏　113-26, 126-35
小吉子　14-38
蕭　強　95-30
小　蛍　60-16
璋　賢　41-12
松　見　100-16
蔣　灝　54-6
章克標　119-7
庄司乙　94-11
庄司杜峰　2-15
庄司杜峯　22-38
庄子勇之助　32-10
蕭　詢　141-17
常春藤　104-32, 107-34, 109-39
小　松　22-14, 40-35, 105-37
尚小雲　62-38
蕭　森　110-33
蕭世毓　26-16
蔣山青　24-16, 28-30
小　蒨　17-31
蕭　然　52-19
蕭髯奴　39-42, 66-43
鍾　蓀　75-44
晶　孫　105-26
蔣中俊　115-7
焦定遠　26-8
聶提格　70-37, 71-43
莊　哲　133-28
鍾任寿　40-8, 94-2

省　白　119-33
瀟　霏　46-36
蕭　霏　65-42
小　咪　53-30, 87-34
蔣非同　43-39
蔣芳洲　137-27
昭　明　95-17
邵鳴九　79-22, 86-13
小野馬　83-36
蕭　菱　29-54・60, 32-34, 34-19, 36-70, 40-14, 41-29, 46-37, 51-36, 52-39, 53-12, 55-39, 64-42, 66-44, 77-45, 78-46, 79-45, 80-46, 81-46, 82-46, 83-45, 84-45, 85-45, 86-46, 87-46, 96-46, 114-30
常　良　133-24
鍾凌茹　43-39, 106-8
小　林　48-15
鍾礼山　30-20, 32-10
徐雲紆　78-19
舒　柯　13-26, 16-26, 38-37, 47-36, 50-32
稷　客　93-42
織　情　11-27
徐慶魁　104-19
徐啓文　118-6
徐　健　25-54
徐剣胆　1-13
徐　衡　101-9
徐恒芝　131-10, 132-11
徐公美　12-18, 32-3, 74-13, 77-16, 88-12, 99-2, (上海版)98-14
捷　克　138-18
徐国韶　29-14
処　士　56-31
徐承振　123-21
徐　新　32-34
徐振渭　33-46
徐振之　90-45
如　水　83-29, 88-31, 91-36, 95-35, 115-34
徐　成　92-45
徐青之　98-22
諸青来　60-2
如　宣　54-42
徐長吉　34-32, 38-32
徐朝宗　132-8
徐白林　106-8, 123-27
恕　平　56-19, 58-32
舒　放　90-40
舒　望　49-66
徐纓紋　39-5
徐纓汶　62-29
徐　来　47-44
徐　良　58-2, 60-2
徐凌霄　43-39
蓰　蕾　107-29
白井喬二　108-10
白神喜美子　141-12
白水亘　63-9, 64-11, 65-34
ジラヒ，ラヨシュ　43-31, 49-35
施　礼　25-65, 37-44, 39-44, 44-44, 45-42, 46-44, 52-40
琛　15-27, 19-20, 21-14, 24-41, 25-61, 27-21
申　34-16
人　112-27
辛　歌　104-32, 107-40
辛　愷　51-40, 67-21, 87-30, 95-32, 109-33
秦啓風　37-50
申　之　33-15, 35-20
進　修　18-31
振　尋　37-33, 42-35
辛　人　127-28, 128-21

辛　生 94-31
辛　陀 86-12
新谷幸次郎 29-14
シンドバッド 89-36
秦風啓 71-37
辛　暮 130-8
秦墨哂 57-29, 85-17
秦旡度 108-38
秦　莽 65-41, 72-32
申蘭生 104-3
新　玲 131-28, 139-28
秦淮碧 4-19・23, 12-25, 13-27, 14-28

《す》

水　淇 3-16
随　初 49-69
鄒子襄 37-24
鄒光明 32-20
崇　東 24-41
末永寿美子 37-15
杉渓言長 16-29, 63-4, 85-10, 120-32
杉渓六橋 2-15, 8-18, 17-34, 19-24, 20-20
杉村広藏 125-5
杉村勇造 38-32
杉森孝次郎 9-7, 29-9, 124-6
須古特派員 13-16
鈴木吉祐 78-19
鈴木三郎 57-8
薄恕一 18-29, 24-29
薄田泣菫 99-34, 100-15・50, 101-50, 110-39
鈴木剛 129-12
鈴木虎雄 42-5
スティーヴンズ，ジェイムズ 54-17
砂原熊市 29-14
スミス，K. S. 55-32, 56-14
スロンスキー，ステファン 89-37

《せ》

静 133-19
西　韋 65-45
西　葦 134-29
青　雲 75-37, 107-16
凄　其 35-43
精　競 136-26
成　紘 62-41, 104-41
青　原 82-40
斉燮元 85-17
星　星 37-31
静　生 (上海版)97-61
盛宣明 15-28, 17-13, 23-17
斉楚斗 133-24
青　鳥 65-42, 88-30
斉白石 5-書首, 132-表紙
成　皿 17-9
青　野 42-39, 49-68, 52-36, 63-33, 66-38
斉　容 62-18, 64-20・46, 67-22・49, 75-32
石　菴 4-40, 5-25, 8-37, 9-23
石　偉 105-31
石　羽 51-19, 52-44
石　芸 23-43
石　英 37-18
石　瑩 98-10, (上海版)97-10
石応蓮 21-15
関口保 23-24
石　軍 85-35, 86-37
赤　谷 119-14
石　根 78-42
関埜扂 78-15, 82-21, 83-16, 85-12, 87-13, 89-7, 97-4, (上海版)99-12
石　青 101-44

石　砮　36-79
石　朋　50-47
石　鳴　101-49
席与承　1-43, 2-43, 3-43, 4-43, 5-43, 6-43, 7-43, 8-43, 10-43, 11-43, 12-43, 13-39・42, 18-45, 19-44, 20-33, 21-36, 23-44, 24-45, 25-67, 26-40, 28-42, 29-65, 30-46, 31-49, 32-42, 33-44, 34-49, 35-41, 36-83, 37-41, 39-49, 40-42
石　稜　35-39
石　林　106-38
雪　3-18, 36-77
雪　蛍　34-29, 41-16, 42-30, 46-32, 48-30, 50-43, 52-51, 61-51, 68-50, 76-52, 89-50
ゼッカー，フリッツ　69-29
セミョーノフ，セルゲイ　51-44
芹澤光治良　119-29
銭慰宗　85-17
詹延英　111-23
仙　芥　36-77
鮮魚羊　103-28
銭今葛　41-2, 42-2, 43-2, 47-2
洗　心　15-26, 20-13
前　人　135-29
禅　声　122-10
銭仲華　87-9,（上海版）99-9
銭稲孫　2-19
冉　邕　33-15, 39-17, 40-17, 44-34, 48-40, 51-44, 55-34, 65-40, 66-39, 106-26, 108-28, 110-14, 111-14, 140-21, 141-15
璇　玲　96-35

《そ》

草　48-18
藻　82-52
宋以仁　29-57
蒼　影　109-36, 128-29
曹永裕　7-17, 8-25
孫燕南　15-18
双燕楼主　6-20, 17-34
宋　介　1-22, 30-2
曹涵美　69-19, 70-20, 71-20, 72-19, 73-47, 74-20, 75-20, 76-20
宋　毅　125-26
曹熙宇　32-10
送玉男　121-21
曹金港　27-18
荘　煦　131-28
荘　厳　7-38
曹　幸　132-19, 135-18
曹樹声　118-4
宋上達　37-18
桑　薪　104-30, 109-37
桑酔鈞　59-31
宋世如　38-32
宋培菡　62-36, 63-24
宋　泛　109-32・40, 112-33
傖　父　118-21
桑　埜　24-40
荘　雷　36-75, 38-44
曹来的　24-44
ゾーシチェンコ　106-40
蘇樹徳　29-14
蘇瑞麟　43-39, 92-11
蘇　醒　60-7
蘇成徳　88-21
蘇体仁　87-19
蘇　丹　48-38, 49-66, 50-30, 51-32

園 部 緑 31-16
蘇　 菲 76-33
楚　 眉 137-30
蘇　 夫 132-26, 134-28, 139-30
蘇 鳳 羽 100-14
孫 育 才 94-10
蓀　 瑛 92-40
孫 悦 信 29-14
孫 簡 庵 5-20
孫 其 昌 29-43
孫 鞏 圻 32-2
孫 景 三 111-23
孫　 呉 101-38
孫 之 儁 57-43, 58-42
孫 秀 文 17-48, 22-16
孫 常 非 85-49, 90-42, 94-10, 101-22, 108-33
孫 祖 惠 94-32
孫　 湜 2-34, 9-4
孫 廷 璋 132-8
孫 特 哥 4-38, 55-29
孫 品 三 45-32
孫 鵬 飛 38-32
孫 夢 花 32-10
孫 路 伊 134-29

《た》

戴 英 夫 82-7, 125-2
大　 可 27-18
太　 原 1-39, 3-21
太　 玄 94-12
戴　 策 111-23
大　 山 3-21, 24-44, 26-42, 27-44, 29-64, 30-44, 32-43, 33-45, 35-49, 37-44, 38-43, 39-48, 40-43, 43-42, 44-43, 45-44, 46-43
太 史 公 9-28, 11-20, 13-18, 15-19, 18-5, 21-4, 23-18, 24-19, 28-8, 32-6
戴 若 愚 29-14
大　 辛 135-20
大　 蓼 99-50
苔　 蘚 81-52
戴　 泉 5-47
戴　 天 34-39
乃　 帆 126-34
大　 由 1-38
平 貞 藏 117-5
高石真五郎 4-14, 49-2, 63-9, 64-11, 65-34, 126-3
高 出 馨 40-8
高尾公子 37-15
高木寿一 90-2
高木陸郎 9-9, 26-4, 65-8
高 阪 駒 48-35
高島米峯 30-29, 46-29
高 島 圓 7-23
高　 杉 49-54
高瀬五郎 63-9, 64-11, 65-34
高　 田 49-54
高田市太郎 6-14, 57-8, 131-9, 134-7
高田特派員 71-8
高田元三郎 48-4, 65-20
高津寅次郎 109-13
高橋宗雄 14-18
高橋健二 140-21, 141-15
高見之忠 11-17
田 川 憲 62-16
滝川政次郎 55-10
田 木 国 2-17
滝 精 一 62-36, 63-24
懌　 園 8-18
卓　 功 139-26
卓　 禔 83-22
卓理格図 11-17

竹井星渓 39-26
竹内茂代 9-20
武内辰治 73-20
竹内照夫 46-2, 64-7
武岡鶴代 9-20
竹　渓 139-28
竹越与三郎 8-3
武田熙 3-35, 4-16
竹村為 21-37
タゴール 43-31, 67-40
田崎仁義 30-11
田崎広助 84-1
駝　子 40-18, 46-36・39
立作太郎 28-4
橘清志 43-39, 102-2
田知花信量 24-8, 65-22
橘善守 39-12, 72-15, 111-2
達 21-35, 38-24
田付徳三 29-14
達金奴 109-3
達　愚 (上海版)97-42
奪山緑館 7-35, 16-20
達　三 64-15, 67-12, 68-15, 76-14, 81-17, 82-12
田中勇 63-9, 64-11, 65-34
田中香苗 7-17, 8-25, 65-22, 79-4, 83-12, 125-6
田中邦彦 29-14
田中寅一 29-14
田中房 50-35
田中穂積 49-3
田中芳雄 6-6
田辺松坡 26-24, 39-26, 46-29
田辺新 7-23, 10-24, 12-22, 14-18, 16-29, 18-29, 21-37, 24-29, 30-29
田辺忠男 6-8
谷口吉彦 25-8, 36-18, 80-4
谷崎潤一郎 92-5
玉井幸助 132-22, 133-22
玉置徳三 6-26
玉木椿園 15-18
玉木懿夫 125-5, 130-12
田村孝之介 78-1, 105-表紙・14, 133-表紙
田村木国 119-27
汰　藍 127-18
譚伊先 89-20
単雲詩客 11-16
譚覚真 7-17, 8-25, 9-5
談月色 78-19
単庚生 34-32
段　拭 78-19
但　娣 26-34, 30-38, 31-39, 33-38, 34-36, 40-34, 41-34, 50-31・42・44, 53-42, 54-43, 61-37, 68-41, 90-34, 117-29
譚鉄錚 28-29
檀野数雄 24-13
端木静 74-35, 75-39
端木麗文 109-38
譚沫子 1-24, 3-19, 4-38, 6-33, 7-38, 10-36, 11-33, 12-34, 13-39, 16-36, 24-34, 40-45
丹　梠 112-35

《ち》

馳 129-28
チェーホフ 54-17, 67-48
致　遠 96-13
近重物庵 46-29
近重真澄 7-23, 16-29
筑紫二郎 42-50, 43-50, 44-50
竹　生 69-11, 75-7, 81-7
竹　邨 89-10
茅野蕭蕭 51-43

千葉郁　56-52
千葉郁治　7-23, 21-37, 49-23, 125-5
千葉所南　19-24
馳父　29-60
仲華　69-37
仲玉　97-9
忠惠　54-5
仲鴻　54-17
鈕先錚　25-15
仲銕雄　75-4
仲文　98-34,(上海版)98-40
知羊　64-32
張哀鴻　50-50
張瑋　25-68
趙毓松　60-2
張一帆　52-42
張一鶴　44-44, 70-38
張允　69-41
張蔭萱　129-28, 132-27, 136-30
張允中　20-43, 39-47, 40-42, 47-45
張雲史　52-16
張雲笙　96-4
趙英　9-37
張鍈緒　37-9
趙越　82-37, 83-44
澄遠　80-15, 87-15
張家祺　7-17, 8-25
張赫宙　36-84, 56-10
張我軍　43-39
張我権　38-32
張季　104-29
朝熹　107-38, 126-32
張季行　7-17, 8-25
張玉暉　59-29
張瑾　82-32, 89-20, 94-30
張金寿　24-40, 25-56, 26-38, 27-36, 29-24, 30-37, 33-31・34, 34-35, 35-45, 37-21, 38-21, 39-22, 41-21, 42-21・45, 43-21, 44-22, 45-21, 46-19・40, 47-19, 48-21, 49-17, 50-18, 51-34, 54-36, 55-30, 57-36, 96-51, 103-30, 114-35
張経羽　109-29, 118-28
張景恵　25-45, 73-1, 121-3
趙月英　61-12
張源祥　92-11, 125-10, 126-16, 127-13, 128-15, 129-23, 132-8, 133-10, 138-8
趙玄武　106-30, 111-30
張公　18-35
張康　60-38
趙浩　131-16
趙恒勤　29-14
張江裁　90-18, 94-29,(上海版)98-33
張国新　11-17
張砥　95-37
張止戈　66-21, 86-18, 100-15, 107-36, 115-36, 123-21
張次渓　32-10
張師倹　7-17, 8-25
趙始昻　109-29
張子信　102-22
張資平　44-14, 45-14, 46-12, 47-10, 57-29・31, 60-29, 61-18, 69-19, 70-20, 71-20, 72-19, 73-47, 74-20, 75-20, 76-20
張宗源　33-46
趙秀芳　33-46
張秀霖　28-29
張淑華　97-11, 105-31
張淑蘭　97-10
張舜九　10-10
張抒　89-38
張薔　108-40
張章　110-36, 128-32
長城　122-21

張祥生 104-29
張松老 14-3
趙如珩 75-14, 77-16, 97-7,(上海版)97-31
張岑 95-44
超塵 132-24
張振仕 32-36
張慎之 77-16
張深切 106-141, 12-14, 123-4, 140-18, 141-7
張仁蠡 25-45, 87-20
張醉丐 1-14
趙静言 33-46
趙尊嶽 87-20
趙大徳 39-37
張乃霖 7-17, 8-25
張竹軒 29-14
張知夫 132-8
張忠禹 29-14
張仲人 36-62, 71-37
張亭 89-20
趙丁一 130-6
張喆 11-41
張鉄笙 102-37
趙天人 40-29, 45-40, 48-41, 56-30
張弢 91-30
張波 126-29
長白 135-28
張伯鈞 78-19
張武 93-39
張夫邁 124-31
趙文 43-31, 49-35, 54-16, 69-18, 80-40
張文華 11-21, 12-19, 13-17, 14-14, 15-29, 16-24, 17-24, 18-12, 20-11, 21-21, 22-18, 24-42, 27-11, 29-32, 31-15, 36-13, 37-14, 39-34, 40-7, 42-20, 45-29, 49-20, 51-29, 54-35, 56-9, 60-13, 61-16, 62-15, 121-15, 122-24, 123-24, 124-24, 125-28・11, 126-23, 127-23, 128-16, 129-21・25, 130-10, 131-21, 132-21, 133-21, 134-19, 135-23, 136-21
張文熙 37-18
張葆 134-24, 136-19
趙慕儒 86-18
張銘 78-19, 89-20
趙鳴岐 1-33, 2-22, 3-23, 4-29, 5-30
張迷生 25-70
趙孟原 27-46, 38-32
張孟雄 37-18
張蘿 122-28
張蕾 13-33, 18-41, 20-7, 22-32, 34-30, 40-32, 46-30, 51-31, 54-6, 54-52, 62-51
張魯山 103-4
褚民誼 25-7, 60-22, 65-5, 82-5, 85-15
椿 93-40
陳異 23-16
陳一萍 99-14,(上海版)98-2
陳逸飛 103-37
陳一峯 51-37
沈逸凡 54-6
陳茵 50-40, 54-36, 65-46
沈茵 89-20
陳応 100-41,(上海版)99-44
陳介 107-29
沈家駒 19-34, 23-37, 30-15, 31-14, 37-12
陳学稼 97-38,(上海版)97-56
陳巌 39-41
陳漪堃 15-27, 28-29, 29-14, 92-11, 98-6, 106-8
沈亨沢 28-29

秦　　鈞　11-7
沈　　錦　89-20
陳金錕　71-19
陳　　群　60-2, 78-19, 85-16
陳君慧　86-12
陳　　灝　11-31, 18-30, 22-33
陳　　固　2-36, 3-19, 5-42, 6-23・33, 8-38, 18-32, 19-51, 20-46, 21-39・41, 22-39, 23-45, 25-70・72, 26-41・45, 27-42, 28-48, 30-45, 32-43, 34-40・41, 36-61, 59-44, 60-44, 61-42
沈　　紅　54-39
陳　　更　65-29
陳語天　37-18
陳済成　74-11, 112-3
陳宰平　139-3
陳　　時　99-24
沈志浩　54-6
陳之碩　55-3, 94-2
陳乃豊　24-37
陳従善　30-36
陳　　述　95-36
陳鍾育　105-29
陳承瀚　38-32
陳紹裴　105-12
陳松齢　102-48, 106-8
陳汝翼　56-40, 59-40, 60-43, 61-30
陳心禾　98-46
陳慎言　1-43, 2-43, 3-43, 4-43, 5-43, 6-43, 7-43, 8-43, 10-43, 11-43, 12-43, 13-42, 18-34, 20-34, 21-32, 31-17, 43-39
陳増安　29-14
陳大悲　51-34, 73-37, 76-40
陳乃勇　130-17
陳端志　79-16, 97-30, 123-11,（上海版）99-18
沉　　遅　107-32
沈　　遅　109-40
陳　　柱　72-37, 73-42, 97-42,（上海版）97-48
陳柱尊　78-19
陳超塵　107-29
陳蝶生　8-19
陳　　貞　91-18, 92-14
沈田夫　103-18
陳洞庭　111-23
陳道量　31-33, 42-29, 50-35, 56-52, 69-10, 71-12, 80-17, 95-7, 116-27, 118-4, 120-32, 125-5, 126-6
陳篤言　65-15
陳　　年　5-書首
沈氷魚　130-25
沉氷魚　141-20
陳彬龢　96-2, 98-8, 104-2, 120-6, 126-2, 127-2,（上海版）97-19
陳　　蕪　28-34, 29-45, 31-38・39, 34-37・38, 37-20, 51-33, 55-40
沈　　紱　88-6・20
陳抱一　102-20,（上海版）97-表紙,（上海版）98-表紙
陳邦直　38-32, 106-8
陳　　璞　119-10
陳　　曼　24-10
陳　　綿　106-8, 119-9
陳毛利　38-32
陳耀祖　85-11
陳　　笠　27-18
陳寥士　20-20, 25-60, 32-10, 36-26, 87-20・40, 94-18, 119-6
陳励生　86-29

《つ》

対馬機　52-24, 97-36

津島寿一 114-6
対馬好武 68-11
津田信吾 49-15
津田六郎 29-14
土屋竹雨 1-42, 2-15, 3-13, 4-17, 5-20, 15-18, 20-20, 22-38, 36-26, 37-24
土屋久泰 13-32, 19-24, 28-24, 31-33, 42-29, 44-29, 48-35, 49-23, 50-35, 52-24, 53-29, 64-5, 67-9, 69-10, 74-6, 94-11, 97-36, 115-13, 116-27, 117-4, 118-7, 120-32, 124-10, 127-12
角田敬三 92-11, 133-10
坪田譲治 40-31, 127-37, 137-24
ツルゲーネフ 39-32, 40-30, 41-30, 51-44, 54-16

《て》

禎 74-42, 87-33
程 湝 78-19
鄭 維 芬 111-23
淀 姫 134-29
鄭 菊 痩 4-36, 12-29
程 巨 川 9-34・37, 16-36, 24-39
鄭 錦 瑗 32-10
程 希 賢 31-21
丁 元 普 114-7, 120-5
鄭 孝 舜 132-8
程 公 俊 134-10, 140-6
鄭 吾 山 28-29, 77-16, 78-24, 79-24, 80-24, 81-24, 82-24, 83-24, 84-24, 85-34, 86-24, 87-4・24, 88-29, 91-24, 92-11・24, 93-24, 94-24, 95-24, 96-23, 97-24, 98-24, 100-23, 101-24, 102-24, 104-20, 105-25, 106-25, 107-20, (上海版) 97-39, (上海版) 98-24, (上海版) 99-23
丁 佐 久 111-9, 112-9, 113-10, 114-9, 115-14
丁 策 12-6
汀 子 63-40
丁 士 源 31-11
程 心 枌 103-34
丁 静 132-19, 133-29, 135-21
程 大 鈞 9-18
丁 聴 ● 111-23
弟 弟 32-41, 34-43, 37-17
丁 丁 77-16, 85-16, 115-38
鄭 奠 121-16, 129-12, 131-28, 139-8
丁 度 54-14
鄭 蕪 95-32, 136-30
呈 分 113-35
鄭 秉 珊 89-29, 96-19
丁 卜 人 94-36
丁 默 邨 60-2, 94-2
ティヒー, ヘルベルト 139-23
狄 栄 37-18
翟 希 哲 40-16
翟 君 聖 134-30
荻 生 68-29
鉄 漢 94-42, 112-38, 139-28
鉄 川 48-18, 50-41, 65-44
鉄 禅 51-14
鉄 夫 138-19
テニソン 29-46
デュフィ 64-21
寺 岡 94-2
寺 島 49-31
寺島紫明 123-表紙
寺村誠一 45-6, 133-6, 134-8
寺村特派員 8-30
奠 127-7

奠 之 126-9, 127-36, 128-3・11, 129-14, 130-6, 131-3, 133-22, 134-5, 135-9, 136-12, 137-22, 138-22
田 軍 81-33, 123-25
田 誌 119-2, 124-11
田 昌 12-22
田 進 133-22, 134-23
田 青 8-20
田 井 39-44, 40-40
田 蕪 130-24, 133-30
田 兵 63-47, 116-31, 119-7
田 野 95-36, 107-30
田 林 20-19
田 瑯 19-17, 23-14, 26-35, 28-32, 29-44, 33-31, 34-32・45, 35-46, 36-80, 37-45, 38-45, 39-50, 40-46, 41-46, 42-46, 43-45, 44-46, 45-46, 46-46, 47-46, 48-46, 49-67・75, 62-44

《と》

杜 偉 137-9, 140-8
土肥原賢二 2-11, 21-2
燾 27-49, 28-14
湯郁文 54-6
唐栄愷 78-19
唐家楨 63-3
唐化南 111-23
登 漢 109-36
唐毅風 103-13
唐仰杜 85-16
董 敬 15-8, 17-17, 18-11, 19-38, 20-2, 22-5, 43-6
東 胡 103-12
陶亢徳 119-4
湯孤芳 57-29
冬 春 3-20, 8-42, 20-13, 24-20
東 舒 83-33
杜雨樵 111-23
佟晶心 50-47
湯爾和 1-3, 44-29
陶 倩 66-38
陶 清 69-30
唐 静 131-10, 132-11
陶 然 50-16
鄧祖禹 17-7
竇宗淦 29-56, 53-33, 54-41, 55-42, 56-43, 57-41, 58-38, 97-37, 98-41, 99-41, 100-33, 101-21, 102-23, 103-17, 104-18, 105-18, 124-14,（上海版）97-15,（上海版）98-32
滕大翼 132-28
唐 達 41-34
董 直 130-21
董天野 102-22
鄧東遮 44-42, 54-38
唐道尚 132-16
東 野 26-13
東 美 106-39
東 阜 120-32
陶 望 132-28
東方鴻 133-30
東方雋 68-47, 71-24
東方雋 96-50
逃 名 89-13
堂本印象 29-表紙
東野平 77-16, 78-37, 86-9, 89-39
東 亮 106-32
湯良礼 81-10
常盤大定 129-6
徳 王 25-45
徳 惠 139-21
徳 仁 138-29, 139-29, 140-24
徳富猪一郎 1-4, 11-21, 12-19, 13-17,

14-14, 15-29, 16-24, 17-24, 18-12, 20-11, 21-21, 22-18, 24-42, 26-2, 27-11, 29-32, 31-15, 36-13, 37-14, 39-34, 40-7, 42-20, 45-29, 49-20, 51-29, 54-35, 56-9, 60-13, 61-16, 62-15
徳富蘇峰 40-13, 64-3, 78-4, 115-4
徳富蘆花 128-28
徳光文美 133-10
徳　　鄰 23-42, 33-45
時子山常三郎 50-2
所 倉 藏 26-16
杜　　若 125-34
戸　　田 34-10
竹雨土屋 6-17, 8-18
百々正雄 57-8, 80-8
杜 白 雨 41-35
屠　　鞭 118-21
富 岡 生 22-29
富岡羊一 32-10
富塚黙成庵 1-42
富永謙吾 63-9, 64-11, 65-34
富 永 礼 95-7
豊田三郎 109-28
豊 田 穣 107-25
ド ラ ン 72-51
トルストイ 136-24
トレバス , P 47-30
杜 和 声 29-14

《な》

永　　井 94-2
永井千山 15-18
永 井 潜 57-2
長岡克暁 2-7, 33-2, 39-12, 53-8, 65-21, 81-4, 101-5
長岡来造 117-8
中尾純利 22-23
中上雅夫 38-9
中川俊思 20-29
長　　崎 37-18
長 沢 越 48-35
長瀬巴山 3-13
長 瀬 誠 10-17, 11-13, 12-15
永瀬義郎 50-35
仲田光緑 5-表紙
長 束 保 24-29
永戸政治 40-10, 57-8, 74-4, 78-6, 85-4, 95-2, 133-2, 138-2
中西檀成 24-29
中西利雄 105-27
中野重治 51-31
中野正剛 27-5
中野草雲 112-表紙, 138-表紙, 141-表紙
長野敏夫 52-11
中野喜一 119-22
中原中也 49-64
長潭赤埭 19-24
中 正 夫 19-30
中 村 清 57-35
中村地平 35-30
中村貞以 87-1, 113-表紙, 125-表紙
中村篤九 29-17
中 村 貢 45-11
中 村 好 29-14
中村亮平 30-30
中保与作 7-17, 8-25, 9-20, 33-46, 34-32, 37-15, 39-12
中山善三郎 5-26
中山特派員 80-12
長山義男 37-15
仲 賢 礼 34-32
長与善郎 36-65, 37-31
那　　居 111-32
那 健 庭 12-38

那 須 聖　40-8
夏目漱石　67-35
那波利貞　138-6
中 山 優　120-1
楢崎觀一　7-17, 8-25, 9-20, 17-7, 34-32, 37-15, 39-12・16, 42-6, 113-1, 129-4
成瀬無極　6-18
名和幸丸　6-28
南 宮 吉　97-47, 98-47, 99-45, 100-46, 106-17, 107-18, 109-30
南 宮 絜　135-29
南　薫　97-39, (上海版)97-49
南　光　126-18
難波三空　46-29
南　容　(上海版)97-60

《に》

仁賀保香城　1-42, 36-26
仁賀保成人　42-29, 116-27, 130-12
ニコラス　29-46
西谷彌兵衛　84-4
西津島三　61-37
西 野 入　49-54
西 村 聰　15-40
西本曙光　21-10
西山翠嶂　115-表紙
新田谷透子　40-8
日本内務省　13-12
忍　庵　6-20
任 援 道　60-2, 86-11, 94-2
任　信　106-32
任　重　114-16
任 重 遠　7-17, 8-25
任　情　46-41
任 世 禛　11-38, 17-42
任　陶　101-40
任　福　37-33, 38-29, 39-38
任 傅 伯　111-23

《ね》

念　華　75-42
念 金 華　141-19

《の》

納　咸　27-43, 37-43, 40-43, 43-43
野口米次郎　110-25, 131-28
能沢信二　29-14
野 中 修　33-33
野 間 政　10-24, 12-22, 14-18, 16-29, 21-37, 24-29, 30-29
野間説堂　39-26
野村玩古　19-24
野村吉三郎　7-3, 28-2
野 村 毅　7-23

《は》

梅　21-38
梅　華　16-37, 19-39, 20-46
梅花居士　10-41, 16-42
バイコフ　72-29, 73-30, 75-33, 76-34
梅 思 平　55-4, 60-2, 86-4
梅　娘　13-22, 25-49, 44-32, 50-36, 69-45, 70-45, 71-45, 72-45, 74-45, 75-45, 76-45, 106-8, 126-35, 135-25
拜　石　6-21, 14-24, 15-21, 19-45, 20-6, 22-37, 23-19, 36-63, 66-16・18, 69-13, 74-16
廃　丁　120-30
梅　波　107-25

裴　明　92-30, 93-21, 94-21, 95-20, 96-21
梅蘭芳　98-15, 100-37, 101-20, (上海版)97-53, (上海版)99-33
梅　霊　17-12, 23-24, 26-4
バイロン　50-37
巴　炎　105-31
馬　還　50-45, 59-44, 60-44, 61-42
巴　客　126-28
萩原朔太郎　52-18
白　121-31
白　衣　22-11, 26-19, 27-31, 28-11, 38-12, 57-6, 61-14
白　葦　104-19
白　羽　6-36, 8-34, 9-38, 10-32, 11-34, 12-30, 13-28, 14-30, 15-32, 16-32, 17-44, 18-46, 20-48, 22-19, 23-22, 24-22, 25-34, 26-22, 27-22, 28-20, 29-30
伯　恩　131-7, 133-6, 140-22
白　樺　22-44, 35-34, 39-42, 42-30, 48-30, 49-64, 50-37, 51-30
莫　誼　136-25
白今愚　7-17, 8-25
白　荊　133-30
泊　言　1-13
白　光　7-17, 8-25, 113-25, 116-23, 123-21, 128-24
伯　光　15-39
栢　江　116-23
莫　克　45-37
漠　沙　52-43
白　芷　10-29, 23-13, 41-37
白　心　101-11
伯　仁　42-36, 48-39, 50-29, 63-43
莫　須　12-28, 74-24
莫須有　132-25, 134-21, 135-30
白厨川　133-19
白廷蕢　7-47, 8-47, 9-47, 10-47, 11-47, 12-47, 13-47, 14-47, 15-47, 16-47, 17-51, 18-51, 20-51, 21-51, 22-51, 23-51, 24-51, 25-79, 26-51, 27-51, 28-51, 29-71, 31-55, 32-51, 33-51, 34-51, 35-51, 36-87, 37-52, 38-51, 39-55, 40-51, 41-51, 42-51, 44-51, 45-51, 46-51, 47-51, 48-51, 49-79, 50-52, 51-51, 52-50, 53-49, 54-51, 55-51, 56-51, 57-51, 58-52, 61-50, 62-50, 63-50, 64-50, 65-51, 66-50, 67-50, 69-50, 70-50, 71-50, 72-50, 74-51, 75-51, 77-50, 78-51, 79-50, 80-51, 81-51, 82-51, 83-50, 84-50, 85-50, 86-50, 88-50, 90-50, 91-50
伯　達　25-69, 28-31, 30-35, 31-45, 43-37
白　濤　(上海版)98-44
麦　波　130-22
白　鴦　84-29
伯　封　39-41, 49-66
白　佛　12-23, 19-42, 29-58, 33-40, 64-43
博　奮　35-35, 48-41, 51-19, 98-23, 108-19
伯　文　31-44, 34-34, 37-32
白　文　99-24
白文会　90-8
白　鋒　18-30, 27-40
白　峰　46-12
白宝媛　33-46
白放翁　17-38
柏　樸　58-40
白夢異　106-42

陌　　蘭　44-40
柏　　緑　103-13, 136-29
白　　林　96-33
白　　玲　68-41
白　　練　65-47
白　　鷺　65-43
麦　　浪　132-26, 137-8, 139-22, 140-17, 141-8
挟 間 茂　49-54
橋川酔軒　20-20
橋川時雄　48-35, 70-13
橋本関雪　98-16・17, 18, 99-4・6・7・8・10, 100-38・39
橋本好藏　14-18
橋本栗谿　39-26
筈見恒夫　141-5
バスラー，A.　135-21
橋詰益栄　11-17
バック，パール　32-31, 33-33, 34-31, 35-31, 36-85
服部空谷　3-13, 8-18, 37-24
服部荘夫　31-33, 44-29, 50-34, 52-24, 53-29, 63-5, 86-33
服部担風　26-24, 39-26, 46-29
服 部 轍　7-23, 10-24, 12-22, 14-18, 16-29, 18-29, 24-29
ハニー，k.　134-23
羽仁もと子　28-47
馬場孤蝶　130-25
馬場秀夫　39-12, 57-8, 94-7, 116-5, 122-5, 132-5
パピーニ　49-32
ハムスン　49-34
早川朝雄　13-14
林 三 郎　58-12, 73-6, 81-16, 140-3
林 重 義　82-1
林　　譟　140-8
林出賢次郎　41-24, 42-24
林芙美子　29-23
葉山嘉樹　108-11
原 一 郎　102-4
波 良 多　121-33
原田尾山　78-19
原 田 仁　9-25
原 田 稔　17-7, 28-29, 29-14, 32-10・16, 33-12, 37-18, 40-8, 41-15, 54-6, 77-16, 78-19, 89-20
原　　勝　49-7
範　21-29
范 一 民　109-40
范　　瑩　39-43
范 起 華　39-6
范　　紫　35-38, 40-21
樊　　爾　89-33
范 劭 陽　37-18
班 書 閣　29-29, 30-20, 31-11
潘　　璿　72-7
潘中一蛀　93-31
樊 仲 雲　77-16, 111-6
阪 南 生　125-15
范　　泛　88-37
樊 友 実　22-2, 29-69
范 榕 子　24-35

《ひ》

飛　13-23
微　9-31
比　　亜　97-14
費 一 方　36-10
裴 雲 同　64-35
美　　娟　90-14
彼　　鷗　(上海版)99-22
ピ カ ソ　63-23
引田哲一郎　111-23, 121-32, 123-1, 125-1, 135-2, 136-4, 137-2

引田春海　133-8
美　君　84-51
裴　闇　105-29
微　塵　5-34, 7-41, 8-41, 9-43, 11-19・32, 13-20, 16-17, 17-14
翡　翠　90-51
飛　石　44-16, 45-10
費 致 全　66-29
畢　励　130-24
火野葦平　7-20, 8-22, 28-32, 30-30, 108-11, 119-7
微　夫　31-39, 34-39, 35-36, 36-68, 39-40
陌　人　30-39, 34-37, 39-25・46
氷　壷　41-37, 68-45
冰　人　4-22
苗　蒂　69-34
氷　旅　87-33, 88-37, 91-37, 95-32, 109-39
ビョルンソン　41-31
平 井 参　49-22
平井忠夫　25-63, 126-25, 127-32
平岡敏男　126-9, 128-10
平川清風　25-2, 29-2
平塚運一　49-25・63, 51-13, 133-22
平出英夫　63-9, 64-2・11, 65-34
平沼騏一郎　15-3
平野義太郎　109-2, 110-8, 124-4
ピランデルロ　52-19・21
斐　麗　107-29
眉　郎　107-33
広瀬英太郎　68-4
敏　君　57-32, 68-36
品　清　125-32
蘋　末　29-26

《ふ》

不　為　5-23
風　126-1
馮　昿　4-22
プーシキン　67-47
風　人　93-34, 99-24
馮 世 達　133-30
馮　節　54-6, 120-7
馮 乃 駿　32-10
ブーニン　55-33
馮 貫 一　14-15, 17-32, 19-18, 20-16, 22-11・34, 23-36, 25-50, 27-34, 28-36, 30-32, 31-36, 32-32, 33-36, 34-20, 35-32, 36-32, 41-38, 46-16, 47-14, 49-21, 51-16・33, 77-36, 78-33, 79-32, 80-35, 81-36, 82-42, 83-40, 84-40, 85-38, 86-42, 87-42, 88-46, 89-46, 90-46, 91-46, 92-46, 93-46, 94-46, 95-47, 96-15, 97-44, 98-43, 99-42, 100-42, 105-15, 107-10, 112-30, 113-15, 115-26, 116-10, 123-15, 124-16, (上海版)98-20
福岡青嵐　77-1, 103-表紙, 131-表紙
福島松濤　26-24
福 島 停　19-46, 20-30
福島英雄　7-23
福田清人　127-36
福田惠一　80-1, 120-表紙, 136-表紙
福田翠光　129-表紙, 139-表紙
福 徳 勝　116-15, 117-11, 118-12, 119-30, 120-12, 121-11
福本特派員　8-33
福本福一　77-14
福山天蔭　19-24
傅 彦 長　70-29, 85-16, 98-36, 100-16, 123-28, (上海版)97-2・47, (上海版)

98-2, (上海版)99-2
藤岡啓 57-8, 69-14
傅式説 36-4, 45-4, 60-2
藤沢桓夫 40-30
藤沢親雄 4-5, 115-9
藤田信勝 18-16, 23-29
藤田福乎 119-21, 126-10
藤牧義夫 131-25
藤松原三郎 40-16
武錫新 124-21
溥儒 50-34
溥叔明 69-10
傅子余 97-36
藤原銀次郎 16-3
藤原義江 19-15
溥心畬 5-16, 36-26
布施勝治 16-9, 30-8, 66-4, 72-11, 73-32, 74-29, 75-16, 76-17, 77-30, 78-29, 79-29, 80-29, 81-19, 107-2
傅惜華 54-24
布施信良 139-5
傅増湘 42-29
傅双姝 24-18, 25-52
傅莓 36-68, 37-34, 40-18, 44-39, 47-29
傅白雪 37-18
傅伯明 58-29
傅弼 58-3
不文 106-19, 110-25
富彭年 38-32
蜉蝣 3-38
古沢幸吉 21-37, 97-36
古沢北冥 46-29
古谷綱武 137-23
馮冷 134-28
茀郎 18-8
聞旭東 4-21
文彦 1-36, 6-39, 7-37
聞国新 102-42, 106-8
聞青 102-47, 104-29, 109-37
文芳 29-55

《へ》

炳華 130-18
秉琪 106-35
平公 14-34
秉慈 24-17
丙昭 122-21
萍泊 1-24
平方 124-34
平凡 6-40, 9-44, 17-11, 20-38, 100-40, 107-16, 124-21, 131-17, 133-19, 134-23
ヘッセ，ヘルマン 44-30・32, 49-32
ぺヒシュタイン 68-19
丙阜 104-25
ヘンリー，O. 67-45

《ほ》

鳳 126-39, 127-39
蓬隱 20-45
方衞 (上海版)99-35
鮑金鉅 111-23
鳳兮 82-23
方済 99-12, 124-8, (上海版)98-30
鳳茳 25-51
芳之蕡 16-25
方之蕡 21-41, 25-72, 26-45, 29-48・58, 33-38, 39-40, 43-20, 47-42, 49-45
方式風 33-35
房師俊 37-18
方滌 36-69

方 昭 芸 22-36
北条清一 20-6
龐　清 128-23
龐 曾 瀛 60-40
芳　田 93-36
彭 東 原 15-4, 36-6, 42-4
峰　波 7-36
鵬　搏 54-5
鮑　風 110-37, 129-25, 130-22, 133-25
芒　茭 83-20, 91-33
鮑 文 樾 60-2
鳳　平 96-14
方 炳 堃 51-4
方　木 3-38
方 未 人 51-45, 55-33
方　洺 25-表紙, 44-29, 117-表紙
茅　野 43-20, 47-29
邦　容 135-27
鮑　犂 128-23
鳳　林 67-19
ボードレール 51-44
穆 阿 鹿 128-30
穆　于 127-30
北　燕 99-39
穆　華 41-34, 66-37
木　可 49-68
穆 家 麒 49-70, 50-49, 51-38, 55-36・43, 56-42・44, 61-30, 66-22, 67-22
墨　元 104-19
木　子 2-36
穆 春 雷 43-36
牧　人 63-31
墨　僧 120-6
穆　穆 92-41
北　野 121-21
穆　羊 108-18, 131-18
葆　真 47-39
細 貝 泉 13-32, 31-33
穂積三雄 73-9
孛　力 21-40
捕　風 (上海版)97-1, (上海版)98-1
慕 容 玉 22-33, 23-15
葆　廉 14-28, 16-41
保　禄 86-51, 93-2
蒲 和 基 7-17, 8-25
本位田祥男 6-3, 23-2
凡　之 23-42
凡　節 134-7
本多熊太郎 63-2, 65-5

《ま》

馬 雲 龍 60-36
前川千帆 50-33
前芝確三 109-11
前原光雄 92-2
馬　奇 131-22, 133-26
牧 野 肇 24-12
馬 玉 生 111-23
馬　崑 138-26
馬　午 6-33, 7-38, 10-36, 32-10, 53-30, 67-15, 79-39, 100-40, 105-31, 110-31, 111-28, , 116-23, 125-12
馬 司 亜 102-8
馬 茲 義 15-30
馬 秋 英 103-39
魔　女 117-31
マシリール，F. 134-23
馬　遅 16-27
松　井 94-2
松 井 彰 5-28, 7-17, 8-25, 15-14, 16-13, 17-18
松井石根 3-3, 36-27

松浦四郎 120-25
松岡洋右 56-3, 62-2
松尾邦藏 114-24, 115-24, 116-24, 117-15, 118-26, 120-21, 122-22, 123-22, 124-22, 125-22
松平天行 22-38
松平俊子 9-20
松田学鷗 39-26, 46-29
松 田 甲 7-23, 18-29, 21-37, 30-29
松田庄一 39-12
松 林 篤 97-35, 130-12
松村春水 63-6
松　本 37-18
桒本一洋 119-表紙
松本於菟男 84-11
松本一馬 11-17
松本鎗吉 28-29, 38-2, 39-12, 76-7, 114-1, 126-7
松本忠雄 28-3, 77-4
松山五郎 63-9, 64-11, 65-34
マティス 65-39
真鍋竹州 26-24
馬 念 祖 90-14
間野庫太 14-18
馬　夫 131-25
馬 不 走 127-29
馬 不 烈 108-19
馬　野 77-22
丸 山 弘 10-24
馬　驪 48-12, 126-35
曼　英 16-39, 23-44, 24-44
曼　軍 109-15
漫　沙 4-32, 17-31, 54-38, 55-5
万板楼主 25-55・56, 26-31・32, 27-39・40, 43-34, 48-36
満　福 134-17
万 孟 婉 63-19, 87-19, 89-20

《み》

三　池 40-8
三池亥佐夫 65-22, 92-11
三 浦 明 63-9, 64-11, 65-34
三浦英蘭 19-24
見尾勝馬 78-19
水 谷 清 67-23
水原琴窗 18-34, 36-25, 37-49, 38-16, 39-53
三谷十糸子 78-19
未　名 47-23, 52-36, 64-41
未　明 66-40
三宅英一 37-15, 57-12
三宅凰白 110-表紙
三宅周太郎 7-32
宮崎武夫 29-14
宮沢明義 54-2
宮澤賢治 51-30
宮沢俊義 125-4
宮武正道 56-14
深 山 杲 92-11, 133-10
宮本三郎 127-38
宮森喜久二 84-6
ミュラー，F. 129-34
繆　斌 11-3, 24-2
三 好 機 7-23
三好敬堂 46-29
三好達治 50-42
三輪田繁子 9-20
武者小路実篤 40-12, 133-26・27
夢　殊 25-55
武藤忠人 40-8
夢　芳 6-23
村岡花子 9-20, 130-24
村上五郎 29-14
村 上 剛 57-29, 65-21
村上忠久 133-10

村上知行　5-35, 29-25, 139-24
村瀬直養　49-54
村田治郎　37-13, 38-15
村松梢風　4-20, 36-64
紫 安 新　18-29
室伏高信　25-13, 49-9, 128-13

《め》

明　夷　92-51
鳴　潔　140-26
明　軒　25-69
冥　鴻　10-23, 15-30
明　石　75-10, 76-29
明　達　80-18
目崎憲司　43-2
メ リ メ　67-36

《も》

孟　嘉　107-33
孟　毅　105-19
孟　金　118-1
孟　剛　5-22, 23-11, 30-16
蒙　殊　56-31
孟　秋　14-33, 15-45
孟　隼　128-22, 130-22, 131-26, 136-28
孟　梓　57-29
孟 仲 輝　6-47
孟　復　101-43
モーパッサン　67-39, 128-25
沐　華　81-30, 99-30, 126-31,（上海版）98-9
黙　行　61-37, 65-45
黙　夫　27-18, 33-5, 37-23, 41-17, 45-40, 46-42, 49-68, 56-29
茂　如　74-41
百田宗治　137-25
森川賢司　109-17
森 川 定　30-29
森 正 藏　7-13, 45-6, 53-34, 54-10
森太郎人　116-27
森部逞禅　14-18
森本特派員　8-33
守 屋 東　9-20
守 谷 富　30-29
守谷碧江　19-24
森 龍 川　8-18, 15-18
問　陶　82-29
問　流　41-34

《や》

野　翁　66-39
八坂喜久子　37-15
椰　子　108-36
矢　真　121-2, 131-26
安岡瓠堂　2-15
安 広 伴　12-22, 16-29
安広龍峯　46-29
安　本　41-32, 42-16, 43-32, 44-12, 45-12, 46-14, 47-34, 48-16, 49-62, 50-14, 51-22, 52-32
矢田鈴江　37-15
野　丁　93-13
柳井信治　49-23
柳原燁子　9-20
八野井実　4-33
矢野橋村　88-1, 106-表紙
矢野鉄山　79-1, 118-表紙, 121-表紙, 130-表紙, 135-表紙
谷萩那華雄　87-7
矢原礼三郎　15-38, 17-40, 19-49
夜　楓　15-26
山縣香山　46-29

山縣新熊　10-24
山　　口　49-4
山口華楊　107-表紙
山口広一　141-10
山口秋風　141-17
山口慎一　38-32
山口久吉　12-40, 19-34, 33-42
山 崎 虎　7-23
山崎良三　132-10
山田耕筰　59-26
山田茂雄　63-9, 64-11, 65-34
山 田 準　42-29
山田純三郎　65-13
山田清三郎　34-32
山田友泉　20-20
山室民子　9-20
山本一郎　14-40
山本和夫　127-36
山本実彦　2-13, 45-11
山本修二　92-11
山本昌一　52-24
山 本 礼　24-14
也　　麗　31-42, 41-36, 52-35
ヤング, F. B.　67-43

《ゆ》

游 衍 生　27-37, 31-44, 35-29, 36-78, 37-32, 43-29
兪 義 範　29-14
友　　言　101-22
熊 士 林　17-7
熊 先 蓬　43-39, 68-39
尤 半 狂　32-10
游　　萍　74-43
挹　　彭　100-30
幽　　霊　17-30
喩 熙 傑　86-12, 128-2, 137-3
兪 寄 凡　78-19, 97-34, 98-37, 99-21
ユンカース　127-27

《よ》

曄　63-22
叶　　一　78-42
楊 雨 亭　38-5
楊　　雲　121-24
楊 雲 萍　119-10
楊　　永　128-29
姚　　遠　51-43
葉　　桜　129-29
楊　　花　16-31
楊 家 達　111-23
楊　　圻　94-10
楊 敬 遠　88-17, (上海版)98-42
姚　　紅　30-43
葉 行 寅　131-17
楊 光 政　98-29, 99-30・36, 100-34, 101-17, 102-30, 104-26, 105-32, 108-12, 110-15, 112-23, (上海版)97-10・64, (上海版)98-10・48, (上海版)99-46
楊 鴻 烈　34-2, 35-3, 36-22, 40-8, 59-15, 77-16, 84-15, 85-21, 86-34, 87-21, 88-22, 89-17, 90-21, 91-21, 92-20, (上海版)98-38
姚 作 賓　81-14
楊　　産　89-37
揚 子 江　96-48
楊 宗 慧　37-18
楊 寿 枏　31-33, 52-24, 82-11
楊 寿 聃　59-11
楊 鍾 羲　42-29
余 祥 森　17-7
余 晋 龢　25-45
姚 人 龍　29-14

楊正宇　53-3, 82-10
楊昔川　88-20
楊即墨　(上海版)98-45
楊馳　127-27, 129-34, 130-29
楊悌　136-29
楊濤　100-32, 109-37, 130-24
姚任　38-32
楊任遠　54-6
揚波　131-28
葉伯巨　129-26
揚馬　17-44
葉風　10-27
楊孚舜　100-40, 102-22
楊文昌　58-18, 61-10
葉蓬　94-2
楊鮑　106-32, 113-32, 122-21
姚宝　130-26, 141-21
葉未行　52-33・42, 60-41, 67-21, 71-38, 78-16, 83-23, 86-40, 88-33・36, 89-34・44, 95-46, 99-39, 101-22, 126-18, 132-19
楊牟民　111-23
楊野　34-36, 44-41, 65-41
楊葉　38-32
曄曄　43-18
楊用珊　55-35
楊犖　48-35
楊苓　14-42, 16-36, 23-40, 35-44, 71-37
楊棣　15-42, 29-66, 31-46, 118-28
予岂　128-29
横尾美智子　37-15
横溝光暉　9-6
横光利一　34-32, 127-12, 134-24・26, 137-7, 140-4
横山黄木　5-20
横山吾市　3-9
横山正幸　91-5
横山又吉　10-24, 14-18, 24-29
吉岡堅二　130-17
吉岡初　18-29
吉岡文六　1-11, 18-2, 30-3, 34-32, 37-15, 39-12, 57-8, 65-21, 83-4, 101-2, 126-4
吉岡彌生　9-20, 49-14
吉川英治　18-38, 138-29, 139-29, 140-24
芳沢謙吉　2-6
吉田学軒　8-18, 17-34
吉田熊槌　10-24
吉田絃二郎　106-39
好富正臣　94-2
吉村正　49-5
余若林　40-29, 57-36
吉屋信子　19-15, 25-49, 108-10, 119-8, 128-25, 138-4
予且　127-6
与承　14-42
余蘇丹　52-38
余治　47-23
米内光政　35-2
米山元　10-24
余冶　109-32

《ら》

雷妍　102-37, 126-35
雷宏張　89-12
雷辛　131-28
雷鳴　34-15
磊磊生　41-38, 45-35, 64-48
雷力普　36-70, 46-39, 48-39, 50-29, 55-40, 62-41, 65-43, 66-42
雷厲　37-20
羅雅子　112-17, 117-21, 123-9, 126-

12
羅　綺　36-68
羅錦圭　32-10, 35-37
落　雨　125-24
落　人　40-31, 41-34
洛　托　69-17
駱駝生　50-40
洛　夫　121-32
落　楓　12-26
落落斎主人　1-41, 2-33
蘿　茜　15-36
羅　特　101-6
羅文芳　40-22
羅　鳳　24-36
羅　懋　45-31, 47-31
羅　勃　48-44, 49-70
ラマルティーヌ　29-47
羅蜜爾　124-32
ラルソン，G.　67-42
蘿　荔　70-31
羅　霊　91-38
蘭　客　11-28
藍　汀　35-37
藍　読　101-23, 102-36, 103-26, 104-28, 105-30, 106-33
藍　苓　29-46, 31-41, 66-35, 78-37, 95-31, 97-14, 101-34, 107-41, 109-34, (上海版)97-2

《り》

李羽沉　103-41
李蘊冰　89-20
李　栄　29-64
李　衍　131-22, 133-23
李　漢　34-35
里　雁　37-34, 101-36
李希廸　134-30, 137-29
力　兵　132-25
李　嬌　30-42
李　欣　136-9
陸元懽　95-10, 105-5, 108-10
陸光杰　87-19
陸少青　121-21
陸　拾　90-44
陸拾陸億　56-24
陸　続　31-19, 36-58, 57-4, 75-30
陸廸康　92-18
陸白人　88-42, 93-33
陸　望　50-31, 53-42, 54-43
陸夢熊　26-5
李薫風　14-43, 15-43, 16-43, 17-35, 18-21, 19-21, 20-21, 21-22, 23-20, 25-32, 26-20, 27-20, 28-22, 30-22, 31-22, 32-22, 33-20, 34-22, 35-22, 36-34
李郡捷　120-36
李桂英　100-41, 118-28
李景慈　106-8
李景新　28-29, 92-11
李経邦　7-17, 8-25
李　憲　29-8
李　見　112-28
李　彦　7-20, 8-22, 21-13
李元暉　53-29, 69-9
李権時　117-9
李顕柔　37-18
李　光　3-19, 69-43, 70-39
李　孔　57-41, 59-40
李鴻勳　29-14
李公啓　114-23
李士栄　28-29
李士群　60-2, 94-2
李是聞　98-29, 99-36, (上海版)97-64, (上海版)98-48, (上海版)99-46
李釈戡　5-20, 22-38

李樹藩 11-17
李俊泰 45-30, 47-31
李　翔 127-15, 130-25
李尚志 7-17, 8-25
李書香 7-17, 8-25
李如蘋 55-8
李　真 107-16
李聖五 94-2
離　石 (上海版)97-44
李宣倜 31-33, 49-22, 97-35
履　泰 39-25
李達生 110-23
李　超 86-12, 88-13, 89-20
立　璈 63-35・37, 64-35・39, 66-36・40・45・48・49, 68-37・44, 76-23
立　日 24-36
李電英 111-23
李殿閣 4-28
李伯勤 17-7
李培昌 132-19
李拔可 17-34
李冰人 1-40
李文琨 49-71
李文湘 44-38, 58-19
李　平 29-14
李　烽 66-37, 68-39
李北川 33-38, 36-71, 38-38
李無双 32-19, 34-36, 36-59
李　明 124-21
劉維枢 69-40
劉夷馳 38-32
柳　雲 20-15
劉詠蓮 120-28, 129-30
劉延甫 58-5
劉　尊 88-38, 97-22, 118-29, (上海版)98-46
劉嘉禄 67-43, 100-31
劉　漢 117-32
劉寒吉 39-32
劉熙暄 86-11
劉希平 105-2
劉玉函 21-15
劉　勤 90-18
柳　金 109-35
劉　興 113-4
柳　寨 48-37
劉済時 106-32, 110-31, 112-28, 114-23, 124-21, 127-18, 132-19
劉　子 68-22, 93-43
劉士忱 28-29
劉紫風 54-6
柳　寂 138-28, 141-20
柳重徳 18-6
柳舜年 29-14
柳　舒 51-33, 65-43
劉　針 37-30, 38-31, 41-31, 43-31, 49-32, 52-21, 53-41, 67-36・42, 80-39, 94-33
劉振強 106-40, 139-10
劉清源 86-16
劉　蒼 103-15
柳　操 126-18, 127-18
柳　黛 71-15, 72-36, 74-42, 80-33・52, 90-43, 93-30, 102-34, 116-30, (上海版)99-34
劉多三 38-32
劉肇霖 136-29
劉南茁 37-18
劉美君 72-36, 116-29
劉敏君 57-29
劉鳳雲 33-46
劉邦興 85-18, 95-13
劉　樸 1-47
龍　翼 24-36, 27-42, 46-43
柳龍光 28-29, 38-32, 53-18・36,

54-6・18・25, 55-18, 56-18, 57-17, 58-20, 106-8, 119-5, 131-6
劉 凌 滄　14-43, 15-43, 16-43, 17-35, 18-21, 19-21, 20-21, 21-22, 23-20, 25-32, 26-20, 27-20, 28-22, 30-22, 31-22, 32-22, 33-20, 34-22, 35-22, 36-34
柳　浪　28-44, 41-29, 46-41, 47-42
里　予　126-38, 127-24
梁 永 恩　111-23
蓼　花　48-42
梁 鴻 志　1-3, 31-33, 49-22, 60-2, 97-35
凌 皓 帆　132-8
梁 衆 異　5-20, 11-16, 15-18, 36-26
凌霄漢閣　1-37, 2-20, 3-22, 4-35, 5-36, 6-41, 8-39, 12-35
凌霄漢閣主　18-42, 22-39, 25-50, 33-17, 37-37, 38-49
梁　津　57-42, 100-41, 130-19
梁 世 錚　38-32
梁　桑　135-10
梁　篤　131-4
淩　氷　13-27
凌　文　95-30
凌　琳　29-63, 50-48, 57-40, 59-43
凌　霊　127-36
緑　萍　93-38
旅　人　87-50
李　亮　126-18
李　霊　36-55, 38-43, 45-43, 52-37
李 冷 歌　38-32
李 騎 子　24-38, 34-37
李 霊 子　53-33
磷　映　101-47
林　火　23-46・47, 24-47・48, 27-29, 33-40, 37-51, 38-36, 39-38, 109-38
侖　火　52-41
沈 家 琦　7-17, 8-25
琳　24-43, 28-40, 30-20, 33-45, 34-42, 35-42
林　緩　24-32, 27-38
林 金 次　111-23
林 慶 英　111-23
林 鴻 翥　38-4
林 国 恩　37-4
林　孖　2-21, 18-33, 24-38, 29-65, 43-44
林　子　100-13, 107-35
林 秀 華　43-39
林　鐘　119-1
林　蒼　45-32
林　鳥　41-34
林　鼎　122-1
林 白 影　131-16
林 柏 生　40-2・8, 49-13, 60-2, 67-4, 94-2, 97-2, 98-6, 102-17, 112-2, 121-5,（上海版）97-16,（上海版）99-15
林　風　30-47, 32-38
林 文 龍　79-23
林　凡　23-46, 24-47
林　霊　37-20, 41-34
林　冷　120-33

《る》

壘　禹　58-33

《れ》

冷　歌　29-46, 61-34, 116-33・36
黎　笳　93-35
黎 建 青　126-13, 127-25

励行建　52-46, 104-40
駘　子　14-26
霊　子　48-45
苓　泉　6-17
冷廷暘　7-17, 8-25
麗　凡　91-34
黎　明　3-18
冷　夜　112-36
零　余　1-15
酈　零　126-18
レールモントフ　48-30・32
連　雲　38-30, 39-32

《ろ》

呂　73-52
楼亭茂　7-17, 8-25
婁　緡　66-47
老　翼　51-48
労　力　135-27
盧　蘊　126-30
呂蘊玉　104-25
呂栄寰　5-14
炉　火　111-36
盧　華　135-28
呂寒碧　22-38
呂　奇　126-35
路　光　134-26
呂公眉　95-30
盧　斯　110-12
路　鵑　88-41,（上海版）99-44
魯　植　120-33, 127-34, 134-22
呂書軒　58-31
魯　迅　106-43, 107-41, 108-35
魯　卒　（上海版）97-59
蘆　村　128-22
ロダン　135-20・22
呂仲素　15-18, 17-34, 37-24
路　丁　46-40, 128-22
魯　丁　95-31, 118-34, 123-31, 126-24
魯　風　21-35, 23-40, 25-61, 27-36, 28-17, 31-34, 32-30, 42-32, 44-30, 46-32, 49-32・65, 50-51, 52-18・19, 59-13・51, 64-23, 67-51, 72-51, 78-52, 81-19, 88-51, 96-52, 100-51, 102-51, 107-28, 108-10・11, 119-6, 126-35
呂　風　26-43, 37-21, 38-21, 39-22, 41-21, 42-21, 43-21・34, 44-22, 45-21, 46-19・42, 47-19・40, 48-21・42, 49-表紙・17・45・74, 50-18・51, 51-40, 52-51, 53-50, 58-51, 62-44, 69-45・51, 70-45, 71-45, 72-45, 74-45, 75-45, 76-45, 79-51, 99-40, 101-表紙, 126-35
路　平　54-40
呂宝田　122-14
魯　莱　133-27
ロングフェロー，H. W.　45-30
ロンドン，J.　46-30・32

《わ》

ワイルド　49-34
若槻克堂　39-26, 46-29
若槻礼　12-22, 13-32, 16-29, 18-29, 24-29
若山淳四郎　45-6
脇田和　66-22
和田進　126-35
和田清　130-2
和田誠一　38-30, 39-32
渡瀬亮輔　69-4, 83-12
渡辺彰　44-29
渡辺清　11-17

渡辺湖畔 2-15, 11-16
渡辺公平 78-19
渡辺善一郎 107-6
渡辺泰造 40-8
和辻春樹 117-22, 118-24, 119-26, 120-23, 121-22,

《その他》

阿処・康夫 134-18
阿魯茲羅・M・托林基諾 119-11
愛甲尼・巴遜尼 98-21
愛因支希 32-8
包姆加敦 32-8
達姆留・亢姆背爾替 111-28
杜留・康姆背爾諦 128-24
戈文・拉凡拉脱 112-28
亥丁歇納 106-38
漢斯・巴背 129-28
漢斯・巴比 109-29
莫斯科夫 105-31
喬治・布代 116-23
莎渥徳・泰納 139-10
伊 礼 斯 41-19
瓦須黎・瑪修丁 108-33
維利・弗庫斯 130-29
伊班湼茲 98-20
約翰・法雷 128-24
詹姆士・派登 116-7
皖 人 115-32
矖 零 99-39
A ・ B 44-37
A・K・林徳蘭 108-2
Bergman, Frank 65-32, 66-20, 67-32, 68-32, 69-39, 70-41, 71-39, 72-35, 74-37, 75-41
Byangwyn, F. 135-17
D ・ N 47-13, 63-29, 68-18
Daglish, E. F. 135-16
F. M. 楊賛 62-38
F・狄維斯 108-2
Favorsky, V. 135-16
Gibbings, R. 135-16
Janfen, F. M. 135-17
H 記 者 7-27
I 記 者 7-29
K・F・瓦林克 63-22・30
Leightou, C. 135-16
M・R・蓓蕾拉 119-12
M C 生 13-19
M 生 12-37
O 記 者 7-31
O'keilley, Mary Boyle 37-31
Osimo, B. 135-16
Pape, Hans 135-17
Pavlinoff, P. 135-16
Peake, M. 65-32, 66-20, 67-32, 68-32, 69-39, 70-41, 71-39, 72-35, 74-37, 75-41
Schlangennausen, E. 135-16
W. K. 135-17
Y ・ V 44-21, 45-16, 48-11
Y V 56-12

（作成:牛 耕耘／ぎゅう こううん）